# A loja dos sonhos

# A loja dos sonhos

## JOJO MOYES

Tradução de
Adalgisa Campos da Silva

intrínseca

Copyright © Jojo's Mojo Ltd, 2004

TÍTULO ORIGINAL
The Peacock Emporium

COPIDESQUE
Raquel Toledo

PREPARAÇÃO
Marcela Ramos
Thaís Carvas

REVISÃO
Agatha Machado
Mariana Gonçalves

DIAGRAMAÇÃO
Ilustrarte Design e Produção Editorial

ILUSTRAÇÃO DE CAPA
© Sarah Gibb

ADAPTAÇÃO DE CAPA
Antonio Rhoden

CIP-BRASIL. CATALOGAÇÃO NA PUBLICAÇÃO
SINDICATO NACIONAL DOS EDITORES DE LIVROS, RJ

M899L
    Moyes, Jojo, 1969-
        A loja dos sonhos / Jojo Moyes ; tradução Adalgisa Campos da Silva. - 1. ed. - Rio de Janeiro : Intrínseca, 2021.
        416 p. ; 23 cm.

    Tradução de: The peacock emporium
    ISBN 978-65-5560-335-4

    1. Ficção inglesa. I. Silva, Adalgisa Campos da. II. Título.

21-72917                               CDD: 823
                                        CDU: 82-3(410.1)

Meri Gleice Rodrigues de Souza - Bibliotecária - CRB-7/6439

[2021]
*Todos os direitos desta edição reservados à*
EDITORA INTRÍNSECA LTDA.
Rua Marquês de São Vicente, 99, 6º andar
22451-041 – Gávea
Rio de Janeiro – RJ
Tel./Fax: (21) 3206-7400
www.intrinseca.com.br

*A meus pais, Lizzie Sanders e Jim Moyes.*
*Com amor e gratidão.*

# PARTE UM

# Um

*Buenos Aires, 2001*
*O dia em que realizei meu primeiro parto*

Era a terceira vez na semana que o ar-condicionado tinha pifado no Hospital de Clínicas, e o calor era tão forte que as enfermeiras adotaram o hábito de segurar ventiladores de plástico a pilha em cima dos pacientes na ala de terapia intensiva, numa tentativa de refrescá-los. Havíamos recebido uma caixa com trezentos ventiladores de presente de um homem do ramo de importação que havia sobrevivido a um derrame, um dos poucos pacientes do hospital público que ainda se sentia com dinheiro o suficiente para fazer doações.

No entanto, aqueles ventiladores de plástico azuis revelaram-se quase tão confiáveis quanto a promessa de mais medicamentos e equipamentos médicos feita pelo homem. Por todo o hospital, pingando de calor no barulhento verão de Buenos Aires, ouvia-se o súbito ¡*Hijo de puta!* das enfermeiras — mesmo das normalmente devotadas — quando tinham que bater nos aparelhos para fazê-los voltar a funcionar.

Eu não sentia o calor. Estava suando frio, tremendo de medo, o pavor de um parteiro recém-formado que acabara de saber que realizaria seu primeiro parto. Beatriz, a parteira mais antiga, que supervisionara o meu treinamento, fez o anúncio fingindo que não era grande coisa. Deu-me um bom tapa no ombro com a mão negra rechonchuda e saiu para ver se conseguia pegar alguma comida da enfermaria geriátrica para alimentar uma de suas novas mães.

— Estão na dois — disse, apontando para a sala de parto. — Multípara, três filhos, mas este não está querendo sair. Quem pode culpá-lo? — Ela deu uma risada amarga e me empurrou em direção à porta. — Volto daqui a pouco. — Depois, quando me viu empacado ao lado da porta, ouvindo os gemidos de dor abafados lá dentro, acrescentou: — Vá, Turco, ele só pode sair por um lugar, você sabe.

Ainda conseguia ouvir a risada das outras parteiras quando entrei na sala de parto.

Eu planejara me apresentar com alguma autoridade, inspirar confiança tanto a mim mesmo quanto às minhas pacientes, mas a mulher estava ajoelhada no chão, empurrando com força a cara do marido e mugindo feito uma vaca, então considerei um aperto de mão inadequado.

— Por favor, doutor, ela precisa de algum remédio — disse o pai, afastando como podia a mão da esposa.

Percebi que sua voz tinha a deferência com que eu me dirigia aos meus superiores do hospital.

— Ah, Jesus amado, por que está demorando tanto? Por que está demorando *tanto*? — gritava a mulher para si mesma, balançando para trás e para a frente de cócoras.

Estava com a camiseta encharcada de suor, o cabelo, preso num rabo de cavalo, tão molhado que dava para ver linhas claras do couro cabeludo.

— Nossos dois últimos filhos vieram muito rápido — disse o pai, afagando o cabelo da esposa. — Não entendo por que este não vem.

Peguei o prontuário no pé da cama. A mulher estava em trabalho de parto havia quase dezoito horas: muito tempo para um primeiro filho, que dirá para o quarto. Resisti ao impulso de gritar por Beatriz. Em vez disso, encarei as anotações, procurando passar uma aura de entendido, e tentei recitar mentalmente a minha lista de providências ao som dos gemidos da mulher. Lá embaixo, na rua, alguém tocava uma música alta no carro: a insistente batida eletrônica da cúmbia. Pensei em fechar as janelas, mas a ideia de abafar ainda mais o quartinho escuro era insuportável.

— Pode me ajudar a colocá-la na cama? — perguntei ao marido, depois que perdi as forças de olhar para as anotações.

Ele deu um pulo na mesma hora, feliz, talvez por ter aparecido alguém que faria alguma coisa.

Depois que a levantamos, verifiquei sua pressão arterial e, enquanto ela agarrava o meu cabelo, cronometrei as contrações e apalpei sua barriga. A pele da mulher estava febril e escorregadia. A cabeça do bebê estava completamente encaixada. Perguntei ao marido sobre os partos anteriores, mas não descobri qualquer pista. Olhei para a porta e desejei que Beatriz aparecesse.

— Não tem por que se preocupar — falei, enxugando o rosto e torcendo para ser verdade.

Foi então que reparei no outro casal em pé e quase imóvel no canto do quarto, ao lado da janela. Eles destoavam dos visitantes mais frequentes de um hospital público: com aquelas roupas caras e coloridas, combinavam mais com o hospital suíço do outro lado da praça. O cabelo da mulher, que exibia uma tintura sofisticada, estava puxado para trás num *chignon* elegante, mas a maquiagem não sobrevivera ao calor sufocante de quarenta graus e borrara em volta dos olhos, escorrendo pelo rosto brilhante. Ela segurou o braço do marido e olhou atentamente para a cena diante deles.

— Ela está precisando de medicamentos? — perguntou, virando-se para mim. — Eric pode conseguir remédios para ela.

*Será que é a mãe de um deles?*, pensei, distraído. Ela parecia nova demais.

— O trabalho de parto já está muito avançado para medicamentos — respondi, tentando parecer confiante.

Todos olhavam para mim com expectativa. Nenhum sinal de Beatriz.

— Farei apenas um exame rápido — informei.

Como ninguém deu a impressão de que me impediria, não tive opção senão fazer mesmo.

Levei os calcanhares da mulher até suas nádegas e deixei seus joelhos caírem para o lado. Depois esperei até a contração seguinte e, com a maior delicadeza possível, fiz o exame de toque. Isso podia ser doloroso no trabalho de parto avançado, mas ela estava tão cansada que mal protestou. Fiquei um minuto parado, tentando entender. Ela estava totalmente dilatada, mas eu não conseguia sentir a cabeça do bebê... Por um instante, perguntei-me se não seria mais uma das peças que as parteiras pregavam, como quando me pediram para manter uma boneca aquecida na incubadora. De repente, senti um leve entusiasmo. Dei a todos um sorriso tranquilizador e corri ao armário de instrumentos, torcendo para que o que eu procurava não tivesse sido saqueado por outro departamento. Mas lá estava o instrumento que parecia uma pequena agulha de crochê de aço: minha varinha mágica. Segurei-a na palma da mão, sentindo uma espécie de euforia com o que estava prestes a acontecer, com o que *eu* estava prestes a fazer.

O ar foi rasgado por outro gemido da mulher. Eu estava com um pouco de medo de fazer o procedimento sem supervisão, mas sabia que não era justo esperar mais. E, agora que o monitor cardíaco fetal já não funcionava, eu não tinha como saber se a criança estava sofrendo.

— Mantenha-a quieta, por favor — pedi ao marido e, cronometrando cuidadosamente o intervalo das contrações, introduzi o gancho e fiz um pequeno furo na bolsa de água, que, como percebi, bloqueava o avanço do bebê.

Mesmo com os gemidos da mulher e o tráfego lá fora, ouvi o belo estalo da membrana cedendo à minha pressão. Subitamente, veio um jorro de fluido e a mulher se sentou, dizendo, com certa surpresa e bastante urgência:

— Preciso fazer força.

Neste momento, Beatriz chegou. Ela notou o instrumento em minha mão, a determinação renovada no rosto da mulher, e, ajudando o marido a apoiá-la, fez um sinal com a cabeça para que eu continuasse.

Depois disso, não me lembro de muita coisa. Lembro-me de ver a quantidade impressionante de cabelo preto fino, de pegar a mão da mulher e colocá-la ali para que aquilo pudesse incentivá-la também. Lembro-me de instruí-la a fazer força e arfar, e que, quando o bebê começou a surgir, eu gritava tão alto quanto nos jogos de futebol a que ia com meu pai, com alívio, choque e alegria. E me lembro de ver aquela linda menina deslizando para as minhas mãos, o azul mosqueado de sua pele logo se tornando cor-de-rosa, feito um camaleão, antes de soltar um vigoroso grito bem-vindo de indignação com sua entrada atrasada no mundo.

E, para minha vergonha, lembro que tive que virar a cabeça, porque, quando cortei o cordão umbilical e a deitei no peito da mãe, percebi que tinha começado a chorar e não queria que Beatriz desse às outras parteiras mais um motivo para rirem.

Ela apareceu ao meu lado, enxugando a testa, e apontou para trás.

— Depois que você terminar — disse, em voz baixa —, vou rapidinho lá em cima ver se consigo achar o Dr. Cardenas. Ela perdeu muito sangue, não quero que se mexa antes de ele dar uma olhada.

Eu mal ouvi o que foi dito, e Beatriz percebeu isso. Então me deu um pontapé no tornozelo.

— Nada mal, Ale — falou, sorrindo. Foi a primeira vez que me chamou pelo meu nome verdadeiro. — Na próxima, você talvez até se lembre de pesar o bebê.

Eu já ia responder no mesmo tom, a alegria me dando coragem, pela primeira vez, de me manifestar. Mas, enquanto conversávamos, percebi que o clima no quarto mudara. Beatriz também notou, e congelou no mesmo instante. Em vez dos típicos arrulhos extasiados da mãe vendo o bebê pela primeira vez e do murmúrio suave de parentes admirados, só se ouvia no quarto uma súplica baixinha:

— Diego, não, não, Diego, por favor...

O casal bem vestido passara para o lado da cama. Reparei que a mulher tremia, um meio sorriso estranho no rosto, estendendo a mão timidamente para a bebê.

A mãe agarrava a filha ao peito, olhos fechados, murmurando para o marido:

— Diego, não, não. Não consigo fazer isso.

O marido acariciava seu rosto.

— Luisa, nós concordamos. Você sabe que concordamos. Não temos dinheiro para alimentar os nossos filhos, imagina mais um.

Ela não abria os olhos, as mãos ossudas enroladas no xale tantas vezes lavado do hospital.

— As coisas vão melhorar, Diego. Você vai conseguir mais trabalho. Por favor, amor, por favor, não...

Diego franziu o rosto. Ele esticou o braço, devagarinho, para soltar os dedos da esposa, um por um, da bebê. Ela agora chorava.

— *Não. Não, Diego, por favor.*

A alegria do nascimento evaporara, e senti o estômago embrulhado ao me dar conta do que estava acontecendo. Eu estava pronto para intervir, mas Beatriz, com uma rara expressão sombria no rosto, deteve-me com um mínimo movimento de cabeça.

— O terceiro este ano — sussurrou.

Diego conseguira pegar a bebê. Abraçou-a com força, sem olhar em sua direção, e depois, de olhos fechados, ergueu-a para longe dele. A mulher que aguardava deu um passo à frente.

— Vamos amá-la muito — disse, seu sotaque elitista falhando com as lágrimas. — Esperamos tanto tempo...

A mãe então ficou descontrolada e tentou sair da cama. Beatriz deu um salto, segurando-a.

— Ela não pode se mexer — disse, com uma voz que sua cumplicidade contrariada tornava mais estridente. — É muito importante que você não a deixe se mexer até o médico chegar.

Diego envolveu a esposa com os braços. Difícil saber se para consolá-la ou aprisioná-la.

— Eles vão dar tudo a ela, Luisa, e o dinheiro vai nos ajudar a alimentar nossos filhos. Você tem que pensar nos nossos filhos, na Paola, no Salvador... Pense em como as coisas têm sido...

— Minha *bebê* — gritou a mãe, sem lhe dar ouvidos, ferindo com as unhas o rosto do marido, impotente diante do tamanho de uma pesarosa Beatriz. — Você não pode levar ela embora.

Suas unhas deixaram um lanho sangrento, mas acho que ele não notou. Fiquei ao lado da pia enquanto o casal voltava em direção à porta, meus ouvidos preenchidos pelo som visceral de uma dor que nunca esqueci, sem nem conseguir mais olhar para a criança cujo parto me dera tanta alegria fazer.

E até hoje não consigo me lembrar de qualquer ponto positivo do parto do primeiro bebê que trouxe ao mundo. Só me vêm à memória os gritos da mãe, a expressão de dor gravada em seu rosto, uma dor que eu sabia, mesmo não tendo experiência, que jamais seria aplacada. E me lembro da mulher, traumatizada, mas decidida, que saiu de maneira furtiva com o bebê, como uma ladra, dizendo baixinho:

— Ela vai ser amada.

Deve ter dito cem vezes, embora ninguém estivesse ouvindo.

— Ela vai ser amada.

# Dois

*1963: Framlington Hall, Norfolk*

Entre Norwich e Framlington, o trem fez seis paradas não previstas. O azul glacial infinito do céu escurecia, embora nem sequer fosse a hora do chá. Vivi observara os guarda-freios saltarem várias vezes com pás para retirar montes de neve dos trilhos e sentira sua impaciência com o atraso compensada por uma satisfação perversa.

— Espero que quem for nos buscar esteja com correntes de neve nos pneus — disse, com sua respiração embaçando a janela do vagão de tal maneira que teve que esfregar o dedo enluvado no vidro para voltar a ver a paisagem. — Não quero empurrar carro nenhum nessa nevasca.

— Você não teria que empurrar — disse Douglas, por trás do jornal. — Os homens empurram.

— Deve escorregar absurdamente.

— Para quem usa botas como as suas, sim.

Vivi olhou para seus novos sapatos Courrèges, satisfeita por ele ter reparado. Completamente inadequado para o clima, dissera sua mãe, acrescentando com tristeza para o pai de Vivi que "não consegue entender o que está havendo com ela". Vivi, normalmente condescendente em relação a tudo, fora categórica e se recusou a usar galochas. Era seu primeiro baile e, além de desacompanhada, não chegaria parecendo uma menina de doze anos. Aquele não tinha sido o único embate entre as duas: seu cabelo, uma criação elaborada de cachos modelados presos no alto da cabeça, não deixava espaço para um bom chapéu de lã, e a mãe estava agoniada sem saber se o enorme trabalho que tivera para montar o penteado valia o risco de deixar a única filha se aventurar só com um lenço na cabeça no inverno mais rigoroso de que se tinha registro.

— Vou ficar bem — mentiu a garota. — Bem quentinha.

Agradeceu em silêncio por Douglas não notar que ela estava usando ceroulas por baixo da saia.

Já estavam no trem havia quase duas horas, uma delas sem calefação: o guarda-freios lhes dissera que o aquecimento daquele vagão pifara antes mesmo da frente fria. Eles haviam planejado viajar com a mãe de Frederica Marshall no carro dela, mas Frederica pegara uma mononucleose (não à toa, a enfermidade também era conhecida como "a doença do beijo", segundo a observação mordaz da mãe de Vivi), e assim, com relutância, os pais dos jovens os deixaram viajar sozinhos de trem, com muitos avisos sobre a importância de Douglas "tomar conta" de Vivi. Ao longo dos anos, Douglas fora instruído muitas vezes a tomar conta de Vivi —, mas a perspectiva da garota sozinha num dos eventos sociais do ano, ao que parecia, tinha conferido a essa tarefa uma ressonância significativa.

— Você se importa que eu viaje com você, D? — perguntou, tentando fazer charme.

— Não seja boba.

Douglas ainda não perdoara o pai por se recusar a deixá-lo pegar emprestado o Vauxhall Victor.

— Não sei por que meus pais não me deixam viajar sozinha. Eles são tão caretas...

Ela ficaria bem com Douglas, dissera seu pai, de um jeito tranquilizador. Ele é como um irmão mais velho. Em seu coração sem esperança, Vivi sabia que o pai tinha razão.

Apoiou um dos pés calçados no assento ao lado de Douglas. Ele estava usando um casacão de lã grossa e seus sapatos, como os da maioria dos homens, traziam uma marca pálida de neve derretida em volta.

— Pelo visto, todo mundo que é importante vai hoje à noite — disse ela. — Muita gente não conseguiu convite.

— Podiam ter ficado com o meu.

— Parece que aquela Athene Forster vai. Aquela que foi grosseira com o duque de Edimburgo. Você a viu em algum dos bailes?

— Não.

— Ela é um horror. Mamãe a viu nas colunas sociais e começou a falar que o dinheiro não compra educação, ou coisa assim. — Parou e esfregou o nariz. — A mãe da Frederica acha que, em breve, essa coisa de "temporada social" não vai mais existir. Disse que garotas como a

Athene estão acabando com a tradição. Ela está sendo chamada de "a Última Deb".

Douglas bufou sem tirar os olhos do jornal.

— A Última Deb. Que besteira. A temporada toda é uma fachada. Tem sido desde que a rainha parou de receber pessoas na corte.

— Mas ainda é uma boa maneira de conhecer pessoas.

— Uma boa maneira de garotos e garotas conhecerem pretendentes adequados para o casamento. — Douglas fechou o jornal e o colocou no assento ao seu lado. Recostou-se e pôs as mãos atrás da cabeça. — As coisas estão mudando, Vi. Em dez anos, bailes de caça como esse não existirão mais. Nem vestidos elegantes ou casacas.

Vivi não tinha certeza, mas achava que essa afirmação podia estar ligada à obsessão de Douglas com o que ele chamava de "reforma social", que parecia abarcar tudo, da educação das classes trabalhadoras de George Cadbury ao comunismo na Rússia. Por meio da música popular.

— Então qual será a solução para conhecer outras pessoas?

— Todos serão livres para sair com quem quiserem, seja qual for a sua origem social. Será uma sociedade sem classes.

Era difícil dizer pelo tom de voz se ele achava que isso era uma coisa boa ou se estava fazendo uma advertência. Então Vivi, que raramente lia os jornais e admitia não ter opiniões próprias de verdade, fez um ruído de concordância e tornou a olhar pela janela. Torceu, não pela primeira vez, para que seu penteado durasse a noite toda. Ela não teria problema em danças como o *quickstep* e o Gay Gordons, segundo sua mãe, mas talvez fosse melhor tomar um pouco de cuidado na hora do Dashing White Sergeant.

— Douglas, você me faz um favor?

— Qual?

— Sei que você não queria muito vir...

— Eu não me importo.

— E sei que você detesta dançar, mas, depois de algumas músicas, se ninguém tiver me convidado, promete que dança comigo? Acho que eu não aguentaria passar a noite toda sozinha. — Ela tirou as mãos por um instante do relativo calor dos bolsos. Um esmalte perolado cobria uniformemente suas unhas. Cintilava, opalescente, ecoando o véu cristalino que aparecia agora, pouco a pouco, na janela do vagão. — Pratiquei bastante. Não vou decepcionar você.

Ele sorriu. Apesar do frio que invadia o vagão, Vivi sentiu-se mais aquecida.

— Você não vai ficar sozinha — disse, colocando os pés no assento perto dela. — Mas danço, sua boba. É óbvio que danço.

Framlington Hall não era uma das joias da herança arquitetônica da Inglaterra. A impressão de antiguidade que dava à primeira vista era enganosa: qualquer um com conhecimento básico de arquitetura deduziria rapidamente que seus torreões góticos não harmonizavam bem com suas colunas palladianas, que os vitrais estreitos destoavam do telhado de duas águas do enorme salão de baile, que o vermelho gritante de seus tijolos parecia ter sido afetado pela exposição por não mais que algumas estações. Era, em resumo, um vira-lata estrutural, um híbrido de todos os piores desejos nostálgicos de um passado mítico, seu próprio senso de importância impondo alguma categoria na paisagem rural plana ao redor.

Seus jardins, quando não cobertos por vários palmos de neve, eram estritamente formais. Os gramados eram muito bem tratados e densos como o pelo de um tapete caro, o roseiral plantado não numa confusão delicadamente emaranhada, mas em fileiras idênticas de arbustos brutalmente podados, cada qual uma imitação em tamanho e forma do seguinte. Suas cores não eram rosa e pêssego desbotados, mas vermelho-sangue, meticulosamente cultivadas ou enxertadas em laboratórios na Holanda ou na França. De cada lado, erguiam-se fileiras de ciprestes de Leyland uniformemente verdes, preparando-se, mesmo na extrema juventude, para isolar a casa e o terreno do mundo lá fora. Era menos como um jardim e mais como uma espécie de curral de horticultura, como notara um visitante.

Não que essas considerações incomodassem o fluxo constante de convidados que, com bolsas de viagem em punho, foram despejados no acesso circular na frente da casa, repleto de sal para derreter a neve. Alguns tinham sido convidados pessoalmente pelos Bloomberg, que haviam projetado a mansão (e foram desencorajados de última hora a comprar um título para combinar com ela), outros foram convidados pelos amigos mais bem relacionados dos Bloomberg, com a permissão expressa de criar a atmosfera ideal. E uns simplesmente tinham aparecido, torcendo, sabiamente, para que, na escala geral das coisas, alguns penetras com a feição e o sotaque certos não incomodassem ninguém. Os Bloomberg, com uma fortuna recém-cunhada no ramo bancário e a determinação de manter a tradição da festa de debutantes viva para suas filhas gêmeas, tinham fama de anfitriões generosos. E as coisas estavam mais tranquilas nessa época — ninguém jogaria ninguém na neve. Especialmente quando havia um interior recém-decorado para exibir.

Vivi pensara nisso por um bom tempo enquanto estava sentada em seu quarto (com direito a toalhas, artigos de toalete e secador de cabelos de duas velocidades), a pelo menos dois corredores do de Douglas. Fora uma das felizardas, convidada graças à relação profissional do pai de seu acompanhante com David Bloomberg. A maioria das garotas estava alojada num hotel a vários quilômetros dali, mas ela ficaria num quarto com quase o triplo do tamanho do seu e duas vezes mais luxuoso.

Lena Bloomberg, uma mulher alta, elegante e com o ar de quem estava cansada de saber que a única atração verdadeira do marido por ela era financeira, tinha erguido as sobrancelhas para as saudações mais extravagantes dele e dito que havia chá e sopa na sala para quem precisasse se esquentar. Além disso, afirmou que, se Vivi precisasse de *qualquer coisa*, ela deveria avisar — embora não a Sra. Bloomberg, era de se supor. Depois instruíra um funcionário a conduzi-la ao seu quarto, longe da ala dos homens —, e Vivi, tendo experimentado cada pote de creme e cheirado cada frasco de xampu, ficara algum tempo sentada antes de se trocar, deleitando-se com a liberdade inesperada e se perguntando como deveria ser viver assim todo dia.

Enquanto entrava no vestido (corpete justo, saia comprida lilás, feito pela mãe a partir de um molde Butterick) e trocava as botas por sapatos, ouvia o rumor distante de vozes das pessoas passando por sua porta, um ar de expectativa se infiltrando nas paredes. Do andar de baixo, era possível escutar os sons dissonantes da banda se aquecendo, os passos apressados do pessoal preparando quartos e as exclamações de conhecidos se cumprimentando nas escadas. Vivi passara semanas ansiosa pelo baile. Agora que o momento chegara, estava com o mesmo tipo de pavor bobo que sentia quando ia ao dentista. Não só porque a única pessoa que provavelmente conhecia era Douglas, nem porque, depois de sentir-se incrivelmente livre e sofisticada no trem, agora estava se achando muito jovem, mas porque, diante das garotas magras e radiantes que haviam chegado em seus vestidos de baile, sentiu-se de repente uma pobretona desengonçada, as botas novas já sem brilho. Porque, para Veronica Newton, glamour não era uma coisa assim tão fácil. Apesar dos acessórios femininos, dos bobes de cabelo e das cintas, ela era obrigada a admitir que seria sempre bem comum. Era curvilínea numa época em que a beleza era medida pela magreza. Era corada e tinha um aspecto saudável quando deveria ser pálida e ter olhos arregalados. Ainda usava saias rodadas e blusas de botão quando a moda era silhueta evasê e moderna. Até seu cabelo, loiro natural, era cheio, ondulado e ressecado feito palha, recusando-se a cair em linhas geometricamente retas como as das modelos da *Honey* ou da *Petticoat*; em vez disso, contornava seu rosto em mechas esvoaçantes. Hoje, com cachos artificiais, parecia mais rígido e armado do que a criação charmosa que Vivi havia imaginado. Para piorar, seus pais, num rompante atípico de imaginação, tinham-na apelidado de Vivi, o que significava que as pessoas tendiam a parecer decepcionadas quando eram apresentadas a ela, como se seu nome sugerisse algum exotismo que ela não tinha. "Nem todo mundo pode ser a mais bela do baile", dissera sua mãe, tentando tranquilizá-la. "Você vai ser uma esposa encantadora para alguém."

*Não quero ser a esposa encantadora de alguém*, pensou Vivi, olhando para o espelho e sentindo a usual carga de insatisfação. *Só quero ser a paixão do Douglas*. Permitiu-se uma breve reprise de sua fantasia, agora tão repassada quanto as páginas de seu livro favorito — aquela em que Douglas, balançando a cabeça de um lado para outro diante de sua beleza inesperada naquele vestido de baile, conduzia-a para a pista de dança, e os dois valsavam até ela ficar tonta, a mão forte do rapaz firmemente colocada em suas costas, o rosto colado no dela... (Precisava admitir que a fantasia se devia em grande parte a *Cinderela,* de Walt Disney. E assim tinha que ser, já que as coisas tendiam a ficar meio confusas depois do beijo.) Desde que chegara, sua fantasia vinha sendo interrompida por réplicas magras e enigmáticas da modelo Jean Shrimpton, que tentavam Douglas com sorrisos deliberados e cigarros Sobranie — portanto, Vivi começara uma nova, em que, no fim da noite, Douglas a acompanhava de volta a um quarto enorme, aguardava com expectativa à porta aberta e depois, finalmente, com ternura, acompanhava-a até a janela, olhava para seu rosto iluminado pelo luar e...

— Vi? Você está decente? — Vivi sobressaltou-se de um jeito meio culpado quando Douglas bateu com força na porta. — Pensei que talvez pudéssemos descer cedo. Encontrei um antigo amigo da escola e ele está guardando umas taças de champanhe para nós. Você já está terminando de se arrumar?

O prazer de ser chamada por Douglas entrou em conflito com sua consternação por ele já ter encontrado outra pessoa com quem conversar.

— Dois segundos — gritou, passando rímel nos cílios, e rezando para que essa fosse a noite em que ele seria obrigado a olhar para ela de outro jeito. — Já estou indo.

Ele estava perfeito de smoking, é lógico. Ao contrário do pai dela, cuja barriga se estufava de maneira deselegante por cima da faixa, como uma vela inflada pelo vento, Douglas simplesmente parecia mais alto e mais aprumado, os ombros quadrados sob o tecido encorpado escuro do paletó, a pele vibrante e viva contrastando com o aspecto sóbrio da camisa branca. Vivi pensou que ele provavelmente sabia que estava atraente. Quando lhe disse isso — de brincadeira, para disfarçar a intensidade do desejo que sua aparição lhe provocara —, ele deu uma risada seca e disse que estava se sentindo um idiota todo amarrado. Depois, como que envergonhado por ter esquecido, também elogiou Vivi.

— Você caprichou, mulher — disse, envolvendo-a com o braço e lhe dando um apertão fraternal.

Não era bem o Príncipe Encantado, mas já era alguma coisa. Vivi sentiu o toque queimar na pele nua.

— Sabia que agora estamos oficialmente isolados pela neve?

Alexander, o amigo pálido e sardento dos tempos de escola de Douglas, trouxera outra bebida para ela. Era sua terceira taça de champanhe, e a paralisia que ela sentira no início, quando confrontada pelo mar de rostos glamorosos, evaporara.

— O quê? — perguntou Vivi.

Ele se inclinou para que ela pudesse ouvi-lo em meio ao barulho da banda.

— A neve. Voltou a nevar. Pelo visto, ninguém vai passar do fim do acesso à propriedade até trazerem mais cascalho amanhã.

Ele, como muitos dos homens, usava um paletó vermelho ("cor-de-rosa", ele a corrigiu), e sua loção pós-barba era fortíssima, como se tivesse exagerado por não saber dosar direito a quantidade.

— Onde você vai ficar?

Vivi de repente visualizou mil corpos acampados no chão do salão de baile.

— Ah, para mim não tem problema. Estou hospedado aqui, como você. Mas não sei o que os outros vão fazer. Virar a noite, provavelmente. Alguns desses caras já iam fazer isso de qualquer maneira.

Ao contrário de Vivi, a maioria das pessoas que ela via ao redor tinha cara de quem ficava acordada até o amanhecer tranquilamente. Todas pareciam muito confiantes e seguras, sem se intimidar com o ambiente imponente. A pose e as conversas sugeriam que não havia nada de muito especial em estar naquela casa majestosa, embora houvesse uma frota de lacaios cujo único desejo era lhes servir comes e bebes, ou ainda que não tinham ninguém para supervisioná-las naquela noite em que rapazes e moças provavelmente teriam que dormir na mesma casa. As moças se mostravam à vontade nos vestidos, com a indiferença de quem estava tão acostumada com um elegante traje a rigor quanto com um sobretudo.

Elas não tinham cara de figurantes de filmes da Disney. Entre as tiaras e as pérolas, havia olhos excessivamente delineados, cigarros e, de vez em quando, uma saia Pucci. E, apesar da elegância incongruente do salão, dos muitos vestidos de baile e de noite rodopiando, não demorou muito para a banda ser convencida a deixar o repertório de danças tradicionais e tocar algo um pouco mais moderno — uma versão instrumental de "I Wanna Hold Your Hand" levara as garotas aos gritos para a pista de dança, sacudindo a cabeça com penteados elaborados e remexendo os quadris, deixando de lado as damas de companhia, que balançavam a cabeça num gesto de perplexidade e censura. Outra excluída era Vivi, que concluía, com tristeza, ser improvável conseguir sua valsa com Douglas.

Não que tivesse certeza de que ele se lembrava da promessa. Desde que tinham entrado no salão, ele parecera distraído, como se farejasse algo que ia além da compreensão de Vivi. Aliás, Douglas parecia outra pessoa, fumando charutos com os amigos e contando piadas que ela não entendia. Vivi estava bem segura de que ele não falava do colapso iminente do sistema de classes — pelo contrário, parecia perturbadoramente à vontade entre as gravatas pretas e paletós de caça. Várias vezes, ela tentara dizer algo em particular para ele, algo que restabelecia sua história compartilhada, um grau de intimidade. A certa altura, tomou coragem e fez uma brincadeira sobre ele estar fumando charuto, mas Douglas não parecera particularmente interessado — apenas ouvira com o que sua mãe sempre chamava de "metade do ouvido". Depois, da maneira mais educada que pôde, voltara-se para a outra conversa.

Tendo começado a se sentir ridícula, Vivi ficara quase agradecida quando Alexander lhe deu atenção.

— Está a fim de um *twist*? — perguntou, e ela teve que confessar que só havia aprendido os passos de dança clássicos. — É fácil — disse ele, conduzindo-a para a pista —, é só apagar um cigarro com o dedo do pé e esfregar uma toalha na retaguarda. Entendeu?

Ele parecera tão cômico que Vivi explodiu em gargalhadas, depois olhou para trás no intuito de ver se Douglas tinha notado, mas ele havia desaparecido, e não pela primeira vez naquela noite.

Às oito, o mestre de cerimônias anunciou que havia um bufê, e a garota, um pouco mais zonza do que quando chegara, entrou numa longa fila para conseguir uma *sole véronique* ou um *boeuf bourguignon*, se perguntando como harmonizar sua fome extrema com a percepção de que nenhuma das moças à sua volta estava comendo mais do que alguns palitos de cenoura excessivamente cozidos.

Quase por acaso, tinha se inserido num grupo de amigos de Alexander. O rapaz a apresentara dando uma ligeira impressão de que ela lhe pertencia, e Vivi dera por si puxando o corpete, ciente de que estava revelando um bom pedaço de decote corado.

— Já foi ao Ronnie Scott's? — perguntou um deles, inclinando-se tanto em sua direção que ela teve que afastar o prato.

— Não sei quem é. Sinto muito.

— É um clube de jazz na Gerrard Street. Deveria fazer o Xander levar você lá. Ele conhece o Stan Tracy.

— Não conheço mesmo.

Vivi recuou e se desculpou quando esbarrou na bebida de alguém.

— Nossa, estou faminto. Fui à festa dos Atwood semana passada e eles só serviram musse de salmão e *consommé*. Tive que pagar às meninas para me darem os delas. Pensei que fosse desmaiar de fome.

— Não existe nada pior que um bufê ruim.

— Concordo plenamente, Xander. Vai esquiar esse ano?

— Verbier. Alfie Baddow emprestou a casa para os meus pais. Lembra do Alfie?

— Em breve vamos todos precisar de esquis para sair daqui.

Vivi percebeu que se afastava obsequiosamente enquanto várias conversas continuavam à sua volta. Começava a se sentir desnorteada com o jeito como a mão de Xander roçara "por acaso" o seu traseiro diversas vezes.

— Alguém viu Douglas?

— Conversando com alguma loira na galeria. Enfiei o dedo no ouvido dele quando passei.

O sujeito simulou lamber o dedo e enfiá-lo no ouvido do amigo.

— Outra dança, Vivi? — Alexander estendeu a mão, fazendo menção de levá-la de volta para a pista.

— Acho... acho que vou esperar essa acabar.

Vivi pôs a mão no cabelo e percebeu, com desânimo, que seus cachos não pareciam mais estar macios e definidos, tendo desmoronado em frondes duras.

— Então vamos dar uma volta pelas mesas — disse ele, oferecendo-lhe o braço. — Seja o meu amuleto da sorte.

— Posso encontrar você daqui a pouco? Preciso muito... retocar a maquiagem.

Uma fila de mulheres tagarelas saía serpenteando do banheiro do andar de baixo, e Vivi, sozinha no meio daquele burburinho todo, percebeu que estava bem apertada quando chegou ao início da fila. Sentiu-se bastante desconfortável quando de repente...

— Vivi! Querida! É a Isabel. A Izzy? Da Sra. de Montfort? Você está um espetáculo! — O espaço agora limitado entre ela e a porta do banheiro foi ocupado.

A menina, de quem Vivi se lembrava apenas vagamente (fosse por já ter bebido demais, fosse por realmente não a reconhecer), apareceu na sua frente, levantando sem a menor elegância a longa saia cor-de-rosa com uma das mãos, e lhe plantou um beijo bem atrás da orelha.

— Querida, será que eu poderia passar a sua frente? Estou *morrendo* de vontade. Vou me desgraçar se... Ai, *maravilha*.

Assim que a porta abriu diante delas, Isabel entrou, e Vivi se pegou cruzando as pernas, a noção de antecipação frustrada de sua bexiga transformando uma vaga necessidade numa urgência desconfortável.

— Que vaca — disse uma voz atrás dela. Vivi corou, cheia de culpa, imaginando que o xingamento se dirigisse a ela. — Ela e aquela garota Forster andam monopolizando completamente o Toby Duckworth e a Cavalaria Real a noite inteira. A Margaret B-W está chateadíssima.

— Athene Forster nem gosta do Toby Duckworth. Ela só fica de gracinha porque sabe que ele é caidinho por ela.

— Ele e metade daquele maldito quartel de Kensington.

— Não sei como eles não enxergam quem ela é de verdade.

— Podem não enxergar, mas certamente não tiram os olhos dela.

Uma risada percorreu a fila, e Vivi reuniu coragem para olhar para trás.

— Dizem que os pais mal falam com ela.
— Não é nenhuma surpresa. Ela está ganhando fama.
— Dizem as más línguas que ela...

As vozes se transformaram num murmúrio, e Vivi se virou para a porta temendo que pensassem que ela estivesse escutando a conversa alheia. Tentou, sem sucesso, não pensar na bexiga. Então procurou, com menos sucesso ainda, não pensar no paradeiro de Douglas. Receava que ele pudesse ter a impressão errada do seu contato com Alexander. E se sentia decepcionada ao ver que o baile não estava tão divertido quanto previra. Quase não tinha visto Douglas e, nas poucas vezes em que viu, ele parecera um estranho inalcançável, totalmente diferente do *seu* Douglas.

— Vai entrar?

A garota atrás dela apontava para a porta aberta. Isabel deve ter deixado o cubículo vago sem dizer uma palavra. Sentindo-se irritada e estúpida, Vivi entrou no banheiro, depois praguejou quando a bainha de sua saia roçou uma poça não identificada no chão de mármore.

Ela fez xixi, deu um puxão no cabelo, insatisfeita, aplicou com pequenos toques o pó compacto para tirar o brilho de suor da pele, tentou desajeitadamente acrescentar rímel aos cílios já meio grudados. Sua aparência no momento não tinha mais nada de conto de fadas, refletiu. A menos que contassem as Irmãs Feias.

As impacientes batidas na porta tinham ficado insistentes demais para serem ignoradas. Ela saiu no corredor, preparada para se desculpar pelo tempo que levou lá dentro. Mas ninguém olhava para ela.

A fila de garotas olhava para a sala de jogos, onde uma comoção as deixara sem ar. Vivi demorou um pouco para se situar, mas depois, com as demais, acompanhou lentamente os tinidos e as exclamações esporádicas, sentindo a atmosfera ficar gelada de repente. Ouviu-se o som de uma trompa esganiçada, e Vivi percebeu que a competição de sopro de trompas de caça, da qual Xander lhe falara, devia ter começado. Mas aquela trompa não estava sendo tocada com nenhuma delicadeza. Eram sopros forçados, como se alguém estivesse ofegante ou rindo.

Vivi parou na entrada da sala de jogos, atrás de um grupo de homens, e olhou em volta. Do outro lado da enorme sala, alguém abrira a janela francesa que dava para os gramados da frente, e um ou outro floco de neve entrava na diagonal. Ela se encolheu toda, sentindo um arrepio na pele. Percebeu que pisara no pé de alguém e chegou para o lado, encarando o homem pronta para pedir desculpas. Mas ele nem notou. Olhava para a frente, a boca entreaberta, como se, em sua embriaguez, não estivesse convencido do que via.

Pois ali, entre a roleta e as mesas de *blackjack*, estava um enorme cavalo cinza, andando, nervoso, para trás e para a frente, narinas infladas e olhos revirados, os cascos ainda cobertos de neve, rodeado por um mar de faces que misturavam espanto e alegria. Na garupa do animal, estava a garota mais branca que Vivi já tinha visto, o vestido levantado, revelando pernas longas de porcelana, os pés ainda calçados com sapatilhas de paetê de festa, o cabelo escuro e comprido flutuando às costas, um braço nu em riste conduzindo o animal pela guia presa à cabeça, fazendo-o se aproximar e se afastar das mesas, o outro erguendo uma trompa de metal à boca. Meio distraída, Vivi notou que, ao contrário de seus braços já vermelhos, os da outra garota não demonstravam o menor indício de frio.

— Raposa à vista! — Um dos rapazes de paletó cor-de-rosa no canto tocava a própria trompa.

Outros dois haviam subido em mesas para ter uma visão melhor.

— Não acredito nessa porcaria.

— Pule as mesas de roleta! Vamos juntar todas elas!

Vivi viu Alexander no canto, rindo e erguendo um copo como que fingindo uma saudação. Ao lado dele, várias damas de companhia discutiam com ansiedade, gesticulando em direção ao centro da sala.

— Posso ser a raposa? Deixo você me pegar...

— Eca. Nossa, essa garota é capaz de *qualquer coisa* para chamar atenção.

Athene Forster. Vivi reconheceu o tom de desdém da garota na fila do banheiro. No entanto, como os demais, estava totalmente absorta pela visão improvável à frente. Athene parara o cavalo e se abaixara sobre seu pescoço, pedindo a um grupo de rapazes num sussurro grave:

— Alguém tem bebida, amores?

Havia em sua voz uma espécie de reconhecimento, como se soubesse de coisas tristes e estranhas demais para qualquer um entender. Um tom de dor que daria para ouvir mesmo quando ela estivesse na maior felicidade possível. Um mar de copos foi estendido em sua direção, reluzindo sob o brilho de mil watts dos lustres de cristal. Ela deixou cair a trompa, ergueu um copo e virou o conteúdo em um só gole, sob aplausos.

— Agora, qual de vocês vai me acender um cigarro? Deixei o meu cair quando pulei o roseiral.

— Athene, você não toparia fazer uma Lady Godiva para a gente, toparia?

Houve uma gargalhada geral, que cessou abruptamente. A banda se calou, e Vivi olhou para trás, acompanhando o ruído de uma exclamação sussurrada.

— Mas que diabo você acha que está fazendo? — Lena Bloomberg se dirigiu até o centro da sala e parou na frente do cavalo, o vestido esmeralda solto no corpo empertigado e as mãos, com os nós dos dedos brancos, plantadas nos quadris.

Estava com o rosto vermelho de fúria contida, os olhos brilhando tanto quanto as pedras esculturais em seu pescoço. De antemão, Vivi sentiu um aperto no estômago.

— Você me ouviu?

Athene Forster nem de longe pareceu intimidada.

— É um baile de caça. O velho Forester aqui estava se sentindo meio excluído.

Outra gargalhada geral.

— Você *não tem o direito...*

— Pelo que sei, ele tem mais direito de estar aqui do que você, Sra. Bloomberg. O Sr. B me disse que você nem caça.

O homem ao lado de Vivi praguejou baixinho com admiração.

A Sra. Bloomberg abriu a boca para falar, mas Athene lhe fez um aceno displicente com a mão.

— Ah, não fique irritada. Eu e Forester só pensamos que poderíamos tornar as coisas um pouquinho mais... *autênticas*. — Athene esticou o braço para pegar outra taça de champanhe e bebeu-a com uma languidez fatal, depois acrescentou, tão baixinho que só quem estava mais perto conseguiu ouvir. — Ao contrário desta casa.

— Desça... desça imediatamente do cavalo do meu marido! Como se *atreve* a abusar assim da nossa hospitalidade?

Lena Bloomberg teria sido uma figura imponente mesmo em circunstâncias normais. Sua altura e o ar de autoridade conferido por uma enorme riqueza nitidamente a haviam feito perder o hábito de ser contrariada. Embora não tivesse se mexido desde que falara pela primeira vez, a sugestão de fúria controlada havia drenado qualquer resquício de alegria da sala. As pessoas se olhavam com ansiedade, perguntando-se qual das duas cederia primeiro.

Fez-se um silêncio doloroso.

Parecia ser Athene. Ela encarou a Sra. Bloomberg com um olhar firme por uma breve eternidade, depois se inclinou para trás e começou a guiar lentamente o cavalo por entre as mesas, parando apenas para aceitar um cigarro.

A voz da mulher mais velha cortou a sala silenciada:

— Tinham me avisado para não convidá-la, mas seus pais me garantiram que você tinha crescido um pouquinho. Estavam redondamente enganados, e prometo que, tão logo a festa termine, hei de informá-los disto sem deixar margem a dúvidas.

— Pobre Forester — cantarolou Athene, deitando-se ao longo do pescoço do cavalo. — Ele estava muito ansioso por um poquerzinho.

— Enquanto isso, não quero vê-la pelo resto da noite. Você deveria se considerar uma pessoa de sorte pelo fato de o tempo não me permitir botá-la para fora à força, senhorita.

O tom gelado da Sra. Bloomberg acompanhou Athene enquanto ela levava o cavalo em direção às janelas francesas.

— Ah, não se preocupe comigo, Sra. Bloomberg. — A garota virou o rosto com um sorriso preguiçoso, encantador. — Já fui expulsa de estabelecimentos com *muito* mais classe que este.

Então, com uma cutucada com a ponta da sapatilha cravejada, ela e o cavalo saltaram os pequenos degraus de pedra e galoparam, quase sem emitir sons, para o escuro e a neve.

Houve um silêncio carregado e, depois, seguindo as instruções da rígida anfitriã, a banda recomeçou a tocar. Grupos de pessoas exclamavam uns para os outros, apontando para as marcas de casco sujos de neve no chão polido, enquanto o baile lentamente voltava a animar. O mestre de cerimônias anunciou que, em cinco minutos, a competição de trompa se realizaria no Salão Grande e que, para quem estivesse com fome, as refeições ainda estavam sendo servidas na sala de jantar. Em questão de minutos, tudo que restara da aparição de Athene era uma impressão fantasmagórica na imaginação daqueles que a tinham visto — já sendo apagada pela perspectiva da próxima atração — e algumas poças de neve derretida no chão.

Vivi olhava para Douglas. Em pé ao lado da enorme lareira, ele continuava com os olhos nas janelas francesas agora fechadas, assim como havia encarado Athene Forster sentada naquele cavalo enorme, a alguns passos distância. Enquanto os que o rodeavam tinham ficado apavorados ou chocados, dando risadinhas nervosas, a expressão de Douglas Fairley-

-Hulme demonstrava outra coisa. Uma mistura de serenidade e êxtase que deixou Vivi temerosa.

— Douglas? — chamou ela, encaminhando-se na direção dele, tentando não escorregar no chão molhado.

Ele não pareceu ouvir.

— Douglas? Você me prometeu uma dança.

Passaram-se vários segundos até que ele notasse sua presença.

— O quê? Ah, Vi. Tudo bem. — Seu olhar foi atraído mais uma vez para as janelas. — Eu... eu só tenho que pegar uma bebida primeiro. Trago uma taça para você. Já volto.

Foi ali — e Vivi só percebeu depois — que se viu obrigada a reconhecer que não haveria final de conto de fadas em sua noite. Douglas não voltara com as bebidas, e ela ficara ao lado da lareira por quase quarenta minutos, um sorriso vago e vidrado no rosto, tentando parecer decidida e não uma pessoa que tinha sido esquecida como uma peça de reposição. No início, não quisera sair do lugar, porque havia muita gente, a casa era grande demais e não estava segura de que Douglas, caso se lembrasse, seria capaz de encontrá-la. Mas, quando percebeu que o grupo ao lado do arranjo de flores estava comentando sobre todo o tempo que passou sozinha e que o mesmo garçom passara três vezes, duas para oferecer bebidas e a terceira para perguntar se ela estava bem, aceitou o segundo convite de Alexander para dançar.

À meia-noite, ocorreu um brinde e começou um jogo estranho, não oficial, que envolvia um jovem com uma cauda de raposa pregada no paletó correndo pela casa, ferozmente perseguido por vários amigos de paletó cor-de-rosa com trompas de caça. Um havia escorregado e caído feio no chão encerado, perdendo os sentidos ao lado da escada principal. Mas outro lhe despejara o conteúdo de um copo estribo na boca, e ele voltara a si, cuspindo e engasgando, e se levantara para continuar a perseguição como se nada tivesse acontecido. À uma hora, Vivi, que adoraria poder voltar ao quarto, disse que acompanharia Alexander à mesa de *blackjack*, onde, inesperadamente, ele ganhou sete libras. Num acesso de exuberância, disse-lhe que ela deveria ficar com parte do prêmio. Ele disse que ela era o seu "amuleto da sorte" de um jeito que a deixou meio nauseada — ou então foi a quantidade de champanhe. À uma e meia, viu a Sra. Bloomberg numa discussão calorosa com o marido no que parecia o escritório particular dele. Era possível ver apenas um par de pernas estiradas, calçadas com uma meia-calça cor de pérola cintilante. Vivi reconheceu que eram de uma garota ruiva que vira mais cedo, vomitando pela janela.

Às duas, quando o relógio de uma torre de igreja confirmou a hora, Vivi teve que reconhecer que Douglas não cumpriria a promessa, que ela não se veria delicadamente envolvida em seus braços, que não haveria o beijo tão desejado no fim da noite. No meio do caos — as garotas gritando, os rostos agora afogueados e sonolentos, os garotos esparramados de porre em sofás ou, de vez em quando, envolvendo-se em brigas desengonçadas —, tudo o que ela queria era ficar sozinha em seu quarto e chorar sem se preocupar com o que os outros pensavam dela.

— Xander, acho que vou para o quarto.

Ele estava com o braço pendurado de forma despretensiosa em volta de sua cintura e falava com um dos amigos. Virou com uma expressão surpresa para ela.

— O quê?

— Estou muito cansada. Espero que não se importe. Tive uma noite bastante agradável, muito obrigada.

— Você não pode ir se deitar agora. — Ele recuou de um jeito teatral. — A festa está só começando.

Ela percebeu que as orelhas dele estavam rubras e as pálpebras caíam, deixando os olhos apenas entreabertos.

— Sinto muito. Você foi incrivelmente simpático. Se encontrar com o Douglas, se importaria de dizer a ele que já... já me recolhi?

Uma voz atrás de Alexander rosnou:

— Douglas? Acho que ele não vai se incomodar muito.

Vários dos homens se entreolharam e deram uma gargalhada rápida.

Alguma coisa na expressão deles a deixou sem vontade de pedir que se explicassem. Ou talvez, tendo se sentido como a prima ingênua e antiquada de todo mundo a noite inteira, apenas não desejasse reforçar essa visão de si mesma. A garota saiu da sala de jogos com os braços cruzados e sentindo-se péssima, já não se importando com sua aparência. Em todo caso, as pessoas à sua volta estavam bêbadas demais para prestar alguma atenção. A banda fazia uma pausa, os músicos estavam sentados comendo uma bandeja de canapés, os instrumentos apoiados em cadeiras, enquanto Dusty Springfield cantava nos alto-falantes uma canção melancólica que fez Vivi crispar o rosto para conter as lágrimas.

— Vivi, você não pode subir ainda.

Alexander, que estava bem atrás dela, estendeu a mão e a virou pelo ombro. O ângulo entre a cabeça e o pescoço não deixavam dúvida sobre o quanto ele tinha bebido.

— Sinto muito mesmo, Alexander. Sinceramente, me diverti bastante. Mas estou cansada.

— Vem... vem comer alguma coisa. Vão fazer *kedgeree* na sala de café da manhã daqui a pouco. — Ele estava segurando seu braço com uma força que já causava desconforto nela. — Sabe... você está muito bonita com esse... esse vestido. — Os olhos dele agora estavam fixos em suas formas generosas, e o álcool retirara qualquer sinal de reticência de seu olhar. — Muito bonita — repetiu. E acrescentou, caso ela ainda não tivesse entendido: — Muito, muito bonita.

Vivi ficou numa indecisão angustiante. Afastar-se dele agora seria o cúmulo da indelicadeza com alguém que fizera tamanho esforço para entretê-la. E, no entanto, o modo como ele olhava para o seu busto a deixava tensa.

— Xander, talvez a gente possa se encontrar no café da manhã.

Ele pareceu não ter ouvido.

— O problema com mulheres magras — dizia ele, diretamente para seu busto —, e como tem mulher magra, hoje em dia...

— Xander?

— ... é que elas não têm seios. Seio nenhum.

Enquanto falava, ele ergueu, hesitante, a mão na direção dela. Só que não era sua mão que ele desejava tocar.

— Ah! Seu...

A educação de Vivi a deixara sem resposta adequada. Ela deu as costas e saiu com um passo enérgico da sala, a mão sobre o peito, num gesto protetor, ignorando as súplicas um tanto sem entusiasmo atrás de si.

Tinha que achar Douglas. Não conseguiria dormir antes disso. Precisava se certificar de que, por mais inacessível que ele tivesse sido durante a noite, quando fossem embora dali, ele seria o seu Douglas de novo: o rapaz gentil, sério, que ajeitara os pneus furados de sua primeira bicicleta, que, como dizia seu pai, era um "garoto absolutamente decente" e que a levara para ver *Tom Jones* duas vezes no cinema, mesmo que não tivessem se sentado nem perto da última fila. Ela queria lhe dizer como Alexander tinha sido horrível (e nutria uma esperança secreta inteiramente nova de que esse comportamento vil pudesse ser o estímulo para ele perceber seus verdadeiros sentimentos).

Era mais fácil procurar naquele momento, com as aglomerações já diluídas em pequenos grupos, em geral parados, as rodinhas ficando menos amorfas e se transformando em amontoados exaustos. Os convidados mais velhos haviam voltado para seus quartos, alguns arrastando sob protestos pessoas por quem eram responsáveis, e do lado de fora ouvia-se pelo menos um trator tentando abrir um caminho afastado da casa. Ele não estava na sala de jogos, nem no salão de baile principal, nem no corredor contíguo, embaixo da imponente escadaria, nem bebendo com os paletós cor-de-rosa no bar Reynard. Ninguém mais a notava; a hora avançada e o consumo de álcool a tornaram invisível. Mas parecia que ele havia ficado invisível também. Ela se perguntara várias vezes, naquela exaustão, se, justo quando expressava sua antipatia por tais ocasiões pomposas e classistas, ele poderia ter ido de fininho para casa afinal. Vivi fungou com tristeza, percebendo que não lhe perguntara onde era o quarto dele. Estivera tão envolvida na própria fantasia, na perspectiva de fazê-lo acompanhá-la ao quarto, que não considerara a ideia de que talvez precisasse saber onde ficava o dele. *Vou encontrá-lo*, decidiu. *Vou encontrar a Sra. Bloomberg e ela vai me dizer. Ou vou simplesmente bater em cada porta da outra ala até alguém achá-lo para mim.*

Passou a escadaria principal, pulando os casais sentados que se apoiavam na balaustrada, escutando os gritinhos das garotas quando a banda bravamente recomeçou a tocar. Cansada, passou por fileiras de retratos de ancestrais, as cores esmaecidas pelos anos, as molduras douradas brilhando de um modo suspeito. Sob seus pés, o tapete vermelho luxuoso agora apresentava marcas de cigarros apagados e um ou outro guardanapo descartado. Do lado de fora das cozinhas, das quais emanava o cheiro de pão no forno, passou por Isabel, rindo sem parar no ombro de um rapaz atencioso. Já não parecia mais reconhecer Vivi.

Um pouco mais além, o corredor terminou. Vivi ergueu os olhos para a pesada porta de carvalho, olhou para trás a fim de se assegurar de que ninguém a observava e deu um enorme bocejo. Abaixou-se para tirar os sapatos, várias horas depois de terem começado a apertar seus pés. Tornaria a calçá-los quando encontrasse Douglas.

Foi quando levantou a cabeça que ouviu: um som de algo se arrastando, um grunhido intermitente, como se bêbados tivessem caído do lado de fora e tentassem se levantar. Ficou olhando para a porta que a separava do ruído e percebeu que estava apenas entreaberta, uma correnteza glacial deslizando pela lateral do corredor. Vivi, descalça, andou furtivamente até lá, um braço curvado na frente do corpo para se proteger do frio cada vez maior, sem saber por que não se limitara a gritar para ver se as pessoas estavam bem. Parou, depois abriu a porta, pôs a cabeça para fora e olhou a lateral da casa.

Em um primeiro momento, pensou que a mulher devia ter caído, porque ele parecia ampará-la, tentando encostá-la na parede. Então se perguntou se deveria oferecer ajuda. Devido aos sentidos nebulosos pelo cansaço, ou ao choque, só depois entendeu, estremecendo, que os sons ritmados que tinha ouvido emergiam daquelas pessoas. Que as pernas longas e pálidas da mulher não estavam sem forças, não eram as pernas inúteis de uma bêbada, mas estavam enroscadas nele, como uma cobra. Quando sua vista se adaptou à escuridão, Vivi, com um sobressalto, reconheceu à distância o cabelo comprido e escuro da mulher, caindo-lhe todo bagunçado no rosto, a sapatilha de paetê solitária, sobre a qual se assentavam flocos de neve perdidos.

Vivi se sentiu ao mesmo tempo repugnada e petrificada, sem tirar os olhos por um bom tempo até se dar conta, morta de vergonha, do que estivera presenciando. Ficou encostada na porta entreaberta, aquele barulho grotesco ecoando em seus ouvidos, chocando-se com o palpitar do seu coração.

Ela fizera menção de se mexer, mas, quanto mais permanecia ali em pé, mais paralisada ficava, colada à superfície áspera da porta, ainda que estivesse tiritando de frio e com os braços arrepiados. Em vez de fugir, encostou na superfície gelada da porta de carvalho e sentiu as pernas perderem os sentidos: percebera que, embora os tons lhe fossem desconhecidos, a voz do homem não era. Que a parte de trás da cabeça do sujeito, suas orelhas coradas e a linha definida onde seu cabelo encontrava o colarinho lhe eram familiares: tão familiares quanto tinham sido doze anos atrás, quando se apaixonara por elas.

# Três

Ela podia não ter sido a Debutante do Ano (e, agora que era "respeitável", ninguém discutia por que *aquilo* tinha acontecido), mas havia alguns observadores da sociedade que duvidavam que as núpcias de Athene Forster, descrita por uns como a Última Debutante, *it girl*, ou, entre algumas das mais inclementes damas da sociedade, algo bem menos elogioso, e Douglas Fairley-Hulme, filho dos Fairley-Hulme da agricultura de Suffolk, podiam ser aclamadas como o Casamento do Ano.

A lista de convidados ostentava uma quantidade suficiente de herdeiros e sobrenomes de "sangue azul" para garantir-lhes uma posição de destaque em todas as colunas sociais, ao lado de algumas fotografias em preto e branco um tanto granulosas. A recepção foi realizada num dos melhores clubes de cavalheiros em Piccadilly. O habitual ar de pompa e jactância com notas de tabaco do local foi, temporariamente, abafado por flores de primavera e tecidos de seda branca. Graças à convicção repetida à exaustão de que a sociedade estava desmoronando desde a renúncia de Profumo, o pai da noiva decidira que sua melhor linha de defesa contra a anarquia moral era reunir uma muralha de companheiros respeitáveis para desmentir essa ideia. Isso poderia ter resultado numa recepção um tanto antiquada e sóbria, com aquele punhado de estadistas, velhos camaradas de guerra, um ou outro bispo e referências suficientes em seu discurso à "firme defesa dos valores morais" para fazer rir alguns dos convidados mais novos. Mas os jovens, era consenso, haviam alegrado bastante a cerimônia. E a noiva, que alguns poderiam ter esperado que tomasse a cerimônia como um desafio e se comportado de forma escandalosa, apenas sorria de um jeito vago na mesa principal e olhava com adoração para o novo marido.

Lá estava o noivo, universalmente definido como "um bom partido", cujo jeito sério, a beleza e a fortuna de família deixaram de coração partido potenciais sogras em diversos condados. Mesmo enquanto estava em pé, formal e rígido naquele fraque, a ocasião lhe pesando nos ombros largos, a felicidade era visível em seus olhos, que procuravam a noiva a todo momento, a expressão se suavizando quando a encontrava. Além de ficar evidente que ele preferiria que os dois estivessem sozinhos, apesar da presença de sua família, de seus melhores amigos e de centenas de outras pessoas, todos querendo transmitir os melhores votos e felicitações.

E então lá estava a noiva, cujos olhos inocentes e o vestido godê de seda, envolvendo a silhueta que facilmente poderia ter parecido magra demais, levaram até seus mais fervorosos detratores a notar que, independentemente do que mais ela fosse (e não eram poucas as opiniões nesse departamento), certamente era uma grande beldade. Seu cabelo, em geral mais visto ao natural, descendo em cascata pelas costas, fora hidratado e domado, e estava majestoso, arrumado no alto da cabeça e preso por uma tiara de diamantes verdadeiros. A pele de outras moças poderia ficar cinzenta ao lado da seda branca, mas a dela refletia sua maciez acetinada. Seus olhos, de um tom água-marinha claro, foram delineados por um maquiador profissional e cintilavam sob uma camada prateada. Sua boca formava um sorrisinho reservado que não revelava nenhum dos dentes, a não ser quando ela se virava para o marido e esboçava um sorriso largo, desinibido, ou quando, vez ou outra, prendia seus lábios nos dele numa sugestão de desesperada paixão íntima, fazendo os convidados ao redor rirem de nervoso e desviarem o olhar.

Se o rosto da mãe dela, quando os convidados diziam que era realmente "um dia lindo, uma ocasião maravilhosa", expressava um pouco mais de alívio que o normal, ninguém comentou nada depois. Teria sido inadequado lembrar num dia daqueles que, vários meses antes, sua filha havia sido considerada por muitos como "incasável". E se alguém se perguntava o motivo de um casamento enorme como aquele ter sido planejado tão às pressas — apenas quatro meses depois do primeiro encontro — quando a noiva certamente não se encontrava no estado que em geral provoca tais coisas, quase todos os homens se cutucavam uns aos outros e comentavam que, se o casamento era a única maneira de obter certos prazeres de modo legítimo, e a noiva parecia uma promessa mais que encantadora, por que se dar ao trabalho de esperar?

Justine Forster, agora sentada à mesa principal, abria um sorriso corajoso. Antes, havia tentado ignorar que seu marido, já normalmente colérico, ainda estava irritado porque a data do casamento interrompera sua viagem anual de soldados veteranos a Ypres (como se fosse culpa dela!) e mencionara isso em pelo menos três ocasiões até então (inclusive durante o discurso!). No momento, ela procurava ignorar a filha, que, a duas cadeiras de distância, parecia fazer ao próprio marido um relato literal da conversa "de mulher para mulher" em que tivera a insensatez de embarcar na noite anterior.

— Ela acha a pílula imoral, querido — sussurrava Athene, dando risada. — Disse que, se formos ao velho Dr. Harcourt para pegar uma receita, na mesma hora vão conseguir uma linha direta com o novo papa e, aos gritos, vamos ser lançados no fogo do inferno.

Douglas, que ainda não estava acostumado a conversar com tanta franqueza sobre assuntos de alcova, fazia o possível para manter a compostura enquanto continha uma onda já familiar de desejo pela mulher ao seu lado.

— Eu disse a ela que achava que o papa talvez estivesse meio ocupado para se preocupar com a minha pessoa tomando balinhas anticoncepcionais, mas, pelo visto, não. Assim como Deus, Paulo VI... VIII ou o que quer que ele seja... sabe *tudo*: se estamos tendo pensamentos impuros, se estamos considerando copular só por prazer, se não estamos colocando o suficiente no cesto da oferta... — Ela se inclinou para o marido e disse, sussurrando alto o suficiente apenas para a mãe ouvir: — Douglas, querido, ele deve até saber onde você está com a mão agora.

Da esquerda de Douglas, veio um súbito engasgo, e ele tentou, sem sucesso, calar a esposa. Em seguida, perguntou à nova sogra se podia pegar um copo de água para ela, com as mãos bem à mostra.

Como não era lá muito sincero, o embaraço de Douglas pouco durou: ele logo concluíra que amava a imprudência de Athene, seu desinteresse pelos costumes e limites sociais que haviam ditado vidas até então. Athene compartilhava suas opiniões embrionárias de que a sociedade era cada vez menos importante, que eles podiam ser pioneiros, expressando-se como quisessem, fazendo o que quisessem, sem ligar para convenções. Ele tinha que encaixar isso tudo no trabalho, na propriedade do pai, mas Athene estava feliz de fazer o que gostava. Não estava muito interessada em arrumar a casa nova deles — "As mães são excelentes nesse tipo de coisa" —, mas adorava montar seu cavalo novo (o presente pré-nupcial que ganhara dele), ler deitada na frente da lareira e, quando ele não estava trabalhando, ir a Londres para um baile, ver filmes no cinema e, principalmente, passar o máximo de tempo na cama.

Douglas não sabia que era possível se sentir assim: passava os dias num estado distraído de excitação, pela primeira vez incapaz de se concentrar no trabalho, nas obrigações familiares e na herança profissional. Em vez disso, suas antenas estavam sintonizadas numa frequência de curvas delicadas, tecidos diáfanos e odores picantes. Por mais que tentasse, parecia não conseguir se entusiasmar pelas coisas que já o haviam inspirado nem alimentar sua preocupação crescente com os erros das classes dominantes e com a controversa questão a respeito do significado da redistribuição da riqueza, se deveria ou não abrir mão de parte de suas terras. Nada mais era tão relevante, tão *interessante* se comparado aos encantos carnais de sua noiva. Douglas, que uma vez confessara aos amigos que nunca ficara mais envolvido com uma mulher do que ficaria com um carro novo (com a confiança rasa da juventude, ele dissera que o melhor era substituir anualmente tanto a mulher quanto o carro por um modelo novo), agora se via sugado para um turbilhão de sensações dentro do qual não havia substituição para uma pessoa específica. O rapaz, que sempre mantivera uma distância cética das confusões amorosas e se orgulhava de suas habilidades como observador imparcial, agora se via arrastado para um vácuo de... bem, o que era aquilo? Luxúria? Obsessão? As palavras pareciam de alguma forma inadequadas para a irracionalidade cega da situação, a necessidade física, a volúpia em sua gloriosa avidez. A dura, impositiva...

— Não vai tirar a velha para uma dancinha?

— O quê? — Douglas, corando, olhou para o pai, que aparecera de repente ao seu lado.

Baixo e magro, o homem postava-se dentro do fraque com o aprumo que o caracterizava, e a expressão, normalmente alerta, estava suavizada pelo álcool e pelo orgulho.

— Sua mãe. Você prometeu a ela uma dança. Ela quer um agito, se eu conseguir fazer com que eles toquem um *quickstep*. Vá cumprir com suas obrigações, meu garoto. Seu carro logo vai estar aqui, afinal.

— Ah. Certo. Claro. — Douglas ficou parado, tentando pôr as ideias em ordem. — Athene, querida, você me dá licença?

— Só se seu maravilhoso pai prometer tirar essa garota aqui para um *quickstep* também. — Seu breve sorriso, por trás de inocentes olhos arregalados, fez Douglas estremecer.

— Seria um prazer, minha querida. Só não se incomode se eu passar com você pelo velho Dickie Bentall algumas vezes. Gosto de mostrar a ele que ainda existe vida no velho amigo aqui.

— Estou indo, mamãe.

Serena Newton largou o escalope à Viena (maravilhosamente bem-feito; já quanto aos cogumelos com creme, não tinha tanta certeza assim) e olhou surpresa para a filha.

— Mas você não pode sair antes dos noivos, querida. Ainda nem trouxeram o carro deles.

— Prometi à Sra. Thesiger que tomaria conta das crianças para ela hoje à noite. Quero passar em casa antes para me trocar.

— Mas você não disse nada. Pensei que fosse voltar comigo e com seu pai.

— Esse fim de semana, não, mamãe. Prometo que volto daqui a uma ou duas semanas. Foi ótimo ver você.

A face macia e gentil de sua mãe estava levemente empoada, com textura de marshmallow. Ela usava os brincos de safira que o pai comprara na Índia, quando foram transferidos para lá nos primeiros anos de casamento. Ela sempre dizia com orgulho que o marido ignorara o conselho do lapidador e deixara de lado pedras supostamente mais valiosas em favor de duas que combinariam exatamente com os olhos de Serena Newton. Rodeadas de diamantes, as safiras ainda conservavam uma profundidade exótica, cara, enquanto a idade e, agora, uma preocupação constante tinham feito desbotar o azul dos olhos que as inspirara.

Atrás dela, houve uma salva de palmas quando o jovem noivo levou a noiva para a pista de dança. Vivi, evitando o olhar inquiridor da mãe, não estremeceu. Tinha desenvolvido uma ótima habilidade de esconder os sentimentos nesses últimos meses.

Sua mãe estendeu a mão.

— Há séculos você não para em casa. Não dá para acreditar que esteja indo embora correndo assim.

— Não estou correndo. Já lhe disse, mamãe. Tenho que tomar conta das crianças hoje à noite. — Deu um largo sorriso, tentando tranquilizá-la.

A Sra. Newton inclinou-se para a frente, colocou a mão no joelho de Vivi e diminuiu o tom de voz.

— Sei que isso vem sendo muito difícil para você, querida.

— O quê? — Vivi não conseguiu disfarçar o rubor súbito.
— Eu já fui jovem, você sabe.
— Tenho certeza de que foi, mamãe. Mas tenho mesmo que ir. Vou me despedir do papai na saída.

Com uma promessa de telefonar e uma pontada de culpa diante da expressão magoada da mãe, Vivi se virou e cruzou a sala, conseguindo manter o rosto voltado para as portas. Entendia a preocupação da mãe: ela parecia mais velha, sabia disso, a perda entalhando novos ecos sombrios de experiência em seu rosto, a dor deixando anguloso aquele contorno que já fora rechonchudo. Era de fato irônico, refletiu, que começasse a adquirir as características que tanto desejara — magreza, uma espécie de sofisticação blasé — devido à perda justamente do que lhe dera motivo para querê-las.

E, apesar de ser naturalmente caseira, Vivi fizera de tudo para voltar o menos possível para sua família ao longo dos últimos meses. Encurtara as conversas telefônicas, evitando referências a qualquer pessoa fora da família e preferindo entrar em contato com os pais através de mensagens breves em cartões-postais brincalhões. Insistira repetidas vezes que provavelmente não poderia voltar para o aniversário do pai, para a quermesse do vilarejo, para a festa de tênis anual dos Fairley-Hulme, alegando compromissos de trabalho, cansaço ou uma leva imaginária de convites sociais. Em vez disso, tendo conseguido trabalho na administração de uma companhia de tecidos bem perto de Regent's Park, atirara-se de cabeça numa carreira nova com um zelo missionário que diariamente deixava seus patrões espantados com sua capacidade de trabalho árduo, as famílias para as quais trabalhava como babá agradecidas por sua eterna disponibilidade e a própria Vivi quase sempre exausta, ao voltar para o apartamento compartilhado, para pensar. O que lhe era bem conveniente.

Após o baile de caça, Vivi se dera conta de que sempre que mencionava o nome de Douglas com qualquer coisa senão um afeto fraterno, seus pais delicadamente faziam com que se distanciasse dele, talvez sabendo que ele tinha desejos que não podia satisfazer. Vivi não lhes dera ouvidos; talvez, concluiu depois, não dera ouvidos a *Douglas*. Afinal, ele nunca lhe dera indicação alguma de que sua afeição por ela tivesse qualquer outra coisa além do mais inocente afeto fraterno.

Agora, depois de ter sido completamente ignorada por ele, a garota se resignara à sua sorte. Não que fosse ter que encontrar outra pessoa, como a mãe sempre sugerira. Não. Vivi Newton sabia que pertencia a uma minoria infeliz: uma garota que perdera o único homem a quem amaria e que, após considerar com cuidado as alternativas, preferia não se conformar com mais ninguém.

Não fazia sentido contar isso para seus pais, que ficariam aflitos, protestariam e lhe garantiriam que ela era jovem demais para tomar uma decisão daquelas, mas ela sabia que nunca se casaria. Não porque estava tão magoada que seria incapaz de amar novamente (embora tivesse ficado magoada — ainda achava difícil dormir sem a "ajudinha" de remédios), ou porque, no fundo, se via como uma heroína romântica condenada. Vivi apenas concluíra, com a mesma objetividade com que chegava a quase todas as suas conclusões, que preferia viver sozinha com sua perda a passar a vida tentando encontrar outra pessoa à altura.

Ficara apavorada com aquela viagem, considerara mil vezes que desculpa legítima podia encontrar para não ir. Só falara com Douglas uma vez, quando ele combinara de encontrá-la em Londres. Ela achara aquela felicidade evidente dele e aquele ar, que só podia atribuir a uma segurança sexual recém-conquistada, quase insuportáveis. Sem ligar para seu desconforto, ele segurara suas mãos e a fizera prometer que iria.

— Você é minha amiga mais antiga, Vi. Eu gostaria muito que estivesse presente no dia. Você não pode faltar. Por favor, seja camarada.

Então ela foi para casa, chorou por vários dias e depois foi camarada. Sorrira quando queria chorar, bater no peito como as mulheres em tragédias gregas, arrancar os brocados e as flâmulas de casamento dos mastros, arranhar a cara daquela garota horrorosa, horrorosa! E tentar bater na cabeça, nas mãos, no coração dela para destruir tudo de que Douglas mais gostava. E depois, chocada por ser capaz de tais pensamentos sombrios em relação a um ser humano (certa vez passara uma tarde inteira chorando depois de matar sem querer um coelho), sorrira de novo. Um sorriso alegre, bondoso, torcendo para que, se apresentasse feições tranquilas por tempo suficiente, se continuasse se convencendo a viver uma vida aparentemente normal, um dia de cada vez, um pouco desse suposto equilíbrio poderia se tornar real.

A mãe de Athene flagrara a filha fumando nas escadas. Vestida de noiva, pernas abertas, soltando baforadas como um marinheiro, com um cigarro que ela pedira a um dos atendentes do bar. Ela informou ao marido a respeito dessa descoberta com uma voz baixa e escandalizada, e conseguiu até surpreendê-lo quando lhe contou sobre a reação expressiva de Athene.

— Bem, ela não é minha responsabilidade agora, Justine. — O coronel Forster recostou-se em sua cadeira dourada e apertou o fumo no cachimbo, recusando-se a olhar no rosto da esposa, como se ela também fosse cúmplice desta indiscrição. — Cumprimos a nossa obrigação em relação à garota.

Justine ficou olhando para ele um instante, depois se virou para Douglas, que estava balançando uma dose de conhaque, refletindo sobre o ar de maturidade que a taça parecia impor.

— Você entende com o que se comprometeu? — Seu tom sugeria que a filha não fora perdoada por sua indiscrição de outrora.

— A melhor garota da Inglaterra inteira, ao que me consta.

Douglas, alcoolizado, cheio de cordialidade e anseio sexual, sentia-se magnânimo, mesmo para os sogros de cara fechada. Vinha se lembrando da noite em que a pedira em casamento, um dia que dividira sua vida numa espécie de Antes e Depois de Athene, sendo esse Depois menos as consequências de um rito de passagem do que de uma mudança fundamental em quem ele era, em como se sentia parte deste mundo. Para ele, agora um homem casado, aquele dia parecia significar uma mudança de estilo: um grande divisor de águas que de um lado o colocava como alguém procurando, experimentando timidamente novas atitudes e opiniões, novas maneiras de ser, e, do outro, o marcava simplesmente como Um Homem. Pois Athene lhe concedera isso. Ele se sentia como uma rocha para o ser cambiante e impulsivo de sua esposa, a independência dela lhe dando um sentimento de solidez, de segurança. Ela trepou nele como hera, aferrada e bela, uma fada bem-vinda, parasitária. Ele soubera desde a primeira vez em que a viu, naquela noite, que ela era feita para ele: ela provocara uma dor, um sentimento inesperado de que faltava alguma coisa, de que alguma parte fundamental dele estava, sem que ele tivesse percebido, *insatisfeita*. Ela o fez pensar assim, de uma maneira lírica, fatalista. Ele sequer sabia que tais palavras existiam em seu vocabulário. Antes, quando pensara em casamento, fora com uma espécie de esperança moribunda: era o que a pessoa fazia quando encontrava uma moça adequada. Era o esperado, e, como sempre, Douglas atenderia aquelas expectativas. Mas Athene ficara parada no elevador do restaurante de Londres onde eles haviam acabado de comer e, a despeito das pessoas que faziam fila atrás deles, encaixara o pé infantil nas portas do elevador e, morrendo de rir — como se ele tivesse sugerido algo engraçadíssimo com aquelas palavras inesperadas —, tinha dito sim. Por que não? Que divertido. Então se beijaram, alegres, ávidos, com as portas do elevador se arrastando para trás e para a frente num frenesi de um desejo represado, enquanto a fila crescia, as pessoas resmungavam irritadas e acabavam indo de escada. E ele percebera que sua vida já não estava num curso predestinado, mas havia sido desviada por uma possibilidade fantástica.

— Você precisa dar umas palmadas para ver se ela cria juízo — disse o coronel Forster.

A cabeça de Douglas deu uma sacudida para trás.

— *Anthony*. — Justine Forster contraiu os lábios. Abriu o pó compacto e examinou a maquiagem dos olhos. — Ela... Ela só é uma pessoa meio difícil às vezes.

— Gosto dela assim — retrucou Douglas, tentando conter a beligerância na voz.

Ela o arrastara para salões de dança dirigidos por pessoas negras em algumas das partes mais pobres de Londres, repreendendo-o se ele manifestava preocupações mesquinhas, obrigando-o a deixar isso de lado para dançar com ela, beber, rir, *viver*. E como ela parecia inteiramente à vontade naqueles lugares, os piores temores dele raramente se materializavam, e Douglas foi forçado a confrontar suas concepções a respeito dos pobres, dos negros ou, em resumo, de pessoas diferentes dele. Juntamente com seus temores, ele se obrigara a abandonar algumas inibições, fumava e bebia rum escuro e, quando estavam a sós, permitia-se aproximar-se sexualmente de Athene de uma forma que, segundo sua criação, não era apenas ousada, mas quase ilegal.

Porque ela não se importava. Ela não ligava para compras, moda, decoração nem para as coisas que o entediavam em tantas garotas que conhecia. Talvez ela fosse descuidada com seus pertences — no fim de uma dança, tirava os sapatos, reclamando que eram uma chatice, e acabava se esquecendo de levá-los para casa. Depois, quando chamavam sua atenção por estar descalça, ela nem de longe expressava o sentimento choroso de perda que outra garota poderia fazer, nem qualquer preocupação a respeito de como chegaria em casa. Limitava-se a dar de ombros e rir. Sempre haveria outro par de sapatos, dizia aquela risada. Preocupar-se era muito *chato*.

— Sim. Bem, querido, não diga que não lhe avisamos.

Justine Forster olhava um pedaço de bolo de casamento como se ele pudesse pular e dar uma mordida nela.

— Garota muito boba — disse o coronel Forster, acendendo o cachimbo.

— O quê?

— Nossa filha. Não adianta fazer rodeios. Ela é muito sortuda por ter se casado.

— *Anthony*. — A Sra. Forster olhou com receio para Douglas, como se o comentário condenatório do marido pudesse levar seu novo genro a anunciar subitamente uma mudança de intenções.

— Ah, não venha com essa, Justine. Ela está rodeada de gente jovem irresponsável, e isso a tornou irresponsável. Mal-agradecida, irresponsável e boba.

— Não acho que ela seja irresponsável. — Douglas, que ficaria horrorizado de pensar que seus pais poderiam discutir sobre ele dessa maneira, sentiu que precisava defender a noiva. — Ela é corajosa, única e linda.

O pai de Athene o encarou como se o genro tivesse acabado de admitir ser um comuna.

— Sim. Bem, você não vai querer dizer isso tudo para ela. Não sei aonde isso pode levar. Só veja se consegue sossegá-la um pouco. Do contrário, ela vai acabar não prestando para ninguém.

— Ele não está falando sério, Douglas querido. Só quis dizer que nós... Nós talvez tenhamos sido um pouquinho permissivos com ela de vez em quando.

— Permissivos com quem? — Athene apareceu ao lado de Douglas. Ele notou o cheiro de Joy e de cigarro e sentiu um aperto nas entranhas. O pai dela resmungou e virou as costas. — Estão falando de mim?

— Acabamos de dizer que estamos muito felizes por você estar sossegando. — O tom de Justine Foster era conciliador. Um aceno com a mão sugeriu que ela gostaria de encerrar a conversa.

— Quem disse que estamos sossegando?

— Não seja obtusa, querida. Você entendeu o que eu quis dizer.

— Não, não entendi. Douglas e eu não temos nenhuma intenção de sossegar. Temos, querido? — Douglas sentiu a mão fria dela em sua nuca. — Não se isso quer dizer viver como *vocês*.

— Não vou falar com você, Athene, se você vai ser grosseira de propósito.

— Não estou sendo grosseira de propósito, mãe. Não tanto quanto você estava sendo comigo na minha ausência.

— Garota muito boba — murmurou o pai.

Douglas estava extremamente desconfortável.

— Acho que vocês estão sendo bastante injustos com Athene — arriscou ele.

— Douglas, querido, por mais bem-intencionado que seja, você não tem ideia de tudo que Athene já nos fez passar.

Athene inclinou-se e pegou sua taça de conhaque, examinando a bebida como se fosse indiferente, depois engoliu o líquido âmbar de um trago.

— Ah, Douglas, não dê ouvidos a eles — disse, repondo o copo e puxando-lhe o braço. — Eles são uns chatos. Este é o nosso dia, afinal de contas.

Depois de minutos na pista de dança, ele praticamente esquecera o diálogo, perdido em sua apreciação particular daquelas curvas cobertas de seda, do perfume daquele cabelo, do toque daquelas mãos em suas costas. Ela o fitou com os olhos marejados, brilhando.

— Agora que estamos casados, não precisamos mais vê-los. — Não era uma pergunta, mas ela parecia exigir algum tipo de garantia. — Não temos que passar metade do nosso tempo que nem uns engomadinhos, sentados em encontros horríveis de parentes velhos.

— Podemos fazer o que quisermos, minha querida — sussurrou ele em seu pescoço. — Somos só nós agora. Podemos fazer o que quisermos. — Douglas gostou do som da própria voz, da autoridade e do conforto que prometia.

Ela o apertara mais, com uma força surpreendente, o rosto enterrado em seu ombro. Em meio à música, ele não conseguira distinguir sua resposta.

— Não demora nada — disse a garota no vestiário. — Algumas das etiquetas se soltaram dos casacos. Só precisamos de um minutinho para arrumar todos eles.

— Ótimo — disse Vivi, batendo o pé com impaciência para ir embora.

Os ruídos da recepção já estavam mais fracos, abafados pela extensão de carpete que recobria as galerias e a escada. Atrás dela, senhoras idosas eram conduzidas a toaletes e criancinhas descalças derrapavam para lá e para cá sob o olhar silencioso e indignado de funcionários rigorosos e uniformizados. Ela só voltaria para casa no Natal. Era provável que Douglas e aquela mulher — ainda não conseguia se forçar a dizer o nome dela, muito menos a descrevê-la como "esposa dele" — passassem o Natal fora. Afinal, a família dele sempre achara esquiar muito importante.

Poderia ser mais fácil, agora que estava evidente que sua mãe compreendia. E se não aguentasse de saudade dos pais, podia muito bem convidá-los a ir a Londres, convencer seu pai a passar um fim de semana lá. Podia lhes mostrar o mercado de antiguidades atrás de Lisson Grove, levá-los ao zoológico, chamar um táxi para ir aos salões de chá vienenses em St. John's Wood e lhes dar café com espuma de leite e doces condimentados. A essa altura, talvez não pensasse mais em Douglas. Talvez não sentisse nada semelhante a uma dor física.

Estavam demorando um século para achar seu casaco. Reparou que ao lado dela dois homens fumavam, entretidos numa conversa, segurando os tíquetes com displicência.

— E o Alfie frisou que vai para Wimbledon. Mesmo assim, você tem que admitir, ele fez bem. Quer dizer, se alguém te levar para o altar...

Ela nem estremeceu. Vivi fez de conta que estava concentrada numa talha na parede, perguntando-se novamente quanto tempo ainda levaria até esse silêncio exterior ser ecoado dentro dela.

Quase vinte minutos depois, sua mãe parou na frente dela com aquele seu bom *tailleur* de buclê, a bolsa-carteira estendida à frente como um escudo.

— Sei que as coisas não andam fáceis, mas não acho que você deva fugir hoje. Venha para casa comigo e com o papai.

— Eu já disse...

— Não deixe que eles façam você evitar sua própria casa. O carro já foi. E eles vão passar pelo menos duas semanas fora.

— Não é isso, mamãe.

— Não vou mais tocar nesse assunto, Vivi. Eu só não podia deixar você ir embora sem conversarmos direito. Não fique evitando vir aqui. Não gosto de pensar em você, ainda tão jovem, sozinha em Londres. E, além disso, sentimos sua falta, papai e eu. Perdeu o seu tíquete?

Vivi olhava, sem realmente ver, para a mão vazia à sua frente.

— Pensei que você tivesse ido embora. Tenho quase certeza de que a gente sabe qual é o seu casaco.

Vivi balançou a cabeça, apática.

— Me desculpe. Tive que... que gastar um centavo.

— O papai quer muito ver você. Quer que você nos ajude a escolher um cachorro. Ele finalmente concordou em ter um, sabe, mas acha que seria bom para nós duas se fizéssemos isso juntas. — A expressão da mãe era de esperança, como se prazeres infantis ainda pudessem anular o sofrimento adulto. — Um spaniel, talvez? Sei que você sempre gostou dessa raça.

— É verde?

— Como?

A atendente tentou disfarçar a irritação com um sorriso.

— Seu casaco é o verde? Botões grandes?

Estava apontando para uma fileira atrás de si. Vivi viu a cor familiar de garrafa.

— É — murmurou.

— Ah, Vivi, querida, acredite, eu realmente entendo.

Os olhos da Sra. Newton estavam cheios de compaixão. Ela sentia os perfumes da infância da filha, que, por sua vez, resistiu ao impulso de se atirar aos braços da mãe e se permitir ser consolada. Mas não existia mais consolo.

— Sei o quanto você gostava de Douglas. Mas Douglas... Bem, agora acabou, ele encontrou o... Um rumo na vida, e você simplesmente tem que tocar seu barco. Deixar isso para trás.

A voz de Vivi estava estranhamente seca.

— Já deixei isso para trás, mãe.

— Odeio ver você assim. Tão triste... e... Bem, eu só quero que saiba... mesmo que não queira falar comigo... e sei que as meninas nem sempre querem se abrir com as mães... que eu entendo, sim. — Esticou o braço e afagou o cabelo de Vivi, afastando-o do rosto num gesto maternal espontâneo.

*Não, mamãe, você não entende*, pensou Vivi, as mãos ainda trêmulas, o rosto ainda pálido pelo que tinha escutado. Porque essa dor não tinha a origem que sua mãe presumia. Aquela dor tinha sido quase fácil de suportar. Pois era possível alcançar certa paz de espírito ao menos na ideia de que ele seria feliz. Porque amor é isso, não? Saber que, no mínimo, a gente quer que o outro seja feliz.

Embora talvez entendesse um pouco a sua dor, o seu desejo, o seu sentimento de dor por perdê-lo, sua mãe não teria entendido a conversa que Vivi tinha entreouvido a contragosto. Nem por que Vivi já sabia, com uma dor que queimava sua alma, que não a repetiria a ninguém.

— Mesmo assim, você tem que admitir, ele fez bem — dissera o homem. — Quer dizer, se alguém te levar para o altar...

— Verdade. Mas...

— Mas o quê?

— Vamos encarar os fatos. Ele vai precisar ficar de olho, não vai?
— O quê?
— *Ora...* A garota é meio galinha.

Vivi ficara imóvel. A voz do homem diminuíra até se tornar um murmúrio, como se ele tivesse contorcido a boca para falar.

— Tony Warrington saiu com ela na terça-feira. Tomaram uma pelos "velhos tempos", ela lhe disse. Eles costumavam sair, quando ele morava em Windsor. Só que a ideia dela de *velhos tempos* era um tanto relacionada a *bons tempos*, se é que você me entende.

— Está de brincadeira.

— Menos de uma semana antes do casamento. Tony disse que nem queria. É errado e tudo mais. Só que ela partiu para cima dele.

Os ouvidos de Vivi começaram a zunir. Ela estendeu a mão para se equilibrar.

— Caramba.

— Exatamente. Mas fique de bico fechado, meu velho. Não tem por que estragar o dia. Mesmo assim... é de dar pena o coitado do Fairley-Hulme.

# Quatro

Douglas recostou-se na cadeira, mordeu a ponta da caneta, pensativo, e olhou para as páginas completamente cobertas por planos à sua frente. Aquilo lhe tomara várias semanas de trabalho até tarde da noite, mas ele tinha quase certeza de que havia compreendido bem.

Baseara suas ideias, em parte, numa mistura de teorias dos grandes reformadores sociais, uma espécie de fórmula utilitária de vida, e, em parte, em algo que lera sobre os Estados Unidos — uma forma mais comunitária de fazer as coisas. Bem radical, sem dúvida, mas ele achava que poderia funcionar muito bem. Não, corrigiu-se, *sabia* que funcionaria muito bem. E mudaria fundamentalmente a cara da propriedade privada.

Em vez do enorme rebanho de gado holandês, para os quais havia regras e regulamentos que, desde a introdução da Política Agrícola Comum, seu pai sempre disse que eram capazes de transformar um homem são num imbecil total, quarenta hectares da propriedade seriam entregues a uma comunidade autossuficiente. Os moradores poderiam viver nas casas em ruínas que eram alugadas, reformando-as eles mesmos com madeira do bosque de Mistley. Havia uma nascente de água nas proximidades e velhos celeiros que podiam ser usados para pequenas quantidades de gado. Se chamassem artesãos, podiam até montar um ateliê ali, vender a cerâmica deles ou o que fosse, talvez devolvendo uma pequena porcentagem dos lucros em troca.

Enquanto isso, os quatro campos em Page Hill, então destinados à beterraba-sacarina, podiam ser divididos em minifúndios para permitir que o pessoal da terra cultivasse sua própria horta. A procura por alimentos de pequenos produtores era cada vez maior, um número crescente de pessoas que queriam um "retorno à natureza". Os Fairley-Hulme cobrariam um aluguel mínimo e aceitariam alimentos como parte do pagamento. Seria como voltar ao colonato, às formas ancestrais da família, mas sem a atitude feudal. E o esquema seria autossuficiente. Talvez até lucrativo. Se funcionasse muito bem, o dinheiro excedente poderia ser investido em algum outro projeto, talvez um programa educativo. Quem sabe ensinasse algo produtivo aos delinquentes na cidade, talvez lições sobre administração de terras.

A propriedade era muito grande para ser administrada por um único homem. Ele ouvira o pai dizer isso um milhão de vezes, como se o próprio Douglas não tivesse condições de unir-se a ele. Havia o administrador da propriedade, lógico, o vaqueiro-chefe e os trabalhadores da fazenda, o guarda-caça e o faz-tudo, mas a responsabilidade final pelo que acontecia cabia a Cyril Fairley-Hulme, responsabilidade que ele já carregava havia quase quarenta anos. E essa responsabilidade já não significava a simples administração da terra, mas cálculos complexos envolvendo subsídios, que redundavam em mais maquinário, menos diversificação, mais herbicidas e fertilizantes químicos. Tudo isso havia deixado seu pai triste, murmurando que, se tivesse que arrancar mais sebes, seria melhor vender os animais, transformar a propriedade numa daquelas fazendas aráveis de estilo norte-americano e acabar com aquilo, enquanto seus homens mais velhos, aqueles que haviam aprendido a arar com cavalos, especulavam: esqueça animais, nesse ritmo não haverá necessidade de humanos.

O breve período de autoavaliação após o seu encontro com Athene fizera Douglas se dar conta de que nunca se sentira verdadeiramente confortável com a ideia de herdar a propriedade Dereward. De alguma forma, não achava que a merecesse: numa era em que o nepotismo e o feudalismo morriam aos poucos, não parecia certo aceitar essa incumbência autoengrandecedora, assumir, antes dos trinta, o direito à propriedade e a responsabilidade pela vida de todos os que dela dependiam.

Na primeira vez que abordara o assunto com o pai, Douglas fora tirado como um comuna. Talvez o pai até tivesse usado essa palavra. E Douglas, que era esperto o suficiente para entender que o pai provavelmente não levaria a sério um plano pouco amadurecido, engolira as palavras e saíra para supervisionar a desinfecção da sala de ordenha.

Mas agora tinha um conjunto concreto de propostas que podiam levar a propriedade rumo ao futuro, torná-la um modelo não só pela excelência agrícola, mas também pela transformação social, e isso até seu pai teria que admitir. Seguiriam a tradição daqueles grandes reformadores, Rowntree e Cadbury, que consideravam lucro um objetivo insuficiente a menos que levasse a melhorias sociais e ambientais. Ele evocou imagens de trabalhadores satisfeitos comendo alimentos produzidos em casa e estudando para se aprimorar em vez de torrar seus salários semanais no White Heart. O ano era 1965. As coisas estavam mudando depressa, mesmo que os habitantes de Dere Hampton não estivessem dispostos a reconhecer isso.

Douglas juntou as páginas com capricho, colocou-as com reverência dentro de uma pasta e a segurou embaixo do braço. Fez o possível para ignorar a pilha de cartas a que ainda precisava responder. Passara grande parte do último mês se defendendo de reclamações de excursionistas e passeadores de cães por ter erguido uma cerca no meio dos campos de doze hectares que davam no bosque para deixar os dois lados para pasto de ovelhas. (Ele sempre gostara de ovelhas. Ainda se lembrava com carinho de um estágio com um ovinocultor da Cúmbria que contava os animais usando um dialeto antigo e incompreensível: *yan, tan, tethera, pethera, pimp, sethera, lethera, hovera, covera, dik...*) O fato de os moradores ainda poderem caminhar pelo campo não os pacificara: eles não gostaram de estar "encurralados", disseram. Douglas ficara tentado a retrucar que eles tinham sorte de contar com um acesso ao campo e que, sem tais medidas, a propriedade não teria segurança financeira e seria vendida em lotes para algum projeto imobiliário, como a Rampton, que já tinha sido uma propriedade imponente, a pouco mais de seis quilômetros dali. E vamos ver o que eles achariam disso.

Mas, consciente de que, como um Fairley-Hulme, precisava pelo menos fingir que dava importância às opiniões dos moradores, sugerira que eles colocassem as reclamações por escrito e disse que faria o possível para analisá-las.

Olhou para o relógio e tamborilou os dedos na lateral da mesa, um misto de nervosismo e empolgação. Sua mãe devia estar preparando o almoço. Quando seu pai se retirasse para o escritório para aquela meia hora em que "trataria da papelada" (sempre envolvendo uma breve fechada dos olhos — só para fins de descanso, você sabe), exporia suas ideias. E quem sabe deixaria a própria marca, mais contemporânea, na propriedade Dereward.

Perto dali, a mãe de Douglas Fairley-Hulme tirou as luvas e o chapéu e levou os cachorros para o hall de entrada, notando no relógio que chegara quase meia hora antes do horário previsto para o almoço. Não que houvesse qualquer coisa para organizar. Saíra com a esperança de poder pelo menos ser convidada para um café e, assim, preparara tudo de antemão. Mas, apesar de ter percorrido aquela distância toda a pé e aparecido à porta bastante ofegante — todo ano se esquecia de como março podia surpreender — e obviamente necessitando de um refresco, a nora não a convidara a entrar.

Não tinha começado bem com Athene. Na verdade, não sabia como poderia ter sido de outro jeito. A moça era uma pessoa cansativa, sempre fazendo exigências impossíveis a Douglas, ainda que quase nunca se mostrasse uma esposa dedicada ou retribuísse com algum apoio. Mas Cyril lhe dissera que ela devia se esforçar um pouco mais por essa amizade.

"Tente encontrá-la para tomar um café pela manhã ou coisa assim. Douglas disse que ela fica muito entediada. Para ele seria mais fácil se vocês fossem amigas."

Ela nunca fora muito fã da companhia de outras mulheres. Fofoca demais e muita preocupação desperdiçada com besteiras. Uma das desvantagens de ser a matriarca da propriedade era que as pessoas de alguma forma esperavam que ela conversasse o tempo todo, que falasse de trivialidades em reuniões matinais de caridade e em quermesses, quando tudo o que realmente queria era estar em casa, no seu jardim. Mas como era raro Cyril lhe fazer um pedido específico, ela obedientemente enveredara pela trilha de cinco quilômetros que levava à Philmore House, a ampla casa em estilo rainha Anne que, dois anos antes, Cyril dera de casamento ao filho único.

Athene estava em trajes de dormir, embora já passasse das onze da manhã. Mas nem de longe demonstrou desconforto por ter sido flagrada assim.

— Me perdoe — dissera, sem a menor cara de arrependimento. Ficara surpresa por um momento, mas logo em seguida abriu um sorriso doce, encantador. — Hoje não estou recebendo ninguém.

Com a mão, abafou um bocejo, o robe de anarruga revelando a camisola finíssima e, pior, um bom trecho pálido do colo por baixo, embora qualquer um dos homens da propriedade pudesse estar passando.

A mãe de Douglas se sentira bastante incomodada com essa extraordinária quebra de decoro.

— Eu pensei que podíamos tomar um café — disse, com um sorriso forçado. — Você quase não tem aparecido lá em casa ultimamente.

Athene olhara para trás da mulher, um ar distraído e irritado, como se a sogra pudesse ter sido seguida por uma falange de visitantes, todos exigindo chá e conversa.

— Cyril estava... nós dois estávamos querendo saber como você está.

— Você é muito gentil. Acabei de descobrir que tenho um monte de coisas para resolver. — O sorriso de Athene vacilou um pouco ao ver que a sogra não se mexeu. — E hoje estou me sentindo bem cansada. Por isso realmente não estou recebendo ninguém.

— Pensei que podíamos conversar um pouquinho. Sobre coisas...

— Ah, acho que não. Mas é muita bondade sua pensar em mim.

— Tem umas coisas que gostaríamos que você...

— Foi ótimo estar com você. Tenho certeza de que vamos vê-la em breve.

E, depois daquele rápido diálogo, da despedida menos efusiva possível e sem o menor sinal de um pedido de desculpas, Athene fechara a porta. E a sogra, que normalmente não gostava de rodeios, sentira-se quase estupefata demais para se ofender.

Aliás, apesar de ser uma mulher de alguma assertividade, nem sabia direito como descrever aquele incidente ao marido. O que poderia dizer de condenatório? Que a moça a recebera de camisola? Cyril poderia achar isso fascinante — pior, poderia começar a imaginar coisas, e ela sabia onde *isso* podia terminar. Que Athene não lhe oferecera um café? Cyril diria simplesmente que ela deveria ter lhe dado algum aviso, telefonado antes de sair. Era uma das coisas que mais a irritavam, a determinação perene do marido de ser *justo*. Decidira ficar calada, mas quando Douglas chegou, levou-o para um canto e lhe disse, sem meias-palavras: se a esposa dele não quisesse se vestir com o mínimo de dignidade, não deveria atender a porta. A família tinha um nome a zelar. Ao perceber o olhar cheio de dúvidas do filho, foi assolada por um repentino instinto de proteção, combinado com uma vaga irritação pelo fato de o rapaz se parecer tanto com o pai. Durante toda a juventude, eles recebem avisos... São alertados por anos, talvez. Mas não fazia diferença quando se tratava de moças como aquela.

Cyril Fairley-Hulme baixou o guardanapo e olhou para o relógio, como fazia todos os dias nos minutinhos que levava entre terminar a refeição e sua esposa se levantar perguntando-lhe se queria um café, antes que ele se dirigisse para seu escritório. Às suas costas, o rádio deu a previsão do tempo num tom comedido, como dava no fim de cada almoço, e os três concederam um minuto de silêncio para lhe permitir ouvir.

— Muito bom — disse Cyril, com calma. Depois, como que fazendo uma observação longamente ponderada: — Um bom empadão de caça é imbatível.

— Delicioso. Obrigado, mãe. — Douglas puxou o guardanapo do colo e o largou, embolado, na mesa.

— É um dos da Bessie. Vou dizer a ela que você gostou. Tem tempo para um café?

A mesa fora posta, como sempre, com formalidade caprichada e boa louça, apesar da ocasião trivial. Ela retirou os pratos e saiu, empertigada, da sala.

Douglas observou a mãe, sentindo as palavras pesadas na boca, destoando dos sentimentos palpitantes em seu peito.

Seu pai levou alguns minutos em um estado reflexivo, apertando o fumo no cachimbo, depois o acendendo, velhas rugas de concentração se delineando no rosto magro e bronzeado. Depois olhou para o filho, como que surpreso por ele ainda não ter ido, como mandava a rotina.

— Dennis está semeando os tubérculos hoje à tarde.

— Sim — disse Douglas. — Vou até lá quando sair.

O pai apagou um fósforo pela metade e praguejou baixinho entre dentes, olhando de modo inconsciente para a porta por onde sua mulher havia saído.

— Quero ter certeza de que ele vai fazer o espaçamento direito. Ano passado plantou tudo muito junto.

— Sim, pai, você disse. Vou falar com ele sobre isso.

O pai tornou a olhar para o cachimbo.

— Esperando a colheita? — perguntou, alegremente.

— O quê? Ah... — Muitas vezes era difícil reconhecer quando o pai estava brincando. — Ah, não. Na verdade, pai, eu queria conversar sobre um assunto.

O cachimbo foi aceso. O pai se recostou e soltou uma fina espiral de fumaça, descontraindo o rosto por um instante.

— Pode falar — disse cordialmente.

Douglas olhou para ele, depois baixou o rosto, tentando se lembrar onde pusera a pasta. Levantou-se, pegou-a na cômoda, depois começou a sacar as páginas, dispondo-as com cuidado à frente do pai na mesa.

— O que é isso?

— O assunto que eu queria tratar. Algumas ideias que tive. Para a propriedade.

Douglas tornou a arrumar duas páginas e recuou, observando enquanto o pai se inclinava à frente para olhar com um pouco mais de atenção.

— Ideias para a propriedade?

—Ando pensando há séculos. Quer dizer, desde que aconteceu aquele negócio com a PAC e você começou a falar em desistir dos laticínios. Poderíamos olhar para as coisas de um jeito um pouco diferente.

Cyril observou impassível a explanação gaguejante do filho. Depois olhou para as folhas.

— Me passe os meus óculos.

Indo até o lugar indicado pelo pai, Douglas pegou os óculos e os entregou a ele. Da cozinha, ouvia a mãe colocando louça na bandeja, além de armários abrindo e fechando. Ouvia a pulsação latejando no ouvido. Enfiou as mãos nos bolsos e tornou a tirá-las, contendo-se para não avançar e apontar para parágrafos distintos na página.

— Tem um mapa ali embaixo — disse, sem conseguir mais se segurar. — Destaquei os campos com cores diferentes de acordo com o uso.

O tempo pareceu se arrastar, depois parar. Douglas, olhando para o rosto do pai, não via um pingo sequer de emoção enquanto examinava metodicamente as páginas. Lá fora, os cães latiam, histéricos, para algum delinquente.

Seu pai tirou os óculos e se recostou devagar na cadeira. Examinou o cachimbo, que apagara já fazia algum tempo, e o colocou na mesa ao lado.

— Foi isso que lhe ensinaram na faculdade de agronomia?

— Não — disse Douglas. — Na verdade, são quase todas ideias minhas. Quer dizer, ando lendo e tudo mais, sobre kibutzim... e você sabe tudo sobre Rowntree, claro, mas...

— Porque, se foi, perdemos cada maldito centavo mandando você para lá.

Foi uma afirmação brusca, como se as palavras tivessem sido disparadas por uma arma, e Douglas se sobressaltou, como se impactado fisicamente.

A cara do pai, como sempre, não revelava quase nada. Mas havia um brilho escondido em seus olhos, uma leve palidez por trás de sua tez corada que sugeria uma imensa fúria oculta.

Ficaram sentados em silêncio, olhando um nos olhos do outro.

— Pensei que você tivesse juízo. Pensei que tínhamos criado você com alguma noção do que era certo e...

— Isso é certo. — Douglas ouviu a própria voz se elevar em protesto. — É certo devolver alguma coisa para as pessoas. É certo que todo mundo tenha um pedaço da terra.

— Você acha? Dar a terra de presente? Distribuí-la em lotes para quem quiser? Pedir às pessoas que façam uma fila?

— Ainda seria nossa terra, papai. Isso só permitiria que outras pessoas trabalhassem nela. Afinal, nem sequer usamos a propriedade toda.

— Você acha que as pessoas das redondezas querem trabalhar a terra? Já *perguntou* a alguma delas? Os jovens não querem arar nem semear. Não querem estar ao ar livre, faça chuva ou faça sol, arrancando ervas daninhas e espalhando esterco. Querem estar nas cidades, escutando música popular e de todo tipo. Sabe quanto tempo levei para encontrar mão de obra suficiente só para apanhar o feno ano passado?

— Encontraríamos gente. Sempre tem gente que precisa de trabalho.

O pai bateu nos papéis com desgosto.

— Isso não é um experimento social. É o nosso sangue, o nosso suor neste solo. Não dá para acreditar que criei um filho, ensinei-lhe tudo que sei sobre essa propriedade, só para fazer com que ele queira dar a terra de presente. Nem ao menos vendê-la, veja bem. Dá-la de mão beijada. Você... você é pior que uma *garota*.

Ele cuspiu as palavras no filho, como se estivesse furioso. Douglas quase nunca tinha ouvido o pai levantar a voz para ele e percebeu que estava tremendo. Tentou se acalmar para enfrentar a raiva concentrada do pai e viu a mãe, parada à porta, com a bandeja na mão.

Sem uma palavra, o pai se levantou, passou por ela a passos firmes e, no caminho, enfiou o chapéu na cabeça.

A mãe de Douglas colocou o café na mesa e ficou olhando para o filho, que tinha a mesma cara de choque e tristeza contidos de quando, aos oito anos, apanhara do pai por deixar os cachorros entrarem na maternidade das vacas. Ela resistiu ao impulso de consolá-lo e, em vez disso, perguntou com cautela o que acontecera.

Douglas ficou vários minutos sem responder, e ela se perguntou se ele estaria tentando segurar as lágrimas. Ele apontou para uns papéis na mesa.

— Tive algumas ideias para a propriedade. — Fez uma pausa, depois falou com a voz embargada. — Meu pai não gostou delas.

— Posso olhar?

— À vontade.

Ela se sentou com cuidado na cadeira do marido e examinou as páginas. Levou algum tempo para entender o que ele propunha e ficou olhando para o mapa colorido, aos poucos assimilando o plano do filho.

Pensou no marido e naquele seu atípico acesso de raiva, e a pena que sentira do filho no início foi substituída por uma onda de raiva se formando nela própria. Os jovens podiam ser muito inconsequentes. Nunca consideravam o que as gerações anteriores haviam enfrentado. O mundo estava virando um lugar mais egoísta e, apesar do amor profundo que sentia pelo único filho, agora estava furiosa com a falta de consideração dele, e também com a nora irresponsável, sem vergonha, e a geração deles em geral.

— Sugiro que você jogue isso no fogo — disse, juntando as folhas.

— O quê?

— Livre-se disso. Com sorte, seu pai vai esquecer que algum dia tiveram essa conversa.

A cara do filho era uma máscara de frustração e incredulidade.

— Você nem vai considerá-las?

— Já considerei, Douglas, e elas são... inadequadas.

— Tenho vinte e sete anos, mãe. Mereço ter voz na administração da propriedade.

— *Merece?* — Ela sentiu um aperto no peito e sua voz saiu em pequenos rompantes. — Sua geração só liga para isso... para o que vocês supostamente merecem. Suas ideias são um insulto ao seu pai e, até você compreender isso, sugiro que a gente encerre esta conversa por aqui.

Douglas, agora com as duas mãos em cima da mesa, se apoiava nos braços estendidos, como se tivesse sido quase derrubado pela resposta.

— Não posso acreditar que vocês dois estejam reagindo assim.

O último resquício de solidariedade maternal que ela sentia evaporou.

— Douglas, sente-se — ordenou, colocando-se diante dele. Respirou fundo, tentando medir as palavras. — Vou lhe contar uma coisa sobre o seu pai, rapaz. Você não tem ideia do que ele passou para manter essa propriedade inteira. Não tem ideia. Quando ele a herdou, estava quase falida. Os preços do trigo nunca tinham sido tão baixos, os trabalhadores da fazenda estavam indo para a cidade porque não tínhamos dinheiro para lhes pagar e não podíamos dar a porcaria do leite. Ele teve que vender quase toda a mobília da família, todos os quadros a não ser os retratos, as joias da própria mãe, inclusive a única lembrança que tinha dela, só para manter a propriedade viva. — Ficou olhando para o filho, determinada a colocar na cabeça dele a gravidade do que lhe contava. — E você devia ser muito novo para se lembrar bem disso, mas, na guerra, a propriedade foi requisitada... tivemos até prisioneiros de guerra aqui. Sabia disso? O irmão do seu pai foi morto no ar, e tivemos que aceitar alemães — ela cuspiu a palavra — só para manter as coisas funcionando. Eram ladrões sujos roubando comida e tudo. Até peças do maquinário da fazenda.

— Eles não roubaram nada. Foram os garotos Miller.

Ela fez que não.

— Douglas, ele trabalhou nesses campos dia após dia, com chuva, neve e granizo, por toda a vida adulta. Já o vi chegando em casa com as mãos em carne viva de tanto arrancar ervas daninhas e com as costas vermelhas de trabalhar doze horas no sol. Lembro que havia noites em que ele comia e adormecia à mesa. Quando eu o acordava, ele saía para consertar os tetos dos arrendatários ou arrumar o sistema de drenagem. Essa é a primeira vez que temos dinheiro suficiente para que ele possa relaxar um pouco. A primeira vez que ele se permite deixar que outras pessoas o ajudem. E agora você, a esperança, o orgulho, o herdeiro dele, vem lhe dizer que quer dar a propriedade para um bando de *beatniks*, ou seja lá o que forem.

— Não é assim. — Douglas estava corando.

A mãe fizera o discurso dela. Levantou-se e serviu o café. Acrescentou o leite, depois empurrou a xícara para o filho.

— Eu gostaria que fosse a última vez que discutimos isso — disse, a exaltação dissipada da voz. — Você é um rapaz com grandes ideias. Mas esta propriedade é maior que as suas ideias. E não a mantivemos de pé por tanto tempo para deixar você desbaratar tudo o que fizemos. Porque, Douglas, ela nem é sua para você dar. Você é um fideicomissário, um depositário. Seu trabalho é simplesmente agir como um condutor para as mudanças necessárias para mantê-la funcionando.

— Mas vocês disseram...

— Dissemos que a propriedade seria sua. O que não dissemos, em momento algum, é que ela devia ser desviada de sua finalidade natural. Que, primeiro, é agricultura e, segundo, fornecer um lar e um meio de vida para sucessivas gerações da família Fairley-Hulme.

Fez-se um longo silêncio. Ela se sentiu revigorada após tomar um grande gole de café. Seu tom, quando falou, foi conciliador:

— Quando tiver filhos, você vai entender um pouquinho melhor.

O rádio chiou com interferência quando um avião passou no céu. Ela se virou na cadeira e ajustou o dial. O serviço foi restabelecido.

Douglas, cabisbaixo, olhava para o fundo da xícara.

Quando chegou em casa, encontrou-a vazia. Nem se dera ao trabalho de chamar pela esposa quando fechou a porta. Ela raramente se lembrava de deixar uma luz acesa para ele, e a casa estava dominada por um silêncio frio que indicava muitas horas desocupada.

Pendurou o casaco no corredor que ecoava e foi para a cozinha, os pés absorvendo o frio do linóleo. No primeiro ano do casamento, Douglas frequentemente vira que seu jantar consistia em cereais matinais ou pão com queijo. Athene não era uma dona de casa nata e, após algumas tentativas carbonizadas, perdera o interesse até em fazer de conta que era. Não fazia tempo que, sem contar à mãe, ele empregara Bessie, uma das mais antigas mulheres que trabalhavam na propriedade, para manter a cozinha deles abastecida e colocar de vez em quando um empadão ou um guisado na geladeira. Ele sabia que aquela mulher achava Athene escandalosa. Numa vaga tentativa de proteger a reputação doméstica da esposa, ele explicara que farinha causava urticária em Athene.

Uma torta de queijo esperava na prateleira. Douglas a colocou no forno, fechou a porta e examinou a mesa da cozinha à procura de algum bilhete. Quase nunca diziam muito: "Querido Douglas, já volto — A." Ou: "Saí rapidinho para tomar ar", ou "Fui dar uma volta". E com cada vez mais frequência ela não vinha deixando bilhete algum. Naquela noite, ele não se importou. Não sabia se queria falar com alguém no momento, nem com a esposa.

Puxou um prato do aparador, olhando para a moldura com a foto instantânea que ele tirara de Athene em Florença. Aquele primeiro ano fora maravilhoso. Eles tinham passado três meses viajando pela Itália, dirigindo aquele seu MGB Roadster vermelho, ficando em *pensiones* minúsculas e frequentemente ofendendo as *padronas* com suas demonstrações desinibidas de amor. Athene o fizera sentir-se um rei, rindo, deliciada, da maneira como ele dirigia nas estradas sinuosas das montanhas, pendurando-se nele enquanto bebericavam café ao ar livre, enroscando-se nele no escuro, toda carente. Na volta, apesar da casa recém-decorada, do cavalo, das aulas de direção e do carro novo que ele lhe dera de presente — Athene era péssima motorista, Douglas já nem se importava mais com os arranhões que apareciam no para-choque —, aos poucos, ficara um pouquinho menos encantada, um pouquinho menos fácil de agradar. Não tinha interesse nos planos de redistribuição de riqueza dele, que tinha esperanças de inspirá-la. A ideia tinha partido dela, afinal.

"Vamos dar tudo", dissera a esposa, numa tarde de verão, quando faziam um piquenique sozinhos à beira do rio das trutas. "Vamos decidir quem mais fez por merecer no vilarejo e depois distribuir a propriedade em lotes. Como os Estados Unidos fizeram com as pessoas escravizadas."

Ela estava brincando, certamente. Como na vez em que anunciara que estava com muita vontade de cantar jazz e ele, de surpresa, contratara aulas para ela.

Na verdade, embora não gostasse de pensar no assunto, nas últimas semanas, Athene vinha dando certo trabalho. Ele nunca sabia como estaria seu humor: num minuto era sedutora, grudenta, tentava atraí-lo para algum plano extravagante; em seguida, era fria e distante, como se ele tivesse deixado de cumprir alguma regra tácita. Se ele se atrevesse a perguntar o que havia feito, ela explodia, exasperada, perguntando por que não podia deixá-la em paz. Ele não ousava mais se aproximar de Athene no escuro. Ainda estava ressentido desde que, duas semanas antes, ela chegara a empurrá-lo, acusando-o de parecer um "animal babão".

Ele ergueu os olhos para a foto da mulher sorridente, simples. Tinha sido tirada quinze dias antes do segundo aniversário de casamento deles. Talvez pudessem ir à Itália de novo, passar uma ou duas semanas para mudar de ambiente. Ele precisava de uns dias longe da propriedade, tirar um tempo para digerir sua decepção. Talvez umas férias a deixassem menos irritada, menos inconstante.

Athene chegou pouco antes das oito, erguendo as sobrancelhas, surpresa, quando viu o prato de jantar limpo diante dele. Usava um vestido azul-claro e um casaco branco de gola alta novo.

— Não me dei conta de que você estaria em casa tão cedo.

— Pensei que você poderia querer companhia.

— Ah, querido, perdão. Se você tivesse dito, eu trataria de estar aqui. Passei a tarde em Ipswich, queria ir ao cinema.

Ela estava visivelmente de bom humor. Abaixou-se rapidamente para beijar sua testa, deixando um rastro de perfume no ar diante dele.

— Minha mãe disse que passou aqui mais cedo.
Athene estava tirando o casaco, de costas para ele.
— Acho que ela ainda quer me apresentar como um troféu na quermesse do vilarejo. Já disse a ela que não é a minha praia.
Douglas levantou-se, foi até o bar e serviu dois dedos de uísque.
— Você podia fazer um esforço, Athene. Ela não é tão ruim assim. Faça esse esforço por mim.
— Ah, não vamos discutir. Você sabe que não sou boa nessas coisas de família, Douglas.
Era uma conversa inútil, que já tinha se repetido várias vezes.
— Vi um filme fabuloso. Francês. Você tem que ver também. Fiquei tão emocionada que quase não voltei para casa. — Sua risada, talvez deliberada, tirou qualquer ameaça de suas palavras.
Douglas a observou desfilando pela sala: ela era o foco dali, mas sem pertencer ao lugar. Talvez sempre fosse ter este aspecto para ele: algo do outro mundo, flutuando, recusando-se a ser presa pelas amarras da domesticidade. Ele desejou, por um instante, poder lhe contar sobre o diálogo com o pai. Desejou poder expressar sua humilhação, sua decepção com a reação do homem cuja opinião ele valorizava mais do que tudo no mundo. Talvez deitar a cabeça no colo da esposa e ser consolado. Mas aprendera à custa de uma experiência amarga que Athene se deteria em qualquer rachadura na relação dele com os pais e faria o possível para aumentá-la. Ela não o queria tão ligado à família, queria separá-los.
Ele tomou um longo gole de uísque.
— Pensei que pudéssemos viajar.
Ela se virou, algo de intraduzível tomava sua expressão.
— O quê?
— Para a Itália.
Foi como se ele tivesse proposto saciar uma fome oculta. Ela se aproximou dele, sem deixar de encará-lo.
— Voltar a Florença?
— Se você quiser.
Ela arquejou discretamente, depois atirou os braços em volta dele com uma espécie de sofreguidão infantil.
—Ah, sim. Sim. Vamos voltar à Itália. Ah, Douglas, que ideia maravilhosa.
Ele largou o copo e afagou o cabelo dela, abismado com a facilidade com que as coisas se ajeitavam entre eles. Sentia as pernas e os braços

dela, sinuosos, e era arrebatado pela excitação do desejo. Ela ergueu o rosto para o dele, e ele a beijou.

— Quando vamos? Em breve? Podemos fazer as malas num piscar de olhos. — Sua voz era ávida, premente.

— Pensei que podíamos ir para o nosso aniversário de casamento.

Os olhos dela foram parar em algum horizonte distante, seus pensamentos já além-mar. Era como se seu rosto tivesse mudado de forma, suavizado e com os contornos vagos, como se visto através de lentes embaçadas.

— Podíamos até ficar na Via Condolisa.

— Mas onde vamos morar?

— Morar?

— Na Itália.

Ele baixou o queixo e franziu a testa.

— Não vamos lá para morar, Athene. Achei que podíamos fazer uma viagem de comemoração.

— Mas pensei que... — Seu rosto se fechou quando ela entendeu as ramificações do que ele estava dizendo. — Você não quer se mudar para lá?

— Você sabe que não posso me mudar para lá.

Athene sentiu irromper um súbito desespero.

— Mas vamos nos mudar daqui, querido. Para longe da sua família. E da minha. Odeio família. Eles só servem para jogar em nós obrigações e expectativas. Vamos embora. Nem precisa ser a Itália. Já estivemos lá. Vamos para o Marrocos. Lá deve ser fabuloso.

Seus braços estavam apertados em volta da cintura do marido, seus olhos ardendo intensamente.

Douglas se sentiu subitamente exausto.

— Você sabe que não posso ir para o Marrocos.

— Não vejo por que não. — Seu sorriso estava magoado, hesitante.

— Athene, tenho responsabilidades.

Então, ela se afastou. Recuou e lhe lançou um olhar duro.

— Nossa, você fala exatamente igual ao seu pai. Pior. Exatamente igual ao *meu* pai.

— Athene, eu...

— Preciso de uma bebida.

Virou as costas para ele e foi se servir de uma dose grande de uísque. Nesse momento, Douglas notou que a garrafa nova já estava com o nível consideravelmente baixo. Ela ficou uns minutos de costas para ele. Em geral, Douglas poderia ter se aproximado, segurado seu ombro num gesto reconciliatório, murmurado algumas palavras de afeto. Naquela noite, porém, estava simplesmente muito cansado. Exausto demais para fazer joguinhos com sua esposa volúvel e impossível.

Ela se virou para ele.

— Douglas. Querido. Eu nunca lhe peço nada. Peço?

Não adiantava contradizê-la. Douglas olhou para seu rosto pálido, indecifrável, e a tristeza de repente era visível ali. Odiou pensar que era tudo culpa de seu fracasso como marido.

— Vamos embora. Vamos embora daqui. Diga sim para mim, Douglas. *Por favor.*

Ele teve um breve impulso insano de jogar seus pertences numa mala e pegar a estrada com o MG roncando, Athene encantada e enroscada nele, depois desaparecer num futuro colorido em alguma terra exótica.

O olhar de Athene não vacilou.

— Preciso de um banho — disse ele.

E, cansado, seguiu em direção às escadas.

# Cinco

*O dia em que parti o coração de alguém*

Ah, sei que não pareço o tipo. Você deve estar pensando que nunca despertei a paixão de ninguém. Mas despertei, sim, muito tempo atrás, antes de a meia-idade e os cabelos grisalhos cobrirem quaisquer atributos que já tive. O nome dele era Tom e ele era um amor de rapaz. Não era dos mais atraentes, mas tinha muita integridade. Sólido como uma rocha, sem dúvida. Boa família. E me adorava.

Não era de falar muito. Naquele tempo, os homens não falavam. Pelo menos não os que conheci. Mas eu sabia que ele me adorava. Para começar, me esperava na esquina toda noite para me levar em casa quando eu saía do escritório, e também guardava para mim belas peças de fita e renda da pilha de sobras na fábrica de seu pai. A família dele trabalhava com aviamentos, sabe? Ele estava aprendendo o ofício do pai. Foi assim que nos conhecemos. Não muito masculino, você deve estar pensando, e, sim, até havia alguns meninos assim, mas quando você o via... bem, ele não tinha nada de afeminado. Era um cara alto, de ombros enormes. Carregava rolos de tecido para mim, empilhava três ou quatro no ombro com a mesma facilidade com que jogava o casaco nas costas.

Ele chegava com bandejas de botões e pedaços de aviamento, em geral de uma linda renda vitoriana que estava mofando em alguma caixa. Deixava-as para mim sem dizer nada, estendidas, como se fosse um cachorro me presenteando com um osso. Eu fazia as minhas próprias roupas na época, e ele sempre era capaz de identificar nelas um dos seus botões ou um viés de veludo. Acho que isso o deixava bem orgulhoso.

E ele nunca me pressionou. Nunca fez qualquer declaração mais contundente nem anunciou suas intenções. Eu lhe dissera, veja só, que nunca me casaria. Eu tinha certeza disso e achava que seria o correto deixar explícito desde o início. Mas ele se limitou a assentir, respeitando minha decisão, mas optando por me adorar mesmo assim. E, gradualmente, fui esquecendo do medo de estar lhe dando falsas esperanças ou sendo injusta, e simplesmente apreciava a companhia dele.

Era uma época bem complicada para ser uma garota solteira, os anos sessenta. Ah, sei que você está pensando que era só minissaia, amor livre, boates e coisas do gênero, mas pouquíssimas de nós realmente viveram isso. Para moças como eu, de famílias respeitáveis, que não eram "fáceis", a época podia ser bem confusa. Havia garotas que eram, e garotas que não eram. E eu nunca soube direito qual dessas deveria ser. (Embora tivesse chegado perto de ser, com Tom. Várias vezes. Ele era muito bom nisso, considerando tudo, mesmo quando falei que tinha decidido morrer virgem.) E havia uma pressão para a pessoa estar *à la mode*, estar por dentro da última moda, fosse com roupas da Biba ou da King's Road, ou, como as minhas, feitas a partir de modelos da Butterick e da Vogue. Mas nossos pais ficavam todos bem escandalizados, então a gente sofria aquela pressão para usar saia curta ou o que fosse, mas também ficava constrangida de usar.

Talvez eu apenas não fosse assim tão liberal. Havia muitas que eram. Mas Tom parecia me entender e gostar de mim do jeito que eu era, ou de qualquer jeito que eu tentava ser, e tivemos quase dois anos muito agradáveis.

Então foi uma pena que ele tivesse que sofrer tanto na ocasião em que foi apresentado aos meus pais.

Eu os tinha convidado para ver um musical em Londres. Minha mãe estava animada e papai também estava um amor, embora não dissesse, pois eu tinha passado quase um ano sem ir em casa. Eu reservara para nós ingressos para *Hello, Dolly!* no Theatre Royal, e depois uma mesa para um jantarzinho leve em um dos novos restaurantes Golden Egg. Eu ia pagar para todo mundo, porque o Sr. Holstein tinha acabado de me dar um aumento e me promover de secretária a gerente de escritório, o que me deixara muitíssimo empolgada. Fiquei séculos ponderando e cheguei à conclusão de que talvez convidasse o Tom também, porque ele era um amor. Eu sabia que significaria muito para ele conhecer os meus pais. Também sabia que meus pais gostariam dele, tinham que gostar. Não havia nada em Tom que pudesse inspirar antipatia. O espetáculo foi maravilhoso. Mary Martin interpretou Dolly Levi — nunca vou esquecer como ela estava deslumbrante, embora, no fundo, todos desejássemos ver Eve Arden. E mamãe estava tão satisfeita de me ver que, disfarçadamente, ficava pegando e apertando minha mão, enquanto lançava pequenos olhares significativos a Tom. Sei que estava bastante aliviada de ver um homem na jogada depois de tanto tempo, e ele tinha levado para ela uma caixa de frutas cristalizadas. Então foi uma noite bem agradável até o jantar. Ah, o Golden Egg não tinha nada de errado (mamãe disse, olhando em volta, que era "sem dúvida muito... colorido"): a comida estava boa, e esbanjei comprando uma garrafa de vinho, embora papai tenha dito que não me deixaria gastar o meu novo salário entretendo os meus "velhos". E Tom só ficou sorrindo daquele jeito calmo dele, falando por horas com mamãe sobre fitas, coisas de antes da guerra e de como o pai dele uma vez encontrou a mulher do primeiro-ministro para vender-lhe uma fina renda belga.

Até que ela foi dizer aquilo.

— Eu ia te contar, querida. As coisas não estão nada boas na família Fairley-Hulme.

Fiquei olhando o meu peixe, depois olhei para a frente, com uma expressão ao mesmo tempo vazia e cautelosa.

— Oi?

Papai bufou.

— Ela pulou a cerca.

— Quem pulou a cerca?

— Ah, Henry. Que termo mais antiquado. Athene Forster. Perdão, Fairley-Hulme. Ela fugiu com algum vendedor do norte, acredita? Deu a maior confusão. As famílias estão desesperadas para não deixar isso sair nos jornais.

Era como se ela pensasse que suas palavras já não fossem me afetar.

— Eu não leio jornal. — O peixe tinha virado pó na minha boca. Obriguei-me a engolir e tomei um gole de água. Tom, pobrezinho, continuava comendo, alheio. — Como... Como vai o Douglas?

— Torcendo para ela voltar, coitado. Completamente arrasado.

— Aquela... sempre teve cara de encrenca.

— Ah, sim. Mas parecia que tinha sossegado.

— Garotas assim nunca sossegam.

As vozes deles ficaram distantes, e me perguntei por um momento se eu iria desmaiar. Então olhei para Tom e, pela primeira vez, notei com certa repugnância que ele comia de boca aberta.

— De fato, os pais dela estão furiosos. Eles a deserdaram, inclusive. Estão dizendo a todo mundo que Athene foi passar um tempo no exterior, só até as coisas se acalmarem. Quer dizer, não é como se ela não tivesse abusado da sorte antes de se casar com o Douglas. Ela não tinha nenhum amigo de verdade, tinha? Nem uma reputação muito boa, ainda por cima.

Pensativa, minha mãe abanou a cabeça e varreu migalhas inexistentes da toalha.

— Os pais de Douglas reagiram muito mal. A situação tem péssimos reflexos em todo mundo. O sujeito vendia aspirador de pó de porta em porta, você acredita? *Aspirador de pó*. E, umas semanas depois de ter ido embora, a garota teve a ousadia de ligar para eles pedindo dinheiro. Coitada da Justine. Eu a vi na noite de *bridge* dos Trevelyan há duas semanas e isso a deixou bem abatida.

Foi então que ela deve ter visto a minha expressão. Primeiro me fitou com preocupação, mas logo em seguida seu olhar se tornou severo, e aí se dirigiu a Tom.

— Mas enfim, você não quer que a gente fique falando de quem você não conhece, não é, Tom? Muito indelicado da minha parte.

— Não se preocupe — disse Tom. Ainda de boca aberta.

— Sim. Bem. Vamos pensar na sobremesa. Quem vai querer? Alguém? — A voz dela se elevara quase uma oitava. Ela me lançou outro olhar severo, do tipo que só acontece entre mãe e filha.

Acho que não ouvi mais nada do que ela disse.

Não voltei para casa depois. Mas não era justo com Tom continuar saindo com ele naquelas circunstâncias.

Isso basta ou você quer saber sobre o bebê?

# PARTE DOIS

# Seis

*2001*

Eles sempre brigavam a caminho de festas. Suzanna nunca soube direito por quê, embora sempre pudesse atribuir o motivo a alguma coisa: seu atraso, o hábito dele de esperar até o último minuto para verificar se a porta dos fundos estava trancada, sua eterna incapacidade de encontrar algo decente para vestir. Talvez fosse uma antecipação do esforço que fariam para serem agradáveis um com o outro durante uma noite inteira. Às vezes achava que, talvez, fosse só o jeito dela de afirmar logo que não haveria intimidade entre os dois mais tarde, quando chegassem em casa. Essa noite, porém, não tinham discutido. Mas não era uma grande vitória: tinham ido cada um por si à casa dos Brooke. Suzanna foi de carro, seguindo instruções da anfitriã cuidadosamente anotadas. Neil chegou tarde do trabalho, pegou um trem e depois um táxi, de modo que, ao cumprimentá-lo à mesa de jantar, Suzanna sentira o sorriso calcificar-se em seu rosto, aquele seu jocoso "pensamos que você não viesse mais" espremido entre dentes.

— Ah. Já conhecem a outra metade dos Peacock? Neil, certo?

A anfitriã o conduzira com delicadeza ao seu lugar. Pérolas caras, mas blusa de seda meio ultrapassada, saia estilo Jaeger. Suas roupas disseram a Suzanna tudo de que ela precisava saber sobre a noite que tinha pela frente. Que seus modos urbanos seriam mais julgados com condescendência do que admiração. Que provavelmente foram convidados apenas por causa de seus pais.

— Fiquei preso numa reunião — desculpara-se Neil. — Por que criar caso? — sussurrou mais tarde, quando ela o repreendeu no corredor. — Mais ninguém parece se importar com isso.

— Eu me importo — retrucou ela, depois abriu um sorriso forçado quando a anfitriã perguntou, evitando discretamente olhar muito para eles, se alguém queria reabastecer o copo.

Tinha sido uma noite interminável. Neil disfarçou o constrangimento com gracejos ligeiramente impróprios. Pelo visto, todas as outras pessoas ali se conheciam havia algum tempo, e as conversas quase sempre acabavam girando em torno de gente que Suzanna não conhecia, "personagens" da cidadezinha, com várias referências a acontecimentos do passado: a quermesse de dois anos atrás cancelada por causa da chuva, o torneio de tênis em que os finalistas brigaram, a professorinha que fugiu para Worcester com o marido da velha Patricia Ainsley, coitada. Alguém tinha ouvido dizer que ela teve um filho. Já outra pessoa ouviu que Patricia Ainsley tinha virado mórmon. A sala estava quente demais, e Suzanna ficara sentada de costas para a enorme lareira, de modo que, mesmo antes de servirem o prato principal, seu rosto tinha ficado corado e de vez em quando uma gota de suor lhe escorria pelas costas, escondidas por sua camisa excessivamente fashion.

Todos sabiam, ela tinha certeza. A sensação era de que, embora ela sorrisse e garantisse que sim, estava feliz de voltar a morar em Dere Hampton, que era ótimo ter um pouco mais de tempo, que era bom estar mais perto da família, eles provavelmente sabiam que estava mentindo. Sabiam que a infelicidade estudada de seu marido — corajoso, conversando com o veterinário dogmático e a monossilábica mulher do guarda-caça — devia irradiar como uma fulgurante placa de néon flutuando acima deles. SOMOS INFELIZES. E A CULPA É MINHA.

Ao longo do ano anterior, ela se tornara perita em avaliar o estado do casamento das pessoas, reconhecia os sorrisos tensos das mulheres, os comentários mordazes, as expressões vazias de retraimento dos homens. Às vezes, ela se sentia melhor quando via um casal que parecia muito mais infeliz que eles; às vezes, isso a deixava triste, como se provasse que a raiva explosiva e a decepção fossem inevitáveis em todo mundo.

O pior, no entanto, eram os que ainda se mostravam apaixonados. Não os que estavam juntos havia pouco tempo — Suzanna sabia que a cor em algum momento desbotaria —, mas aqueles que a relação a longo prazo havia aprofundado alguma coisa, deixando-os mais unidos. Ela conhecia todos os sinais: os "nós" nas conversas, os toques frequentes na cintura, na mão ou até no rosto, os sorrisos silenciosos de satisfação atenciosa quando o outro falava. Às vezes até a discussão combativa pontuada por gargalhadas, como se ainda pudessem flertar um com o outro, os toques furtivos que demonstravam algo a mais. Depois Suzanna se pegava olhando, pensando que cola estaria faltando a ela e a Neil. Queria saber se existia algo que ainda pudesse encontrar para mantê-los juntos.

— Achei que correu tudo bem — disse Neil, bravamente, dando a partida no carro.

Eram os segundos a ir embora da festa, perfeitamente aceitável. Ele se oferecera para dirigir para que ela pudesse beber. Um gesto conciliador, ela sabia, mas, de alguma forma, não se sentia generosa o suficiente para reconhecê-lo.

— Até que eles foram razoáveis.

— Mas é bom... quer dizer, conhecer os nossos vizinhos. E ninguém sacrificou um porco. Nem jogou a chave do carro no meio da sala. Já tinham me alertado sobre esses jantares rurais. — Ele se forçava a usar um tom alegre, ela sabia.

Suzanna tentou reprimir a irritação familiar.

— Eles não são nossos vizinhos. Moram a quase vinte minutos da nossa casa.

— Todo mundo mora a vinte minutos da nossa casa. — Ele fez uma pausa. — É que é bom ver você fazendo amizades na área.

— Falando assim, parece que é o meu primeiro dia de aula.

Neil olhou para a esposa, parecendo avaliar quão teimosa ela estava decidida a ser.

— Só quis dizer que era bom você estar... criando algumas raízes.

— Eu tenho raízes, Neil. Sempre tive as malditas raízes, você sabe muito bem. Só não quis ser plantada aqui, ponto final.

Neil suspirou. Passou a mão pelo cabelo.

— Hoje não, Suzanna. Por favor.

Ela sabia que estava sendo péssima, e isso a deixou ainda mais irritada, como se agisse assim por culpa dele. Olhou pela janela, observando as sebes negras passarem depressa. Sebe, sebe, árvore, sebe. A pontuação sem fim da paisagem rural. O consultor financeiro havia sugerido terapia de casal. Neil se mostrara receptivo à ideia, disposto a fazer. "Não precisamos disso", dissera ela. "Estamos juntos há dez anos." Como se isso fosse algum sinal de solidez.

— As crianças eram uns amores, não eram? — Meu Deus, como ele era previsível. — Achei um encanto aquela garotinha servindo os petiscos.

Ela estava me contando sobre a peça dela da escola e como era injusto ela ter que ser uma ovelha em vez de uma campânula. Eu lhe disse que ela...

— Achei que você não quisesse discussão hoje...

Houve um breve silêncio. As mãos de Neil apertaram o volante.

— Eu só disse que achei as crianças simpáticas. — Olhou de soslaio para ela. — Foi um comentário completamente inocente. Só estava tentando puxar papo.

— Não, Neil. Não existe comentário inocente quando se trata de você e crianças.

— Isso é um pouco injusto de sua parte.

— Eu te conheço. Você é muito transparente.

— Ah, e se eu for? Isso é mesmo um pecado tão grande, Suzanna? Parece até que estamos casados há cinco minutos.

— E o que isso tem a ver? Desde quando há um limite de tempo para ter filhos? Não existe um manual de regras que diga "Vocês estão casados há sei lá quantos anos, melhor começarem a procriar".

— Você sabe tão bem quanto eu que as coisas ficam mais difíceis depois dos trinta e cinco.

— Ah, não comece com isso de novo. E eu não tenho trinta e cinco.

— Trinta e quatro. Você tem trinta e quatro.

— Eu sei a minha idade, cacete.

Houve uma espécie de descarga de adrenalina entre os dois. Era como se a privacidade do carro os tivesse livrado do encargo de performar felicidade.

— É porque você tem medo?

— Não! E não se *atreva* a meter a minha mãe nisso.

— Se você não quer ter filhos, por que não pode só dizer? Pelo menos aí saberemos em que pé estamos... Saberei em que pé *eu* estou.

— Não estou dizendo que não quero.

— Bem, não faço ideia do que você *está* dizendo. Nos últimos cinco anos, toda vez que toco no assunto, você voa no meu pescoço como se eu estivesse sugerindo uma coisa horrorosa. É só um bebê.

— Para você. Para mim, seria uma vida inteira. Já vi como isso toma conta da vida das pessoas.

— Num bom sentido.

— Para o homem. — Ela respirou fundo. — Olha, eu não estou pronta, tá? Não estou dizendo que nunca vou estar. Só que, por enquanto, não estou. Ainda não *fiz nada* da minha vida, Neil. Não posso simplesmente pular para a parte dos filhos sem ter realizado nada. Não sou esse tipo de mulher. — Cruzou as pernas. — Para ser sincera, acho a perspectiva toda deprimente.

Neil balançou a cabeça.

— Desisto, Suzanna. Não sei o que preciso fazer para deixar você feliz. Lamento que a gente tenha sido obrigado a voltar para cá, está bem? Lamento que a gente tenha sido obrigado a ir embora de Londres, lamento que você não goste de onde estamos morando, que esteja entediada e que não goste das pessoas. Lamento por esta noite. Lamento ter sido uma decepção tão grande para você. Só que não sei mais o que dizer. Não sei o que dizer que não seja um completo *erro*.

Houve um longo silêncio. Em geral, ele não desistia com tanta facilidade, e isso deixou Suzanna inquieta.

Neil saiu da estrada principal para um caminho sem iluminação e ligou o farol alto, espantando coelhos para dentro das sebes.

— Deixa eu ficar com a loja.

Ela disse isso olhando para a frente, sem encarar Neil, para não ter que ver a reação dele. Ouviu seu suspiro fundo.

— Não temos dinheiro. Você sabe disso.

— Tenho certeza de que posso conseguir — comentou, esperançosa. — Andei pensando. Podemos vender o meu quadro para fazer o depósito.

— Suze, acabamos de nos livrar de uma dívida. Não podemos entrar em outra.

— Sei que você não quer, mas preciso disso, Neil — disse ela, encarando-o. — Preciso de alguma coisa para me ocupar. Alguma coisa minha. Algo que não seja cafés da manhã e fofocas da vizinhança nem a droga da minha família.

Ele ficou em silêncio.

— Isso vai me ajudar muito. — A voz de Suzanna assumira um tom suplicante, conciliador. Ela própria se surpreendeu com o fervor. — Vai *nos* ajudar.

Talvez fosse alguma coisa no tom. Ele encostou o carro e olhou para a esposa. Lá fora, descia uma névoa, e os faróis ofuscantes não iluminavam nada a não ser a umidade.

— Me dê um ano — pediu ela, pegando a mão dele. — Me dê um ano, e se não estiver dando certo, vou engravidar.

Ele ficou pasmo.

— Mas se estiver dando certo...

— Vou engravidar do mesmo jeito. Mas pelo menos vou ter outra coisa. Não vou virar uma *delas*. — Apontou para trás, referindo-se às outras mulheres no jantar, que haviam passado grande parte da noite comparando histórias horrorosas de parto e amamentação, ou falando com um desprezo velado sobre o terror que eram os filhos dos outros.

— Ah. As nazistas neonatais.

— Neil...

— Você está falando sério?

— Estou. Por favor, só acho que isso vai me deixar um pouco mais feliz. Você quer que eu seja mais feliz, não quer?

— Você sabe que quero. Sempre quis que você fosse feliz.

Quando ele a olhava assim, ela conseguia vislumbrar um pouco de como era no passado, um resquício de como era estar ligada a alguém não por irritação nem por um ressentimento cego, mas por gratidão e expectativa, além de um desejo sexual constante. Ele ainda era bonito: ela conseguia analisar esteticamente e ver que ele era o tipo que envelheceria bem. Não acumularia uma pança nem ficaria com entradas. Continuaria empertigado, rijo, as concessões à idade limitando-se ao grisalho do cabelo e a um atraente aspecto curtido da pele.

Em momentos como aquele, ela era capaz de lembrar como era a cumplicidade entre eles.

— Sabe, você não precisa vender o seu quadro. É muito pessoal. E seria melhor conservá-lo, guardá-lo como um investimento.

— Acho que não consigo suportar ver você trabalhando mais tempo do que já trabalha.

Não era viver sem ele que a assustava: era ver como isso estava ficando cada vez mais fácil para ela.

— Não quis dizer isso. — Ele pôs a cabeça de lado, os olhos azuis serenos e atenciosos. — Você podia muito bem pedir dinheiro ao seu pai. Para o depósito. Ele sempre disse que investiria em você.

Neil conseguiu quebrar o encanto. Suzanna afastou a mão que estava perto da dele, mudou de posição, virou o rosto.

— Não vou explicar tudo isso mais uma vez. Já tivemos que pegar o suficiente dele. E não quero o dinheiro do meu pai.

\* \* \*

Primeiro, eles não haviam pensado naquilo como dívida: estavam apenas vivendo como todo mundo vivia, um pouquinho além dos seus meios. Renda dupla, sem filhos. Adotaram um estilo de vida anunciado nas revistas de qualidade, a vida que eles pediram a Deus. Compraram dois sofás enormes em tons elegantes de camurça, passavam fins de semana com amigos de mentalidade parecida em restaurantes barulhentos do West End e em hotéis discretos, julgavam que mereciam "alguns luxos" em compensação pelos desapontamentos mais insignificantes: um dia ruim no trabalho, não conseguir ingressos para um show, chuva. Suzanna, protegida pela renda de Neil e pelo fato de que, no íntimo, ambos achavam bom ela passar mais tempo em casa, pegou uma sucessão de serviços de meio expediente: trabalhou numa loja de roupas femininas, serviu de motorista para uma amiga que abriu uma floricultura, vendeu brinquedos de madeira personalizados. Nenhum atraiu o seu interesse a ponto de mantê-la por muito tempo, ou de fazê-la se privar dos encontros pela manhã com amigas em cafés, de passar tempo navegando na internet ou do prazer de cozinhar pratos elaborados. Então, aparentemente da noite para o dia, tudo mudou. Neil perdeu o emprego no banco, substituído por uma pessoa que posteriormente ele descreveu como a Arrancadora de Couro do Inferno. Neil perdeu o senso de humor, juntamente com o fluxo de caixa deles.

E Suzanna começou a comprar.

No começo, fazia isso só para sair de casa. O marido tinha se tornado uma pessoa deprimida e irritada, que começara a ver sinais de conspirações femininas em quase tudo: nas notícias de que na escola local as meninas tinhas notas melhores que os meninos, nos casos de assédio sexual que ele lia em voz alta no jornal, no fato de que *tinha que ser mulher* a gerente de recursos humanos que ligou dizendo que Neil só tinha direito a três meses de salário e não seis, como ele esperara. Alternando entre a indignação petulante e a patética autoabominação, ele se tornou a pior versão de si mesmo, um personagem insuportável para Suzanna. Então ela o deixava quieto e se mimava com sabonetes caros, refeições prontas, um ou outro arranjo de flores — lírios pelo perfume, amarillis e estrelítzias para sustentar sua necessidade de sofisticação. Dizia a si mesma que merecia, sentimento que ficava cada vez maior por conta do mau humor de Neil.

Convenceu-se de que havia coisas de que precisavam: roupa de cama nova — era um investimento, com certeza, comprar o mais caro algodão egípcio —, cortinas da mesma cor, ornamentos antigos de vidro. Inventou projetos necessários no apartamento, piso novo na cozinha, a reforma completa do quarto de hóspedes. Isso agregaria valor ao apartamento. Afinal, dava muito bem para conseguir o dobro do que se gastava num imóvel.

Dali à renovação de sua imagem foi um pulo. Ela não conseguiria arranjar um emprego novo com o guarda-roupa que tinha. Seu cabelo precisava de corte e de luzes. O estresse do trabalho de Neil deixara sua pele necessitando desesperadamente de limpezas especializadas. Como seus gastos viraram piada entre as amigas, comprava para elas também. O caminho da generosidade foi natural para Suzanna: dizia a si mesma que era uma das poucas fontes de prazer autêntico que lhe restavam.

Isso a princípio fizera com que se sentisse melhor, tinha lhe dado um objetivo. Preenchera uma lacuna. Mas, mesmo enquanto gastava, sabia que tinha sido contagiada por uma espécie de loucura, que os interiores tão iluminados e o armário cheio de suéteres de caxemira, as vendedoras aduladoras e os embrulhos lindamente embalados eram cada vez menos eficazes para distrair sua atenção da realidade que a esperava em casa. Suas aquisições não a satisfaziam muito: como a adrenalina da compra se dissipava cada vez mais depressa, ela ficava em casa, rodeada de sacolas novas, piscando, desconcertada, para seu carregamento ou, de vez em quando, chorando após tomar coragem de calcular o quanto gastara. Virou uma madrugadora, sempre de pé na hora em que o carteiro passava.

Não adiantava preocupar Neil.

Ele levou quase seis meses para descobrir. Era justo dizer, como eles mesmos concordaram algum tempo depois, que aquele não tinha sido o ponto alto do casamento, sobretudo quando ele, empurrado para além da própria depressão, questionara a sanidade dela e anunciara que era ela, e não a demissão, que o estava deixando impotente. Permitindo-se enfim extravasar a raiva reprimida havia tanto tempo — talvez levada ao extremo por seu subestimado senso de responsabilidade —, ela retrucara que, além de cruel, ele também era injusto e irracional. Por que os problemas dele tinham que impactar tão terrivelmente a vida dela? Teria ela deixado de cumprir alguma parte do trato? As mudanças que fizera foram por *eles*. Ainda encarava com uma ponta de orgulho o fato de não ter dito o que realmente pensava. Não ter usado a palavra "fracasso", ainda que pensasse isso ao olhar para ele.

Depois seu pai mencionara a casa e, embora ainda estivesse furiosa com ele por causa do testamento, Neil a convencera de que eles não tinham escolha. A menos que quisessem declarar falência. O horror daquela palavra ainda tinha a capacidade de lhe dar calafrios.

E assim, quase nove meses antes, Suzanna e Neil tinham vendido o apartamento de Londres. Com o dinheiro, pagaram as dívidas nos cartões de crédito de Suzanna e a dívida menor que Neil contraíra antes de conseguir um emprego novo e compraram um carro pequeno e discreto, descrito pelo vendedor, com certo ar de desculpas, como "um bom custo-benefício". Atraídos pela perspectiva de uma casa de fachada de pedra com três quartos, reformada pelo pai dela e com o aluguel quase de graça, voltaram para Dere Hampton, cidade onde Suzanna crescera e da qual passara os últimos quinze anos querendo o máximo de distância.

Quando eles entraram, a casinha estava fria: Suzanna esquecera de novo de programar a calefação. Ainda achava espantoso como fazia mais frio no campo.

— Perdão — murmurou, quando Neil assobiou e soprou nas mãos, e sentiu-se grata por ele não dizer nada.

Neil ainda estava entusiasmado com todos os aspectos da vida no interior, convencendo-se de que a mudança deles era mais em função da qualidade de vida do que do corte de gastos, escolhendo ver apenas as vantagens das belas casas e das extensões ondulantes de verde, ao contrário da realidade experimentada pela esposa: de gente que sabia, ou julgava saber, tudo a respeito dos vizinhos, a claustrofobia de anos de história compartilhada, o policiamento sutil de mulheres com muito dinheiro e pouco tempo.

A secretária eletrônica estava piscando, e Suzanna reprimiu um tremor de culpa por esperar que pudesse ser um de seus amigos de Londres. Agora, eles ligavam menos, já que a falta de disponibilidade dela para um café ou um drinque no início da noite desgastava aos poucos os nós da amizade que ela percebera serem bastante tênues. Nem por isso deixava de sentir falta da cumplicidade fácil, da naturalidade que diminuíra ao longo dos anos. Estava cansada de ter que pensar antes de falar. Quase sempre julgava mais fácil, como achara aquela noite, não dizer absolutamente nada.

"Oi, queridos. Espero que estejam se divertindo em algum lugar. Só queria saber se pensaram no almoço de aniversário da Lucy dia 16. Papai e eu adoraríamos se pudessem vir, apesar de entender perfeitamente se já tiverem outro compromisso. Me avisem."

Sempre muito cuidadosa para não sugerir qualquer obrigação ou imposição. Aquela voz alegre, com um ligeiro tom de desculpa. O indício imperceptível de "sabemos que estão tendo problemas e estamos torcendo por vocês". Suzanna deu um suspiro. Tinha consciência de que, depois de faltar a vários Natais e a muitas outras reuniões de família, havia poucas desculpas para evitar seus familiares agora que estavam, ao menos geograficamente, tão próximos.

— A gente devia ir. — Neil tirara o paletó e estava se servindo de um drinque.

— Eu sei.

— De qualquer maneira, seu pai provavelmente vai encontrar algum motivo para sair. Vocês dois são ótimos em evitar um ao outro.

— Eu sei.

Neil gostava de fazer parte da família dela. Ele não tinha quase ninguém, apenas a mãe a várias centenas de quilômetros de distância, que raramente visitava e de quem não tinha muitas saudades. Em parte, era por isso que ele assumia uma postura tão conciliadora com a da esposa.

Neil largou o copo e se aproximou dela. Abraçou-a e a puxou com delicadeza. Ela sentiu que cedia a ele, sem conseguir se livrar totalmente da rigidez natural.

— Isso significaria muito para sua mãe.

— Eu sei, eu sei. — Ela colocou as mãos na cintura dele, sem saber direito se o estava abraçando ou apenas o mantendo longe. — E sei que é infantil. É só a ideia de todo mundo falando sobre como a Lucy está bem e arrumou um trabalho maravilhoso, e olha que linda e blá-blá-blá, e todo mundo dizendo que nós éramos uma família superfeliz.

— Escute, para mim também não é fácil ouvir essas coisas. Não faz com que eu me sinta o melhor genro do mundo.

— Sinto muito. Talvez a gente simplesmente não deva ir.

Suzanna era a parte bonita da família. A mitologia genética do clã lhe atribuíra beleza e infelicidade financeira. Seu irmão mais novo, Ben, recebera muita sabedoria e maturidade precoce, ao passo que Lucy era a inteligente, capaz de recitar aos três anos grandes trechos de poemas, ou perguntar com toda a seriedade por que tal livro não era tão bom quanto o último do mesmo autor. Depois, lentamente, ocorrera uma espécie de metamorfose, e enquanto Ben se tornou, como todos esperavam, uma espécie de cópia mais jovem e mais alegre do pai franco, estoico e às vezes pomposo, Lucy, longe de virar a reclusa de óculos que todos previam, desabrochara, tornara-se tremendamente assertiva, e agora, com quase trinta anos, chefiava a seção de internet de um conglomerado estrangeiro de mídia.

Suzanna, enquanto isso, percebera aos poucos que ser bonita já não era suficiente quando se chegava à casa dos trinta, que seu estilo de vida e sua falta de tino financeiro não eram mais engraçados. Agora, pareciam apenas autocomplacentes.

Ela não queria pensar na família.

— Podíamos ver lojas amanhã — disse ela. — Vi uma casa na cidade que está para alugar. Era uma livraria.

— Você não perde tempo.

— Não adianta esperar. Não se só temos um ano.

Dava para ver que ele estava se deleitando com essa intimidade inusitada, apreciando estar abraçado com ela. Ela adoraria se sentar, mas ele não parecia disposto a soltá-la.

— É numa daquelas ruazinhas de calçamento de pedra perto da praça. E tem uma janela georgiana na frente. Como a Olde Curiosity Shoppe.

— Você não quer uma coisa assim. Já que vai fazer isso, faça direito, com uma vidraça grande. Para as pessoas poderem ver os seus produtos.

— Mas não vai ser esse tipo de loja. Eu já disse para você. Olha, vamos conhecer a casa antes dizer alguma coisa. Estou com o telefone dos corretores.

— Ora, isso é uma surpresa.

— Posso ligar para eles agora. Deixar um recado. Só para eles saberem que estou interessada. — Ela conseguia ouvir a animação na própria voz. Soava estranha a si mesma, como se viesse de outro lugar.

— Melhor telefonar de manhã. Ninguém vai fechar negócio às onze e meia da noite.

— Só não quero perdê-la.

— Mas também não vai querer decidir nada às pressas. Temos que ter cuidado, Suze. Talvez eles queiram muito dinheiro. Podem exigir um período de aluguel mais longo que o normal. Podem ter todo tipo de multas no contrato. Você precisa ir mais devagar e fazer algumas perguntas primeiro.

— Só quero levar isso adiante.

Ele a abraçou. Neil cheirava a sabão em pó e ao odor humano ligeiramente rançoso mas inofensivo de fim do dia.

— Sabe, Suze, a gente devia ir a esse almoço. Estamos bem. Estamos trabalhando de novo. Você pode lhes contar sobre a sua loja.

— Mas não sobre o assunto bebê.

— Assunto bebê, não.

— Não quero conversar com nenhum deles sobre isso. Vão começar a falar sem parar, e mamãe vai tentar disfarçar que ficou toda animada, e depois, se nada acontecer, todo mundo vai ficar pisando em ovos, pensando se pode dizer alguma coisa. Então, assunto bebê está fora de cogitação.

Ele falou com o rosto no cabelo dela.

— Aposto que a Lucy não tem esse assunto bebê.

— Neil, não.

— Só estou brincando. Olhe, ligue para eles de manhã. Nós vamos, e vamos estar superalegres e ter um dia agradável.

— Fingir ter um dia agradável.

— Você poderia se surpreender.

Ela bufou.

— Com certeza.

Surpreendentemente, considerando que já fazia quase oito meses, eles fizeram amor naquela noite. Depois Neil ficara quase choroso e lhe dissera que a amava muito, que sabia que aquilo significava que tudo ia dar certo.

Suzanna, deitada no escuro, só conseguindo ver o teto de vigas que tanto odiava, não experimentara nada da sensação de catarse do marido. Só sentira um ligeiro alívio pelo fato de terem feito. E uma esperança secreta, que relutava em admitir até para si mesma, de que agora ganhara alguns meses até precisar fazer de novo.

# Sete

Dere Hampton, em geral, era descrita na literatura turística como "a mais bela cidade-mercado de Suffolk", com prédios tombados, a igreja normanda e os antiquários proporcionando um atrativo para os turistas que passeavam durante o verão, mas também aos estoicos que faziam caminhadas no inverno. Pelos habitantes mais velhos, era descrita simplesmente como "Dere", e pelos mais jovens, que quase toda noite de sexta-feira batiam o ponto na praça do mercado bebendo sidra barata e passando cantadas uns nos outros, como "um maldito buraco, sem nada para fazer". Eles não estavam sendo de todo insensatos. Era justo dizer que se tratava de uma cidade mais apaixonada por sua história do que por seu futuro, sobretudo desde que virara cidade-dormitório para inúmeras famílias que deixaram Londres e o cinturão verde graças à inflação no mercado imobiliário e à esperança de "um lugar agradável para criar os filhos". Suas construções altas, elegantes, em tons pastel, articulavam-se com casas em estilo Tudor de janelas minúsculas e vigas, que avançavam na calçada como navios em alto-mar, todas dispostas numa rede de estreitas ruelas de paralelepípedos e pequenos pátios que se ramificava a partir da praça. Ali, ficavam pelo menos duas das lojas de primeira necessidade — açougue, padaria, banca de jornais e revistas, loja de ferragens — e uma incrível proliferação de outros estabelecimentos nem tão necessários assim, recheados de óleos de aromaterapia, cristais mágicos, almofadas e sabonetes perfumados superfaturados.

Suzanna levou quase dois meses para perceber o que mais a incomodava na cidade: que, durante o horário comercial, fosse quase exclusivamente feminina. Havia senhoras de lenço na cabeça e coletes verdes pegando peças de carne com açougueiros a quem tratavam pelo primeiro nome, e vice-versa, jovens mães empurrando carrinhos, mulheres de certa idade penteadas com capricho aparentemente sem muito mais o que fazer além de matar o tempo. Mas tirando os comerciantes ou os estudantes, quase não havia homens. Era de presumir que partissem para os centros comerciais nos primeiros trens do dia e só voltassem já bem depois de escurecer, quando encontrariam a casa acesa e comidas caseiras prontas. Era, murmurava irritada com seus botões, como se ela tivesse sido transportada de volta aos anos 1950. Perdera a conta de quantas vezes lhe perguntaram o que seu marido fazia e, quase um ano depois, continuava esperando que a pergunta fosse feita.

Embora pudesse ter protestado de início, dizendo que não tinha nada em comum com aquelas mulheres, Suzanna se via em algumas: no jeito de fazer compras, passeando pela única loja de departamentos da cidade com o passo pausado de quem tem tempo e dinheiro; na impossibilidade de marcar hora em qualquer dos dois salões de beleza; nos cristais, velas perfumadas e testes para alergia alimentar que tinham virado não tanto algo "alternativo", mas um jeito de viver.

Suzanna não sabia direito em que categoria sua loja se encaixaria. Sentada ali, rodeada de caixas de estoque, consciente de que não só ainda não estava funcionando como também o eletricista não lhe dissera quais lâmpadas seriam necessárias para os refletores, não sabia direito nem se aquilo seria uma loja. Neil ligara duas vezes, querendo saber se ela tinha certeza de que precisava começar com um estoque tão grande, enquanto a companhia de água mandara várias cartas exigindo pagamento antes mesmo da inauguração da loja.

Para uma pessoa que havia tão pouco tempo tinha sido assombrada por dívidas, Suzanna estava despreocupada com tudo isso. Nas semanas desde que as chaves lhe tinham sido entregues, se limitara a curtir o lugar, lentamente transformando em realidade o que imaginara nos últimos meses. Adorara viajar pelos arredores para avaliar possíveis fornecedores em exposições de fabricantes ou em salinhas atrás da Oxford Street de Londres, conhecer estilistas jovens ansiosos para exibir seus trabalhos, ou os já mais estabelecidos, capazes de lhe explicar anos de ofício. Adorava ter um objetivo, ser capaz de falar da "minha loja", tomar decisões baseadas em seu próprio gosto, escolhendo só o que achava bonito e original.

E havia a loja em si. A fachada recebera uma demão de tinta branca e o interior ia lentamente tomando forma graças às visitas de bombeiros e carpinteiros locais e à sua habilidade de pintora amadora. Sabia que a achavam exigente e excessivamente lenta para tomar decisões, mas resolver onde as coisas deviam ficar era complicado, porque aquela não ia ser uma loja convencional. Pelo contrário, era uma mistura de coisas: um café, para o qual a parede do fundo continha um banco de igreja antigo, várias mesas e cadeiras e uma máquina de café italiana recondicionada. Era um brechó, que oferecia alguns artigos disparatados simplesmente porque ela gostava da aparência. Tinha algumas roupas, algumas bijuterias, alguns quadros, alguns enfeites. Tinha umas coisas modernas. E não dava para especificar mais que isso.

Suzanna começara a colocar uma variedade de objetos na vitrine. Inicialmente, para dar à loja um ar habitado, colocara algumas das coisas mais belas que comprara durante a "fase das compras" e nunca conseguira usar: bolsas bordadas com contas coloridas, enormes anéis de vidro, uma moldura antiga com uma gravura abstrata moderna. Quando o estoque chegou, não se sentiu disposta a mudar a arrumação, apenas acrescentou outros itens: belos círculos concêntricos de pulseiras indianas, gavetas de cômodas antigas cheias de canetas metálicas brilhantes, vidros de especiarias com tampas de prata numa variedade de cores.

— É como uma casa de boneca. Talvez uma caverna do Aladim — dissera Neil, quando passara ali no fim de semana. — Está muito... hã... bonitinha. Mas tem certeza de que as pessoas vão entender sobre o que é?

— Tem que ser sobre algo?

— Bem, que tipo de loja vai ser?

— Meu tipo de loja — respondera ela, apreciando o seu ar confuso.

Suzanna estava criando algo belo que era inteiramente a sua visão, não diluída por marido ou sócio algum. Livre para fazer o que quisesse, pegou-se pendurando luzes decorativas nas prateleiras, colocando plaquinhas pintadas com sua própria letra intrincada, pintando de roxo-claro as tábuas do piso porque gostara da cor. Fez com mesas e cadeiras, compradas a baixo custo num brechó e pintadas com latas de teste, o tipo de decoração que ela gostaria de ver quando fosse tomar café com suas amigas. Foram as cadeiras que a fizeram enxergar: estava, percebeu ao olhar para elas, criando para si um cantinho mágico, talvez um pouco cosmopolita, um lugar onde pudesse mais uma vez sentir-se em casa, distante dos olhos e atitudes provincianos que agora a rodeavam.

— Então, que tipo de loja você tem? — perguntara um dos antiquários, após ver o batente em sua vitrine. A voz dele tinha um sutil tom de escárnio.

— Eu tenho... Eu tenho um empório — dissera ela, fingindo não ver que ele voltava de sobrancelhas erguidas para a própria loja.

E foi assim que a chamou: Empório Peacock, em uma placa pintada de azul e branco com giz e com o estêncil de uma pena de pavão, remetendo ao sobrenome, ao lado. Neil olhara para aquilo com um misto de orgulho e receio. Confessou mais tarde que se perguntara se, com seu nome na porta, poderia tornar a vislumbrar a falência caso a loja desse errado.

— Não vai dar errado — disse Suzanna com firmeza. — Não seja tão negativo.

— Você vai ter que trabalhar à beça — retrucou ele.

Nem os anseios de Neil a incomodavam. Ultimamente estava mais difícil discutir com ele. Ela vinha dormindo bem.

Salvo o estoque, passou semanas sem comprar nada.

— Está aberta?

Suzanna ergueu os olhos de seu lugar no chão. As velas de ícones bizantinos haviam parecido uma boa ideia no atacadista de Londres, mas ali, enquanto examinava colete verde acolchoado após colete verde acolchoado passar pela vitrine, pessoas desinteressadas ou olhando para dentro com os olhos franzidos de um jeito vagamente desdenhoso, se perguntava se fora muito cosmopolita em suas escolhas. As velas ficavam lindas ao lado das bolsas bordadas com contas, mas, como Neil vivia dizendo, não fazia sentido comprar coisas belas se ninguém ali estava preparado para usá-las.

— Mais ou menos. Provavelmente segunda-feira.

A mulher entrou assim mesmo, fechou a porta e olhou em volta com uma expressão extasiada. Não estava de colete verde, mas sim de anoraque bordô, com um gorro de tricô colorido do qual seu cabelo grisalho saía espetado. À primeira vista, Suzanna poderia tê-la considerado uma aprendiz de mendiga, mas, olhando melhor, notou que tinha sapatos de boa qualidade, assim como a bolsa.

— Não é *lindo* aqui? Muito diferente de como era antes. — disse a visita. Suzanna levantou-se com esforço. — Essa loja era um armazém, sabe, quando eu era menina. As frutas ficavam desse lado... — apontou para onde agora ficavam as mesas e as cadeiras — e desse, as hortaliças.

Ah, e eles vendiam ovos frescos. Tinham as galinhas nos fundos, sabe? Acho que você não vai fazer isso. — Ela riu, como se tivesse dito algo engraçado.

— Certo. Bem, é melhor eu...
— Para que são as mesas? Vai servir comida?
— Não.
— O pessoal gosta de uma comidinha.
— É preciso licença para isso. Vou servir café. Tipo expresso.
— Expresso?

Eram momentos assim que faziam vacilar o otimismo renovado de Suzanna. Como ela podia vender café numa cidade cujos habitantes nem sabiam o que era um expresso?

— É um tipo de café. Bem forte. Servido em xicrinhas.
— Bem, acho que é uma boa maneira de manter os lucros lá em cima. A casa de chá em Long Lane serve o chá em xícaras muito pequenas, eu sempre digo. Acho que isso mantém os lucros deles lá em cima também.
— Mas é para ser servido em xícaras pequenas.
— Tenho certeza de que eles diriam a mesma coisa, querida. — Foi até a vitrine, murmurando para si mesma enquanto tocava nos objetos em exibição. — Isso é para ser o quê, então? — Mostrou o quadro abstrato.
— Acho que não é para *ser* nada. — Suzanna ouviu o primeiro indício cortante na voz.

A mulher olhou mais de perto.

— Isso é *arte moderna*? — disse as palavras como se estivesse falando uma língua estrangeira.
— Sim. — *Por favor, não diga "uma criança seria capaz de fazer isso"*, Suzanna pensou.
— Eu seria capaz de fazer isso. Se eu fizesse um parecido, você o venderia para mim?
— Na verdade, aqui não é uma galeria. Você precisa falar com uma galeria.
— Mas você está vendendo aquele.
— É uma obra isolada.
— Mas se você vendê-lo, não há por que não ter interesse em vender outro. Quero dizer, prova que existe demanda.

Suzanna sentiu que perdia a paciência. Já tinha pavio curto mesmo nas boas circunstâncias. Que dirá nas piores.

— Foi ótimo falar com você, mas infelizmente preciso ir. — Suzanna estendeu o braço, como que para conduzir a mulher para a porta.

Mas ela tinha fincado o pé no chão. Cruzou os braços.

— Cresci nesta cidade. Sou costureira, mas me mudei quando me casei. Muita gente daqui se mudou.

Ai, meu Deus. Ela queria falar do *passado*. Suzanna olhou em volta desesperada, tentando encontrar alguma tarefa prática que pudesse usar como desculpa para se livrar da mulher.

— Meu marido morreu três anos depois que nos casamos. Tuberculose. Passou quase seis meses numa clínica na Suíça, acredita? E mesmo assim morreu.

— Sinto muito.

— Eu não. Ele era um homem bem burro. Só me dei conta disso depois de ter casado com ele. Não tivemos filhos, sabe? Ele preferia a gaita dele.

Suzanna bufou.

— O quê?

A mulher afagou vagamente o cabelo.

— Ele não sabia o que fazer, querida. Eu sabia, porque minha mãe tinha me contado. Expliquei a ele na nossa noite de núpcias, e ele ficou tão horrorizado que disse não, obrigado, preferia tocar a gaita dele. Então foi o que fez todas as noites, durante dois anos. Eu lia o meu livro na cama, ele tocava gaita.

A contragosto, Suzanna se pegou rindo.

— Sinto muito. Você... encontrou outra pessoa?

— Ah, não. Ninguém com quem eu quisesse me casar. Tive um monte de casos que foram legais, mas não queria a mesma pessoa na minha cama toda noite. Ela podia querer tocar um instrumento musical também. Deus sabe o que eu poderia acabar encontrando. — A mulher, pelo visto assombrada momentaneamente por visões de bumbos e tubas, fez um pequeno movimento de cabeça. — Sim, está tudo mudado. Voltei há seis meses e está tudo mudado... Você é daqui?

— Eu nasci aqui, mas moramos em Londres até o ano passado. — Suzanna não sabia direito por que dissera a verdade: tinha um palpite de que quanto menos contasse a essa mulher, melhor.

— Então você também é uma regressa! Que emocionante. Bem, encontrei minha alma gêmea. Sou a Sra. Creek. Johanna Creek. Pode me chamar de Sra. Creek. Como é seu nome?

A loja dos sonhos

— Peacock. Suzanna Peacock.

— Na casa onde cresci tinha pavões. Fica bem nos arredores da cidade, na estrada de Ipswich. São aves horrorosas, fazem um barulho medonho. Costumavam fazer as necessidades delas nos parapeitos das janelas.

Virou-se e pôs a mão no gorro, como que para conferir se ainda estava lá.

— Bem, Suzanna Peacock, não posso ficar o dia inteiro parada aqui conversando. Infelizmente preciso ir. Tenho que pegar uma torta de carne no mercado do Women's Institute. Vou fazer uns aventais e umas bolsas para elas. Não são as coisas que estou acostumada a costurar, mas mantêm os dedos ocupados. Volto quando você inaugurar para tomar uma das suas xicrinhas de café.

— Ah, ótimo — disse Suzanna, secamente.

Antes de ir embora, a Sra. Creek tornou a olhar para o quadro abstrato, como que memorizando-o em preparação para a própria versão.

Suzanna chegou em casa quase às nove e meia. Neil estava sentado com os pés em cima da mesa de centro, uma tigela vazia e um prato cheio de migalhas ao lado.

— Já ia mandar um grupo de resgate — disse, tirando os olhos do televisor.

— Eu estava tentando deixar o estoque arrumado.

— Eu lhe disse que você precisava de mais prateleiras na frente.

— O que tem para jantar?

Ele fez um ar meio surpreso.

— Não fiz nada. Achei que você voltaria a tempo de cozinhar.

Ela tirou o casaco, sentindo-se subitamente irritada e cansada.

— Vou inaugurar a loja daqui a três dias, Neil. Estou muito ocupada. Pensei que só dessa vez você poderia cozinhar para mim.

— Você podia já ter jantado. Além disso, eu não sabia a que horas você voltaria.

— Você podia ter ligado.

— Você podia ter me ligado.

Suzanna jogou o casaco no encosto de uma cadeira e entrou pisando forte na pequena cozinha. As louças do café da manhã ainda estavam dentro da pia.

— Desde que você esteja bem, Neil, não se preocupe comigo, sim?

A voz dele elevou-se em protesto:

— Só comi um mísero pão com queijo. Não preparei um banquete para mim.

Ela começou a bater portas de armários, procurando algo fácil de preparar. Já fazia umas duas semanas que não tinha tempo de ir ao supermercado, e as prateleiras continham pouco mais que uma lentilha seca ou um cubo de caldo aberto.

— Você podia ter lavado a louça.

— Ah, pelo amor de Deus! Eu saio de casa quinze para as seis. Você quer que eu espere aqui até você ter acabado de tomar o seu café?

— Esquece isso, Neil. Você toma conta de si mesmo e eu tomo conta de mim, e aí pelo menos nós dois sabemos em que pé estamos.

Houve um breve silêncio, e ele apareceu à porta da cozinha. Havia pouco espaço para os dois, e Neil se moveu como para conduzi-la para a sala.

— Não seja tão melodramática, Suze. Olhe, sente aí que preparo alguma coisa para você.

— Você não deixou nem pão para mim. — Ela espiou o interior da embalagem plástica.

— Só tinha duas fatias.

— Ah, sai daí, Neil. Vai se deitar no sofá.

Ele jogou os braços para cima, exasperado. Só então ela viu quão cansado ele parecia, com o rosto abatido.

— Ah, sai daí você — retrucou ele. — E não se faça de mártir. Se essa loja vai deixar você tão ranzinza, já estou arrependido de você ter arrumado isso.

Atirou-se de novo no sofá, que era muito grande para a sala, pegou o controle remoto e começou a zapear.

Ela ficou na cozinha uns minutos, depois veio e sentou-se na cadeira em frente a ele, segurando uma tigela de cereais. Não queria olhar para o marido. Era a forma menos árdua de lhe mostrar quão farta estava.

Bruscamente, Neil desligou a televisão.

— Perdão — disse no silêncio. — Eu deveria ter pensado no pão. É só que, quando salto do trem à noite, só consigo pensar em chegar em casa.

Ele a desarmara.

— Não, eu é que deveria pedir perdão. É só cansaço. Vai ser melhor quando a loja inaugurar.

— Estou feliz por você ter conseguido a loja. Eu não deveria ter dito aquilo. É bom ver você tão... tão...

— Ocupada?

— Animada. Gosto de ver você animada. Parece que você anda... menos entediada... com a vida.

Comer o cereal pareceu um esforço muito grande. Ela estava muito cansada. Pousou-o na mesa à sua frente.

— Menos tempo para pensar, acho.

— É. Muito tempo para pensar... não dá boa coisa. Tento não fazer isso. — Ele sorriu sem forças. — Quer que eu veja se consigo tirar o dia de folga para a sua inauguração?

Ela suspirou, reconhecendo o sorriso dele.

— Não... não se preocupe. Acho que não vou fazer uma inauguração grandiosa. Nem sei se vai ser segunda-feira, pelo andar da carruagem. E é melhor você não perturbar o chefe. Com tão pouco tempo de casa.

— Se você tem certeza... — Deu-lhe um sorriso tímido, depois tornou a se acomodar no sofá, pegou o jornal e folheou-o.

Suzanna, sentada à sua frente, se perguntava por que, instintivamente, não o quisera lá. Parecia bobagem, mesmo para ela. Mesquinho, até. Mas simplesmente queria algo que fosse seu, puro e agradável, não contaminado pela história dela e de Neil. Não complicado por *pessoas*.

# Oito

A senhora estava parada à porta usando seu bom casaco de tweed, um chapéu de palha com cerejas inclinado num ângulo estiloso, segurando a bolsa de couro envernizado à frente com dedos nodosos.

— Eu gostaria — anunciou — de ir a Dere.

Vivi virou-se, a gordura da assadeira espirrando de um jeito letal em suas mãos enluvadas, e procurou freneticamente um lugar vago no fogão para colocá-la. Registrou o chapéu e a bolsa e sentiu um aperto no coração.

— O quê?

— Não diga "o quê". É grosseiro. Estou pronta para ir para a cidade. Se você não se importar de buscar o carro.

— Não podemos ir à cidade, Rosemary. As crianças vêm almoçar.

Um tremor de confusão percorreu as feições de Rosemary.

— Que crianças?

— Todas elas. Vêm todas. Para o almoço de aniversário da Lucy, lembra?

O gato de Rosemary, tão magro e decrépito que já tinha sido várias vezes confundido com um bicho atropelado quando estava deitado na frente da casa, subiu na bancada da cozinha e se encaminhou cambaleante na direção do rosbife. Vivi tirou uma das luvas térmicas e delicadamente colocou o bicho, que protestava silenciosamente, de volta no chão — e, na mesma hora, se queimou na assadeira.

— Nesse caso, vou me limitar a dar um pulinho rápido antes que elas cheguem.

Vivi abafou um suspiro. Deu um sorriso forçado e tornou a se virar para a sogra.

— Sinto muito, Rosemary, mas ainda tenho que preparar e servir o almoço. E não tirei o pó da sala. Quem sabe você podia pedir...

— Ah, ele está muito ocupado para me levar. Você não quer incomodá-lo. — A idosa ergueu a cabeça imperiosamente e olhou para a janela. — Então me leve só até as Tall Trees. O resto do caminho, eu faço a pé. — Esperou, depois acrescentou, incisiva: — Com a minha bengala.

Vivi verificou a carne e deslizou a assadeira de volta para o forno. Foi até a pia e deixou a água fria cair nos dedos que latejavam.

— É urgente? — perguntou, a voz cuidadosamente alegre. — Não dá para esperar até depois do chá, quem sabe?

A sogra se empertigou.

— Ah, não se preocupe comigo. Minhas incursões nunca são urgentes, são, querida? Não, sou muito velha para ter alguma coisa importante para fazer. — Olhou com desdém para a outra assadeira na bancada. — Nada é tão importante quanto as necessidades de umas *batatas*.

— Ora, que é isso, Rosemary, você sabe que eu...

Mas com uma enfática batida da porta, cujo volume não refletia sua aparente fragilidade, Rosemary tinha desaparecido de novo no anexo.

Vivi fechou os olhos e respirou fundo. Pagaria por isso mais tarde. Não que fizesse muita diferença, já que quase diariamente acabava pagando por alguma coisa.

Normalmente, teria capitulado, teria largado o que quer que estivesse fazendo para atender a sogra, só para evitar qualquer aborrecimento, para manter as coisas correndo bem. Mas aquele dia era diferente: fazia vários anos que não reunia os três filhos em casa e, tendo chegado até ali, não ia pôr em risco o almoço de aniversário de Lucy servindo de motorista para Rosemary enquanto deveria estar regando as batatas com a gordura da carne. Porque, com a sogra, nunca era só uma questão de levá-la à cidade — Rosemary ia sugerir um desvio, talvez para o novo centro comercial a vários quilômetros dali, ou que Vivi estacionasse em algum lugar e a acompanhasse para pegar alguma coisa na lavanderia (e Vivi podia carregar). Ou anunciar que o que ela precisava mesmo, afinal, era ir ao salão de beleza, e Vivi se importava de esperar? Ela se tornara particularmente dependente desde que a haviam convencido de que não podia mais dirigir. Ainda estavam lutando com a seguradora por causa da cerca destruída na fazenda de Paget.

De trás da porta do anexo, dava para Vivi ouvir a televisão quase no volume máximo — a única maneira, insistia Rosemary, que ultimamente vinha conseguindo ouvir alguma coisa que os apresentadores diziam.

— Me dê meia hora — murmurou Vivi para si mesma, examinado os dedos vermelhos e preparando-se para se aventurar novamente no forno. — Se ela ficar lá dentro meia hora, vou ter de novo tudo sob controle antes que eles cheguem.

— Alguma chance de uma xícara de chá? Falsificar as contas sempre me dá sede.

Vivi estava sentada à mesa da cozinha. Tendo encontrado a coleção não alquímica de lápis gastos e pó compacto que era sua bolsa de maquiagem, tentava dar uma ajeitada no rosto, suavizar o rubor e o leve brilho que sempre apareciam quando ela passava muito tempo cozinhando.

— Vou trazer — disse, depois de um olhar derrotado no espelhinho. — O papai quer também?

— Sei lá. Espero que sim. — Seu filho, com seu metro e noventa e dois, abaixou-se mecanicamente sob o lintel ao sair da cozinha e tornou a descer o corredor. — Ah, esqueci de dizer — gritou. — Esquecemos de pegar as flores. Desculpa.

Vivi se calou, largou o pó compacto na mesa, depois foi energicamente atrás dele.

— O quê?

— Não diga "o quê". É grosseiro. — O filho riu, imitando a avó. — Papai e eu esquecemos de pegar aquelas flores hoje de manhã. Ficamos meio presos na loja de ração. Desculpa.

— Ah, *Ben*. — Ela estava parada à porta do escritório, braços caídos, exasperada.

— Desculpa.

— Uma coisa. Foi só uma coisa que eu pedi para vocês dois fazerem para mim, e vocês deixam para dizer que esqueceram cinco minutos antes de eles chegarem.

— O que a gente esqueceu? — Seu marido levantou a cabeça dos livros. Estendeu a mão para pegar um lápis. — Do chá? — perguntou, esperançoso.

— Os arranjos da mesa. Vocês não pegaram como eu pedi.

— Ah.

— Eu arrumo umas flores para você, se quiser. — Ben olhou pela janela. Tinha passado mais de uma hora no escritório e estava irrequieto, aflito para sair de novo.

— Não tem flor nenhuma, Ben. É fevereiro, caramba. Ah, estou decepcionada.

— Para que arranjo de mesa? A gente não é disso.

— Para o almoço. — Um tom de irritação inusitado se insinuara em sua voz. — Eu queria que tudo fosse perfeito hoje. É um dia especial.

— Lucy não vai ligar se não tiver arranjos na mesa. — Seu marido deu de ombros e riscou um traço embaixo de uns números.

— Pois eu ligo. E é um tremendo desperdício de dinheiro gastar em flores que a gente nem se incomoda de ir buscar. — Vivi não conseguiria nada com eles. Olhou o relógio, se perguntando em vão se podia dar um pulo na cidade para buscá-las. Com sorte, e uma vaga decente, poderia ir e voltar em vinte minutos.

Depois lembrou-se de Rosemary, que ou iria querer ir também ou trataria a breve visita de Vivi como mais uma prova de que suas necessidades não só eram consideradas sem importância mas também podiam ser ignoradas de uma maneira bárbara.

— Bem, você pode muito bem pagar por elas — disse, enxugando as mãos no avental e em seguida desamarrando o laço às suas costas — e explicar ao Sr. Bridgman por que estamos encomendando flores que aparentemente não queremos.

Os dois homens se entreolharam com a mais vazia das expressões.

— Olha só — disse Ben. — Eu vou. Se você me deixar pegar o Range Rover.

— Pegue o carro da sua mãe — veio a voz do marido. — Traga também uma garrafa de xerez para a sua avó... Você não vai esquecer daquela xícara de chá, querida, vai?

Vivi estava casada fazia exatamente nove anos quando a sogra foi morar com eles e quinze quando o marido se rendeu e concordou em construir um anexo para ela, para poderem assistir de vez em quando a uma série policial norte-americana sem ter que pausar a cada cinco minutos para explicar o enredo, colocar alho e especiarias na comida e, só esporadicamente, ler os jornais na cama numa manhã de domingo sem ter uma pessoa imperiosa batendo à porta exigindo saber por que o suco de laranja não estava na prateleira de sempre da geladeira.

Nem se cogitou mandá-la para uma casa de repouso. A casa tinha sido dela e, como gostava de dizer: podia não ter nascido lá, mas não via por que não deveria morrer. Embora as terras agora fossem cultivadas por arrendatários e já não houvesse muito em termos de gado, ela gostava de olhar pela janela e lembrar o passado. Servia de grande *consolo*. E alguém precisava estar por ali para ensinar à geração mais jovem sobre a história da família e os hábitos do passado. Com quase todos os seus amigos já falecidos, a família era tudo que tinha. Além disso, Vivi de vez em quando refletia, num raro pensamento rebelde, por que haveria ela de se mudar para outro lugar quando tinha uma cozinheira-faxineira-motorista permanentemente à sua disposição? Nem um hotel cinco estrelas lhe ofereceria isso.

As crianças, criadas com a vovó no fim do corredor, deixavam, como o pai, que a mãe lidasse com ela, e tratavam-na com um misto de benevolência e humor irreverente, que, felizmente, era raro a idosa conseguir ouvir. Vivi os repreendia por caçoar de suas frases favoritas ou pelas insinuações veladas de que ela não recendia a violetas de Parma mas sim a algo bem mais pungente e orgânico — ainda não tinha certeza de como ia tocar neste assunto —, mas os amara, também, por colocar Rosemary em perspectiva nos dias desalentadores, quando suas exigências eram assustadoras e impossíveis.

Até mesmo o filho tinha que admitir que Rosemary não era fácil. Irascível e dogmática, firmemente apegada à tradição e frequentemente deixando evidente sua decepção com a incapacidade da família de fazer o mesmo, pelo visto ainda considerava Vivi uma espécie de trabalhadora hóspede da casa, mesmo após uns trinta anos de casamento.

E, mesmo frágil e esquecida, não seguiu calada por aquele longo corredor. As emoções já exaltadas de Rosemary com a construção do anexo posteriormente tinham oscilado entre um ressentimento obstinado por estar sendo "posta para fora" e um orgulho secreto da nova independência e do novo ambiente. Os novos aposentos foram cuidadosamente decorados por Vivi com uma mistura de listras cereja e *toile de Jouy* francesas (a única coisa em que Vivi sempre fora boa, Rosemary fora obrigada a reconhecer, era com tecidos) e não estavam contaminados com a música incompreensível dos jovens, chorrilhos intermináveis de seus amigos monossilábicos, cães, estrondos e botas enlameadas.

Isso não a impedia de fazer furtivas e repetidas referências a Vivi de que tinha sido "expulsa" ou "posta para fora", às vezes na frente das amigas remanescentes. Sua própria avó, dizia incisiva, pelo menos uma vez por semana, fizera da sala boa sua residência quando ficou idosa, e as crianças eram *autorizadas* a cortejá-la uma vez por dia e, às vezes, a ler para ela.

— Eu tenho *The Clubber's Guide to Ibiza* aqui — dissera Ben, animado. — Este e *Basic Tractor Maintenance*.
— Quem seria capaz de desencavar *The Joy of Sex?* — Lucy rira. — Lembra que mamãe e papai costumavam esconder esse no guarda-roupa?
— Quem está se escondendo no guarda-roupa? — perguntara Rosemary, irritada.
— Lucy! — havia exclamado Vivi, corando.
Ela comprara o livro quando fizera trinta anos, numa tentativa desesperada de ser uma sedutora, na época em que andavam "tentando" Ben. Seu marido ficara um tanto chocado, depois desanimado com as ilustrações. "Não admira que ele tenha deixado crescer todo aquele pelo no rosto", dissera ele com desdém na época. "Eu iria querer me disfarçar depois daquilo."
Vivi fez o possível para não se importar. Lembrava-se constantemente de todas as coisas boas que tinha: uma bela casa, filhos maravilhosos, um marido amoroso; então suportava as farpas e exigências caprichosas de Rosemary e o deixava sem saber a verdadeira extensão delas. O marido não gostava de discórdia familiar: isso o fazia recolher-se em uma concha, como um caramujo, de onde ficava à espreita, ligeiramente irritado, até todo mundo ter "se entendido". Por isso, ele não gostava do negócio com Suzanna e os outros.
— Bem, acho que você deveria se sentar e explicar a ela — Vivi aventurara-se a sugerir, em mais de uma ocasião.
— Eu já lhe disse, não quero ressuscitar aquele negócio todo de novo — respondia ele de repente. — Não quero ter que me explicar para ninguém. Especialmente para alguém que acabou de receber uma casa para morar. Ela vai ter que aprender a conviver com isso.

Começara a chuviscar. Suzanna estava parada no degrau, abrigando-se como podia embaixo do lintel, enquanto Neil pegava a garrafa de vinho e as flores da traseira do carro.
— Você comprou cravos — disse ela, com uma careta.
— E?
— São horríveis. Flor de defunto.
— Caso você não tenha notado, Suze, não estamos exatamente em condições de comprar orquídeas raras. Sua mãe ficará feliz com o que quer que a gente dê.

Suzanna sabia que era verdade, mas isso não impedia seu mau humor. Estava assim desde que haviam entrado na garagem e ela vira a esparramada casa de fazenda cor de mostarda, a enorme porta de carvalho de sua infância. Não conseguia se lembrar de uma época em que a casa tivesse representado algo descomplicado e reconfortante para ela. Sabia que em algum momento havia sido, sim, antes que as diferenças entre ela e os irmãos ficassem gritantes, antes que ela pudesse vê-las refletidas no olhar complicado do pai, nos esforços exagerados da mãe para fingir que elas eram invisíveis. Antes de terem sido escritas, legalmente, no futuro de sua família. Agora a casa parecia manchada, sua mera existência colorindo sua vida, atraindo-a de volta e repelindo-a com um único puxão desconcertante. Seu estômago ficou embrulhado, e ela olhou para o carro.

— Vamos para casa — sussurrou, quando Neil chegou ao seu lado.

— O quê?

Do interior veio o barulho distante de latidos histéricos.

— Vamos embora... vamos logo.

Neil olhou para o céu, batendo as mãos nas pernas de um jeito exasperado.

— Ah, pelo amor...

— Vai ser horrível, Neil. Eu simplesmente não sou capaz de lidar com eles *em massa*. Não estou preparada.

Mas era tarde demais. Ouviu-se um passo, depois alguém pelejando com o trinco e a porta se abriu, deixando sair o cheiro de carne assada e um Jack Russel superanimado. Vivi enxotou de volta para dentro o cão que latia, depois se endireitou e sorriu radiante. Limpou as mãos no avental e abriu os braços.

— Olá, meus queridos. *Ah*, como é *bom* ver vocês. Bem-vindos ao lar.

— Não me dê nada com crustáceos. Aqueles camarões fizeram meus lábios incharem como os de um hotentote.

— Não fale "hotentote", vó. Não é politicamente correto.

— Quase fui parar no hospital. A pele esticou toda. Fiquei dois dias sem poder sair.

— Você ficou muito mal. — Vivi estava servindo batatas. Tinha raspado as pontas com um garfo e notou com satisfação que a gordura da carne as deixara rendilhadas e douradas.

— Algumas mulheres pagam um bom dinheiro por isso agora, vó — disse Ben. — Pode me dar mais umas duas batatas? Aquela ali, mãe. A queimadinha.

— Preenchimento — disse Lucy.
— O quê?
— Mulheres. Botam nos lábios para deixá-los mais cheios. Talvez bastasse elas comerem um pouco do camarão em conserva da mamãe. Nada de carne para mim, mãe. No momento não estou comendo carne vermelha. Você não fez isso uma vez, Suze?
— Você nunca fez preenchimento.
— Preenchimento, não. Injeções. Nos lábios. Na sua fase de autoaperfeiçoamento.
— Muito obrigada, Lucy.
— Você aplicou injeções nos lábios?
— São temporárias. — Suzanna olhou para o prato. — É só colágeno. É para deixar a gente com um beicinho.
Vivi, apavorada, virou-se para o genro, a colher da batata erguida na mão.
— E você deixou ela fazer isso?
— Acha que tenho alguma voz no assunto? Você lembra como ela era na época. Era aplique no cabelo, unhas postiças... eu nunca sabia se estava indo para casa encontrar a Cher ou Anna Nicole Smith.
— Ah, não exagere, Neil. Eram só procedimentos temporários. E eu nem gostava. — Suzanna, irritada, revirava os legumes no prato.
— Eu vi você com isso. Achei que parecia que tinham enfiado dois balões de ar na sua cara. Muito assustador.
— Balões de ar? — disse Rosemary. — Na cara dela? Para que ela quer fazer isso?
Suzanna olhou para o pai, que, de cabeça baixa, fingia não ter ouvido o diálogo. Tinha passado a maior parte do tempo falando com Neil, a quem, como sempre, tratava com uma cortesia absurda, como se ainda lhe fosse grato pelo enorme favor de tomar Suzanna de suas mãos. Neil sempre dizia que absurdo era dizer isso, mas ela não conseguia entender por que seus pais sempre faziam tamanho alvoroço por ele estar preparado para fazer coisas como passar as próprias camisas, tirar o lixo ou levá-la para jantar. Como se ela de certa forma tivesse uma predisposição genética para fazer todo o trabalho doméstico.
— Pois acho que Suzanna é muito bonita sem quaisquer... realces. — Vivi, sentada, passou o molho. — Acho que ela não precisa de ajuda nenhuma.
— Seu cabelo está bonito, Suze — disse Lucy. — Gosto quando está na cor natural.

O cabelo de Lucy, de um tom muito mais claro que o de Suzanna, estava com um corte chanel bem reto e entremeado de luzes.

— Igual ao da Morticia Addams — disse Ben.

— Quem? — Rosemary debruçou-se no prato. — Alguém vai me servir batatas? Pelo visto não ganhei nenhuma.

— As batatas estão a caminho, vó — disse Lucy.

— Morticia Addams. Da *Família Addams*.

— Os Adams de Stoke-by-Clare?

— Não, vovó. Uma pessoa da televisão. Você viu o show do Radiohead, Luce?

— Ele era fascista, sabe? Na guerra. Família horrorosa.

— Sim. Foi excelente. Tenho o CD no carro se quiser fazer uma cópia.

— Serviam frios toda noite no jantar. Nunca uma refeição decente ali. E criavam porcos.

Vivi virou-se para Suzanna.

— E você tem que nos contar tudo sobre a sua loja, querida. Estou louca para ouvir. Já tem data para inauguração?

Suzanna fitou o prato, respirou fundo e olhou para Neil, que continuava falando com seu pai.

— Na verdade, está aberta.

Houve um breve silêncio.

— Aberta? — perguntou Vivi, sem entender. — Mas pensei que você fosse dar uma festa de inauguração.

Suzanna olhou sem jeito para Neil, que contemplou o prato com uma expressão de "me deixe fora dessa". Ela engoliu em seco.

— Foi só uma coisinha.

Vivi olhou para a filha e corou, tão delicadamente que só os que observavam com atenção, como seu filho, seu genro e sua outra filha, notariam.

— Ah — disse, servindo metodicamente colheradas de molho no prato. — Bom. Você não quis a gente entupindo o lugar, tenho certeza. Quer clientes de verdade, não? Gente que vai comprar coisas... Foi... Correu bem?

Suzanna suspirou, acovardada pela culpa e ao mesmo tempo com raiva de ter sido levada a sentir-se assim logo nos primeiros minutos do almoço. Soara perfeitamente sensato quando ela justificara a decisão para si mesma. Já bastava ter sido forçada a voltar para a sombra da família... sem dúvida não era demais pedir que criasse um pouco de espaço para si, afastada deles. Do contrário, não seria a loja dela, só mais uma extensão dos interesses da família. No entanto, agora, ouvindo Vivi tentando disfarçar a mágoa na voz com uma série de observações frívolas, consciente do peso dos olhares acusadores dos irmãos, parecia, de alguma forma, menos fácil de explicar.

— Onde é, Suze? — Dava para ouvir uma polidez cortante na voz de Ben.

— Perto da Water Lane. Duas ruas abaixo do lugar de comida para viagem.

— Que bom — disse ele friamente.

— Vocês têm que passar lá qualquer hora — convidou ela, sorrindo bravamente.

— Estamos meio ocupados no momento. — Ele olhou para o pai. — Temos uns projetos em andamento nos celeiros, não é, papai?

— Tenho certeza de que vamos todos achar tempo para dar um pulinho lá em breve. — O tom do pai era neutro.

Os olhos de Suzanna inexplicavelmente ficaram cheios d'água.

Vivi saíra da mesa para cumprir alguma tarefa indeterminada na cozinha. Eles podiam ouvi-la no corredor, murmurando alguma coisa para o cachorro.

— Bom, isso foi simpático da sua parte, Suze. — A voz de Lucy cruzou a mesa.

— Lucy... — A voz do pai continha um alerta.

— Ora, que mal faria a ela convidar a mamãe? Mesmo se mais ninguém de nós fosse, ela podia ter convidado a mamãe. Ela estava muito orgulhosa, sabe? Contou para todo mundo sobre sua maldita loja.

— Lucy.

— Você fez ela parecer uma idiota para as amigas.

— Quem é idiota? — Rosemary ergueu a cabeça da refeição. Olhou em volta, procurando Vivi. — Por que não ganhei mostarda? Sou a única sem mostarda?

— Eu não tive intenção de magoá-la.

— Não, você nunca tem.

— Nem foi uma inauguração de verdade. Não servi bebidas nem nada.

— Mais um motivo pelo qual convidá-la não teria tirado pedaço. Nossa, depois de tudo que a mamãe e o papai fizeram por você...

— Lucy...

— Olha, não vamos... — interrompeu Neil, apontando para a porta, onde Vivi surgia de novo. — Agora não...

— Eu quase esqueci de trazer a sobremesa. Não foi tolice minha? — disse Vivi, tornando a se sentar e olhando em volta da mesa com o vago olhar avaliador de anfitriã experiente. — Todo mundo se serviu de tudo? Está tudo bem?

— Delicioso — disse Neil. — Você se superou, Vivi.

— Eu não ganhei mostarda — disse Rosemary, num tom acusador.

— Ganhou, sim, vó — disse Lucy. — Está à parte, no seu prato.

— O que você disse?

Ben debruçou-se na mesa, apontando com a faca.

— Aí — disse, revelando a ela. — Mostarda.

Vivi estava quase chorando. Suzanna podia ver a vermelhidão reveladora em volta dos olhos. Olhou para Neil do outro lado da mesa e soube que ele também tinha visto. Descobriu que perdera o apetite.

— Tenho uma novidade — disse Neil.

Vivi sorriu para ele.

— Ah, tem? Qual?

— A Suzanna resolveu pensar em outra pessoa além de si mesma — disse Lucy. — Isso, sim, seria novidade.

— Ah, pelo amor de Deus, Lucy. — O pai largou os talheres na mesa.

— Vamos ter um bebê. Não agora — acrescentou Neil depressa. — Ano que vem. Mas decidimos que seria a hora certa.

— Ah, queridos, isso é maravilhoso — disse Vivi, o rosto se iluminado. Saltou de seu lugar à mesa e deu a volta para abraçar a filha.

Suzanna, rígida como uma tábua, permaneceu sentada, olhando furiosa para o marido, que se recusava a encará-la.

— Ah, estou tão feliz por vocês. Que bom!

Lucy e Ben se entreolharam.

— O que está havendo? Eu queria que vocês todos falassem alto.

— Suzanna vai ter um bebê — disse Vivi, bem alto.

— Ainda não. — Suzanna conseguiu falar. — Não vai ser agora. Só ano que vem. Na verdade, era para ser surpresa.

— Pois acho isso ótimo — disse Vivi, tornando a se sentar.

— Ela está grávida? — Rosemary debruçou-se na mesa. — Já era hora também.

Discretamente, Suzanna sussurrou para Neil: "Vou te matar."

— Isso não é maravilhoso, querido? — Vivi pôs a mão no braço do marido.

— Mais ou menos — disse ele.

A sala ficou em silêncio, a não ser pela ponta onde Rosemary estava sentada, onde uma espécie de explosão gástrica interna provocara em Ben e Lucy risadas que eles mal conseguiam abafar.

O pai colocou a faca e o garfo no prato.

— Eles ainda estão praticamente falidos. Morando de aluguel. Suzanna acabou de montar um negócio, sem ter nenhuma experiência em gerenciar nada, nem mesmo um orçamento doméstico, com sucesso. Acho que a última coisa que eles deveriam fazer era adicionar um filho à equação.

— *Querido* — censurou Vivi.

— O quê? Agora a gente não pode dizer a verdade? Para que ela não decida se ausentar da família de novo? Sinto muito, Neil. Em outras circunstâncias, seria uma notícia maravilhosa. Mas até que Suzanna cresça um pouco e aprenda a aceitar as próprias responsabilidades, acho que é uma péssima ideia.

Lucy parara de rir. Olhou para Suzanna e depois para Neil, que ficara vermelho que nem um tomate.

— Isso foi meio pesado, pai.

— Só porque uma coisa não é fácil de ouvir, Lucy, não quer dizer que seja maldosa. — Seu pai, tendo aparentemente excedido sua cota diária de palavras faladas, voltara a comer.

Vivi alcançou os *Yorkshire puddings*, o rosto crispado de ansiedade.

— Não vamos falar sobre isso hoje. É tão raro a gente reunir todo mundo. Vamos simplesmente tentar ter um almoço agradável, sim? — Ergueu o copo. — Vamos fazer um brinde à Lucy, que tal? Vinte e oito. Uma idade maravilhosa.

Só Ben juntou-se a ela.

Suzanna levantou a cabeça.

— Achei que você ficaria feliz por eu ter montado um negócio, pai — disse ela lentamente. — Achei que você ficaria feliz por eu estar fazendo alguma coisa por mim.

— Estamos felizes, querida — disse Vivi. — Estamos muito felizes, não estamos? — Pousou a mão no braço do marido.

— Ah, pare de tentar fingir, mãe. Nada do que eu faço é bom o bastante para ele.

— Você está distorcendo as minhas palavras, Suzanna. — O pai continuou comendo, em pequenos bocados regulares. Sua voz não se elevara.

— Mas não o significado. Por que você nunca pode me dar uma trégua? — Foi como falar sozinha. Suzanna levantou-se bruscamente, esperando que ele erguesse os olhos para ela. — Eu *sabia* que isso ia acontecer — disse, caiu em prantos e saiu correndo da mesa.

O som de seus passos foi morrendo no corredor, seguido pelo barulho de uma porta distante batendo.

— Feliz aniversário, Luce — disse Ben, erguendo um copo com ironia. Neil chegou a cadeira para trás e limpou a boca com o guardanapo.

— Me desculpe, Vivi. Estava delicioso. Delicioso mesmo.

O sogro não levantou a cabeça.

— Sente-se, Neil. Você não vai ajudar ninguém correndo atrás dela.

— O que há com ela? — perguntou Rosemary, virando-se rigidamente para a porta. — Enjoo matinal, é?

— Rosemary... — Vivi afastou uma mecha de cabelo da testa.

— Você fica — disse Lucy, pousando a mão no ombro de Neil. — Eu vou.

— Tem certeza? — Neil olhou a comida, incapaz de esconder o alívio por poder terminar seu almoço em paz.

— É óbvio que ela ia estragar a comemoração da Lucy.

— Não seja cruel, Ben — disse Vivi, e olhou melancólica para as costas de Lucy, que se retirava.

Rosemary esticou o braço para se servir de outra batata.

— Acho que é melhor assim. — Espetou uma com um garfo trêmulo. — Desde que ela não saia à mãe.

Os celeiros todos tinham mudado. Nos fundos da fazenda, onde antes resistiam três abrigos — a madeira tratada com creosoto para preservação — servindo como depósito de feno, palha e equipamentos agrícolas ociosos enferrujando, havia agora duas construções de vidros duplos de frente para estacionamentos de cascalho, com placas discretas indicando-os como "salas com tudo incluso". Pela janela do que no passado havia sido a tulha, Suzanna via um homem passeando de um lado para outro enquanto falava animadamente ao telefone. Passara vários minutos procurando um lugar para se sentar onde não desse para ele vê-la chorar.

— Você está bem?

Lucy apareceu à sua esquerda e sentou-se ao seu lado. Por alguns instantes, observaram o homem andando e falando. Suzanna notou que a irmã tinha a tez lisa e luminosa que denunciava sol de inverno e férias de esqui caras, depois, com um sobressalto, notou que Lucy entrara para a lista sempre crescente de pessoas que ela invejava.

— Então, quando isso tudo aconteceu? — Suzanna pigarreou e apontou para as construções.

— Há uns dois anos. Agora que papai está alugando a terra, ele e Ben estão estudando maneiras de ganhar mais dinheiro com o resto da propriedade.

Alguma coisa no "ele e Ben" fez Suzanna ficar novamente com os olhos cheios d'água.

— Estão fazendo caçadas do outro lado da mata também. Criando faisões.

— Nunca imaginei papai caçando pássaros.

— Ah, ele mesmo não caça. Manda o Dave Moon caçar. Tem cachorros e tudo. E mamãe faz o almoço. Os homens que vêm caçar não passam de playboys de Londres que querem tirar onda com uma arma. Papai e Ben cobram uma fortuna — acrescentou Lucy, aprovando. — A última temporada pagou o carro novo do papai. — Arrancou um líquen perto do sapato, depois levantou a cabeça e sorriu. — Você nunca vai adivinhar... quando papai era mais moço, por um tempinho, ficou obcecado com a ideia de doar tudo. A terra toda. Vovó me contou. Consegue imaginar o papai, o grande defensor da tradição, como uma espécie de Robin Hood comunista?

— Não.

— Nem eu. Primeiro, achei que ela estivesse com um princípio de Alzheimer, mas vovó jura que é verdade. Ela e vovô o dissuadiram disso — disse Lucy, e abraçou os joelhos. — Cara, eu adoraria ter sido uma mosquinha para ver essa conversa.

Ao longe, salpicadas no campo estreito ao lado do rio, havia cerca de vinte ovelhas pretas e brancas, aparentemente paradas. Seu pai nunca fora particularmente bem-sucedido com ovelhas. Muito propensas a doenças repulsivas, dizia ele. Sarna e queimaduras, miíase e fasciolose, nomes medievais e sintomas macabros dos quais, quando criança, eles ouviam falar com horror e fascínio.

— Eu quase não reconheço isto aqui. — A voz de Suzanna era fraca.

Lucy foi enérgica em resposta.

— Você deveria vir para cá com mais frequência. Não é como se você morasse a quilômetros de distância.

— Bem que eu queria morar. — Suzanna tornou a esconder a cara nos braços. Chorou mais alguns minutos, depois, fungando, olhou de soslaio para a irmã caçula. — Ele é horrível comigo, Luce.

— Ele só está puto por você ter magoado a mamãe.

Suzanna enxugou o nariz.

— Sei que eu deveria tê-la convidado. Eu só... Só estou cansada de viver à sombra deles. Sei que eles vêm ajudando desde que a gente faliu e tudo mais, mas tudo mudou, agora que...

Lucy virou-se para ela, depois abanou a cabeça.

— É o testamento, não é? Você ainda está com o testamento na cabeça.

— Não estou falando disso.

— Você tem que desapegar desse assunto, sabe? Não quer administrar a propriedade. Nunca quis. Você me disse que isso a enlouqueceria.

— A questão não é essa.

— Você está deixando esse assunto envenenar tudo. E isso está deixando mamãe e papai muito infelizes.

— Mas eles estão *me* deixando infeliz.

— Não posso acreditar que você esteja obcecada com o que vai acontecer com o dinheiro do papai depois que ele morrer. Não posso acreditar que esteja preparada para dividir a família por uma coisa que nem é sua para início de conversa. Ele não vai deixar nenhum de nós na pior, você sabe.

— O problema não é o *dinheiro* do papai. O problema é ele acreditar num sistema antiquado que valoriza mais os homens que as mulheres.

— Primogenitura.

— O que for. É simplesmente errado, Lucy. Eu sou *mais* velha que o Ben. É errado, é desagregador e não deveria acontecer hoje em dia.

Lucy levantou a voz, exasperada.

— Mas você não quer administrar a propriedade. Nunca quis.

— Isso não vem ao caso.

— Então o lugar deveria ser dividido e vendido só para você receber um quinhão igual?

— Não... Não, Lucy. Eu só quero um reconhecimento de que sou... de que nós somos... tão importantes quanto Ben.

Lucy fez menção de se levantar.

— Essa é uma questão sua, Suze. Eu me sinto tão importante quanto Ben.

O homem tinha terminado o telefonema. Elas viram sua silhueta contornar a mesa e desaparecer. Então a porta do escritório se abriu e ele saiu para a luz do dia. Assentiu para elas, depois entrou no carro.

— Olhe, mais ninguém vai lhe dizer isso, mas acho que você precisa colocar a situação em perspectiva, Suzanna. Nada disso mostra o que papai pensa de você. Pelo contrário, você recebeu mais atenção do que eu ou Ben quando éramos jovens. — Ela ergueu a mão, calando o protesto de Suzanna. — E tudo bem. Provavelmente você precisava mais. Mas não pode culpá-lo por tudo que aconteceu desde então. Ele deu uma casa para você, caramba.

— *Deu*, não. Estamos pagando aluguel.

— Um aluguel simbólico. Você sabe tão bem quanto eu que pode ficar com a casa para sempre, se quiser.

Suzanna resistiu a um impulso infantil de dizer que não a queria. Odiava aquela casinha com seus cômodos acanhados e suas vigas rústicas.

— É porque ele se sente culpado. Está tentando compensar com bens materiais.

— Nossa, que mimada. Não consigo acreditar que você tenha trinta e cinco anos.

— Trinta e quatro.

— Que seja.

Talvez consciente de que seu tom fora um pouquinho duro, ela cutucou Suzanna com o cotovelo, um gesto de conciliação. Suzanna, que começara a se sentir gelada, abraçou os joelhos e se perguntou como a irmã, aos vinte e oito, atingira este nível de segurança, de serenidade.

— Olhe. É direito do papai dividir as coisas como quiser. Direito dele. E as coisas podem mudar, sabe... Você só precisa ocupar um pouco mais sua vida e aí isso não vai ter importância.

Suzanna engoliu a réplica amarga. Era particularmente irritante ser tratada com condescendência pela irmã caçula, ouvir um eco de discussões de família que haviam acontecido sem ela. Em especial sabendo que Lucy estava certa.

— Faça sucesso com essa loja e papai vai ter que olhar para você de outra forma.

— Se eu fizer sucesso com essa loja, papai vai morrer de surpresa.

Ela agora tiritava. Lucy estava se pondo de pé com a facilidade de alguém cuja atividade esportiva era um ritual diário. Suzanna, levantando-se, achou ter ouvido os próprios joelhos rangerem.

— Me desculpe — disse. E após uma pausa: — Feliz aniversário.

Lucy estendeu o braço.

— Vamos, vamos entrar. Vou mostrar a lata de biscoitos que vovó me deu de aniversário. É a mesmíssima que a Sra. Popplewell deu a ela de Natal dois anos atrás. Além do mais, se ficarmos aqui mais um pouco, ela vai achar que você já está em trabalho de parto.

Vivi desabou no banco, pegou um pote e começou a limpar o dia do rosto. Não era uma mulher vaidosa — só havia dois potes em sua cômoda, um de loção de limpeza e um de hidratante vendido em supermercado — mas, naquela noite, olhou para o reflexo à sua frente e sentiu-se cansadíssima, como se alguém tivesse lhe colocado um peso insuportável nos ombros. *Eu podia ser invisível*, pensou, *a julgar pela influência que tenho nesta família*. Quando mais moça, tinha conduzido os três filhos pelo condado, supervisionado suas leituras, sua alimentação, a higiene dental, arbitrara suas brigas e ditara o que deveriam vestir. Cumprira suas tarefas maternas com segurança, rechaçando seus protestos, impondo limites, confiante nas próprias habilidades.

Agora era impotente, incapaz de intervir em suas brigas, de ajudar a aplacar a infelicidade deles. Tentou não pensar na inauguração da loja de Suzanna: aquela descoberta quase a deixara sem ar de tão irrelevante que se sentiu.

— Esse seu cachorro andou pegando os meus mocassins.

Vivi se virou. O marido examinava o salto do mocassim de couro, visivelmente roído.

— Acho que você não deveria deixar que ele subisse. Lugar de cachorro é lá embaixo. Não sei por que a gente não bota ele num canil.

— É muito frio lá fora. O coitadinho congelaria. — Ela tornou a se virar para o espelho. — Vou rapidinho à cidade amanhã e compro outro par para você.

Terminaram suas abluções em silêncio. Vivi, enfiando a camisola, desejou não ter terminado um livro recentemente. Naquela noite, uma pequena fuga viria a calhar.

— Ah. Minha mãe quer saber se você pode lhe arranjar uma assadeira. Ela quer fazer *scones* amanhã e não sabe onde a dela foi parar.

— Ela deixou no jardim murado. Usou para alimentar os pássaros.

— Bem, talvez você possa levar para ela.

— Querido, acho que você foi um pouco severo com Suzanna hoje.

— Manteve o tom leve, tentou evitar qualquer sinal de recriminação.

Seu marido fez um som de desdém, uma espécie de exalação gutural. A falta de resposta verbal deu coragem a ela.

— Sabe, ter um filho talvez seja a chave do sucesso dela. Suzanna e Neil passaram por tantos problemas. Isso daria a eles um novo foco. — O marido olhava os pés descalços. — Douglas? Ela está se esforçando muito. Os dois estão.

Foi como se ele não tivesse ouvido.

— Douglas?

— E se a minha mãe tiver razão? E se ela acabar, sim, como Athene?

Era muito raro ele sequer dizer o nome dela. Vivi sentiu a palavra se cristalizar na atmosfera entre eles.

— Você precisa pensar nisso, Vivi. Mesmo. Pense nisso. Porque quem vai sobrar para consertar o estrago?

# Nove

A propriedade Dereward era uma das maiores naquela parte de Suffolk. Com os fundos voltados para o que mais tarde ficou conhecido como Constable Country, remontava aos anos 1600, era inusitada no sentido de que abrigara uma linhagem quase ininterrupta, e suas terras, particularmente montanhosas para a região, tinham boa serventia para uma variedade de coisas, de cultivo agrícola a pesca esportiva, e continham um número excepcional — antieconômico, diziam alguns — de casas cedidas aos trabalhadores do campo. A maioria das casas de propriedades que ultrapassavam 180 hectares era bem mais imponente, talvez com uma galeria de retratos ou um salão de baile para indicar a seriedade da família titular. A propriedade Dereward tinha certo orgulho de sua história — seus retratos de família eram famosos não apenas por mostrar cada herdeiro nos últimos quatrocentos anos como também por detalhar, em linguagem bastante ousada, a circunstância de sua morte —, mas a casa cor de mostarda de oito quartos e repleta de vigas fora ampliada de maneira bastante incoerente, e em estilos arquitetônicos às vezes impróprios.

Mas, por outro lado, o lar original dos Fairley-Hulme tinha sido associado a meros 24 hectares, e só aumentara de tamanho em decorrência de uma aposta entre Jacob Hulme (1743-1790, morto pelo contato próximo, muito desencorajado, com uma das primeiras máquinas debulhadoras de Suffolk) e o constantemente embriagado chefe da Philmore, a propriedade vizinha. Para uma família tão interessada em alardear sua história, esse episódio era quase sempre esquecido. Aliás, a reclamação da dívida de jogo por parte de Jacob Hulme quase causara um levante entre os aldeões locais, que temiam por suas casas e seu sustento, até Jacob, que era mais esperto que a média dos membros da classe proprietária de terras, prometer que, sob seu domínio, os dízimos seriam reduzidos e uma nova escola seria construída, para ser administrada por uma tal Catherine Lees. (A Srta. Lees mais tarde teve um filho em circunstâncias não esclarecidas, embora Jacob mostrasse rara benevolência em oferecer-se para sustentar a professora solteira e lhe oferecer um teto.)

A casa Philmore permanecera em grande medida vazia e, dizia-se, depois fora o local de muitos encontros amorosos discretos para os membros masculinos da família Hulme, até uma Arabella Hulme (1812-1901, sufocada com uma amêndoa confeitada), cujo irmão, o herdeiro, morrera na Crimeia e fora responsável, por casamento, pelo acréscimo do "Fairley", pôr fim no que viu como uma tentação desnecessária no caminho do marido. Empregara uma governanta particularmente severa e espalhara rumores mórbidos sobre as tendências castradoras dos supostos "fantasmas" da casa. Ela precisava fazer isso: a casa tinha se tornado mais ou menos uma lenda local a essa altura, e dizia-se que bastava um homem passar pela porta de entrada para ser dominado por pensamentos lascivos. Famílias viajantes se radicariam nas imediações para que suas meninas pudessem estar prontas para se aproveitar de tal fraqueza.

Então, Arabella Hulme era a exceção vestida de crinolina nessa fileira de rostos masculinos autoengrandecedores — embora sua mandíbula fosse tão marcada e seu perfil tão grosseiro que muitas vezes era preciso olhar duas vezes para se ter certeza. A partir da virada do século XX, foram feitas várias tentativas de retratar mais membros femininos da família, assim como surgiram protestos crescentes quanto à possibilidade de a casa cair na linha feminina da família. Mas as esposas e filhas tendiam a parecer meio desanimadas, como se não estivessem convencidas de seu direito à imortalidade pictórica. Ocupavam molduras douradas menos decoradas e posições menos proeminentes, e frequentemente desapareciam sem deixar vestígio. Os Fairley-Hulme, como Rosemary gostava de dizer, não haviam sobrevivido quatrocentos anos dobrando-se à moda e ao politicamente correto. Para durarem, as tradições precisam ser fortes, sustentadas por regras e certezas. Para alguém tão estridente no assunto, ela falava pouco sobre a história da própria família — com razão: Ben a procurara num banco de dados de genealogia na internet e descobrira que a família de Rosemary procedia de um matadouro em Blackburn.

Mas, talvez considerando os costumes sociais modernos e vivendo numa época em que a grandiloquência não era mais tão apreciada quanto antigamente, tudo indicava que os retratos seriam interrompidos no pai de Suzanna, de quem uma medonha máscara "interpretativa", a óleo, achava-se em menor esplendor majestoso na parede do que fora conhecido por gerações sucessivas como a cova dos ursos: um quarto de pé-direito baixo com uma imensa lareira de pedra grosseiramente entalhada onde as crianças espalhavam brinquedos, adolescentes viam televisão e cachorros descansavam tranquilos. O último retrato teria sido o da mãe de Suzanna. Tinha sido pintado quando a moça completara dezoito anos por um jovem artista que, décadas depois, tornara-se importante. Mas agora o retrato pertencia a Suzanna e morava com eles no chalé, embora Vivi lhe tivesse assegurado reiteradamente que adoraria que Athene assumisse o seu lugar de direito na parede. "Ela é muito linda, querida, e se significasse alguma coisa para você tê-la à vista, assim ela deveria estar. Podemos mandar restaurar a moldura, vai ficar lindo." Vivi, sempre se esforçando, sempre ansiosa para poupar os sentimentos de todo mundo. Como se ela mesma não tivesse nenhum.

    Suzanna lhe dissera que gostava de ter o retrato em casa simplesmente por ser uma bela pintura. Não era como se ela se lembrasse de Athene. Vivi tinha sido a única mãe que ela conhecera. Não era capaz de articular o verdadeiro motivo. Tinha a ver com culpa e ressentimento e, diante da quase total incapacidade do pai em falar sobre a primeira esposa, sua própria dificuldade de confrontá-lo com a prova de que ele havia tido aquela primeira esposa. Foi desde que ela deixara o cabelo ficar escuro de novo, desde que adquirira, como dizia Neil, um pouco da beleza feroz da mãe, que o pai achara difícil até olhar para ela. "Athene Forster", dizia a inscrição discreta na moldura dourada carcomida. Talvez em deferência aos sentimentos de Suzanna, não detalhava a circunstância da morte.

— Você vai pendurar? Está à venda?

Suzanna olhou a jovem parada, de cabeça inclinada, à porta.

— Ela se parece com você — disse a moça alegremente.

— É a minha mãe — disse Suzanna com relutância.

O quadro não combinava com a casa: era muito imponente. Athene, com seus olhos faiscantes e seu rosto pálido, anguloso, enchera a sala sem deixar espaço para mais nada. Agora, olhando para a pintura na loja, Suzanna se deu conta de que também não ficava bem ali. O simples fato de aquela estranha o estar examinando a fez sentir-se desconfortável, exposta. Virou-o para a parede e encaminhou-se para a caixa.

— Eu estava levando a tela para casa — disse, e tentou sugerir, pelo tom, que a conversa estava encerrada.

A moça tentava tirar o casaco. Tinha o cabelo loiro preso em duas tranças, como uma colegial, embora fosse mais velha.

— Eu quase perdi a virgindade nas suas escadas. Estava bêbada feito um gambá. Você está servindo café?

Suzanna, encaminhando-se para a máquina de expresso, nem se virou.

— Você deve estar enganada. Aqui era uma livraria.

— Dez anos atrás era um bar de vinhos. O Red Horse. Foi durante uns dois anos, enfim... Quando eu tinha dezesseis, a gente aparecia sábado à noite, tomava um porre no Diamond White na praça do mercado, depois vinha aqui para namorar. Foi onde conheci o carinha. Ficamos aos amassos naqueles degraus. Veja só, se eu soubesse naquela época... — Ela deixou a frase no ar, rindo. — Posso tomar um expresso? Você está servindo café?

— Ah. Sim. — Suzanna se embaralhou com alavancas e medidas de café, agradecida pelo barulho da máquina abafar temporariamente a necessidade de uma conversa. Ela imaginara que as pessoas entrariam ali, se sentariam e conversariam umas com as outras. Que ela presidiria a tudo isso da segurança do balcão. Mas, nesses dois meses de loja, descobrira que, na maioria das vezes, os clientes queriam falar com ela, quer ela se sentisse sociável, quer não.

— Acabaram fechando o bar. Não espanta, mesmo, com a venda de bebidas a menores de idade que rolava.

Suzanna colocou a xícara cheia num pires com dois torrões de açúcar e levou-a com cuidado para a mesa.

— Está com um cheiro maravilhoso. Faz semanas que passo por aqui e sempre fico com vontade de entrar. Adorei o que você fez com o espaço.

— Obrigada — disse Suzanna.

— Já conheceu o Arturro, na déli? Grande figura. Se esconde atrás dos salames quando mulheres entram na loja. Desistiu de vender café há uns dezoito meses porque a máquina vivia quebrando.

— Sei de quem você está falando.

— E Liliane? Da Unique Boutique? É logo ali. A loja de roupas. Na esquina.

— Ainda não.

— Ambos solteiros. Ambos de meia-idade. Acho que têm interesse um pelo outro há anos.

Suzanna, consciente de que não queria se ver como tópico desse tipo de conversa no futuro, não disse nada. A moça tomou o café. Depois reclinou-se na cadeira e notou a pequena pilha de revistas de papel brilhoso num canto.

— Se incomoda se eu der uma olhada?

— É para isso que estão aí.

Tinha comprado as revistas havia uma semana, esperando que isso diminuísse as conversas com os clientes. A moça lhe lançou um olhar estranho, depois sorriu com naturalidade e começou a folhear a *Vogue*. Examinava as páginas com o tipo de prazer que sugeria que não era grande leitora de revistas.

Ficou ali sentada quase uns vinte minutos, durante os quais os dois homens que tocavam a loja de peças de motocicleta entraram para tomar silenciosas doses rápidas de café forte e a Sra. Creek fez sua incursão bissemanal pelas prateleiras. Nunca comprava nada, mas dera várias semanas da história de sua vida a Suzanna, que escutara sobre sua carreira como modista em Colchester, sobre o Infeliz Incidente no Trem e sobre suas várias alergias, que incluíam cães, cera de abelha, certas fibras sintéticas e cream cheese. A Sra. Creek passara a maior parte da vida sem saber que tinha essas alergias, óbvio. Não tinha havido muitos indícios. Mas ela fora falar com um daqueles homeopatas na lojinha da esquina, e eles fizeram um teste envolvendo campainhas e pequenas ampolas e ela descobrira que havia uma infinidade de coisas das quais não deveria se aproximar.

— Você não tem cera de abelha aqui, tem? — perguntou, fungando.

— Nem cream cheese — disse Suzanna, tranquilamente.

A Sra. Creek comprara uma única xícara de café e reclamara, fazendo careta, que era "um pouquinho amargo para o meu gosto".

— No Three Legged Stool, lá em cima, botam CoffeeMate no deles, se a gente pedir. Sabe, como leite em pó. E dão um biscoito de graça — disse, esperançosa. Depois, quando Suzanna não fez caso dela, acrescentou: — Não é preciso alvará de comercialização de alimentos para servir biscoitos.

Ela fora embora pouco antes do meio-dia, tendo, como disse à moça, "prometido jogar baralho com uma das senhorinhas no centro".

— Ela é meio chata — confidenciou, num sussurro para ser ouvido —, mas acho que é um pouco solitária.

— Tenho certeza de que ela vai ficar feliz em vê-la — disse a moça.

— Tem muita gente solitária nesta cidade.

— Não tem, querida? — A Sra. Creek ajeitou o chapéu, lançando um olhar significativo para Suzanna, e saiu energicamente para o clima úmido e ensolarado da primavera.

— Pode me servir outro café? — A moça se levantou e levou a xícara para o balcão.

Suzanna reabasteceu a máquina. Quando ia ligá-la, sentiu o olhar da mulher. Notou que estava sendo avaliada em silêncio.

— É uma escolha estranha, administrar uma cafeteria. Quero dizer, para alguém que não gosta de gente.

Suzanna ficou imóvel.

— Isso não é bem uma cafeteria — disse com aspereza. Olhou para as mãos, que seguravam a xícara. Depois acrescentou: — Eu só não sou muito de jogar conversa fora.

— Então é melhor aprender — disse a moça. — Do contrário, não vai sobreviver por muito tempo, por mais linda que seja a sua loja. Aposto que você veio de Londres. O povo de Londres nunca conversa nas lojas. — Olhou em volta. — Você precisa de música. Música sempre anima as coisas.

— Oi? — Suzanna tentava não se irritar.

A moça devia ser uns dez anos mais nova que ela e tinha a pretensão de lhe ensinar a administrar o seu negócio.

— Estou sendo um pouco incisiva? Me desculpe. Jason sempre diz que sou muito incisiva com as pessoas. É só que sua loja é muito simpática, realmente encantadora, e acho que vai fazer muito sucesso se você parar de agir como se desejasse que os clientes não estivessem aqui. Pode colocar açúcar nesse?

Suzanna empurrou o açucareiro para ela.

— É essa impressão que eu dou?

— Você não é das mais acolhedoras. — Vendo a expressão consternada de Suzanna, corrigiu-se: — Quero dizer, eu não ligo, porque falo com todo mundo mesmo. Como aquela senhorinha. Mas tem muitos outros aqui que desanimariam. Você é mesmo de Londres?

— Sim — disse Suzanna.

Era mais fácil do que explicar.

— Cresci na propriedade perto do hospital. Meadville, conhece? Mas é uma velha cidade engraçada. Galochas muito verdes. Muito metida a besta. Entende o que estou dizendo? Para ser sincera, tem um monte de gente aqui que não vai dar bola para você porque vai achar tudo na sua vitrine muito esquisito. Mas tem algumas pessoas que acham que não se encaixam. Pessoas que não querem ficar sentadas com seu biscoito de aveia, um *lapsang souchong* e uma velhinha de cabelo roxo e lenço na cabeça berrando na mesa ao lado. Acho que, se fosse um pouquinho mais simpática, você teria uma clientela grande.

A contragosto, Suzanna sentiu os cantos da boca subindo ao reconhecer a descrição da moça.

— Acha que eu deveria virar uma espécie de assistente social?

— Se isso trouxer clientes. — A moça jogou um torrão de açúcar na boca. — Você precisa ganhar dinheiro, não? — Lançou um olhar malicioso para Suzanna. — Ou essa loja é um *hobbyzinho*?

— O quê?

— Eu não sabia se você era uma dessas... sabe, "maridinho trabalha no centro. Ela precisa de um hobbyzinho".

— Não sou uma dessas.

— Quando os seus clientes souberem que são bem-vindos, você pode colocar um aviso dizendo: "Não falem comigo." Se você conseguir o tipo certo de clientela, eles vão entender... quero dizer, se falar com as pessoas for assim tão doloroso.

Elas se olharam e sorriram. Duas mulheres adultas, identificando alguma coisa uma na outra, embora velhas demais para reconhecerem que estavam virando amigas.

— Jessie.

— Suzanna. Não sei direito se consigo entrar nessa de bater papo.

— Você está conseguindo clientes suficientes sem isso?

Suzanna ponderou. Pensou em sua caixa registradora vazia. Na testa franzida de Neil enquanto ele examinava os números.

— Mais ou menos.

— Você me paga em café, eu venho ajudar por umas horinhas amanhã. Mamãe está ficando com a minha Emma por umas duas horas antes das aulas à noite, e prefiro isso a passar aspirador. É bom fazer uma coisa diferente.

Suzanna se empertigou, perturbada com a ideia de estar sendo manipulada.

— Acho que aqui não tem trabalho para duas.

— Ah, eu arrumo. Conheço todo mundo, sabe? Bom, tenho que ir. Pense nisso, e eu apareço amanhã. Se não me quiser, tomo um café e vou embora. Tudo bem?

Suzanna encolheu os ombros.
— Se você quiser.
— Ah, que saco. Estou atrasada. Tchau.

Jessie atirou um dinheiro no balcão — a quantia certa, no fim das contas —, jogou o casaco no ombro e correu para a rua. Era pequena. Enquanto ela se afastava, parecia uma criança aos olhos de Suzanna. *Como alguém como ela pode ter um filho*, pensou, *e eu ainda achar que não estou pronta?*

Não queria admitir, nem para si mesma, mas Suzanna estava cultivando uma nova paixonite. Sabia disso porque todo dia, nos poucos minutos antes de fechar a loja para comprar seu sanduíche de sempre na déli, pegava-se conferindo a aparência, retocando o batom e limpando os detritos da manhã da roupa. Não era a primeira durante seu casamento com Neil, achava que provavelmente tinha em média uma por ano. Iam do professor de tênis, que tinha os antebraços mais poderosos e musculosos que ela já vira, ao irmão de sua amiga Dinah, passando pelo chefe da empresa de marketing onde ela trabalhara, que dissera que Suzanna era o tipo de mulher que dava aos homens noites insones. Ela tinha quase certeza de que tinha sido um elogio.

Nada jamais *acontecera* de fato. Ela ou os adorava de longe, criando uma espécie de vida e personalidade paralelas para eles em sua imaginação — muitas vezes bem mais desejáveis que a realidade —, ou se permitia uma amizade rapidamente íntima, em que perguntas pairavam tácitas no ar e tendiam a evaporar quando o homem presumia que ela não estava preparada para levar aquilo adiante. Uma vez, com o chefe de marketing, ela se permitira o prazer culpado de um beijo roubado. Fora bem romântico quando ele fechara a porta do escritório, deixando os dois a sós, e olhara para ela com uma concentração muda, mas se tornou tão horrorizante quando depois ele se declarou apaixonado que ela nunca mais voltou. (Achava um despropósito e uma injustiça Neil ainda ver isso como mais um exemplo de sua incapacidade de levar um emprego a sério.) Ela não estava sendo infiel, dizia a si mesma, só saboreando um pouco o prazer de olhar vitrines, alimentando o tipo de frisson que costumava desaparecer com a segurança e a vida doméstica.

Só que dessa vez não sabia ao certo em *quem* sua paixão estava focada. A delicatéssen de Arturro, o dono alto e tímido sobre quem Jessie andara lhe contando, empregava três dos jovens mais atraentes que Suzanna já vira.

Ágeis e cheios da exuberância alegre daqueles que não só sabem que são bonitos como também ficam mais bonitos ainda numa cidade sem concorrência, eles gritavam insultos animados uns para os outros, atirando queijos e vidros de azeitonas com o que Suzanna via como uma graça sublime, enquanto Arturro rondava de um jeito bonachão atrás do balcão.

Quando Suzanna entrava, eles invariavelmente estavam dizendo aos gritos um peso ou uma medida.

— Sete ponto oito!
— Não, não. Oito ponto dois.

Para uma cidade que parecia considerar muito ousada qualquer coisa mais estrangeira que as ofertas entediantes do restaurante chinês de comida para viagem e ainda tinha reservas quanto ao restaurante indiano, a déli de Arturro estava sempre bem povoada. As mulheres da cidade esperavam numa fila organizada para comprar seu prato semanal de queijos ou seus biscoitos elegantes de café da manhã, aspirando os densos aromas de salame picante, Stilton e café, observando os rapazes com um olhar divertido e gentil (enquanto ajeitavam de vez em quando uma mecha rebelde de cabelo). As garotas mais jovens ficavam na fila dando risadinhas, aos cochichos umas com as outras, e só se lembravam de que não tinham dinheiro nenhum quando chegava a sua vez.

Eram bonitos, com a pele brilhante, negra. Seus olhos tinham o brilho cúmplice que indicava noites de verão cheias de alegria, passeios barulhentos em motonetas elegantes, noites de promessa culpada. *Estou velha demais para eles*, dizia Suzanna a si mesma, de uma maneira decididamente maternal, enquanto se perguntava se níveis crescentes de equilíbrio e sofisticação tinham mais peso que as rugas definidas em seu rosto e a forma cada vez mais quadrada de seu traseiro.

— Nove. Nove ponto um.
— Você é disléxico. Ou cego. Está com os números ao contrário.
— Pode me ver um sanduíche de mortadela, tomate e azeitona no pão integral? Sem manteiga, por favor.

Arturro corou ao registrar o pedido dela.

— Movimentado hoje — disse Suzanna, quando um dos jovens subiu numa escada de mão para alcançar um panetone envolvido numa embalagem alegre.

— E você? — perguntou, baixinho, e Suzanna teve que se inclinar à frente para ouvi-lo.

— Não muito. Hoje não. Mas são os primeiros dias. — Estampou um sorriso alegre.

Arturro entregou-lhe um saco de papel.

— Vou até lá amanhã para conhecer. A pequena Jessie veio aqui hoje de manhã nos convidar. Tudo bem?

— O quê? Ah, sim. Sim, certamente. Jessie está me ajudando.

Ele fez um gesto de aprovação com a cabeça.

— Boa moça. Conheço-a há muito tempo.

Enquanto Suzanna se perguntava qual dos três rapazes poderia constituir o "nós" de Arturro, ele foi a passos pesados até a ponta do balcão e puxou uma lata decorada de biscoitos amaretti de uma prateleira alta. Voltou e entregou a ela.

— Para o seu café.

Suzanna olhou para a lata.

— Não posso aceitar.

— É para dar sorte. Para o seu negócio. — Sorriu timidamente, revelando duas fileiras de dentes miúdos. — Experimente quando eu for lá amanhã. Muito bom.

— Uau, Arturro está paquerando. — Ouviu-se um assobio atrás dela. Dois dos rapazes olhavam para ele, braços cruzados sobre os aventais brancos, fazendo cara de reprovação. — Tomem cuidado, senhoras. Daqui a pouco, Arturro vai lhes oferecer uma prova grátis do salame dele...

Ouviram-se risadas abafadas na fila. Suzanna se pegou corando.

— E sabe o que dizem do salame italiano, hein, Arturro?

O homem corpulento virou-se para a caixa, levantou um braço da largura de um presunto e soltou uma rajada do que Suzanna presumiu serem impropérios à italiana.

— *Ciao, signora*.

Suzanna foi embora da déli vermelha, tentando não sorrir demais para não parecer o tipo de mulher que fica muito empolgada quando recebe um pouco de atenção.

Quando voltou para a loja, descobriu que se esquecera de pegar o sanduíche.

Jessie Carter nascera na maternidade de Dere. Era filha única de Cath, que trabalhava na padaria, e Ed Carter, que fora um dos carteiros da cidade até morrer de infarto fazia dois anos. Podia-se dizer que não tivera uma vida exótica. Passou a infância com os amigos na propriedade Meadville, estudou na Dere Primary, depois foi para a Hampton High School, da qual saiu aos dezesseis anos com dois GCSEs em arte e economia doméstica e um namorado, Jason, que se tornou o pai de sua filha, Emma, dois anos depois. Emma não fora planejada, mas foi muito desejada, e Jessie nunca se arrependeu — especialmente sendo Cath Carter a mais dedicada das avós; Jessie não podia reclamar de ficar presa como algumas moças reclamavam.

Não, não era Emma que causava quaisquer limitações à sua vida. Para ser sincera, era Jason. Ele era possessivo à beça, o que, no fundo, era uma burrice, pois ela sempre foi fiel a ele e não tinha intenção de arrumar outro. Mas Jessie não queria passar a impressão errada. Jason era muito divertido, quando não estava sendo babaca, e um ótimo pai, e não se podia reclamar de ser assim tão amada. Paixão, sabe? Esse era o segredo. Sim, eles brigavam, mas também havia muitas reconciliações. Às vezes ela achava que provavelmente só brigavam para chegar na parte da reconciliação. (Bem, tinha que ter *alguma* razão para tantas brigas.) E agora que o município lhes dera uma casa, não tão longe da casa da mãe dela, e que Jason tinha se acostumado com a ideia de Jessie estudar à noite, e que ele estava ganhando uns trocados fazendo entregas com a van da loja de material elétrico, as coisas estavam melhorando.

Suzanna descobriu tudo isso mais ou menos nos primeiros quarenta minutos de trabalho de Jessie na loja. Inicialmente, não se importou com a conversa: Jessie tinha limpado a loja inteira quase sem esforço enquanto falava, levantando móveis e varrendo corretamente embaixo de todas as cadeiras, tinha organizado duas prateleiras e lavado todas as xícaras de café. De alguma forma, isso deixou o ambiente mais caloroso. E ela — ou isso — ajudara a dar ao Empório Peacock a sua tarde mais lucrativa, atraindo uma trilha aparentemente interminável de clientes com eficiência magnética. Arturro apareceu, sozinho, tomou o seu café com uma atenção de quem entende o que está fazendo e respondeu às incessantes perguntas de Jessie com um prazer tímido. Depois que ele foi embora, Jessie assinalou que ele ficara quase o tempo todo olhando pela vitrine para a Unique Boutique, como se na esperança de que Liliane pudesse sair daquela porta de vidro fumê e se juntar a ele.

As senhoras da loja de departamentos, onde a tia de Jessie trabalhava, apareceram e ficaram bobas com as tapeçarias da parede, abaixaram a cabeça sob os móbiles chamativos, se alvoroçaram com os mosaicos de vidro e acabaram comprando um de cada, exclamando diante da sua extravagância. Trevor e Martina, do cabeleireiro atrás dos correios, que conheciam Jessie desde a escola, compraram um dos espanadores de penas pretas, porque ficaria bom no salão. Vários jovens que Jessie conhecia pelo nome, provavelmente da propriedade, foram até o Empório. Além da mãe e da filha de Jessie, que tinham entrado e ficado uns bons quarenta minutos sentadas, admirando quase tudo que viam. Emma era uma cópia fiel da mãe, uma menina segura de sete anos, toda vestida de cor-de-rosa, que avaliou os biscoitos amaretti como "estranhos, mas bons, ainda mais o açúcar" e disse que, quando crescesse, ia ter uma loja "igualzinha. Só que, na minha loja, vou dar pedaços de papel para as pessoas poderem fazer desenhos e eu pendurar nas paredes".

— Boa ideia, flor. Você podia botar os desenhos dos seus clientes favoritos em um lugar de destaque. — Jessie parecia tratar com seriedade todas as declarações da filha.

— E emoldurá-los. As pessoas gostam de ver seus desenhos emoldurados.

— Pronto — disse Jessie, dando um polimento final na máquina de café. — Psicologia do varejo. Como fazer seus clientes se sentirem valorizados.

Suzanna, embora reconhecendo o benefício da clientela extra, sentia-se sufocada por Jessie e sua família. Não conseguia lidar com outra pessoa atrás do balcão, com a reorganização de suas prateleiras — embora sem dúvida estivessem com um aspecto melhor. A loja não parecia mais tão sua desde que Jessie pisara ali.

Aliás, depois das calmas semanas anteriores, tinha entrado tanta gente na loja aquela tarde que Suzanna teve que reprimir um ligeiro sentimento de inadequação e uma pontada de inveja por essa moça ter se saído tão naturalmente bem no que ela fracassara.

*Isso é burrice*, disse a si mesma, indo ao porão buscar mais sacolas. *É uma loja. Você não pode se dar ao luxo de guardar tudo para si.* Sentou-se bruscamente nos degraus, agora poluídos pelos fantasmas de adolescentes se beijando, e examinou as prateleiras do andar de baixo, que, no passado, aparentemente haviam guardado caça ilegal que se podia pedir com legumes. Talvez a questão não fosse ter sido superada por Jessie, talvez ela é que não gostasse da sensação de todo mundo sentir-se em casa, da obrigação e da expectativa que uma relação íntima com os clientes parecia criar.

Tudo estava mudando de direção, aproximando-se um pouco demais da ideia de *família*.

*Não sirvo para isso*, pensou. *Vai ver que só gostei de fazer a decoração, de criar uma coisa bonita. Talvez eu deva fazer uma coisa que não envolva nenhum tipo de relacionamento com o cliente.*

Estremeceu quando a cabeça de Jessie apareceu no alto da escada.

— Está tudo bem aí?

— Sim.

— Mamãe nos trouxe um suco de laranja gostoso. Achei que talvez você estivesse farta de café.

Suzanna deu um sorriso forçado.

— Obrigada. Já vou subir.

— Quer alguma ajuda aí embaixo?

— Não, obrigada. — Suzanna tentou transmitir no tom que preferiria ter cinco minutos sozinha.

Jessie olhou para um ponto invisível à sua esquerda e depois de novo para ela.

— Tem mais uma pessoa aqui que você precisa conhecer. A Liliane, da loja da frente. Eu fazia faxina lá. Ela acabou de comprar um par de brincos, os da vitrine.

Era o artigo mais caro da loja. Por um instante, esquecendo suas reservas anteriores, Suzanna subiu os degraus quase correndo.

A expressão de Liliane MacArthur era tão carrancuda quanto a de Jessie era simpática. Uma mulher alta, magra, com o tipo de cabelo discretamente avermelhado apreciado pela população feminina de Dere Hampton, fitou Suzanna com o experiente olhar de cima a baixo de alguém que aprendera a duras penas que mulheres, especialmente com uns bons vinte anos a menos, em geral não mereciam confiança.

— Oi — disse Suzanna, imediatamente sem jeito. — Que bom que você viu os brincos.

— Sim. Gosto de topázio. Sempre gostei.

— São vitorianos, talvez dê para notar pela caixa.

Jessie os embrulhava num arranjo intrincado de ráfia e papel de seda.

— São para você, Liliane?

A mulher mais velha fez que sim.

— Vão combinar muito com aquele seu casaco azul. O de gola alta.

A expressão de Liliane se suavizou ligeiramente.

— É, eu pensei nisso.

— Como vai sua mãe, Liliane? — A mãe de Jessie se inclinou, tentando ver por trás da caixa registradora.

— Ah, mais ou menos na mesma... Ultimamente, anda com problemas para segurar a xícara.

— Coitadinha. Agora tem de todo tipo, com alças diferentes e coisas para facilitar. Vi na televisão. Especialmente para pessoas com artrite. Pergunte ao padre Lenny, ele normalmente consegue coisas assim — disse Jessie.

— Ele é o nosso padre — explicou Cath —, mas é como um faz-tudo. Consegue arranjar tudo para gente. Se não conhece uma pessoa, acha na internet.

— Vou ver como as coisas andam.

— É uma doença muito cruel, a artrite. — Cath balançou a cabeça.

— Sim — disse Liliane, a cabeça baixa. — É, sim. Bem, é melhor eu voltar para a loja. Prazer em conhecê-la, Sra. Peacock.

— Suzanna, por favor. Igualmente. — Suzanna, as mãos abaixadas se contraindo inutilmente, tentou relaxar o sorriso enquanto Liliane fechava a porta calmamente ao sair.

Sentiu, mesmo que não tenha ouvido, o "coitadinha" remanescente no ar quando a mulher de meia-idade foi embora.

— O primeiro marido morreu — murmurou Jessie. — Foi o amor da vida dela.

— Não, foi o Roger.

— Roger? — disse Suzanna.

— O segundo marido — disse Cath. — Ele disse a ela que não queria filhos, e ela o amava tanto que concordou. Dois dias antes de ela completar quarenta e seis anos, ele fugiu com uma de vinte e cinco.

— Vinte e quatro, mãe.

— Era? Ela estava grávida. Meu Deus, que injustiça. Dezoito anos, Liliane deu para aquele homem. Nunca mais vai ser a mesma.

— Agora mora com a mãe.

— Não tem escolha, com as coisas do jeito que estão...

Enquanto Liliane atravessava a rua, a figura pesada de Arturro podia ser vista encaminhando-se em perpendicular na direção dela. Ao vê-la, ganhou velocidade, os braços balançando como se não estivesse acostumado a andar naquele ritmo. Podia ter falado com ela quando, assentindo em reconhecimento e parando por apenas alguns segundos, ela entrou na própria loja.

Arturro parou em estágios deselegantes, como um veículo grande precisando de mais espaço para frear, a cara ainda virada para a porta da Unique Boutique. Depois olhou para o Empório Peacock, a expressão quase culpada e, com apenas um vestígio de indecisão, entrou.

Jessie, que vira tudo, ligou a máquina de café, gritando, inocente:

— Veio para uma reabastecida, Arturro?

— Se você não se importar — disse ele, baixinho, desabando no banco.

— Eu sabia que você voltaria para uma segunda xícara. Os italianos adoram café, não?

Suzanna, para quem o diálogo tinha sido quase doloroso, sentiu as apreensões anteriores se dissolverem. Pela janela, dava para ver bem a mulher, sã e salva de volta aos próprios domínios, senhora de cadeado na boca e introversão, rodeada daquele arsenal de tecidos. Havia algo na aparência frágil de Liliane, em seu desconforto com uma conversa descontraída, na dor ligeiramente implícita a seu comportamento, que a tornava terrível, como se ela estivesse testemunhando o Fantasma do Natal Futuro.

— Quer vir de novo? — Suzanna perguntou a Jessie mais tarde, depois que Arturro e Cath tinham ido embora. Elas haviam colocado as cadeiras de ponta-cabeça nas mesas e Jessie varria o chão, enquanto Suzanna contava o saldo do dia. — Eu gostaria muito se viesse — acrescentou, tentando imprimir certa convicção na voz.

Jessie abriu um sorriso, aquele seu sorriso largo, franco.

— Posso vir até a hora da saída da escola, se estiver bom para você.

— Depois de hoje, não vejo como posso me virar sem você.

— Ah, você vai se sair bem. Só precisa conhecer todo mundo. Fazer com que as pessoas entrem aqui todo dia.

Suzanna contou várias notas e estendeu-as.

— Não posso pagar muito de início, mas se você aumentar o faturamento assim de novo, eu poderia fazer esse trabalho valer a pena para você.

Após um instante de hesitação, Jessie pegou o dinheiro e enfiou no bolso.

— Eu não esperava nada por hoje, mas obrigada. Tem certeza de que não vai se entediar com meu papo furado o tempo todo? Jason fica doido comigo. Diz que eu pareço um disco arranhado.

— Eu gosto disso. — Suzanna achou que poderia acabar acreditando naquilo. — E se não gostar, boto um daqueles avisos que você mencionou... "Não fale comigo", ou o que quer que tenha dito.

— Vou perguntar ao meu marido. Mas ele não pode dizer que não estamos precisando. — Ela começou a retirar as cadeiras de cima das mesas.

Suzanna trancou a caixa, notando, quando começou a rotina de encerramento do expediente, que era a primeira noite em que restara um vestígio de claridade cor de pêssego. Gradualmente, a luz se intensificou, iluminando o interior da loja, transformando os azuis em tons neutros, tingindo os documentos que ela colara nas paredes com um brilho rico, riscando-os em zigue-zague com as sombras das molduras das janelas. Do lado de fora, a rua estreita já estava vazia: as lojas fechavam cedo na cidade, e só os comerciantes permaneciam para dar boa-noite uns aos outros enquanto anoitecia. Ela adorava esta parte: adorava o silêncio, adorava a sensação de ter passado o dia trabalhando para si mesma. Adorava a ideia de que as impressões que deixava na loja ficariam até ela tornar a abri-la na manhã seguinte. Circulava quase em silêncio, aspirando a miríade de fragrâncias dos sabonetes artesanais e dos vidros bizantinos de perfume que restavam no ar, ouvindo no silêncio as risadas e a conversa dos clientes do dia, como se cada um tivesse deixado para trás algum eco espectral. O Empório Peacock tinha sido um sonho agradável, mas naquele dia, de certa forma, tinha parecido mágico, como se o melhor da loja tivesse contagiado os clientes e vice-versa. Ela descansou encostada num banco, vendo à sua frente algo que não as decepções e restrições que andara imaginando como seu futuro, substituídas por um lugar de possibilidades para o qual coisas e pessoas belas eram atraídas. Um lugar em que podia ser quem realmente era, o melhor de si mesma.

*Este lugar está te deixando criativa*, pensou, e se pegou sorrindo. Em algumas noites, como essa, ela não queria ir embora: abrigava um desejo secreto de trocar o banco de igreja por um sofá velho e dormir lá. A loja era muito mais sua do que a casa.

Enquanto ela arrastava para dentro o letreiro de chão, Arturro passou, virou-se bruscamente, pegou-o da mão dela sem dizer uma palavra e guardou-o com cuidado.

— Linda noite — disse, uma echarpe vermelha enrolada na cabeça.

— Maravilhosa. Um pôr do sol marsala.

Ele riu e ergueu a mão pesada, já indo embora.

— Arturro — chamou Suzanna —, o que vocês pesam o dia inteiro? Aquilo que vocês todos gritam uns para os outros? Porque não são os queijos, são? Notei mais cedo que os queijos são pesados no balcão.

O homenzarrão olhou para baixo. Mesmo à luz cor de pêssego, dava para ver que ele estava constrangido.

— Não é nada.

— Nada?

— Não estamos pesando exatamente... — disse ele.

— Esse negócio todo de "sete ponto dois", "oito ponto um". Só pode ser algum peso.

Quando a encarou, ele estava achando graça de um jeito culpado.

— Tenho que ir. Mesmo.

— Você não quer me contar?

— Não é importante.

— Por que não me conta?

— Não sou eu, ok? São os rapazes... eu já mandei pararem com isso, mas eles não ouvem.

Suzanna aguardou.

— Eles estão... hã...

Ela ergueu a sobrancelha.

— ... avaliando clientes.

Suzanna arregalou os olhos e sentiu uma pontada, como se tivesse pessoalmente sido feita de boba. Depois, pensou nas filas de mulheres, esperando pacientemente para serem avaliadas, e soltou uma rara risada. Quando Arturro se afastou, rindo, pela rua que escurecia, ela ainda tentava lembrar exatamente que números tinham sido negociados quando ela entrara. Estava na hora de ir. Neil ia para casa cedo, especialmente, disse ele, para lhe preparar uma refeição, embora ela soubesse que era por causa do grande jogo, que começava normalmente antes de ele chegar em casa. Mas tudo bem. Afinal de contas, um banho demorado não era má ideia.

Andou pela loja, endireitando coisas, passando um pano nas superfícies, depois pôs o pano na pia. Verificou se a caixa registradora estava desligada e, enquanto estava parada no balcão, reparou que o quadro ainda estava virado para a parede. Por um capricho, desvirou-o, de modo que Athene, revelada, ficou de imediato reluzente, incandescente. O sol da tarde, ardendo com a intensidade urgente que denunciava seu desaparecimento iminente, refletia na tela, reluzia em pontos da moldura dourada antiga.

Suzanna fitou-a.

— Boa noite, mãe.

Depois deu uma olhada ao redor da loja, apagou as luzes e encaminhou-se para a porta.

# Dez

As calças estavam no centro da mesa da sala de jantar. Ainda embrulhadas em celofane, empilhadas como panquecas para café da manhã, ainda anunciando sua "segurança discreta, confortável". Não foram tocadas desde aquela manhã, quando a Sra. Abrahams as deixou na porta de Rosemary, exceto para serem colocadas na posição atual, embaixo do lustre veneziano, onde permaneciam como um protesto mudo, furioso.

Vivi e Rosemary tiveram algumas discussões ao longo dos anos, mas Vivi não se lembrava de nenhuma tão feia quanto a causada pela visita da Senhora Incontinência. Não se lembrava de alguém ter gritado tanto e por tanto tempo com ela, não se lembrava de ver aquele nível de fúria que deixou Rosemary roxa, gaguejante, as ameaças, os insultos, as portas batendo. Ela já estava lá dentro havia quase duas horas, só o volume elevado da televisão dando alguma pista de sua presença na casa.

Vivi tirou as calças da mesa e foi bater timidamente à porta de Rosemary no fim do corredor, depois de deixar o embrulho embaixo do banco de igreja antigo ao passar.

— Rosemary, vai querer almoçar hoje? — Esperou uns minutos, o ouvido colado à porta. — Rosemary? Gostaria de um ensopado?

Houve uma pausa momentânea, depois o volume da televisão aumentou, e Vivi recuou, olhando nervosa para a porta.

Parecera uma ideia sensata. Ela não se sentira forte o suficiente para tocar no assunto diretamente com Rosemary, mas, como era a pessoa que lavava a roupa da casa, reparara que o *controle* da sogra, na falta de uma palavra melhor, não era mais o mesmo. Agradecendo ao Sr. Hoover pela lavadora automática, pegara-se, várias vezes naquele mês, de luvas de borracha e com uma expressão aflita, botando na máquina a roupa de cama de

Rosemary. E não só a roupa de cama: ao longo de meses, Vivi se dera conta de que o número de peças íntimas de Rosemary diminuíra de modo significativo. Esperou até que a sogra saísse de casa e revistou o anexo, se perguntando se as peças haviam sido deixadas no cesto de roupa suja, por distração. No início, descobrira as mais problemáticas de molho na pia do banheiro de Rosemary. Passado algum tempo, era como se o esforço mental envolvido em tal lavagem manual tivesse se tornado excessivo para a velha e ela tivesse começado a escondê-las. Nas últimas semanas, Vivi as descobrira embaixo do sofá de Rosemary, no armário embaixo da pia e até enfiadas numa lata de tomates pelados, no alto de uma prateleira do banheiro.

Quando tentara discutir o problema com Douglas, ele olhou para ela com uma expressão tão horrorizada que Vivi recuou, prometendo resolver sozinha. Várias vezes se sentou com Rosemary no almoço, tentando arranjar coragem para perguntar se a senhora estava tendo algum problema com o sistema urinário. Mas era impedida por alguma coisa na atitude mordaz da sogra, na agressividade com que passara a gritar *"o quê?"* sempre que Vivi tentava puxar uma conversa inocente. E depois, sua médica, uma jovem escocesa pragmática, revirando a mesa, lhe apresentou todo um leque de serviços subvencionados pelo estado que significavam que talvez Vivi pudesse remediar o problema sem precisar abordá-lo diretamente com a idosa.

A Sra. Abrahams era uma pessoa rechonchuda e profissional, com um jeito acolhedor que sugeria não apenas que já vira de tudo, mas também que tinha uma solução para aquela situação: um forro de plástico antissuor discretamente embrulhado. Ela chegara pouco antes das onze. Vivi explicou a delicadeza da situação e que ainda não tinha tomado coragem para mencionar à sogra a natureza da visita da Sra. Abrahams.

— Muito mais fácil quando vem de fora da família — disse a Sra. Abrahams.

— Não é que eu me incomode de lavar... — Vivi deixara a frase no ar, já se sentindo culpada pela traição.

— Mas também há considerações de saúde e de higiene.

— Sim...

— E você não quer que a senhora perca a dignidade.

— Não.

— Deixe comigo, Sra. Fairley-Hulme. Em geral, vejo que, superado o obstáculo inicial, a ajuda é um grande alívio para a maioria das senhoras.

— Ah... ótimo.

Vivi bateu à porta de Rosemary e encostou o ouvido na madeira para ver se a idosa tinha ouvido.

— Às vezes acho que as senhoras mais jovens, que acabaram de entrar na meia-idade, me tomam alguns pacotes.

Vivi não conseguia ouvir os passos familiares de Rosemary.

— Ah, sim...?

— Quero dizer, depois dos filhos, muitas vezes as coisas não são como antes. Não importa quantos exercícios para o assoalho pélvico a paciente faça. Entende o que quero dizer?

A porta abriu, fazendo Vivi perder o equilíbrio.

— O que está fazendo? — Rosemary olhou irritada para a nora.

Vivi endireitou-se.

— A Sra. Abrahams veio vê-la, Rosemary.

— O quê?

— Vou fazer um café e deixar vocês conversarem. — Fora depressa para a cozinha, corada, ciente de que suas mãos suavam.

Houve paz por quase três minutos. Depois a Terra rachara, fogo vulcânico sendo cuspido e, então, contra o pano de fundo do pior palavreado que Vivi já tinha ouvido num sotaque da elite, ela vira a Sra. Abrahams encaminhando-se num passo enérgico pelo cascalho até o seu pequeno e elegante carro hatch, a bolsa agarrada ao peito, olhando para a casa enquanto várias peças embrulhadas em plástico eram atiradas às suas costas.

— Douglas, querido, preciso falar com você sobre a sua mãe.

Ben tinha ido almoçar fora. Rosemary continuava trancada no anexo. Vivi não achava que podia guardar isso para si até a hora de dormir.

— Hã? — Ele lia o jornal, enfiando garfadas de comida na boca, como se estivesse com pressa para tornar a sair. Era a época da semeadura, a hora de semear os campos aráveis. Ele quase não parava em casa.

— Chamei uma mulher aqui, para Rosemary. Para falar sobre... aquele assunto que discutimos.

Ele olhou para ela, a sobrancelha erguida.

— Rosemary reagiu muito mal. Acho que ela não quer ajuda nenhuma.

Douglas deixou cair a cabeça e acenou a mão para o alto com desdém.

— Então mande tudo para a lavanderia. A gente paga. É a melhor coisa.

— Acho que a lavanderia não vai aceitar as roupas que estiverem com... sedimentos sólidos.

— Bem, então para que serve uma bendita lavanderia, se não for para receber roupa suja?

Vivi não se julgava capaz de suportar a ideia do pessoal comentando sobre o estado da roupa de cama dos Fairley-Hulme.

— Acho... Acho que não é uma boa ideia.

— Bem, já lhe disse o que eu penso, Vivi. Se você não quer mandar lavar fora e não quer lavar você mesma, então não sei o que espera que eu sugira.

Vivi também não. Sabia que Douglas ficaria inexpressivo se ela dissesse que só queria um pouco de solidariedade, de compreensão, uma imperceptível insinuação de que não estava sozinha nisso.

— Vou dar um jeito. — disse, abatida.

Suzanna e Neil não discutiam havia quase cinco semanas. Nenhuma resposta atravessada, nenhuma crítica maldosa, nenhuma briga impensada. Nada. Quando percebeu isso, Suzanna se perguntou se as coisas estavam mudando, se seu casamento, por alguma osmose peculiar, tinha começado a refletir a satisfação que ela estava obtendo da loja — percebeu que, ao acordar, quando pensava em seu dia e nas pessoas que agora o povoavam, sentia, talvez pela primeira vez em sua vida profissional, algo parecido com animação. Desde o momento em que enfiava a chave na porta, ficava entusiasmada ao ver o interior alegre, repleto, os enfeites coloridos, os perfumes maravilhosos de mel e frésia. Era quase impossível manter o mau humor dentro daquelas paredes. E, apesar de suas reservas, a presença de Jessie não funcionara para a loja apenas economicamente: algo de sua natureza de Pollyanna parecia ter passado para Suzanna também. Várias vezes, se pegara assobiando.

Quando se permitiu tempo para pensar a respeito, percebeu que não era porque se sentia mais próxima do marido, mas simplesmente porque os dois trabalhavam até tarde e não restava tempo ou energia para brigar. Em três noites essa semana, Neil não tinha chegado em casa antes das dez. Várias vezes, ela saíra de casa antes das sete, só vagamente consciente de que tinham compartilhado a mesma cama. *Talvez seja assim que casamentos como o de mamãe e papai sobrevivam*, refletiu. *Os dois só precisam garantir que estejam muito ocupados para pensar no casal. Há tipos de consolo mais convincentes.*

Neil estragou tudo, é óbvio, puxando o assunto do filho aparentemente iminente.

— Ando pesquisando sobre creches. Tem uma anexa ao hospital que não se limita a aceitar os filhos do pessoal que trabalha lá. Se a gente se inscrever na lista agora, talvez tenha uma boa chance de conseguir uma vaga. Então você pode continuar trabalhando, como queria.

— Eu nem sequer estou grávida.

— Planejar com antecedência não faz mal, Suze. Estava pensando, posso até deixar o bebê lá quando for para o trabalho de manhã para você não perder horas do seu dia. Faz sentido, agora que a sua loja está indo bem.

Neil não conseguia disfarçar a animação na voz. Suzanna sabia que agora ele passava por cima de muitas coisas que antes o irritavam nela — a preocupação dela com a aparência do estoque, a persistente descortesia com Vivi, o mau humor e a falta de libido em função da exaustão —, tudo isso por causa do grande favor que ela estava prestes a lhe fazer... dali a uns sete meses.

Apesar de sua promessa, Suzanna não sentia a mesma animação, mesmo com as garantias veementes de Jessie de que fora a melhor coisa que já lhe acontecera, de que ter filhos fazia a pessoa rir, sentir, amar mais do que algum dia sonhou ser possível. Não era só a questão do sexo que a incomodava — para engravidar, eles teriam que entrar num período bastante regular de atividade sexual —, era a sensação de que sua promessa a tolhera, de que ela agora estava obrigada a produzir essa coisa, abrigá-la num corpo que sempre fora, de um jeito bastante confortável, inteiramente seu. Tentou não pensar muito na mãe. O que despertou outros sentimentos.

Num dos seus momentos mais irritantes, Neil tinha passado os braços em volta dela e dito que ela "sempre podia fazer uma terapia", e Suzanna teve que se conter fisicamente para não bater nele.

— Seria perfeitamente compreensível. Quero dizer, não admira que você tenha reservas — prosseguiu ele.

Ela se desvencilhara dele.

— As únicas reservas que tenho, Neil, são porque você não para de insistir nisso.

— Eu não me importo de pagar para você ir conversar com alguém. Estamos indo bem no momento.

— Ah, já chega, por favor.

A expressão dele era compreensiva. Isso de alguma maneira a deixou ainda mais irritada.

— Sabe — disse ele —, você é mais parecida com o seu pai do que pensa. Vocês dois vivem em negação quanto aos próprios sentimentos.

— Não, Neil. Eu só quero levar minha vida sem ficar obcecada com um bebê que não existe.

— Bebê Peacock — refletiu ele. — Neil Peacock Júnior.

— Nem pense nisso — disse Suzanna.

Todas as escolas em Dere Hampton interrompiam as atividades para almoço entre meio-dia e meia e uma e quarenta e cinco da tarde, e esse período do dia era marcado, em frente às janelas do Empório Peacock, pela passagem de bandos de estudantes longilíneas de uniformes inadequadamente customizados, de mães exasperadas arrastando seus filhos menores para longe da loja de doces e pela chegada de clientes autônomos insatisfeitos com o que faziam, procurando o que podia ser só um café, mas que, em geral, era um pouco de contato humano para quebrar a rotina. Tinha sido seu primeiro inventário de estoque, e para comemorar isso, além de ser o primeiro dia realmente quente do ano, a porta da loja fora deixada aberta, e uma única mesa com cadeiras fora colocada na calçada (e isso provavelmente era ilegal). Na maioria das vezes, serviam de assento para algumas senhoras mais idosas descansarem um pouco ou de brinquedo para inúmeras crianças de todas as idades, que ficavam subindo, descendo e derrubando, mas poucas vezes foram utilizadas da maneira correta.

*Isso parece quase europeu*, disse Suzanna a si mesma. Ainda não se cansara de olhar, através dos arranjos meticulosos, pela janela de iluminação prismática, e gostava de ficar em pé, o avental branco engomado à moda antiga, atrás do caixa. Às vezes, se perguntava se odiava menos Dere Hampton do que havia imaginado: tendo criado o próprio espaço, e nele imprimido a própria personalidade, percebia às vezes quase um sentimento de posse. E não só em relação à loja.

Jessie logo aprendera a valorizar o que cada uma delas tinha de bom, e naquele dia, com um vestido estampado de flores e botas pesadas, estava servindo no balcão, a toda hora dando um pulinho lá fora para entabular conversa com os construtores de botas sujas de cimento e as senhorinhas, enquanto Suzanna andava pela loja com seu caderninho, somando o estoque remanescente, notando com ligeira decepção quão pouco havia vendido nas últimas semanas. Não era o que se chamaria de sucesso estrondoso, mas, como frequentemente tranquilizava a si mesma, dava para ver que era possível para a loja pagar o próprio estoque e o custo do pessoal. Se melhorasse um pouquinho, disse Neil, eles podiam começar a recuperar uma parte do capital investido. Neil gostava de dizer tais frases. Ela achava que a área financeira era uma das poucas na relação deles em que ele tinha autoridade incontestável.

Arturro entrara, tomara dois expressos, um atrás do outro, depois fora embora. O padre Lenny enfiara a cabeça pela porta, supostamente para perguntar a Jessie se Emma ia voltar para o catecismo no domingo, mas também para se apresentar a Suzanna e comentar que, se ela quisesse mais luzes decorativas, conhecia uma pessoa perto de Bury St. Edmunds que as vendia por atacado.

A Sra. Creek entrara, pedira um café com leite, fora se sentar do lado de fora e tirara o chapéu, expondo ao sol o cabelo fino, parecendo tão frágil quanto relva queimada pela geada. Contou a Jessie que este tempo lhe lembrava a primeira vez que viajara para o exterior, para Genebra, onde o marido andara hospitalizado. O avião tinha sido uma tremenda aventura; na época, as companhias aéreas usavam enfermeiras de verdade como comissárias de bordo, não as jovens que empregam hoje em dia, e a chegada num país estrangeiro tinha sido tão empolgante para a Sra. Creek que ela quase esquecera por que estava lá, e perdera o horário de visita no primeiro dia. Suzanna, de vez em quando se aventurando a ir lá fora para recolher xícaras de café ou só para sentir os primeiros raios de sol no rosto, ouvira-a contando a história a Jessie, que estava de queixo apoiado na mão absorvendo cada último detalhe com o sol. O marido ficara irritadíssimo, passara dois dias sem falar com ela. Depois, ocorreu a Sra. Creek que poderia ter mentido, dito a ele que o voo atrasara. Mas ela nunca foi de mentir. A pessoa sempre acabava atrapalhada tentando se lembrar o que disse a quem.

— Jason acha que eu minto mesmo quando estou falando a verdade — disse Jessie, animada. — Tivemos uma briga enorme uma vez porque eu estava doente e não passei aspirador na casa. Ele adora ver aquelas risquinhas todas no tapete, sabe, só para provar que eu passei. Mas eu estava com uma infecção alimentar, acho que foi frango, então fiquei deitada. Quando ele chegou em casa, eu estava um pouquinho melhor, e ele me acusou de passar o dia todo sem tirar a bunda do sofá, embora eu tivesse conseguido fazer o chá dele. Fiquei tão irritada que dei com a panela nele. Você não sabe como tive vontade de vomitar só de descascar as batatas. — Ela riu, culpada.

— Os homens são assim, querida — disse a Sra. Creek, vagamente, como se eles fossem uma espécie de desgraça.

— O que ele fez? — perguntou Suzanna, impressionada com o relato despreocupado de violência, sem saber se interpretava ao pé da letra o que Jessie acabara de contar.

— Ele revidou. Então dei de novo com a panela e quebrei metade do dente dele. — Apontou para o fundo da boca, mostrando o local do estrago.

A Sra. Creek olhara para o outro lado da rua, como se não tivesse ouvido. Após um momento de silêncio, Suzanna dera um sorriso vago, como se tivesse esquecido de pegar alguma coisa, depois virara as costas e voltara para a loja.

— Você tem medo dele? — perguntou, algum tempo depois, quando a Sra. Creek já tinha ido embora.

Vinha tentando imaginar Neil tão agressivo a ponto de bater nela, o que já se provara impossível.

— De quem?

— Do seu... De Jason.

— Medo dele? Que nada. — Jessie havia meneado a cabeça, uma expressão carinhosa de indulgência. Olhou para Suzanna e nitidamente concluiu que a preocupação em seu semblante tornava necessário um tipo de explicação. — Olha, o problema é que eu sou melhor com as palavras. Então sei como realmente provocá-lo. E se ele começa a pegar no meu pé, basta eu virar o jogo, dar um nó nas palavras dele e deixá-lo se sentindo um idiota. Eu não deveria, mas... sabe como eles às vezes nos dão nos nervos?

Suzanna fez que sim.

— E às vezes eu me exalto um pouco. E não deixo... — o sorriso dela murchou. — Acho que não lhe deixo nenhuma saída.

Houve um breve silêncio.

Na rua, dois estudantes chutavam uma mochila de um lado para outro.

— Adoro essa loja. A sua loja — disse Jessie. — Não sei o que ela tem, porque não era assim na época do Red Horse, mas é como se ela tivesse um astral muito bom. Sabe o que quero dizer?

A cabeça de Suzanna ainda estava em outra coisa.

— Sim. Quando cheguei aqui, pensei que era só o cheiro do café e tal. Ou talvez fossem todas as coisas bonitas. É mais ou menos uma caverna do Aladim, não é? Mas acho que a loja em si tem alguma coisa. Sempre faz... — ela parou — ... com que eu me sinta melhor.

Os dois garotos tinham parado, estavam examinando algo que um tirara do bolso, murmurando em voz baixa.

As mulheres os observaram da janela.

— Não é o que você está pensando — disse Jessie, por fim.

— Não — disse Suzanna, que se sentiu de repente classe média e ingênua. — É lógico que não.

Jessie pegou o casaco, deu um passo para trás e ficou olhando para as prateleiras atrás de Suzanna.

— Acho que vou dar uma boa lavada nelas mais tarde. Passar pano nunca tira toda a sujeira de verdade, né?

Jessie saíra às duas e quinze para pegar a filha no colégio mais cedo e, com a permissão da diretora, levá-la para comprar um mimo de aniversário. Se Emma quisesse, disse, podiam comprar picolés e se sentar à mesa em frente à loja para comê-los.

— A escola vai fazer uma excursão à França ano que vem — disse ao sair. — Contei a ela que é assim que os franceses comem e agora ela só quer saber de arrastar as nossas cadeiras para a rua.

Suzanna estava no meio da escada do porão quando ouviu a porta abrir. Gritou que chegava num segundo. Tropeçou no último degrau e praguejou baixinho quando quase deixou cair a braçada de cadernos de capa de camurça. As coisas sempre pareciam mais fáceis quando Jessie estava lá.

Seu pai estava no meio da loja, voltado para o balcão, de braços cruzados, constrangido, como se não quisesse ser visto muito perto de coisa alguma. Quando Suzanna entrou, ele se sobressaltou.

— Pai — disse ela, corando.

— Suzanna. — Ele assentiu.

Houve um silêncio. Ela se perguntou, sem acreditar, se ele ia se desculpar por aqueles comentários. Mas tinha idade suficiente para entender que a presença dele em sua loja era o máximo que ele faria para uma reconciliação.

— Por pouco você não me encontra aqui — balbuciou ela, esboçando um sorriso. — Cheguei há meia hora. Você seria recebido por Jessie... minha assistente.

Ele tinha tirado o chapéu e o segurava, um gesto curiosamente cortês.

— Eu só estava passando. Como tinha que vir à cidade encontrar o meu contador, pensei em... dar uma olhada na sua loja.

Suzanna ficou parada, segurando firme os cadernos.
— Bem, aqui está ela.
— De fato.
Ela fez menção de olhar atrás dele.
— Mamãe não veio?
— Ficou em casa.
Suzanna colocou os cadernos numa mesa e olhou para os objetos em volta deles, tentando avaliá-los com os olhos do pai. "Banalidades e bobagens", ela o imaginava dizendo. Quem ia querer gastar um bom dinheiro num castiçal de mosaico ou numa pilha de guardanapos bordados de segunda mão?
— O Neil lhe contou? Estamos indo muito bem. — Parecia mais fácil fazer de conta que era uma iniciativa de Neil também. Sabia que o pai o considerava um sujeito mais sensato.
— Não contou, mas que bom.
— O faturamento subiu... há... uns trinta por cento no primeiro trimestre. E eu... acabei de fazer o primeiro inventário de estoque. — As palavras soaram sólidas, tranquilizadoras, não o tipo de palavras pronunciadas por uma cabeça-oca inconsequente, irresponsável.
Ele assentiu.
— Talvez eu tenha que pegar umas dicas com você em breve sobre o IVA. Esse imposto me parece impenetrável. Não entendo como você administra isso.
— É só prática.
Ele andara contemplando o retrato da mãe dela. Suzanna olhou atrás do balcão e viu o quadro, virado para fora, evidente através das pernas de madeira fina do balcão. O sorriso enigmático de sua mãe, que nunca dera a impressão de ser maternal, agora parecia inadequado, íntimo no espaço público. Jessie tinha adorado o retrato, dizendo que era a mulher mais glamorosa que já vira, e insistira que ficasse na parede. Agora ele fazia com que Suzanna se sentisse culpada, embora não soubesse direito por quê.
— O que aquilo está fazendo ali? — Ele pigarreou enquanto falava.
— Não vou vender, se é o que o preocupa.
— Eu estava...
— Não estamos *tão* mal de dinheiro.
O pai parara, como se estivesse avaliando suas possíveis respostas. Deu um pequeno suspiro.

— Eu só estava curioso, Suzanna, para saber o que o quadro estava fazendo numa loja.

— "Uma loja", não, pai. Você dá a impressão de que eu estava tentando me desfazer dele. *Minha* loja... eu ia pendurá-lo na parede. — A atitude defensiva a deixara ríspida.

— Para que você ia querer pendurá-lo aqui?

— Eu só achei que seria um bom destino para ele. Não fica muito bom lá em casa. Não mesmo. A casa é muito pequena para ele. — Foi mais forte que ela.

O pai fitou-o de esguelha, com olhos apertados, como se achasse difícil olhar diretamente para a imagem.

— Acho que não deveria ser deixado aí embaixo.

— Bem, não sei onde mais colocá-lo.

— Podemos levá-lo de volta para o banco, se quiser. Guardam lá para você. — Olhou de soslaio para ela. — Deve valer um bom dinheiro, e duvido que você o tenha posto no seguro.

Ele nunca expressava qualquer emoção quando falava dela. Às vezes, pensou Suzanna, era como se, depois da morte de Athene, ele tivesse decidido que a mulher teria tanta importância para ele, em termos emocionais, quanto um parente distante, quanto os ancestrais que cobriam os corredores do andar superior. A história familiar limitada que fora divulgada a ela e aos irmãos mostrava que o pai passara bem depressa para Vivi, afinal de contas. Em outras ocasiões, ela se perguntava se ele havia recalcado as emoções por achar a lembrança de Athene simplesmente muito dolorosa, e nesses momentos Suzanna sentia implícita a já habitual onda de culpa. Não havia caixas de roupas nem fotos muito manuseadas. Só Vivi guardara alguns resquícios dela: um recorte amarelado de jornal noticiando o casamento da "última debutante" e uma ou outra fotografia de Athene montada num cavalo. Mesmo estas só eram mostradas quando Douglas estava em outro lugar.

A presença dele em sua loja, tão aparentemente desprovido de qualquer reação emocional, produziu nela o efeito contrário. *É tão impossível para você demonstrar alguma emoção?*, Suzanna de repente quis gritar. *Mesmo que seja supostamente para o meu bem, você precisa fazer de conta que ela nunca existiu? Eu tenho que fazer de conta que ela nunca existiu?*

— Você podia pendurar o retrato na galeria de quadros. — As palavras pairavam, muito sonoras, no ar, a voz de Suzanna contendo um leve tremor de desafio. — Vivi não se importaria.

O pai se afastara dela, estava se abaixando para examinar uma peça de seda chinesa.

— Eu disse que Vivi não se importaria. Aliás, ela sugeriu isso. Mandar consertar a moldura e pendurá-lo. Há pouquíssimo tempo.

Ele pegou uma das carteiras de seda em miniatura, examinou o preço, em seguida a repôs delicadamente na pilha. O ritmo desse gesto e o leve tom de crítica implícito fizeram crescer dentro dela uma coisa espontânea, irreprimível.

— Ouviu o que eu disse, pai?

— Muito bem, obrigado. — Ele ainda não olhava para ela. Houve uma demora atroz. — Eu só... Eu só acho que é inadequado.

— Não. Mas acho que, mesmo só na tela, você não quer que *mulheres* atravanquem a sua linhagem, não é?

Ela não sabia direito de onde tirara isso. Seu pai virou-se muito devagar e se empertigou diante dela, a expressão intraduzível. De repente, ela se sentiu uma criança pequena considerada culpada de algum delito, apavorada e calada, aguardando para descobrir seu castigo.

Mas ele simplesmente recolocou o chapéu, um gesto pausado, e virou-se para a porta.

— Acho que o tempo do meu parquímetro está acabando. Eu só queria dizer que a sua loja está muito bacana. — Ergueu a mão, a cabeça inclinada para ela.

Os olhos de Suzanna tinham ficado marejados.

— Só isso? É só isso que você vai dizer? — Ouviu o tom estridente de uma adolescente na voz, e soube, furiosa, que ele também ouvira.

— O quadro é seu, Suzanna — disse ao sair. — Faça o que quiser com ele.

Quando voltou, entrando na loja como se estivesse no meio de uma conversa, embora não se visse ninguém com ela, Jessie não tinha quase mais nenhuma marca no rosto.

— São incríveis os picolés que vendem agora. Quando eu era da idade dela, a gente tinha sorte de conseguir um Mivvi de morango, ou um Foguete. Lembra deles? Com as listras coloridas? Agora tem picolé de tudo: Mars, Bounty isso e Cornetto aquilo. Inacreditável. E mais de uma libra cada. Mesmo assim, são tão enormes que a gente também nem precisa almoçar.

Suzanna foi para o caixa. Enquanto passava para recolher recibos desgarrados, foi varrendo migalhas da mesa quase sem notar o que fazia.

— Trouxemos um de Crunchie para você. Sabia que faziam desse sabor? Emma e eu achamos que você ia preferir esse.

— Obrigada — disse Suzanna, a cara enterrada na pasta de faturas. — Pode guardar na geladeira?

Vinha olhando para as faturas havia quase vinte minutos, sem saber direito por que as examinava. A visita do pai a desequilibrara, sugara-lhe a disposição e o entusiasmo.

— Mas não demora a pegar. Vai derreter. — Jessie foi até as mesas, examinando-as à procura de xícaras vazias. — Alguém esteve aqui?

— Ninguém especial.

Isso era o mais irritante em chorar. Mesmo que o choro durasse apenas uns minutinhos, meia hora depois os sinais reveladores continuariam estampados na pele, no nariz.

Jessie talvez a tivesse olhado por uma fração de segundo a mais do que normalmente o faria.

— Eu tive uma ideia enquanto estive fora. Sobre Arturro.

— Oi?

— Vou juntá-lo com a Liliane.

— O quê?

— Tive essa ideia, sabe? O que você acha?

Suzanna ouvia o barulho de um pano sendo passado embaixo de uma torneira, e Jessie tagarelava.

Ela falou para dentro da pasta.

— Sabe de uma coisa, Jess? Eu acho que as pessoas devem simplesmente ser deixadas em paz.

— Sim, mas acho que Arturro e Liliane já passaram muito tempo sozinhos. Estão tão acostumados a viver assim que têm muito medo de quebrar o hábito.

— Talvez eles sejam mais felizes desse jeito.

— Você não acha mesmo isso.

*Ah, vá embora*, pensou Suzanna, esgotada. *Pare de tentar me convencer de que sou alguém que não sou. Pare de tentar transformar as pessoas todas em versões mais iluminadas, mais felizes delas mesmas. Nem todo mundo vê as coisas como você.*

Mas não disse nada.

— Suzanna, eles são perfeitos um para o outro. Acho que veriam isso se alguém apenas lhes desse um empurrãozinho.

Houve um breve silêncio, depois os passos de Jessie em direção às prateleiras.

— Tudo bem, sabe... Você não precisa entrar nessa. Eu só queria contar o que estou fazendo para você não entregar o jogo. — Não havia rancor em sua voz.

— Não vou.

Jessie fitou-a por um instante.

— Por que não faz uma pausa? Vai dar um passeio. Está um dia tão lindo lá fora.

— Olha, estou *bem*, Jessie. Me dê um tempo, sim? — As palavras saíram de um jeito mais seco do que era a intenção. Percebeu a mágoa no rosto de Jessie, que foi imediatamente disfarçada sob um sorriso compreensivo. — Ah, tudo bem, tem razão. Eu vou — disse Suzanna, pegando a carteira, injustamente magoada por estar se sentindo culpada de novo. — Olha, me desculpa, não repara. São só hormônios, ou coisa assim. — E depois se odiou por usar isso como desculpa.

Passou quase vinte minutos andando em volta da praça: era dia de feira, e viu que podia passear na sombra entre as barracas apinhadas, saboreando o breve período de invisibilidade, olhando os doces importados baratos, a barraca de alimentos integrais, os arranjos atemporais dos verdureiros, enquanto, ao mesmo tempo, tentava calar a voz interior que lhe lembrava de que as feiras de Londres eram muito mais interessantes, muito mais vibrantes, com uma variedade muito mais empolgante.

*Nunca vai dar certo*, admitiu para si mesma, enquanto passava pelos ossos reconstituídos, pelos quilos de sementes e rações de cachorro agrupadas que compunham a barraca de bichos de estimação. *Não importa o que eu faça aqui. Por mais sucesso que a loja tenha, sempre vou desejar que a gente morasse em outro lugar. Vou sempre me ressentir de estar presa na sombra dos Fairley-Hulme. E embora eu nunca quisesse ter voltado para cá, para início de conversa, Neil, papai e a família toda vão simplesmente enxergar isso como mais uma coisa a que não sou capaz de me ater.*

Suzanna se perguntou, como de costume, se teria se sentido do mesmo jeito caso sua mãe estivesse viva. Às vezes, se perguntava se o que sentia era por que ela não estava por perto.

— Quer alguma coisa, amor?

— Ah. Não. Obrigada.

Enfiou as mãos nos bolsos e continuou. A leveza interna que sentira no início do dia foi transformada em algo triste, pesado. Talvez Neil estivesse certo. Talvez ela devesse simplesmente ceder e ter um bebê. Pelo menos estaria fazendo a única coisa que todo mundo esperava dela. Provavelmente iria adorá-lo quando ele chegasse. Quase todo mundo adorava, não? Não era como se qualquer outra coisa a tivesse feito feliz.

*Se é o meu destino, a minha biologia*, perguntou a si mesma, caminhando lentamente de volta para a loja, *por que, sempre que penso nessa ideia, todos os ossos no meu corpo protestam?*

— Sabe o que você deveria fazer?

Suzanna fechou os olhos e tornou a abri-los devagar. Dissera a si mesma com firmeza que, só faltando duas horas para a loja fechar, não ia descontar mais o seu mau humor em Jessie. Mesmo Jessie exibindo um par de asas de anjo infantis e equilibrando na cabeça uns óculos cor-de-rosa francamente ridículos.

— O quê? — perguntou calmamente.

— Eu estava pensando numa coisa que Emma disse. Sobre desenhos.

— Acha que eu deveria botar as pessoas para desenhar? — Suzanna, abastecendo açucareiros, esforçou-se para esconder o sarcasmo da voz.

— Não. Mas estava pensado sobre o que dissemos antes, sobre envolver as pessoas com a loja, fidelizar a clientela. Porque é disso que você vai precisar por aqui. Você podia ter uma espécie de Cliente da Semana.

— É brincadeira?

— Não, não é. Olha o que pusemos nas paredes... as partituras antigas e os testamentos que você colou. Todo mundo que entrou aqui hoje à tarde parou para ler os testamentos, certo?

Tinha sido uma de suas melhores ideias. Encontrara o maço de testamentos amarelados manuscritos numa caçamba de lixo em Londres e os guardou numa pasta durante anos, aguardando uma chance de usá-los como papel de parede.

— E depois de terem passado tanto tempo na loja, acabam comprando alguma coisa, certo?

— E?

— Então você faz uma coisa parecida na vitrine. Mas sobre alguém que entra na loja. As pessoas são bisbilhoteiras por aqui, gostam de falar, gostam de saber da vida alheia. Então você faz uma pequena exposição sobre, digamos, Arturro. Sei lá, um textinho sobre a vida dele na Itália, como ele começou a déli. Ou talvez simplesmente pegue uma coisa da vida dele... o melhor ou o pior dia que ele consegue lembrar... e faça uma exposição em torno disso. As pessoas parariam para ler e, sendo vaidosas, como a maioria é, cada uma podia querer uma mostra pessoal.

Suzanna resistiu ao impulso de dizer a Jessie que, do jeito que ela se sentia agora, a loja talvez não durasse muito.

— Acho que as pessoas não vão querer botar a vida delas numa vitrine.

— Pode até achar que não. Mas você não é como a maioria das pessoas.

Suzanna ergueu os olhos bruscamente. A expressão de Jessie era inocente.

— Isso vai trazer mais gente. Vai aumentar o interesse. Aposto que eu conseguiria convencer as pessoas a fazer isso... me deixa tentar.

— Não vejo como poderia funcionar. Quero dizer, o que você faria com Arturro? Ele não diz mais que duas palavras por vez, e não quero a vitrine da loja cheia de salames.

— Me deixa tentar.

— E, afinal, todos nessa cidade parecem saber tudo que há para saber uns sobre os outros.

— Vou fazer isso eu mesma. E se você achar que não está dando certo, eu paro. Não vai te custar nada.

Suzanna fez uma careta. *Por que a vida de todo mundo tem que ficar exposta aqui?*, pensou com irritação. *Por que todo mundo tem que se meter? A vida nesta cidade seria muito mais suportável se as pessoas pudessem continuar cuidando dos próprios assuntos em particular.*

Jessie parou na frente dela, o sorriso largo e compreensivo. Suas asas de arame repicavam animadamente às suas costas.

— Vou mostrar para você como pode dar certo. Olha, o próximo que entrar aqui, vou convencer a fazer isso. Prometo. Você vai descobrir todo tipo de gente que não conhecia.

— Se você acha...

— Vamos, vai ser divertido.

— Ai, meu Deus, se for a Sra. Creek, não vai sobrar espaço na vitrine.

Enquanto Suzanna esticava o braço para pegar a caixa de leite vazia, a porta abriu. As duas se entreolharam quase com culpa. Jessie hesitou, depois sorriu, um sorriso grande, cúmplice.

O homem olhou para elas, como se em dúvida se entrava.

— Gostaria de um café? Ainda estamos servindo.

Ele lembrava um pouco os rapazes da déli, porém era mais alto, e tinha a expressão frustrada de alguém que achava que um dia quente na Inglaterra podia ser considerado frio. Estava com o jaleco azul do hospital local por baixo de um casaco de couro velho, e seu rosto, que era comprido e anguloso, estava quase paralisado, como se ele estivesse muito cansado para mover algum músculo.

Suzanna se deu conta de que ele a olhava, então baixou os olhos bruscamente.

— Você tem expresso? — Tinha sotaque estrangeiro, mas não italiano.

Olhou para o quadro, depois de volta para as duas mulheres, tentando precisar as razões da alegria mal contida da mais baixa, do papel involuntário dele no ambiente estranho.

— Ah, sim — disse Jessie, radiante para Suzanna e depois para ele. Pegou uma xícara e colocou-a, com um floreio, embaixo do bico da máquina de expresso, fazendo sinal para que ele se sentasse. — Aliás, se estiver disposto a me dar uns minutinhos, acho que esse expresso pode ser por minha conta.

# Onze

O tucunaré — ou *peacock bass*, como é conhecido pelos ingleses — é um peixe agressivo, belicoso. Apesar da beleza iridescente enganadora, é mau o bastante para entortar um anzol e envergar um caniço. Mesmo aqueles de dois a três quilos são capazes de cansar um homem em menos de uma hora. Esses peixes evoluíram nas mesmas águas que a piranha, o jacaré, o pirarucu de armadura de escamas, criaturas do tamanho de um carro, e costumam brigar com rivais maiores e mais perigosos que eles. Mas, ao contrário de outros peixes na América do Sul, quanto maior ficam, mais complicada é a briga. Podem chegar a quase treze quilos ao se aproximarem das águas do Amazonas, seu habitat natural, então, tornam-se adversários dignos da própria Moby Dick.

É, em resumo, um peixe perverso, e quando pula, vários metros acima da água, é fácil detectar naquele olho pré-histórico uma sede de luta. Pode-se ver sua atração por um jovem interessado em afirmar-se aos olhos dos outros. Ou até por um homem mais velho interessado em conservar o respeito do filho.

Talvez fosse por isso que Jorge e Alejandro de Marenas gostavam daquele peixe. Eles embalavam os caniços, iam no quatro por quatro de Jorge para o aeroporto pegar um voo para o Brasil e passar dois, talvez três dias flexionando os músculos contra este ciclídeo, depois voltavam para casa com o equipamento satisfatoriamente quebrado, as mãos ensanguentadas, com a satisfação de um sentimento primitivo da eterna luta do homem contra a natureza. Para eles, era uma peregrinação bianual; não que a descrevessem como tal. Era o único lugar, Alejandro pensava muitas vezes, onde se sentiam verdadeiramente à vontade um com o outro.

Jorge de Marenas era cirurgião plástico em Buenos Aires, um dos melhores: sua lista de clientes continha mais de três mil nomes, muitos políticos proeminentes, cantores e artistas da TV. Como o filho, era conhecido como Turco, devido à aparência médio-oriental, embora, quando se dizia isso dele, era muitas vezes com um suspiro reverente. As mulheres chegavam a ele cada vez mais jovens, atrás de seios mais empinados, coxas mais finas, nariz como o de certa apresentadora de televisão ou lábios carnudos como da determinada jovem atriz. Com um jeito tão suave quanto a pele que recriava, ele satisfazia a todas, injetando, levantando, preenchendo e alisando, muitas vezes moldando e tornando a moldar a mesma pessoa ao longo dos anos até elas parecerem versões mais espantadas de si mesmas dez anos antes. Salvo a mãe de Alejandro. Ele não tocava na esposa. Em suas gordas coxas de cinquenta anos, seus olhos furiosos e cansados, camuflados por maquiagens caras e pela aplicação religiosa de cremes caros. Nem gostava que ela pintasse o cabelo. Ela contava às amigas com orgulho que era porque ele a considerava naturalmente perfeita. Achava, dizia ao filho, que, como acontecia com construtores e encanadores, o trabalho que lhe aguardava em casa era sempre deixado para depois. O próprio Alejandro não podia dizer que versão era correta: o pai parecia tratar a mãe com o mesmo respeito imparcial com que tratava todo mundo.

Pois enquanto a mãe era latina de uma forma quase estereotipada — dramática, passional, propensa a altos e baixos vertiginosos —, ele e o pai eram uma decepção emocional, extraordinariamente serenos e reservados, Alejandro, sobretudo, que beirava a antipatia. O pai o defendia dessa acusação (frequente), dizendo que os homens da família Marenas nunca tinham sentido necessidade de se comunicar, como nas novelas, com brigas tempestuosas e teatrais nem com declarações de amor extravagantes. Talvez isso se devesse ao fato de Alejandro ter sido mandado para o colégio interno aos sete anos, ou de o próprio Jorge ser um homem contido — exatamente o atributo que fazia dele um cirurgião tão bom. A luta bianual com os peixes era a única ocasião em que pai e filho se soltavam, por alguns momentos, dando vazão às emoções nas águas turbulentas, a alegria, a raiva, a felicidade, o desespero manifestados a partir da rede de segurança de botas para andar dentro d'água e um colete cheio de anzóis.

Geralmente. Dessa vez, para Alejandro, pelo menos, os prazeres físicos descomplicados da viagem tinham sido prejudicados pela conversa que ainda estava por vir, pela noção de que, mesmo tendo feito uma escolha profissional considerada por sua família a maior mágoa que ele poderia lhes infligir, estava prestes a fazer pior.

A viagem já começara complicada: Jorge não tinha certeza se deveria ser visto viajando, consciente de que muitos de seus amigos não só estavam sentindo falta das próprias viagens de pescaria e de passar uns dias na estância da família, mas, também, diante de fortunas desvalorizadas e poupanças confiscadas, estavam agora pensando em formas de deixar o país de vez. Ele tinha uma situação boa, dizia, mas não queria ferir o orgulho dos amigos. Não ficava bem se regozijar com a própria sorte quando tantos estavam sofrendo.

*Talvez eu esteja prestes a equilibrar um pouco as coisas*, pensou Alejandro, e sentiu uma pontada de ansiedade.

Ele planejara contar ao pai na caminhada do hotel, mas Jorge estava preocupado com uma picada que deixara seu pé inchado e o incomodava quando andava, então Alejandro carregou o equipamento dele e não disse nada, a aba do chapéu abaixada contra o sol, a cabeça zumbindo com os argumentos projetados, o confronto antecipado. Ameaçou contar a Jorge quando o pai tivesse prendido o chamariz, uma coisa espalhafatosa do tamanho de uma ferradura, com as decorações de um festival indígena, o tipo de isca que fazia os europeus balançarem a cabeça incrédulos — até fisgarem o próprio tucunaré, claro.

Tinha a intenção de contar a ele quando chegassem na água, mas o barulho da correnteza do igarapé e a concentração intensa do pai o tinham distraído, forçando-o a esperar até o momento se perder. Então, no trecho silencioso preferido deles entre a barraca em ruínas e o monte de madeira em pé, justo quando Alejandro se pegou engasgando com as palavras, já na ponta da língua, seu pai fisgara um bichão, cujos olhos, visíveis por um instante, olharam nos deles, mesmo há dez metros de distância, com a mesma fúria silenciosa dos da mãe de Alejandro quando Jorge anunciava que tornaria a chegar tarde em casa. (Não convinha ficar muito zangada, dizia ela, após ter posto o fone no gancho. Não com as coisas do jeito que estavam, e ele sendo o único homem que conheciam ainda ganhando dinheiro. Não com aquelas putas todas flutuando em volta dele com aqueles peitões de plástico e aquelas bundas de adolescente.)

Este tucunaré era grande até para os padrões do pai de Alejandro. Ele anunciou a chegada do peixe com um grito, parecendo uma criança surpresa, quando a isca foi atacada na água com um barulho semelhante ao de uma explosão, e, com um gesto de cabeça frenético, fez sinal para o filho se aproximar — precisava segurar o caniço com as duas mãos para não deixá-lo escapar. Qualquer conversa que tivesse sido planejada foi esquecida de imediato.

Alejandro largou o próprio caniço e correu para o pai, os olhos fixos na furiosa comoção embaixo da água. O tucunaré pulou da água, como que para melhor avaliar os adversários, e os dois homens suprimiram um grito diante do tamanho dele. Então, na fração de segundo em que ambos estavam petrificados com o que viram, o bicho fugiu como um raio para o labirinto de troncos de árvores em decomposição, arrancando do freio do molinete o zunido de uma aeronave mergulhando a prumo em direção à terra.

— *Más rápido! Más rápido!* — gritou Alejandro para o pai, que puxava a linha, esquecendo tudo que não fosse aquele peixe combativo.

Sacudindo a cabeça, o tucunaré deslocou pelo menos um dos anzóis da isca, suas brilhantes escamas laranja e verde-esmeralda faiscando enquanto ele lutava com a linha, o olho negro rodeado de dourado da nadadeira caudal caçoando deles ao cintilar acima da água, tão agressivo e sedutor como o rabo do pavão que lhe dava o nome em inglês. Alejandro sentiu o pai titubear um pouco, atordoado com a pura ferocidade da luta, e bateu em seu ombro, feliz pela primeira vez por ter sido seu pai que atraíra o magnífico peixe, feliz por ter sido ele que tivera uma chance de exibir sua superioridade na água.

Dito isso, não foi uma vitória rápida. Na verdade, durante algum tempo, eles nem tinham certeza de que seria uma vitória: colhendo e soltando a linha, revezando-se no molinete conforme se cansavam. Indo e vindo, cada vez mais perto chegava o peixe, sacudindo a enorme cabeça para soltar os anzóis coloridos da boca, debatendo-se cada vez mais furiosamente, transformando em espuma a superfície lisa da água, enquanto era levado para a praia.

A certa altura, Alejandro segurou a cintura do pai, sentindo suas costas largas se retesarem com o esforço, tentando manter o ponto de apoio no leito escorregadio do rio, e impressionou-se por não conseguir se lembrar de já ter abraçado o pai antes. Com a mãe, era um chamego só — de tal forma que, na adolescência, chegara a ser rejeitado por ela — mas agora ele entendia que ela precisava de uma coisa que seu pai recusara, fosse por autêntica inabilidade ou por implicância: atenção masculina de vez em quando, respeito suave e sedutor, amor. Dada a decepção que fora para ela em outros aspectos, era o mínimo que ele podia fazer.

— *Mierda,* Ale, você está com a sua câmera?

Finalmente, esgotados, estavam meio sentados, meio deitados na margem do rio, o peixe como um bebê adormecido entre pais de primeira viagem orgulhosos. Jorge prendeu a respiração antes de se levantar com esforço. Segurando pelas extremidades o peixe morto de olhar vazio e ainda furioso, sua madura cara bronzeada iluminou-se com uma expressão de vitória arduamente conquistada, de rara alegria espontânea, enquanto seus braços doloridos flexionados o erguiam aos deuses. Segundo ele, aquele foi o melhor dia que tivera em anos. Um dia memorável. Espere até ele contar no clube. Ale tinha mesmo tirado as fotos?

Alejandro se perguntou várias vezes, depois: como poderia ter contado ao pai naquele momento?

Jorge de Marenas ia passar no consultório a caminho de casa. O tráfego em direção à Zona Norte era sempre terrível a essa hora, e desde que o tumulto começara, nem um homem como Jorge se sentia seguro sentado num engarrafamento.

— A Mercedes nova de Luís Casiro foi roubada, eu contei? Nem teve tempo de sacar a arma do paletó antes de ser tirado do carro. Apanhou tanto que levou quatorze pontos. — Jorge balançou a cabeça, olhando o tráfego à sua volta. — Fernando de La Rua tem muito que explicar.

À direita, pela janela de vidro fumê, Alejandro via as Mães da Praça de Maio, com seus lenços de cabeça brancos bordados com os nomes dos Desaparecidos contra o verde em volta. Aquela atitude aparentemente calma era enganosa. Desmentindo as milhares de fotografias com que haviam decorado o parque por mais de vinte anos: filhos, filhas, cujos assassinos, todas sabiam, podiam ter passado por elas na rua. A retração econômica não as detivera, mas dera um novo foco aos habitantes da cidade, e elas pareciam cansadas e ignoradas, defensoras de notícias passadas.

Alejandro pensou por um instante na bebê que trouxera ao mundo quase três meses antes, nos outros que vira serem entregues posteriormente, seus nascimentos batizados com lágrimas, depois tirou aquilo da cabeça.

— *Pa?*

— Não conte à sua mãe quanto bebemos ontem à noite. Minha cabeça já dói o suficiente.

A voz do pai ainda demonstrava a satisfação da pescaria. Ao lado deles, um *colectivo,* cuspindo uma fumaça preta, reduziu a velocidade para seis ou oito quilômetros por hora, devagar o suficiente para permitir o desembarque e o embarque dos passageiros sem se deter. Um homem gritou e sacudiu o punho para o ônibus quando tropeçou e caiu ao saltar.

— Acho que ela está passando pela *mudança* — disse o pai, reflexivo. — As mulheres muitas vezes ficam irracionais nessa fase.

— Preciso falar com você.

— Ela está tão paranoica com segurança que nem sai de casa. Não admite isso, óbvio. Nem se a gente perguntar. Dá desculpas, diz que as senhoras estão indo lá para as suas obras de caridade, ou que está muito quente para sair, mas não tira mais o pé de casa. — Fez uma pausa, ainda alegre. — E está me deixando louco. — O tamanho do peixe o deixara falador. — Como não sai, ela cisma com as coisas, sabe? Não só com a questão econômica. Não só com a questão da segurança, que, eu garanto, está feia. Sabe que é mais provável ser assaltado na Zona Norte do que nas favelas? Os filhos da mãe sabem onde está o dinheiro, não são burros. — Jorge exalou, os olhos ainda fixos na rua à frente. — Não, ela está obcecada com o meu paradeiro. Por que cheguei do escritório com dez minutos de atraso? Eu não sabia que ela temia que eu me acidentasse no trânsito.

Olhou no espelho, inconscientemente verificando se a caixa térmica contendo o peixe não tinha virado.

— Ela deve achar que estou tendo um caso. Sempre que me pergunta por que estou atrasado, logo pergunta por Agostina. Agostina! Como se a mulher fosse olhar duas vezes para um coroa feito eu! — Disse isso com a segurança de quem não acreditava de fato nos próprios comentários.

O coração de Alejandro estava pesado.

— *Pa*, vou para o exterior.

— Tudo é aumentado, sabe? Porque ela tem tempo demais para ficar fazendo nada, pensando. Sempre foi assim.

— Para a Inglaterra. Vou para a Inglaterra. Trabalhar num hospital.

Jorge definitivamente o ouvira agora. Houve um longo silêncio, que nem os boletins de trânsito no rádio conseguiram quebrar. Alejandro ia sentado no banco de couro, prendendo a respiração diante da tempestade iminente. Por fim, quando não conseguiu segurar mais, falou, com calma:

— Não é uma coisa que eu planejei... — Desconfiava de que seria assim, mas ainda não se sentia preparado para o peso da culpa que se instalara sobre ele, para as explicações, os pedidos de desculpa, que já começava a dar.

Olhou para as mãos, empoladas e riscadas de um vermelho feroz por conta das linhas de náilon.

Seu pai esperou terminar o boletim de trânsito.

— Bem... acho que é uma coisa boa.

— Como?

— Não tem nada aqui para você, Ale. Nada. É melhor você aproveitar a vida em outro lugar. — Afundou a cabeça nos ombros e deu um longo suspiro cansado.

— Você não se importa?

— Não se trata disso... Você é jovem. Tem direito de viajar. Merece algumas oportunidades, conhecer pessoas. Deus sabe, não tem nada na Argentina. — Olhou de soslaio, e o filho entendeu o olhar. — Você precisa viver um pouco.

As palavras que vieram à mente de Alejandro pareceram inadequadas, portanto ele as engoliu.

— Quando vai falar com a sua mãe?

— Hoje. Consegui os documentos semana passada. Quero ir o quanto antes.

— É só... É só a situação econômica, certo? Não tem mais... mais nada que te faça querer partir?

Alejandro sabia que outra conversa rondava entre eles.

— *Pa*, os hospitais públicos estão à beira do abismo. Ouvi dizer que não têm dinheiro para nos pagar no fim do ano.

O pai pareceu aliviado

— Eu não vou ao consultório. Você precisa falar com sua mãe. Levo você de carro.

— Ela vai ficar mal, não vai?

— A gente dá um jeito — disse o pai simplesmente.

Contornaram os três lados da praça e ficaram parados no trânsito diante dos prédios do governo. Jorge colocou paternalmente a mão na perna do filho.

— Então, quem vai me ajudar a caçar tucunaré, hein? — A animação espontânea de antes desaparecera.

A máscara profissional do pai estava de volta, bonachona, tranquilizadora.
— Vamos para a Inglaterra, *pa*. Vamos pescar salmão.
— Ora. Um peixe de criança. — Isso foi dito sem ressentimento.

As mães dos desaparecidos estavam terminando sua marcha semanal. Quando o carro começou a voltar, Alejandro observou-as cuidadosamente guardando os cartazes plastificados nas bolsas, ajustando os lenços de cabeça bordados, cumprimentando e abraçando umas às outras com a naturalidade de aliadas de longa data antes de se dirigirem aos portões e a suas longas viagens para casa.

A casa dos Marenas, como muitas na Zona Norte, não parecia nem com as casas paroquiais de influência espanhola do centro de Buenos Aires, nem tinha uma estrutura moderna de vidro e concreto. Era um curioso prédio decorado recuado da rua e, em estilo arquitetônico, mais parecido com um relógio cuco suíço.

Em volta dele, canteiros cuidadosamente tratados acompanhavam sebes esculpidas, que disfarçavam o portão elétrico, as barras nas janelas recém-instaladas, e escondiam a guarita de segurança no fim da rua. No interior, os assoalhos de madeira havia muito tinham dado lugar a brilhantes extensões de mármore fresco, com mobília francesa em estilo rococó, lustrosas e douradas até não poder mais. Não era uma casa agradável de ver, mas enquanto os aposentos da frente ostentavam uma superioridade social tranquila, convidando as pessoas a admirar em vez de relaxar, a cozinha, onde a família passava a maior parte do tempo livre, ainda abrigava uma mesa velha e várias cadeiras surradas, mas confortáveis. O desaparecimento delas, garantia Milagros, a empregada, significaria o fim imediato de seus vinte e sete anos de trabalho com a família. Se achavam que, depois de um dia difícil de faxina, ela ia espremer o traseiro num daqueles negócios modernos de plástico, podiam mudar de ideia. Como havia um consenso de que Milagros era a única coisa que se interpunha entre a mãe de Alejandro e o sanatório, as cadeiras permaneceram, para a satisfação tácita de todos. E a cozinha continuou sendo o aposento mais usado na casa de sete quartos.

Foi lá que Ale falou com a mãe, enquanto o pai supostamente se atarefava no escritório e Milagros ia e voltava com o esfregão no chão de mármore para entreouvir a conversa e de vez em quando fazer uma exclamação pertinente. Sua mãe sentava-se empertigada à mesa. Com cabelo loiro em formato de capacete, não lembrava em nada a beldade de cabelo castanho das fotografias de casamento em porta-retratos dourados espalhadas pela casa.

— Para onde você vai? — perguntou ela, pela segunda vez.
— Para a Inglaterra.
— Para treinar? Você mudou de ideia? Vai ser médico?
— Não, mãe, ainda vou ser parteiro.
— Vai trabalhar num hospital particular? Para alavancar a carreira?
— Não. Em outro hospital público.

Milagros, que já não fingia limpar mais nada, ficou parada no meio do cômodo para ouvir.

— Você vai para o outro lado do mundo para fazer a mesma coisa que faz aqui?

Ele assentiu.

— Mas por quê? Por que tão longe?

Ele havia ensaiado mentalmente as respostas muitas vezes.

— Aqui não há oportunidades. Estão oferecendo bons empregos na Inglaterra, salários decentes. Posso trabalhar num dos melhores hospitais.
— Mas você pode trabalhar aqui! — Havia um tom se elevando na voz da mãe que revelava traços de pânico e histeria. — Não basta eu ter perdido um filho? Tenho que perder dois?

Ele sentira que o golpe estava chegando, mas isso não o tornava mais leve. Sentia a presença vagamente maligna que sempre sentia quando Estela era o assunto da discussão.

— Você não está me perdendo, mãe. — Sua voz era a de um médico falando com o paciente.
— Você está se mudando para dezessete mil quilômetros daqui! Como não vou te perder? Por que está se mudando para tão longe de mim? — Ela apelou para Milagros, que meneou a cabeça concordando, com tristeza.
— Não estou me mudando para ficar *longe* de você.
— Mas por que não para os Estados Unidos? Por que não para o Paraguai? Para o Brasil? Por que não ficar na Argentina, pelo amor de Deus?

Ele tentou explicar como faltavam parteiros nos hospitais ingleses, como estavam oferecendo compensações financeiras significativas comparadas a outros países para preencher a lacuna. Tentou dizer a ela que seria bom para sua carreira, que podia acabar trabalhando para um dos famosos hospitais--escolas, como os cuidados neonatais estavam entre os melhores do mundo.

Ela vivia falando de seus ancestrais europeus — seria bom para ele vivenciar a Europa.

Considerou contar-lhe dos três bebês que vira serem entregues ao nascer porque o colapso econômico da Argentina deixara seus pais pobres demais para sustentá-los, dos gritos angustiados das mães ainda sangrando, das mandíbulas dolorosamente cerradas dos pais. De que, embora tivesse escolhido trabalhar com os muito pobres da cidade, ver de perto a desgraça paralisante que é a pobreza e a doença andando de mãos dadas, nada o preparara para a tristeza sem fim, para a sensação de cumplicidade indesejada que ele sentia ao entregar aquelas crianças.

Mas ele e o pai não falavam sobre bebês com ela. Nunca tinham falado. Ele se ajoelhou e pegou a mão da mãe.

— O que sobrou para mim aqui, *mamá*? Os hospitais estão se acabando. O meu salário não me paga uma casa na favela. Quer que eu more com você até ficar velho? — Lamentou as palavras tão logo as pronunciara, sabendo que ela estaria felicíssima com tal arranjo.

— Eu sabia que essa... essa sua escolha profissional não seria boa para nós.

Quando ele a princípio fora estudar medicina, sua mãe se orgulhara. Que profissões tinham um status mais alto em Buenos Aires, afinal? Só cirurgiões plásticos e psicanalistas, e já havia um de cada na família. Depois, passados dois anos, ele voltara para casa para anunciar uma mudança na carreira: percebera que seu lugar não era entre os médicos. Seu futuro estava em outro lugar. Disse que iria trabalhar na área da obstetrícia.

— Vai ser obstetra? — perguntara a mãe, uma leve preocupação lhe franzindo o cenho.

— Não, vou ser parteiro.

Era apenas a segunda vez que Milagros tinha visto a patroa fingir limpar uma sujeira. (A primeira foi quando lhe contaram que Estela havia morrido.) Não era uma profissão adequada para o filho do mais proeminente cirurgião plástico de Buenos Aires, qualquer que fosse a sua suposta vocação. Não era uma profissão para um homem forte, independentemente do que se falasse a respeito de igualdade sexual naquela época. Certamente não era o tipo de coisa sobre a qual ela se sentiria confortável conversando com as amigas, para quem seu filho só era descrito como "estudante de medicina". Não era *certo*. Sobretudo ela acreditava que isso talvez fosse, confidenciou a Milagros, o verdadeiro motivo de seu lindo filho nunca trazer garotas para casa, de não exibir o machismo arrogante que deveria ter sido passado para o primogênito de uma família como a deles. Seus instintos masculinos, confidenciou ela à empregada, haviam sido corrompidos pela exposição reiterada ao lado mais brutal da biologia feminina. Depois, pior ainda, ele escolhera trabalhar no hospital público.

— Então, quando você pensa em ir?
— Semana que vem. Terça-feira.
— *Semana* que vem? Na próxima semana? Por que tanta pressa?
— Eles estão precisando com urgência, *mamá*. A gente tem que aproveitar quando a oportunidade aparece.

O choque a deixara dura. Ela levou a mão ao rosto, depois desmoronou.

— Se tivesse sido a sua irmã que quisesse essa profissão, que quisesse mudar de continente... eu suportaria. Mas *você*... Não é *certo*, Ale.

*Então o que é certo?*, ele quis perguntar. *Não é certo eu ter escolhido trazer crianças com segurança para um mundo inseguro? Não é certo a minha aceitação profissional estar na emoção, na vida real, no verdadeiro amor, enquanto o país em que vivemos está construído em cima de segredos, e celebra o que é falso? É certo, não importa no que você escolha acreditar, o segundo procedimento cirúrgico mais comum que meu estimado pai realiza ser supostamente tornar mais "belas" as partes mais íntimas de uma mulher?* Como sempre, ele não disse nada. Alejandro fechou os olhos e se preparou para enfrentar a mágoa da mãe.

— Vou voltar para ver você, duas, talvez três vezes por ano.
— Meu filho único vai ser uma visita na minha casa. Isso deveria me deixar feliz? — Ela não olhou para Alejandro, mas apelou para Milagros, que sugou os dentes. Houve um longo silêncio. Depois, como esperado, a mãe começou a soluçar ruidosamente. Estendeu a mão para ele, os dedos se agitando em vão no ar. — Não vá, Ale. Prometo que não vou me importar com seu local de trabalho. Pode ficar no Hospital de Clínicas. Não vou falar nada.
— *Mamá*...
— Por favor! — Ela ouviu a certeza no silêncio dele, e quando tornou a falar, sua voz tinha uma pontada de amargura. Piscou para conter as lágrimas. — Tudo que eu queria era ver você bem-sucedido, casado, cuidando dos filhos. E agora você não só me nega isso, você me nega a sua presença!

A separação iminente deles o tornou generoso. Ele se ajoelhou e segurou a mão dela, os anéis frios em sua pele.

— Vou voltar. Achei que você podia enxergar isso como uma oportunidade para mim.

Ela franziu o cenho para ele, afastou-lhe o cabelo dos olhos.

— Você é muito frio, Ale. Não tem sentimentos. Não vê que está partindo meu coração?

Mais uma vez Alejandro não conseguiu responder à lógica contundente da mãe.

— Fique feliz por mim, *mamá*.

— Como posso ficar feliz por você quando estou sofrendo por mim mesma?

*E é por isso que estou fugindo de você*, disse ele em silêncio. *Porque, de você, só conheci sofrimento. Porque estou com a cabeça cheia disso, sempre estive. E assim, finalmente, posso ter um pouco de paz.*

— Depois conversamos melhor. Tenho que sair agora. — Ele sorriu, o sorriso paciente, distante, que reservava para a mãe, e deixou-a, com um beijo na testa, soluçando baixinho nos braços da empregada.

Considerando que tinha como único objetivo facilitar inadequação e excessos sexuais, o Venus Love Hotel, como outros estabelecimentos do tipo, era bem amarrado por regras e normas. Embora se pudesse pedir qualquer quantidade de acessórios eróticos no cardápio do serviço de quarto e se pudesse atender a toda espécie de tendências extravagantes nos muitos vídeos adultos disponíveis para aluguel particular, o hotel era curiosamente pudico quando se tratava de manter seu código de conduta, seu ar de respeitabilidade. O prédio tinha a fachada sóbria de uma residência. Seu nome não era sequer anunciado do lado de fora. Nem homem nem mulher podia esperar num quarto sozinho, apesar da inconveniência causada a casais ilícitos forçados a se encontrar em cafés próximos, não muito protegidos de olhares intrometidos. Uma tela de vidro fumê na recepção significava que nem o recepcionista nem o visitante podia identificar a identidade do outro.

Com exceção de uma pessoa em particular, que era conhecida do homem por trás da tela e já lhe pagara generosamente em mais de uma ocasião para garantir discrição. Essa pessoa aparecera nas revistas de fofocas vezes suficientes para ser reconhecida mesmo por trás das barreiras de vidro fumê e dos óculos escuros.

Isso significava que, com apenas um gesto de cabeça para o vulto à sua frente, Alejandro pôde subir as escadas de dois em dois degraus e, na hora marcada, bater à porta discretamente numerada que havia sido um porto seguro particular duas ou três vezes por semana durante quase dezoito meses.

— Ale? — Nunca nada romântico. Nunca nada como *amor*. Ele preferia assim.

— Sou eu.

Eduardo Guichane era um dos mais bem pagos apresentadores de televisão da Argentina. Em seu programa de entrevistas, que ia ao ar várias vezes por semana, ele aparecia ao lado de várias garotas sul-americanas seminuas que faziam frequentes referências mal roteirizadas a seu lendário apetite sexual. Era alto, de cabelos escuros, impecavelmente vestido e se orgulhava de um físico que aparentemente não mudara desde seus anos como jogador profissional de futebol. A revista de fofocas preferida da Argentina — *Gente* — sempre apresentava fotos de "flagras" dele acompanhando alguma jovem que não era Sofia Guichane, ou especulando se, como havia acontecido com suas esposas anteriores, ele estaria sendo infiel à ex-finalista do Miss Venezuela. Tudo plantado por seu assessor de imprensa.

— Tudo mentira — murmurava Sofia com amargura, acendendo um de seus indefectíveis cigarros.

Eduardo tinha a libido de uma cadeira. Embora sua desculpa mais frequente fosse cansaço, ela se perguntava se os interesses dele não pendiam para outro lado.

— Rapazes? — perguntou Alejandro, com cautela.

— Não! Isso, eu suportaria. — Sofia soprou fumaça para o teto. — Infelizmente ele se interessa mais por golfe.

Eles haviam se conhecido no consultório, num dia após Alejandro e o pai farrearem, aonde ele fora, a pedido da mãe, conferir se o pai chegara no trabalho são e salvo. Sofia estava em mais uma de suas várias visitas: tendo passado quatro dos seis anos do casamento abstendo-se de sexo, tinha achado que um traseiro menor e mais empinado e vários centímetros a menos nas coxas poderiam reacender a paixão do marido. ("Quantos dólares perdidos", disse ela depois.) Alejandro, impressionado com sua beleza e com a ilustre insatisfação estampada em seu rosto, se pegara admirando-a, e depois, ao sair, não pensou mais nela. Mas Sofia esbarrara com ele no saguão do andar de baixo, onde, fitando-o com a mesma sede curiosa, anunciou que normalmente nunca fazia esse tipo de coisa, depois rabiscou seu telefone num cartão e o jogou para ele.

Após três dias, encontraram-se no Fenix, um motel espetacularmente lascivo, onde gravuras intrincadas do *Kama Sutra* decoravam as paredes e as camas vibravam desvairadamente. A menção dela ao local do encontro não lhe deixou dúvidas quanto à intenção, e eles gozaram juntos quase sem falar, numa cópula frenética que deixara Alejandro aturdido por quase uma semana.

Seus encontros tinham gradualmente chegado a um padrão. Ela jurava que eles não podiam tornar a se encontrar, que Eduardo desconfiava de alguma coisa, que andara lhe fazendo perguntas, que ela só tinha se safado por um triz. E então, sentado ao lado dela, ele a consolava, dizia que entendia, ela chorava, perguntava por que, sendo tão jovem, sem nem ter completado trinta anos, deveria suportar um casamento sem sexo, uma vida sem paixão. (Ambos estavam cientes de que aquilo não era estritamente verdade — a idade, pelo menos —, mas Alejandro não se atreveria a interromper.) E, depois, enquanto tornava a consolá-la, concordava que era injusto, que ela era muito linda, muito apaixonante para murchar como um figo velho. Ela segurava o rosto dele e anunciava que ele era muito atraente, muito bom, o único homem que já a compreendera. Então, faziam amor (embora a expressão sempre soasse muito delicada para o que realmente era). No fim, fumando furiosamente, ela se afastava e lhe dizia que estava acabado. Os riscos eram muito grandes. Alejandro teria que entender.

Vários dias ou, às vezes, uma semana depois, ela ligava de novo.

Os sentimentos dele sobre o arranjo muitas vezes tinham beirado a ambivalência: Alejandro sempre fora discretamente seletivo quando se tratava de parceiras sexuais, desconfortável com a ideia de se apaixonar. Embora compreendesse o conflito de Sofia, sabia que não a amava. No fundo, achava que em alguns momentos sequer gostava dela. Ele sentia que as declarações de amor da amante eram uma forma de legitimar os atos ilícitos de uma boa moça católica: embora a visão de religião dela pudesse abarcar a paixão romântica, o desejo carnal claramente passava dos limites. O que tinham em comum, embora nenhum dos dois tivesse coragem de admitir, era uma química sexual feroz. Isso alimentava em Sofia a sensação constante de ser uma mulher desejável, enquanto tirava Alejandro daquela atitude reticente habitual, ainda que por fora fosse quase imperceptível.

— Por que você nunca olha para mim quando goza?

Alejandro fechou a porta calmamente ao entrar e ficou parado diante da figura prostrada de Sofia na cama. Já estava acostumado com essas táticas iniciais: era como se a natureza breve de seus encontros não desse abertura para nenhum tipo de sutileza.

— Eu olho para você, sim. — Pensou em tirar o casaco, depois mudou de ideia.

Sofia ficou de bruços para alcançar o cinzeiro. O movimento fez sua saia subir nas pernas. Estava passando um filme pornográfico na televisão. Alejandro deu uma olhada, se perguntando se ela estivera assistindo àquilo enquanto ele não chegava.

— Não, não olha. Não quando goza. Eu observo você.

Ele sabia que ela tinha razão. Nunca abrira os olhos para nenhuma mulher enquanto chegava ao clímax: sem dúvida seu tio, o psicanalista, diria que isso denunciava algo mesquinho nele, uma relutância em se revelar.

— Não sei. Nunca pensei nisso.

Sofia se endireitou, levantando uma perna e deixando à mostra um longo trecho de coxa. Normalmente, isso seria suficiente para provocar nele poderosas ondas de desejo. Naquele momento, ele se sentiu curiosamente distante, como se já estivesse a milhares de quilômetros dali.

— Eduardo acha que devemos ter um bebê.

No quarto ao lado, alguém abriu a janela. Através da parede, Alejandro ouvia o murmúrio vago de vozes.

— Um bebê — repetiu.

— Não vai me perguntar como?

— Acho que a essa altura eu entendo a biologia.

Ela não estava sorrindo.

— Ele quer fazer isso numa clínica. Diz que será a melhor maneira de garantir que aconteça rápido. Acho que é só porque não quer fazer amor comigo.

Alejandro sentou-se na beira da cama. O casal na televisão estava envolvido num frenesi orgíaco. Será que Sofia se incomodaria se ele desligasse o aparelho? Alejandro já tinha dito várias vezes que filmes daquele tipo não mexiam com ele, mas ela apenas sorria, como se tivesse a certeza de que o tratamento de choque fosse fazê-lo mudar de ideia.

— Acho que um filho não é uma coisa que se possa fazer sozinho.

Ela descalçara os sapatos chutando-os cada um para um canto do quarto: Eduardo gostava de tudo arrumado, organizado, dissera ela certa vez. Quando estava com Alejandro, Sofia espalhava as roupas pelo quarto, uma espécie de revolta secreta.

— Isso não incomoda você?
— Se incomoda você.
— Acho que ele não quer de fato um filho. Aquelas fraldas todas... brinquedos de plástico por todo canto, vômito de bebê nos ombros. Ele só quer parecer viril. Sabia que ele está perdendo cabelo? Eu disse a ele que seria mais barato para nós dois se ele fizesse um implante capilar. Mas ele diz que quer um filho.
— E o que você quer?
Ela lhe lançou um olhar feroz, deu um sorrisinho para o seu tom psicanalítico.
— O que eu quero? — Fez uma careta, apagou o cigarro. — Não sei. Outra vida, provavelmente. — Levantou-se da cama com esforço e aproximou-se dele, o suficiente para que ele aspirasse o seu perfume, e colocou a mão fria em seu rosto, deixando-a deslizar lentamente em sua pele. Seu cabelo, solto nos ombros, estava ligeiramente embaraçado, como se tivesse passado algum tempo deitada na cama antes de ele chegar. — Ando pensando em você. — Chegando para a frente, beijou-o, deixando nos lábios dele um gosto de batom e cigarro. Então, inclinou a cabeça. — O que foi?
Surpreendia-o assim de vez em quando: ele a achava muito mimada e egocêntrica, no entanto, às vezes, ela farejava alguma súbita mudança no ar, como um cachorro.
Ele avaliou se havia alguma maneira de suavizar a notícia.
— Vou viajar.
Ela arregalou os olhos. A mulher na tela se contorcera numa posição que deixou Alejandro desconfortável por ela. Como queria desligar a televisão...
— Por muito tempo?
— Um ano... não sei.
Ele esperara uma explosão, ainda estava preparado para isso. Mas ela apenas ficou imóvel, depois suspirou e sentou-se na cama, pegando os cigarros.
— É trabalho. Arrumei emprego num hospital na Inglaterra.
— Inglaterra?
— Vou semana que vem.
— Ah.
Ele chegou mais perto dela, pousou a mão em seu braço.

— Vou sentir sua falta.

Ficaram sentados assim por alguns minutos, vagamente conscientes do barulho da transa abafada no quarto ao lado. Houve um tempo em que achariam isso embaraçoso.

— Por quê? — Ela virou-se para ele. — Por que está indo?

— Buenos Aires... é muito cheia de fantasmas.

— Sempre foi. Sempre será. — Ela deu de ombros. — A gente simplesmente tem que escolher ignorá-los.

Ele engoliu em seco.

— Não consigo.

Ele a segurou e então, talvez porque não tivesse causado a reação esperada, subitamente desejou-a, sentiu-se desesperado para se perder dentro dela. Mas Sofia se desvencilhou dele, contorcendo-se com agilidade, e se pôs de pé. Levou a mão ao cabelo, alisou-o, foi até a televisão e desligou-a.

Quando falou, não tinha nos olhos nem lágrimas nem uma fúria infantil, mas uma espécie de sabedoria resignada que ele nunca vira antes.

— Eu deveria estar furiosa com você, por me abandonar assim — disse ela, acendendo outro cigarro. — Mas estou feliz, Ale. — Balançou a cabeça, como se confirmando isso para si mesma. — É a primeira vez que vejo você fazer alguma coisa, tomar uma decisão de verdade. Você sempre foi muito... passivo.

Ele sentiu um breve desconforto, sem saber se ela estava menosprezando sua técnica sexual. Mas tendo acendido o cigarro, ela pegou sua mão, levantou-a e beijou-a, um gesto curioso.

— Está indo atrás de alguma coisa? Ou só fugindo? — A mão dela segurava a dele com firmeza.

Como era impossível responder a verdade, ele não disse nada.

— Vá, Turco.

— Assim, sem mais?

— Vá logo. Não quero que a gente comece a fazer promessas idiotas de se encontrar de novo.

— Eu escrevo, se você quiser.

— Ah, para...

Ele olhou para seu lindo rosto desapontado, sentiu um afeto surpreendente. As palavras que ensaiara pareciam banais.

Ela entendeu. Apertou a mão dele, depois apontou para a porta.

— Vá. Você sabe que eu ia terminar de qualquer jeito. Você não faz meu tipo, afinal.

Ele ouviu o tom dela endurecer com determinação e encaminhou-se para a porta.

— Que azar o meu, hã? — disse Sofia, rindo sem achar graça. — Um marido frio que nem um defunto e um amante assombrado por fantasmas.

Heathrow e seus arredores eram o lugar mais feio que ele já vira. O Hospital Maternidade de Dere não chegava a tanto, mas era ainda menos convidativo — especialmente, percebeu ele, para aqueles de pele mais escura. Durante semanas, muitas das parteiras haviam se recusado a falar com ele, aparentemente incomodadas com aquele usurpador do sexo masculino em seu domínio feminino. Duas semanas depois de ter chegado, ele dormira por solidão com uma jovem enfermeira e, quando se desculpara depois, ouvira o amargo comentário: "Nossa, vocês homens são todos iguais."

Ele vivia com frio. Sua mãe, quando ligara, perguntou se ele já tinha arrumado uma namorada.

— Um rapaz da sua idade — disse, tristemente — deveria estar de olho no que tem disponível aí.

Ele vira a placa em frente ao Empório Peacock e, vencido por uma onda de saudade de casa tão forte quanto sua exaustão após um plantão de quatorze horas (outras parteiras lhe chamaram de louco por não encerrar um plantão no meio de um parto, mas ele não achava justo largar uma mulher em seu estado mais vulnerável), abrira a porta e entrara. Não era supersticioso, mas às vezes era preciso seguir os sinais. Tentar apagá-los não tinha se mostrado uma boa estratégia para ele até então.

Alejandro não disse isso às duas mulheres, claro. Nem contou sobre Sofia. Ou Estela, aliás. Se não tivesse sido pela loira de rosto sorridente, a primeira pessoa que parecera querer ouvir o que ele tinha a dizer, talvez não tivesse dito nada.

# Doze

O problema em envelhecer não era tanto ficar presa ao passado, Vivi costumava pensar, mas sim o tanto de passado que havia para nos prender. Ela andara arrumando a velha escrivaninha na sala, determinada a botar todas aquelas fotografias sépia num álbum, com sorte, antes de os homens entrarem. Mas, de repente, já eram quase cinco e meia. Ela se pegara inerte no sofazinho, absorta em imagens do que ela era antes, em retratos que não parava para olhar fazia anos: pendurada no braço de Douglas em várias ocasiões sociais, posando toda afetada de vestido, orgulhosamente segurando bebês recém-nascidos e, depois, quando eles ficavam maiores, com um ar cada vez menos confiante, o sorriso talvez um pouco mais forçado a cada ano. Quem sabe estivesse sendo muito dura consigo mesma. Ou talvez sentimental, projetando em sua versão do passado emoções que a inundavam no presente.

Suzanna fora uma criança fácil. Quando Vivi considerava a comoção dos primeiros anos da filha, e sua própria falta de experiência como mãe, ficava espantada por ter dado tudo certo. A infância de Suzanna nunca fora um problema, ao contrário da puberdade, quando aquelas pernas compridas desengonçadas alcançaram uma certa elegância de sílfide, quando aquelas maçãs do rosto quase eslavas começaram a realçar os planos antes ocultos de seu rosto, que um eco distante nitidamente perturbara a paz de espírito de Douglas. E Suzanna, talvez reagindo a alguma vibração invisível na atmosfera, saíra dos trilhos.

De forma racional, Vivi sabia que não era culpada: ninguém poderia ter oferecido a Suzanna um amor mais incondicional, ter entendido melhor sua natureza complicada. Mas a maternidade nunca era racional: mesmo agora, com Suzanna estável como nunca — e tendo um marido maravilhoso como Neil —, Vivi sentia-se cheia de culpa por de certa maneira não ter conseguido criar esta filha para ser feliz.

— Não há razão para ela não ser feliz — dizia Douglas. — Teve uma vida cheia de privilégios.

— Sim, bem, às vezes não é tão simples assim.

Vivi raramente se aventurava em psicologia familiar: Douglas não concordava com tais discussões e, além disso, estava certo a seu modo. Suzanna *tivera* tudo. Todos eles tiveram. O fato de ela e os dois filhos de Douglas estarem tão satisfeitos não diminuíra seu sentimento de responsabilidade... pelo contrário. Vivi passara anos se perguntando no íntimo se havia tratado os filhos com alguma diferenciação, se inconscientemente incutira em Suzanna a sensação de não ser boa o suficiente.

Ela sabia quão sedutor esse sentimento podia ser.

Douglas disse que era bobagem. A visão que ele tinha dos relacionamentos era simples: tratava-se bem os outros e esperava-se ser bem tratado por eles. Os pais amavam os filhos e eram amados por eles também. Davam a eles todo o apoio, e, em troca, eles tentavam dar orgulho para os pais.

Ou, no caso de Suzanna, recebiam amor dos pais e faziam de tudo para se tornar infelizes.

*Acho que não consigo suportar isso mais tempo,* pensou, os olhos se enchendo de lágrimas enquanto olhava para a Suzanna de onze anos, agarrada à cintura prematuramente engrossada de Vivi. *Alguém tem que fazer alguma coisa. E hei de me odiar se pelo menos não tentar.*

O que Athene teria feito? Vivi havia muito deixara de se fazer essa pergunta: Athene era tão imprevisível que não dava para imaginar quais seriam seus próximos passos, mesmo em vida. Agora, uns trinta anos mais tarde, parecia tão inconsistente, sua memória tão forte e ao mesmo tempo tão efêmera, que era difícil imaginá-la sequer como mãe. Teria ela entendido a natureza complicada da filha, que ecoava a dela? Ou teria feito mais estragos ainda, entrando e saindo da vida de Suzanna, fracassando em se ater à maternidade como mais um exemplo doloroso de seu temperamento sempre volúvel?

*Você tem sorte,* disse Vivi à mãe invisível na fotografia, subitamente com inveja, pensando em como Douglas a rechaçara quando ela tentara mais uma vez tocar no assunto de Rosemary e a roupa suja. *É mais fácil ser um fantasma. Pode ser romantizada, adorada, pode-se crescer na lembrança em vez de diminuir na realidade.* Depois, obrigando-se a se levantar da cadeira e vendo a hora, censurou-se pelo capricho extravagante de invejar os mortos.

Alejandro chegou às nove e quinze. Ia lá quase todo dia agora, mas sempre em horas diferentes, conforme a escala aparentemente aleatória de seus plantões. Não falava muito. Nem sequer lia um jornal. Limitava-se a ficar sentado no canto tomando seu café, de vez em quando sorrindo em resposta à conversa animada de Jessie.

Jessie, que nunca demorava a puxar conversa, impusera-se a missão de descobrir tudo sobre o homem que chamava de Gine Gaúcho, fazendo-lhe perguntas de um jeito que às vezes deixava Suzanna constrangida. Ele sempre fora parteiro? Só desde que se dera conta de que não ia entrar para a seleção de futebol da Argentina. Gostava de fazer partos? Sim. As mulheres se incomodavam de ter um homem como parteiro? Em geral, não. Ele recuava com elegância quando elas se incomodavam. Descobrira, disse, que, se usasse um jaleco branco, ninguém pestanejava. Ele tinha namorada? Não. Suzanna teve que olhar para o lado quando ele deu essa resposta, furiosa consigo mesma por seu rubor suave, mas nítido.

Ele não parecia se importar com as perguntas de Jessie, embora muitas vezes conseguisse não respondê-las diretamente. Sentava-se perto do balcão, notara Suzanna, o que demonstrava certo grau de conforto com elas. Suzanna, por sua vez, fazia questão de quase não chegar perto dele, que já parecia, de certa forma, ser de Jessie. Ela sentia que, se tentasse ser igualmente simpática, deixaria todo mundo desconfortável.

— Quantos partos você fez hoje?
— Só um.
— Alguma complicação?
— Só um pai desmaiado.
— Fantástico. O que você fez?
Alejandro olhara para as mãos.
— Não foi numa hora muito propícia. A gente só teve tempo de tirá-lo da frente.
— O quê... arrastá-lo?
Alejandro parecera levemente envergonhado.
— Nossas mãos estavam ocupadas. Tivemos que empurrá-lo com os pés.
Jessie adorava ouvir essas histórias. Suzanna, com mais melindres, muitas vezes tinha que aumentar o volume da música ou inventar alguma ta-

refa no porão. Aquilo tudo estava mexendo um pouquinho demais com ela. Mas muitas vezes se pegava olhando para ele, ainda que disfarçando: embora a aparência daquele homem não fosse prender a sua atenção em Londres (aliás, talvez o tornasse invisível: ela provavelmente presumiria que ele era um imigrante mal remunerado), nos arredores excessivamente caucasianos da cidade de Suffolk, e no interior de sua lojinha, ele era uma agradável lufada de beleza, um lembrete de um mundo maior fora dali.

— Ele perdeu o nascimento?

— Mais ou menos. Mas acho que estava meio confuso. — Ele sorriu sozinho. — Tentou me dar um murro quando voltou a si e depois me chamou de "mãe".

Contara-lhes uma outra história, de um homem que, enquanto a mulher gritava de dor, ficara sentado na ponta da cama, calmamente lendo o jornal. Alejandro envergara com o peso da mulher, enxugara-lhe a testa, secara-lhe as lágrimas, enquanto o marido nem erguia os olhos do jornal. Quando o bebê nasceu, contou com calma, Alejandro queria bater no homem. Mas a mulher, incrivelmente, não parecia guardar ressentimento. Quando colocaram o bebê nos braços dela, o marido se levantou, olhou para os dois, beijou a mulher na testa ainda suada e saiu do quarto. Alejandro, chocado e furioso, perguntou a ela, com o maior tato possível, se ela tinha ficado feliz com a reação do marido.

— Ela olhou para mim — disse ele, e deu um sorriso largo — e falou "ah, sim". A minha cara deve ter revelado a minha confusão, então ela explicou: o marido tinha pavor de hospital. Mas ela precisava de sua companhia. Fizeram um trato de que se ele conseguisse entrar no quarto, só para ela saber que ele estava presente, ela aguentaria firme. Por amá-la, ele se obrigou a fazer isso.

— Então a moral da história é... — disse Jessie.

— Não julgue um homem por seu jornal — disse o padre Lenny, erguendo os olhos de suas palavras cruzadas.

Jessie quis fazer uma vitrine sobre ele, quis uma história sobre algum nascimento milagroso ("meio que combina, sendo uma loja nova e tudo"), mas Alejandro fora reticente. Não achava, disse com sua voz calma e educada, que já podia afirmar ser um dos clientes assíduos da loja. Havia algo decisivo o bastante em seu tom para Jessie recuar. E apesar de seu charme poderoso (Suzanna achava que ela provavelmente poderia flertar até com um tijolo), Alejandro não satisfazia a nenhuma de suas expectativas em relação aos homens. Não andava todo emproado nem olhava para elas com intenções escusas.

— Deve ser gay — disse Jessie quando, com um até logo educado, ele saiu para trabalhar.

— Não — disse Suzanna, que não sabia ao certo se era um desejo ou um palpite.

Jessie machucara a mão. E não fora Suzanna, mas Arturro quem reparou, quando veio tomar seu expresso matinal.

— Você se machucou? — Levantara a mão dela do balcão com a ternura de alguém acostumado a tratar os alimentos com reverência, e virou-a para a luz, revelando uma grande mancha roxa em três dedos.

— Prendi a mão na porta do carro — disse Jessie, e puxou-a de volta com um sorriso. — Desastrada, né?

Fez-se um silêncio constrangedor inesperado na loja. O hematoma era horrível, um lembrete lívido de uma dor extrema. Suzanna olhou para a cara de Arturro, notando que Jessie se recusava a olhar diretamente para qualquer um deles, e sentiu-se envergonhada por não ter visto aquilo antes. Ia perguntar, achando que talvez pudesse fazer Jessie se abrir com ela se o assunto fosse abordado com tato, mas enquanto pensava em todas as perguntas possíveis, concluiu que todas as variações possíveis soavam não apenas intrusivas, mas idiotas, e possivelmente condescendentes também.

— Creme de arnica — disse, por fim. — Dizem que diminui o hematoma mais rápido.

— Ah, não se preocupe. Já passei. Tem aos montes lá em casa.

— Tem certeza de que não quebrou os dedos? — Arturro continuava olhando para a mão de Jessie. — Estão me parecendo meio inchados.

— Não, eu consigo mexê-los. Olha. — Fez um aceno alegre com os dedos, depois tornou a se virar para a parede. — Então, quem vai estar na primeira vitrine? Eu queria muito colocar o Alejandro, mas acho que aquela história do bebê que foi dado faria todo mundo chorar.

— Foi ele, não foi? — perguntou Suzanna, muito depois, quando estavam sozinhas.

— Quem? — Jessie estava trabalhando na vitrine: escolhera o padre Lenny, que concordara achando certa graça, mas só se ela mencionasse que ele estava com quase duzentos massageadores de costas a pilha para vender. ("Não me parecem muito massageadores de costas", dissera Jessie, erguendo um deles, em dúvida. "Sou padre", respondera o padre Lenny, "o que mais seriam?")

— Seu namorado. Que machucou seus dedos. — Durante a tarde inteira, sentiu que havia esse consenso entre elas, e foi cada vez mais consumida pela necessidade de que isso fosse pelo menos reconhecido, mesmo correndo o risco de se indispor com Jessie.

— Prendi os dedos na porta do carro.

Suzanna demorou um pouco a falar.

— Você quer dizer que ele prendeu.

Jessie estava ajoelhada na vitrine. Levantou-se e recuou dali com cuidado para não deslocar nenhum dos itens em exibição. Ergueu a mão e examinou-a, como se pela primeira vez.

— É muito difícil de explicar.

— Tente.

— Ele gostava quando eu só ficava em casa com Emma. Isso tudo começou quando passei a estudar à noite. Ele se descontrola porque fica inseguro.

— Por que você não vai embora?

— Ir embora? — Ela pareceu verdadeiramente surpresa, até mesmo, talvez, ofendida. — Ele não é um agressor de mulheres, Suzanna.

Suzanna ergueu as sobrancelhas.

— Olha, eu o conheço e sei que no fundo ele não é assim. Só está se sentindo ameaçado porque estou estudando e ele acha que isso quer dizer que vou deixá-lo. E agora tem isto aqui, que é outra novidade. Com certeza, eu não ajudo... você sabe que vivo falando com todo mundo. De fato, nem sempre eu penso no lado dele... — Ela olhou pensativa para sua vitrine inacabada. — Olha, quando vir que nada vai mudar, ele vai voltar a ser do jeito que era. Não esqueça, Suzanna. Eu o conheço. Estamos juntos há dez anos. Esse não é o Jason que eu conheço.

— Eu só acho que não existe qualquer desculpa para isso.

— Não estou dando desculpas. Estou explicando. Há uma diferença. Olha, ele sabe que agiu mal. Não pense que eu sou uma vitimazinha acuada. A gente simplesmente briga e, quando briga, às vezes briga feio. E eu não deixo barato, entende?

No longo silêncio, a atmosfera na loja ficara opressiva. Suzanna não disse nada, com medo de como poderia soar, consciente de que, mesmo calada, estava fazendo uma espécie de julgamento.

Jessie se encostou numa das mesas e olhou diretamente para ela.

— Tudo bem, o que realmente te incomoda nisso?

A voz de Suzanna, quando saiu, era mansa.

— O efeito que isso pode ter sobre Emma? O que ela está aprendendo com isso?

— Acha que eu deixaria alguém encostar a mão em Emma? Acha que eu ficaria em casa se achasse que Jason podia encostar a mão nela?

— Não estou dizendo isso.

— Então o que está dizendo?

— Que.. Que... Sei lá... Só me sinto mal com qualquer tipo de violência.

— Violência? Ou paixão?

— O quê?

Era a primeira vez que Jessie tinha fechado a cara.

— Você não gosta de paixão, Suzanna. Gosta de coisas arrumadinhas. Gosta de manter tudo guardado. E tudo bem. É escolha sua. Mas Jason e eu, nós somos honestos em relação ao que sentimos... quando amamos, amamos de verdade. Mas, quando brigamos, brigamos de verdade. Não há meias medidas. E sabe de uma coisa? Acho melhor assim do que o oposto, que é o casal se incomodar tão pouco um com o outro que leva um tipo de *vida paralela* fria, educada. Faz sexo uma vez por semana. Que nada, uma vez por mês. Briga baixinho para não acordar as crianças. O que as pessoas aprendem com uma vida assim?

— As duas coisas não precisam... — Suzanna deixou a frase no ar.

De forma racional, sabia que poderia ter questionado o sentido do que Jessie dizia, apesar de toda a contundência na argumentação dela, mas, mesmo que não tivesse sido mal-intencionado, havia ali algo tão desconcertante que Suzanna mal conseguiu falar. Na descrição de Jessie da relação que ela não queria, da relação que temia mais do que a violência, do que a mão quebrada, Suzanna enxergara nitidamente seu casamento com Neil.

A visita de Vivi naquela tarde fora quase um alívio: Suzanna e Jessie, embora aparentemente gentis uma com a outra, haviam perdido um pouco da espontaneidade, como se a franqueza da conversa tivesse sido muito prematura para que a amizade recente sobrevivesse. Arturro tomara seu café inusitadamente depressa e, com um obrigado nervoso, foi embora. Dois outros clientes que falavam alto no canto, alheios, disfarçaram por um momento o longo silêncio entre elas. Mas agora que haviam ido embora, era dolorosamente notável que a tagarelice normal de Jessie fora atenuada, substituída pela sensação de que ela estava medindo tudo o que dizia. Suzanna, fazendo um esforço gigante para falar com os clientes para atenuar o clima tenso, pegou-se cumprimentando Vivi com um carinho incomum, que a mãe, corada de prazer ao ser abraçada, retribuíra avidamente.

— Então é isso! — exclamou, várias vezes, à porta. — Como você é esperta!

— Que nada — disse Suzanna. — São só umas mesas e umas cadeiras.

— Mas olhe que cores lindas! Todas essas coisas bonitas! — Abaixou-se para examinar as prateleiras. — É tudo excepcional. E está muito bem arrumado. Eu queria passar aqui, sim... mas sei que você não gosta de sentir que estamos todos te vigiando. E, nas vezes que passei por aqui, você dava a impressão de estar ocupada... enfim. Empório Peacock — disse, lendo lentamente uma etiqueta. — Ah, Suzanna, estou muito orgulhosa de você. Realmente não tem nada como esta loja nas redondezas.

*Foi como se*, Suzanna pensou, *seu acesso de carinho evaporasse*. Vivi nunca era capaz de acertar no nível de emoção: seu excesso de entusiasmo deixava o receptor incapaz de aceitá-lo com elegância.

— Quer um café? — Indicou o cardápio na lousa, tentando disfarçar seus sentimentos.

— Eu adoraria. Você mesma prepara?

Suzanna resistiu ao impulso de erguer as sobrancelhas.

— Bem. Sim.

Vivi sentou-se cuidadosamente numa das cadeiras azuis e olhou para as almofadas no banco.

— Você usou aquele tecido do sótão que te dei.

— Ah, aquele. Sim.

— Está muito melhor aqui. Quase se passa por contemporâneo, não é, aquele estampado? Ninguém diria que tem mais de trinta anos. Um velho amigo me deu. Posso ficar aqui? Não estou atrapalhando ninguém? — Ela segurava a bolsa à frente com as duas mãos, feito uma velhinha nervosa.

— Isso é uma loja, mãe. A pessoa pode sentar em qualquer lugar. Ah, Jessie, essa é a minha mãe, Vivi. Mãe, Jessie.

— Prazer em conhecê-la. Eu faço o seu café — disse Jessie, que estava atrás da máquina. — Qual você quer?

— Qual você recomendaria?

*Ah, pelo amor de Deus*, pensou Suzanna.

— O *latte* é bom, se você não gosta muito forte. Ou a gente faz um *mocha*, com chocolate.

— Um *mocha*, eu acho. Vou me dar o luxo.

— Precisamos completar os flocos de chocolate, Suzanna. Quer que eu pegue mais?

— Tudo bem — disse Suzanna, profundamente consciente da nova formalidade de Jessie. — Eu pego.

— Não tem problema. Posso ir agora.

— Não, sério. Eu pego. — Seu tom de voz estava errado, muito insistente... como o de chefe.

— Está realmente um espanto. Você mudou completamente a cara da loja. E tem um gosto tão pessoal! — Vivi olhava em volta. — Adoro os cheiros, o café e o... O que é isso? Ah, sabonete. E perfume. Não são lindos? Vou dizer a todas as minhas amigas para comprarem os sabonetes delas aqui.

Normalmente, Suzanna reparou, Jessie já teria se sentado com Vivi, a estaria bombardeando com perguntas. Em vez disso, estava concentrada na máquina de café, a mão machucada agora escondida por uma manga excessivamente comprida.

Vivi segurou a mão de Suzanna.

— Não sei nem dizer o quanto achei a loja espetacular. Todo o seu bom gosto. Parabéns, querida. Acho que é simplesmente maravilhoso você ter realizado tudo sozinha.

— Ainda está no começo. Ainda não estamos no lucro nem nada.

— Ah, vão estar. Tenho certeza. É tudo muito... original.

Jessie entregou o café com um sorriso mudo, depois pediu licença para desembalar umas joias que haviam acabado de chegar.

— Se você concordar, Suzanna...

— É óbvio que concordo.

— O café está uma delícia. Obrigada, Jessie. Definitivamente é o melhor de Dere.

— Isso não seria difícil. — Suzanna tentou fazer piada, esperando que Jessie sorrisse.

Achava que não conseguia aguentar mais isso. Por outro lado, talvez ela merecesse, dada a sua atitude crítica idiota. O que Jessie fizera, afinal, perguntou-se, além de ser honesta?

Suzanna virou-se para Vivi, animada.

— Adivinha só, mãe. Vamos bancar o Cupido. Ideia da Jessie. Vamos juntar dois corações solitários sem eles saberem.

Vivi bebericou cuidadosamente o café.

— Parece empolgante, querida.

— Eu tinha intenção de lhe contar, Jess, comprei esses. Pensei que você podia usá-los... sabe, como você disse. — Esticou o braço para trás do balcão e sacou uma caixinha de chocolates embrulhada em papel dourado. Jess olhou para aquilo. — Foi uma ideia muito boa. Acho que você deveria colocar em prática. Ponha os chocolates lá, sabe, antes de ela ir embora hoje à noite. Ou quem sabe amanhã à primeira hora.

O olhar de Jessie continha uma leve interrogação, e uma compreensão silenciosa se formou entre elas.

— O que acha?

— Esses são perfeitos — disse Jessie, com o antigo sorriso espontâneo. — Liliane vai adorar.

Suzanna sentiu algo relaxar dentro de si. A própria loja pareceu respirar e se iluminar um pouco.

— Vamos todas tomar um café. Eu faço, Jess. Uns biscoitos do Arturro. Capuccino para você?

— Não, estou bem. — Tornou a guardar os chocolates embaixo do balcão. — É melhor esconder esses, caso ele volte. Pronto, você está a par de um segredo aqui, Sra. Peacock. Não pode dizer uma palavra.

— Ah, eu não sou Sra. Peacock — corrigiu Vivi afavelmente. — Esse é o nome de casada de Suzanna.

— Ah? Então qual é o seu sobrenome?

— Fairley-Hulme.

Jess virou-se para Suzanna.

— Você é uma Fairley-Hulme?

Vivi balançou a cabeça.

— Ela é, sim. Uma de três.

— Da propriedade Dereward? Você nunca disse.

Suzanna sentiu-se estranhamente flagrada.

— Por que eu diria? — perguntou, um pouco rude. — Eu não moro na propriedade. A rigor, sou uma Peacock.

— Sim, mas...

— É só um nome.

O alívio de Suzanna — pelo clima entre ela e Jessie ter se desanuviado — se dissipou. Teve a sensação de que sua família se intrometera fisicamente ali.

O olhar de Jess se revezou entre as duas mulheres e voltou para o balcão à sua frente.

— Mesmo assim. Está tudo fazendo sentido agora. Adoro o quadro — disse para Vivi.

— Quadro?

— O retrato. Suzanna ia pendurá-lo aqui, mas acha que não fica bom. Já ouvi falar dos retratos da sua família. Ainda deixam pessoas entrarem para vê-los no verão?

Jessie virou-se para o quadro, ainda visível por entre os pés do balcão. Vivi corou quando viu a pintura.

— Ah, não, querida. Essa não sou eu. É Athene.

— Vivi não é a minha mãe biológica — interveio Suzanna. — Minha mãe biológica morreu quando eu nasci.

Jessie não falou nada, como se estivesse esperando que dissessem mais alguma coisa. Mas Vivi agora fitava o retrato, e Suzanna pareceu estar pensando em outra coisa.

— Não, agora eu vejo. Cabelo diferente. E tudo... — Jessie deixou a frase no ar, consciente de que ninguém estava ouvindo.

Por fim, Vivi quebrou o silêncio, tirando os olhos do quadro e pondo-se de pé. Pousou a xícara vazia cuidadosamente no balcão na frente de Jessie.

— Sim. Bom. É melhor eu ir embora. Prometi levar Rosemary para visitar uma de suas velhas amigas em Clare. Ela deve estar se perguntando onde estou. — Apertou mais o lenço de seda no pescoço. — Eu só queria passar para dar um oi.

— Prazer em conhecê-la, Sra. Fairley-Hulme. Volte logo. Pode provar um de nossos cafés com sabor.

Vivi fez menção de pagar, mas Jessie fez um gesto afastando-a.

— Não seja boba. Você é da família.

— Você... Você é muito simpática. — Vivi pegou a bolsa e se encaminhou para a porta. Depois virou-se para Suzanna. — Olhe, querida. Eu estava pensando. Por que você e Neil não vêm jantar conosco esta semana? Nada de mais, como a última vez. Só um jantarzinho. Seria ótimo ver vocês.

Suzanna estava arrumando as revistas na estante.

— Neil chega em casa tarde.

— Venha sozinha, então. Nós adoraríamos receber você. Rosemary teve uns... problemas, ultimamente. E sei que você a animaria.

— Me desculpe, mãe. Estou muito ocupada.

— Só você e eu, então?

Suzanna não havia tido intenção de ser ríspida, mas alguma coisa na situação dos sobrenomes, ou talvez do quadro, a deixara irritável.

— Olha, mãe, eu já disse. Tenho que fazer a contabilidade e várias outras coisas depois do trabalho agora. Não tenho as noites livres. Uma outra hora, sim?

Vivi disfarçou a frustração com um sorriso hesitante. Pôs a mão na maçaneta e bateu num móbile rodopiante quando recuou, tendo que afastá-lo da cabeça.

— Certo. Lógico. Adorei conhecer você, Jessie. Boa sorte com a loja.

Suzanna enterrou-se de novo nas revistas, recusando-se a olhar nos olhos de Jessie. Enquanto Vivi saía, elas a ouviram murmurando, como se para si mesma, mesmo quando já tinha passado da porta. "Sim, está maravilhosa mesmo..."

— Jess — chamou Suzanna, vários minutos depois. — Me faça um favor. — Ergueu os olhos. Jessie continuava olhando para ela firmemente do outro lado do balcão. — Não fale sobre isso. Com os clientes, quero dizer. Sobre eu ser uma Fairley-Hulme. — Esfregou o nariz. — Eu só não quero que isso... vire um problema.

A expressão de Jessie era neutra.

— Você que manda.

— Você nunca vai adivinhar aonde eu vou.

Neil entrara de supetão, e Suzanna, embora em grande parte escondida pela espuma, sentiu-se curiosamente exposta. Um dos maiores incômodos em deixar o apartamento de Londres foi ter que dividir o banheiro. Ela se controlou para não perguntar se ele se importaria de sair dali.

— Aonde?

— Caçar. Com seu irmão. — Ergueu os braços, empunhando um rifle imaginário.

— Não está na época.

— Não é agora. Na primeira caçada da próxima estação. Ele me telefonou hoje de manhã, disse que estão com uma vaga. Vai me emprestar uma espingarda e o equipamento todo.

— Mas você não caça.

— Ele está ciente de que sou iniciante, Suze.

Suzanna franziu o cenho para os pés, que mal se viam na outra ponta da banheira.

— Simplesmente não parece ser a sua praia.

Neil afrouxou a gravata e fez uma careta para si mesmo no espelho ao examinar um corte antigo feito ao se barbear.

— Para dizer a verdade, estou ansioso. Sinto falta de me exercitar desde que perdemos o convênio com a academia. Vai ser bom praticar uma atividade física.

— Caçar não é correr meia maratona.

— Mesmo assim é uma atividade ao ar livre. Tem bastante caminhada.

— E um almoço farto. Cheio de banqueiros gordos enchendo a cara. Você não vai ficar em forma assim.

Neil enrolou a gravata na mão e sentou-se na privada, ao lado da banheira.

— Qual é o problema? Você não tem estado por aqui nos fins de semana. Não sai da loja.

— Eu avisei que teria muito trabalho.

— Não estou reclamando, só dizendo que eu poderia fazer alguma coisa com os meus fins de semana, se você vai estar trabalhando.

— Ótimo.

— Então qual é o problema?

Suzanna encolheu os ombros.

— Não tem problema nenhum. Como eu disse, só achei que caçar não fosse a sua praia.

— E não era. Mas agora a gente mora no interior.

— Isso não quer dizer que você precisa começar a usar roupas de tweed e falar sem parar sobre armas e faisões. Honestamente, Neil, não existe nada pior do que uma pessoa da cidade fingir que tem raízes rurais.

— Mas se estão me oferecendo a chance de experimentar uma coisa nova, de graça, seria bobagem minha rejeitar. Vamos, Suze, não é como se a gente estivesse se divertindo muito ultimamente. — Ele inclinou a cabeça. — Olha só, por que você não arranja alguém para cuidar da loja e vem também? Você tem tempo à beça para organizar isso. Podia ser uma batedora ou seja lá como eles chamam. — Levantou-se e imitou o movimento com a mão. — Nunca se sabe, ver você com uma vara — sorriu sugestivamente — podia fazer milagres por nós.

— Eca. Minha ideia de inferno. Obrigada, mas acho que posso pensar em outras maneiras de passar meus fins de semana que não matando criaturinhas penosas.

— Me perdoe, Linda McCartney. Vou libertar o frango assado, o que acha?

Suzanna fez um gesto pedindo uma toalha e saiu da banheira, mal revelando dois centímetros de pele antes de se cobrir.

— Olha, é você quem fica me acusando de ser chato e previsível. Por que está me agredindo por tentar uma novidade?

— Eu simplesmente odeio gente tentando ser o que não é. É forçado.

Neil ficou parado diante dela, abaixado para não bater com a cabeça nas vigas.

— Suze, estou cansado de ter que ficar me desculpando. Por ser eu. Por cada raio de decisão que tomo. Em algum momento você simplesmente vai ter que aceitar que vivemos aqui agora. Este é o nosso lar. E aceitar o convite do seu irmão para caçar ou caminhar ou tosquiar ovelhas não significa que eu seja forçado. Significa apenas que estou tentando aproveitar as oportunidades que surgem. Que eu, pelo menos, estou tentando me divertir de vez em quando. Mesmo que você continue determinada a ver o pior em tudo.

— Bem, um viva para você, fazendeiro. — Ela não foi capaz de pensar numa maneira mais inteligente de reagir.

Houve um longo silêncio.

— Sabe de uma coisa? — disse Neil, por fim. — Se quer mesmo que eu seja cem por cento sincero, ando achando que essa loja não está nos fazendo nada bem. Que bom que você está feliz com o trabalho, eu não queria dizer nada porque sei que é muito importante para você, mas há um bom tempo venho achando que isso não está nos ajudando. — Esfregou o cabelo, depois olhou-a nos olhos. — E o engraçado é que de repente eu me pergunto se o problema é mesmo a loja.

Suzanna sustentou seu olhar pelo que pareceu uma eternidade. Depois passou por ele e seguiu depressa pelo corredor estreito para o quarto, onde, de um jeito ostensivamente ruidoso, começou a secar o cabelo, os olhos bem fechados para conter as lágrimas.

Douglas encontrou Vivi na cozinha. Ela se esquecera de que tinha prometido uns dois bolos para o leilão do Instituto das Mulheres no sábado e se levantara com relutância do consolo soporífico da televisão e do sofá. Os planos complicados de Rosemary para a manhã seguinte não lhe dariam tempo de cuidar disso.

— Você está toda suja de farinha — disse ele, olhando para o suéter dela.

Ele tinha ido tomar um drinque com um dos atacadistas de grãos local: ela sentiu cheiro de cerveja e fumaça de cachimbo quando ele se abaixou para lhe dar um beijo no rosto.

— Sim. Acho que ela sabe que odeio fazer bolo. — Com a faca virada de lado, Vivi alisou a massa na forma.

— Não sei por que você não compra no supermercado. Bem mais prático.

— As senhorinhas esperam que seja caseiro. Ia ter o maior ti-ti-ti se eu lhes desse um bolo comprado em loja... — Fez um gesto para o fogão. — Seu jantar está no forno de baixo. Eu não sabia a que horas você voltaria.

— Me desculpe. Eu pretendia telefonar. Não estou com tanta fome, para ser sincero. Me enchi de batata frita, amendoim e porcarias. — Ele abriu o armário superior, procurando um copo, depois sentou-se pesadamente e se serviu de um uísque. — Ouso dizer que Ben vai repetir.

— Ele saiu.

— Ipswich?

— Bury, acho eu. Pegou meu carro. Deveria arrumar um para si logo.

— Acho que ele está torcendo para eu deixar o Range Rover de herança se ele esperar o suficiente.

No corredor, ouviu-se um chiado quando o terrier aparentemente emboscou o gato idoso de Rosemary. Dava para ouvir as garras dele raspando nas pedras e derrapando ao entrar em outra sala. A cozinha tornou a ficar em silêncio, interrompido apenas pelo tique-taque regular do relógio de parede vienense que ela ganhara de casamento dos pais, um dos poucos presentes recebidos, já que não tinha sido um casamento daqueles.

— Vi Suzanna hoje — disse Vivi, ainda alisando a massa do bolo. — Ela está bem fria. Mas a loja estava linda.

— Eu sei.

— O quê? — Vivi ergueu a cabeça de repente.

Douglas tomou um longo gole do uísque.

— Eu ia te contar. Fui vê-la semana passada.

Vivi estava prestes a pôr o bolo no forno. Parou.

— Ela não falou.

— Sim, terça-feira, acho que foi... Achei que essa briga boba já tinha se prolongado muito. — Douglas segurava o copo com as duas mãos. Mãos ressecadas, com os nós dos dedos vermelhos, embora o alto verão já estivesse chegando.

Vivi tornou a se virar para o forno, pôs o bolo lá dentro e fechou a porta com cuidado

— E vocês se resolveram? — Esforçava-se para disfarçar a consternação da voz, para conter a fúria de seu sentimento de exclusão. Sabia que estava sendo infantil, mas não sabia o que a magoava mais: que, depois de todas as suas preocupações com a relação deles, depois de todas as suas tentativas de agir como mediadora, nem pai nem filha tinham pensado em lhe contar isso; ou, se ela ousasse admitir para si mesma, que não tinha sido só Douglas a estar naquela loja antes dela. — Douglas?

Ele parou, e ela se perguntou, por um delírio momentâneo, durante quanto tempo ele contemplara a imagem.

— Não — disse ele, por fim. — Não muito.

Ele suspirou, um ruído estranhamente fúnebre, e olhou para ela, a expressão fatigada e vulnerável. Vivi sabia que ele meio que esperava que ela o abraçasse, dissesse alguma coisa tranquilizadora, lhe garantisse que a filha iria mudar de ideia. Que ele havia feito a coisa certa. Que eles todos iam ficar bem. Mas, pela primeira vez, Vivi não estava a fim.

# Treze

*O dia em que me dei conta de que eu não precisava ser meu pai*

Acho que nunca na vida vi meu pai sem o cabelo untado de óleo. Eu nunca soube qual era a cor verdadeira do cabelo dele: era uma espécie de carapaça escura sempre lisa, dividida em minúsculos sulcos pelo pente de tartaruga que se projetava de seu bolso traseiro. Ele era de Florença, dizia minha avó, como se isso explicasse a vaidade. Por outro lado, minha mãe não tinha a cara da mamma italiana que os ingleses imaginam. Era muito magra, muito linda, mesmo com a idade avançada. Pode vê-los nesta fotografia: pareciam saídos de um filme, muito glamorosos para um vilarejo como o nosso. Acho que ela nunca cozinhou.

Eu tinha seis anos quando me deixaram pela primeira vez com minha avó. Eles trabalhavam na cidade: um lugar impróprio para uma criança, diziam-me a toda hora. Tiveram uma variedade de empregos, quase sempre ligados à ponta mais baixa da indústria do entretenimento, mas nunca pareciam ganhar muito dinheiro — ou, pelo menos, menos do que precisavam para manter a própria beleza. Mandavam envelopes de *lire* para o meu sustento — não dava nem para o milho das galinhas, dizia meu avô com desdém. Ele cultivava ou criava quase todos os nossos alimentos — "só assim", dizia, batendo nas minhas costas, "criaria um bom rapaz".

Eles voltavam de seis em seis meses para me ver. A princípio, eu me escondia atrás das saias de minha avó, mal os reconhecendo, e meu pai fazia muxoxos e depois caretas para mim pelas costas dela. Minha mãe cantarolava para mim, alisando o meu cabelo e repreendendo minha avó por me vestir como um camponês, enquanto eu me encostava no peito dela, sentindo o seu perfume e me perguntando como duas criaturas tão diferentes podiam ter criado um bicho tosco feito eu. Era assim que meu pai me descrevia, beliscando-me a barriga, exclamando para a minha papada, e minha mãe o repreendia, sorrindo, mas não para mim. Por anos, eu não sabia se os amava ou os odiava. Eu sabia que nunca estaria à altura do que eles queriam de um filho e que, possivelmente até, eu era o motivo de eles viverem indo embora.

— Você não deve ligar para eles — dizia minha avó. — A cidade os deixou afiados como facas.

Depois, no ano do meu décimo quarto aniversário, eles voltaram sem nada para minha avó, sem nada para o meu sustento. Aparentemente era a quinta vez seguida. Não era para eu saber disso, e fui mandado para o meu quarto, mas espiei pela porta, tentando ouvir direito as vozes que rapidamente se elevaram. Meu avô, perdendo a cabeça, chamou meu pai de vagabundo, minha mãe, de prostituta.

— Não lhes falta dinheiro para botar essa merda na cara, para engraxar os sapatos novos. Vocês não prestam.

— Eu não tenho que ouvir isso — disse meu pai, acendendo um cigarro.

— Tem, sim. Como pode chamar a si mesmo de pai? Não seria capaz nem de matar um frango para alimentar seu próprio filho.

— Você acha que eu não seria capaz de matar um frango? — retrucou meu pai, e consegui vê-lo perfeitamente se empertigando todo naquele terno de risca de giz.

— Você não presta a não ser para se empetecar todo como uma bicha.

A porta da sala bateu. Quando corri para a janela, vi meu pai saindo com passadas largas para o quintal. Depois de várias tentativas, e muitos cacarejos, conseguiu agarrar Carmela, uma das galinhas mais velhas, que já parara de botar ovo havia muito tempo. Encarando meu avô, meu pai torceu o pescoço da ave e, displicentemente, atirou seu corpo para o outro lado do quintal, em cima dele.

Baixou um silêncio e, de repente, senti que o gesto de meu pai tinha sido quase uma ameaça. Vi nele uma coisa que não tinha visto antes, uma coisa mesquinha e impulsiva. Minha avó vira o mesmo que eu: torcia as mãos, implorando a todo mundo que entrasse para tomar uma *grappa*.

Minha mãe olhava nervosamente do pai para o marido, sem saber a quem tentar acalmar primeiro.

O ar pareceu parar.

Depois, com um cacarejo estrangulado, Carmela apareceu aos pés de meu pai, a cabeça meio inclinada, a expressão maligna. Hesitou, cambaleou e, em seguida, trôpega, atravessou o pátio e entrou no galinheiro. Ninguém disse nada.

Então, minha avó apontou e disse:

— Ela cagou no seu terno.

Meu pai olhou para baixo e viu suas calças muito bem passadas sujas pelo que poderia ter presumido ser o último protesto de Carmela.

Minha mãe, a mão pressionando os lábios, começou a rir.

Meu avô, de cabeça erguida, virou-se e voltou para dentro de casa, deixando no ar um desdenhoso "hã!".

— Até o seu filho é capaz de torcer o pescoço de uma galinha — murmurou.

Depois disso, meu pai voltava muito raramente. Eu não me importava. Meu avô me ensinou sobre carne, sobre as diferenças entre *pancetta* e *prosciutto*, entre *dolcelatte* e *panna cotta*, sobre como fazer patê cravejado de figos e selado em gordura de ganso. Nunca mencionou a minha aparência. Dez anos mais tarde, abri minha primeira loja, e desde então foi a minha vez de alimentá-lo, o que fiz com prazer até ele morrer.

Carmela foi a única galinha que nunca comemos.

Liliane enfiou a chave na porta da Unique Boutique faltando quase vinte minutos para as dez. Olhou para o chão e, tendo escorado a porta com o pé, abaixou-se e pegou a caixinha de chocolates com embrulho dourado no degrau. Olhou-os atentamente, virou-os por duas vezes nas mãos, depois ergueu a cabeça e olhou de um lado para outro na rua, o casaco comprido ondulando na brisa fria. Depois recuou dois passos, soltando a porta, a fachada da déli de Arturro bem à vista. Aguardou mais um instante e, então, segurando os chocolates e a bolsa junto ao peito, entrou na loja.

Do outro lado da rua, de seu ponto privilegiado por trás da vitrine de Arturro, Suzanna e Jessie se entreolharam. Depois, como se uma delas fosse pelo menos vinte anos mais moça, caíram na risada.

Era o quarto presente que elas haviam deixado nos degraus da Unique Boutique: uma vez por semana, foi o que tinham decidido. Mais que isso pareceria óbvio, menos talvez parecesse obra do acaso. Mas a manobra não tinha sido unidirecional. Talvez contagiadas pelo início do calor, pelos impulsos primitivos que persuadiam as garotas a mostrar pernas e ombros, que deixavam os rapazes de Dere zanzando para baixo e para cima pelas ruas estreitas em ruidosos carros envenenados (enquanto os moradores mais velhos contraíam os lábios, desaprovando), Suzanna e Jessie tinham desenvolvido todo tipo de estratagemas para atrair Liliane e Arturro para a companhia um do outro. Quando a prateleira de bolsas de Liliane caiu, elas convenceram Arturro a consertá-la, dizendo-lhe que Liliane admirara muito o trabalho que ele havia feito nas próprias prateleiras. Davam indiretas sobre os benefícios do azeite para a artrite, fazendo Liliane ir à déli comprar um vidro para a mãe. Arrumavam desculpa — subitamente limpando mesas, ou retirando cadeiras para "manutenção" — para os dois se sentarem juntos quando iam até a loja tomar um café. E, de vez em quando, eram recompensadas: flagravam os dois se olhando com uma espécie de prazer tímido, ou se sobressaltando se entravam no Empório Peacock e encontravam o outro já ali (o que parecia ocorrer cada vez mais). Estava funcionando, diziam uma à outra em sussurros exultantes, quando a loja estava vazia. E colocavam atrás do balcão outra caixa de algum doce.

Na Casa Dere, Vivi tinha suas próprias questões culinárias com que se preocupar: passara a ser assombrada pela geladeira de Rosemary. Nas últimas semanas, quando entrara no anexo para a tarefa bissemanal de esvaziar a lixeira (Rosemary tinha dificuldade de tirar os sacos sem rasgá-los), descobrira na geladeira, entre os vegetais melados e vidros de remédio velhos, vários potes de iogurte descartados ao lado de pacotes abertos de bacon e bandejas de frango cru com sangue pingando na caixa de leite aberta. As palavras *Listeria* e salmonela assumiram uma horrível ressonância, e Vivi pulava de ansiedade toda vez que Rosemary falava em preparar um "sanduichezinho" para comer ou fazer um lanche.

Ela quis falar com Douglas a respeito, mas ele estava bastante fechado desde o episódio com Suzanna e, com a fenação, muitas vezes ficava fora de casa até nove da noite. Cogitou pedir ajuda de alguma das amigas da vizinhança, mas não tinha intimidade com nenhuma para este nível de confidência: nunca fora uma daquelas mulheres que tinham um grupo de amigas e, com o peso que o nome Fairley-Hulme carregava, admitir qualquer dificuldade em casa parecia uma espécie de deslealdade. Vivi assistia aos programas de entrevistas matinais, com jovens que achavam normal revelar os detalhes mais íntimos da vida sexual, ou seus problemas com drogas ou álcool, e se admirava. Como, de uma geração para outra, podíamos ter sido transportados de uma era em que tudo tinha que ficar entre quatro paredes para um ponto em que essa atitude era considerada doentia? No final das contas, ligou para Lucy, que ouviu com a imparcialidade analítica que a tornara tão bem-sucedida no trabalho, depois lhe disse que, até onde podia ver, Rosemary estava chegando na idade em que precisava ir para uma casa de repouso.

— Eu jamais sugeriria isso para o seu pai — sussurrou Vivi, como se, do outro lado do campo de dezesseis hectares, Douglas pudesse de alguma forma ouvir a sua traição.

— Você vai ter que fazer alguma coisa — disse Lucy. — Salmonela mata. O que acha de contratar uma empregada?

Vivi não gostava de confessar o probleminha da Senhora Incontinência.

— É só que ela é muito teimosa. Não gosta nem quando eu entro na cozinha dela. Tenho que inventar todo tipo de desculpa para substituir a comida de lá.

— Ela deveria ser grata.

— Pois deveria, querida, mas você sabe que essa palavra não faz parte do vocabulário da Rosemary.

— É complicado. Não dá para você cobrir tudo com papel-filme?

— Tentei fazer isso, mas ela quis reaproveitar o plástico. Tirou do frango e embrulhou um naco grande de Cheddar, tive que jogar o queijo todo fora.

— Diga que ela está colocando a própria saúde em risco.

— Eu tentei, querida. Mesmo. Mas ela fica muito irritada e não ouve. Se limita a acenar com a mão para mim e sair furiosa.

— Ela deve saber — disse Lucy, pensativamente. — Que está ficando gagá, quero dizer.

Vivi suspirou.

— Sim. Sim, acho que sabe.

— Isso me deixaria uma fera. E a vovó nunca foi exatamente uma pessoa... benevolente.

— Não.

— Quer que eu dê uma palavrinha?

— Com quem?

— Não sei. Com a vovó? O papai? Às vezes é mais fácil quando pula uma geração.

— Você podia tentar, querida, mas não sei se vai adiantar. Seu pai está meio... Bem, acho que ele está farto de lidar com problemas de família no momento.

— Como assim?

Vivi parou, sentindo-se desleal de novo.

— Ah. Você sabe. Essa bobagem com a Suzanna.

— Está brincando? Eles estão nessa?

— Ela está mesmo bastante magoada. E infelizmente eles chegaram àquele estágio horrível em que qualquer coisa que dizem só piora a situação.

— Ah, pelo amor de Deus, não posso acreditar que eles ainda não se resolveram. Espere um instante. — Vivi ouviu o barulho de uma conversa abafada e um acordo rápido. Depois a voz da filha estava de novo na linha. — Vamos, mãe. Você tem que botar um fim nisso. Eles estão agindo feito dois idiotas. Um é tão teimoso quanto o outro.

— Mas o que eu posso fazer?

— Não sei. Bater as cabeças deles uma na outra. Você não pode deixar isso se arrastar. Vai ter que tomar a iniciativa. Olha, mãe, tenho que desligar. Tenho uma reunião. Me ligue hoje à noite, está bem? Depois me conte o que decidir em relação à vovó.

Lucy desligou antes de a mãe poder lhe mandar um beijo. Vivi ficou sentada, olhando o fone zumbindo ao longe, e lhe bateu aquele familiar sentimento de inadequação. *Por que isso é minha responsabilidade?*, pensou com irritação. *Por que tenho que resolver o problema de todo mundo ou sofrer as consequências? O que foi exatamente que eu fiz?*

Nadine e Alistair Palmer estavam se separando. Quando as noites ficaram mais claras, as horas calmas de Suzanna entre a fechar loja e Neil chegar em casa, aquele momento em que ela normalmente examinava os recibos à mesa da cozinha, bebericando uma taça de vinho, tinham sido cada vez mais interrompidas por telefonemas de Nadine.

— Não acredito que ele está fazendo isso comigo... Se acha que vou largar as crianças um fim de semana inteiro, ficou maluco... Sabe, o advogado acha que eu também deveria ir para a casa de férias... Eu a decorei, sim, mesmo ela sendo dividida com o irmão dele...

Primeiro, Suzanna se sentira lisonjeada de ter notícias da amiga — durante algum tempo, pensara que Nadine, que ainda morava em Londres, a esquecera. Depois de algumas semanas, estava exausta com os telefonemas, com as histórias sem fim de injustiça pós-conjugal, os incontáveis exemplos de mesquinharia em que casais que no passado tinham se amado eram capazes de afundar no desejo de punir um ao outro.

— Você não imagina como as noites são vazias... Escuto barulhos de todo tipo. Minha mãe acha que eu deveria arranjar um cachorro, mas quem vai passear com ele agora que tenho que trabalhar?

Nadine e Alistair tinham sido os primeiros do círculo deles a se casar, apenas seis semanas antes de Suzanna e Neil. Passaram a lua de mel na mesma parte da França. Havia pouco tempo, Nadine perguntara três vezes se ela e Neil estavam bem, como se procurando desesperadamente uma confirmação de que não estava sozinha em sua desgraça. Suzanna nunca dizia mais que "bem". A princípio, ficara bastante mexida, mas Nadine e Alistair já eram o quarto casal entre seus velhos amigos a ter se divorciado, e ela se abalava menos — quem sabe, se surpreendia menos — a cada vez. Às vezes, depois de colocar o fone no gancho, refletia sobre a inevitabilidade do caminho que as uniões de sua geração pareciam seguir: após a onda de entusiasmo inicial, vinha uma relação mais estável, talvez com um pouco menos de sexo, depois o casamento, a construção de um lar, o tesão substituído por uma paixão por cortinas e estofados. Então vinha o bebê, e a partir daí as mulheres ficavam apatetadas, realizadas, sem paciência, o sexo desaparecia, e as mulheres e os homens pareciam seguir caminhos diferentes — a mulher fazia referências brincalhonas mas contundentes à inutilidade de maridos e pais, e o homem se retirava, para passar o máximo de tempo possível no escritório até terminar com uma pessoa mais jovem, mais entusiasmada pelo sexo e menos decepcionada com a vida.

— Ele diz que não sente mais atração por mim. Desde que as crianças nasceram. Eu lhe disse, francamente, não sinto atração por ele há anos, mas casamento não é isso, é? Ela tem vinte e dois anos de idade... O que ele acha que vai fazer? Pelo amor de Deus, Suzanna, ela nem era nascida quando Charles e Di se casaram.

Claro, em seus melhores dias Suzanna sabia que aquele não era o destino de todo mundo, que havia casamentos em que os filhos cimentavam coisas e eram uma fonte de alegria. Aliás, ela nunca sabia ao certo se suas amigas tinham enfatizado para ela todas as coisas ruins da maternidade — as noites em claro, os corpos estragados, os brinquedos de plástico e o vômito — por uma espécie de compaixão equivocada por ela ainda não ter embarcado nisso. Mas, paradoxalmente, essa ladainha pessimista de sofrimento começara a mudar a forma como se sentia. As lamúrias de Nadine pela perspectiva de seus dois filhos pequenos conviverem com a namorada do papai, pelo silêncio de uma casa ao acordar sem eles, a deixavam profundamente consciente de que, em meio às trivialidades domésticas, à banalidade e à insignificância, havia uma paixão profunda e ciumenta. E algo nessa paixão — mesmo nas profundezas do desgosto de Nadine —, comparado com sua vida morna cuidadosamente construída, começara a lhe seduzir.

Quando Neil conheceu Suzanna, ela tinha lhe servido sushi. Ela trabalhava num restaurante no Soho e, tendo descoberto que a mistura de peixe cru com arroz quase não continha gordura, vivia à base disso e Marlboro Lights na tentativa de ir do tamanho 44 para o 42 (hoje em dia, ela se perguntava por que, em vez de ficar nervosa por causa da celulite inexistente, não tinha passado a casa dos vinte andando por aí de biquíni). Neil fora lá com clientes. Tendo crescido em Cheam, com a dieta descomplicada do time de rúgbi de garoto de escola pública, ele bravamente experimentou tudo que ela tinha sugerido, e só lhe confessou depois que, se qualquer outra pessoa tivesse tentado fazê-lo comer ouriço do mar cru, ele lhe teria dado uma chave de braço.

    Ele era alto, largo e atraente, só alguns anos mais velho que ela, e trazia um brilho na pele que dizia que um salário de cidade grande e viagens frequentes ao exterior podiam ser usados para combater a palidez e o tédio da vida de escritório. Dera-lhe uma gorjeta de quase trinta por cento da conta, e ela reconhecera que o gesto não era por seus companheiros. Ela o observara na mesa, escutara sua confissão sussurrada, consciente de que a disposição à experiência em questões de apetite talvez sugerisse uma mentalidade aberta em outras áreas.

    Neil, ela descobriu, ao longo de meses sucessivos, era focado, descomplicado e absolutamente confiável, ao contrário de seus namorados anteriores que oscilavam um pouco nesse quesito. Comprava-lhe as coisas que um namorado teoricamente deveria comprar — flores de praxe, perfumes após viagens ao exterior, fins de semana fora de vez em quando e, em intervalos adequados, noivado, casamento e alianças de tamanho impressionante. Seus pais o amavam. Suas amigas o olhavam especulando, várias delas com uma persistência furtiva que lhe dizia que ele nunca ficaria sozinho por muito tempo. O apartamento dele tinha janelas francesas com vista para a Ponte Barnes. Ele se encaixou na vida dela com uma facilidade que a convenceu de que tinham sido feitos um para o outro.

Casaram-se jovens. Muito jovens, os pais dela ficaram preocupados, sem saber nada da movimentada vida amorosa da filha. Ela rebatera as preocupações deles com a certeza de quem sabia ser adorada, de quem nunca duvidara disso. Estava estonteante naquele vestido de seda creme.

Se, mais tarde, se perguntava se algum dia tornaria a sentir aquela primeira onda de empolgação, aquele formigamento da expectativa pela atenção sexual de alguém, em geral, era capaz de racionalizar. Sendo alguém que pesquisara as melhores oportunidades tanto quanto ela, acabava de vez em quando querendo provar o exótico. Vivendo com um homem que agora frequentemente mais parecia um irritante irmão mais velho que um amante, era óbvio que de vez em quando ela lançasse um olhar cobiçoso para outro lugar. Sabia, mais que ninguém, que esse tipo de comparação do mercado podia ser viciante.

Desde a briga por causa da caçada, Neil andara retraído, nada óbvio, só um esfriamento no clima doméstico. Em alguns aspectos, Suzanna se dava conta, era a melhor coisa que ele podia ter feito. Ela era sempre melhor quanto tinha que se esforçar para receber atenção. Ser um pouquinho insegura em relação a ele induzia-lhe a convicção de que não queria perdê-lo. Ouvir Nadine falar da mania horrível de quererem arranjar um par para ela em jantares, de como outros casais tinham tomado partido, como se fosse um esforço mental muito grande para eles continuar sendo amigos de ambos, de como ter sido obrigada a aceitar uma "casa para um casal começando a vida" num bairro cafona lhe dera o mesmo arrepio profético de quando tinha ouvido pela primeira vez Liliane contando da vida com a mãe. Portanto, embora Neil pudesse inicialmente ter pensado o contrário, as coisas para eles andaram melhorando, ainda que aos poucos. Ela alcançara uma espécie de equilíbrio. Não tinha desejo — nem mesmo energia — de se recolocar novamente, por esforço próprio.

Talvez Neil também soubesse disso. Talvez por esse motivo, para o aniversário dela, a tivesse levado a Londres para comer sushi.

— Como qualquer coisa que você jogar em cima de mim — estava dizendo Neil — desde que não me obrigue a comer uma daquelas morcelas.

— Os testículos cor-de-rosa?

— Isso mesmo. — Neil limpou a boca com um guardanapo. — Lembra quando você me fez comer uma em Chinatown e tive que cuspi-la na bolsa de ginástica?

Ela sorriu, feliz porque a lembrança não tinha vindo acompanhada de repugnância nem irritação.

— É a textura. Não entendo como alguém pode comer uma coisa com consistência de travesseiro.

— Mas você come marshmallow.

— É diferente. Não sei por que, mas é.

Pelo que ela lembrava, tinha sido a primeira noite em que falaram livremente, sem inibição, sem uma conversa paralela nas entrelinhas, cheia de recriminações. Ela se perguntara, no íntimo, se era só o prazer de estar no centro de Londres, mas acabou concluindo que quase todos os seus problemas vinham da análise excessiva. Memória curta e senso de humor eram, segundo sua avó, os ingredientes necessários para um casamento bem-sucedido. Ainda que ela mesma nunca tivesse demonstrado ter nem um nem outro.

— Você está bonitinha — dissera ele, observando-a por cima do chá verde.

E ela fora capaz de perdoá-lo pelo uso de uma palavra tão insípida.

Às dez e quinze, enquanto caminhavam por uma Leicester Square amena e movimentada, ele lhe dissera que não voltariam a Dere Hampton aquela noite.

— Por quê? — perguntara ela, gritando para ser ouvida, enquanto os Hare Krishnas passavam pulando bravamente com seus tamborins. — Aonde vamos?

— Surpresa. Porque estamos melhorando financeiramente. Porque você está trabalhando muito. E porque minha esposa merece um agrado. — E ele a conduzira para um hotel discretamente luxuoso em Covent Garden, onde as próprias jardineiras de janela demonstravam bom gosto e o tipo de atenção que garantiria um pernoite agradável, mesmo que Suzanna ainda não estivesse transbordando de prazer diante do modo como sua noite estava saindo. E, no quarto deles, havia uma mala de mão que, pelo visto, ele tinha feito aquela manhã e despachado por um passe de mágica. Só se esquecera do hidratante dela.

A paixão, no casamento, refluía e fluía. Todo mundo dizia isso. Se, para variar, ela lhe desse toda a sua atenção, se tentasse deixar de lado todas as coisas que a aborreciam, que insistiam em se insinuar e poluir seus melhores sentimentos, se tentasse focar no que era bom, não seria impossível que eles conseguissem recuperá-la.

— Eu te amo — dissera ela, e sentira um alívio enorme por, mesmo depois de tudo, ainda ser verdade.

Ele a abraçara com força, calado, o que era raro.

Às onze e quinze, enquanto bebericava champanhe do serviço de quarto, ele se virara para ela, a colcha lhe deslizando pela pele nua, que estava branca, ela notou. O primeiro ano deles sem férias no exterior. Dali a quinze meses, faria quarenta anos, disse ele.

E?

Ele sempre quis ser pai antes dos quarenta.

Ela não disse nada.

E, ele pensava, se levava em média dezoito meses para engravidar, eles não deveriam começar a tentar já? Só para se permitirem uma pequena chance extra? Ele simplesmente queria ser pai, disse, baixinho. Ter uma família sua. Tinha pousado a taça, segurado o rosto dela entre suas mãos quentes, com uma cara meio apreensiva, como se estivesse ciente de que abordar o assunto daquela forma poderia violar os termos do acordo que tinham, que poderia quebrar a frágil paz que tornara a noite mágica.

Mas, por outro lado, ele não sabia que estava lhe pedindo uma coisa que ela já havia decidido. Ela não dissera nada, mas se recostara, pousando o copo na mesa do outro lado.

— Você não tem que ter medo — disse ele, docemente.

Na névoa do champanhe, ela se sentia um pouco como um peixe na areia. Respirando, arfando, mas, de certa forma, finalmente, aceitando seu destino.

No corredor, bufando sob o peso combinado e mal distribuído das sacolas, Vivi refletia que seu filho nunca estava em casa quando ela precisava dele. Chegando na cozinha, deixou as sacolas caírem e levantou as mãos na luz fraca para examinar os lanhos vermelhos que as alças haviam deixado em suas palmas carnudas.

Normalmente, não teria ido ao supermercado àquela altura da semana, mas sentira-se na obrigação de repor a comida que jogara fora da geladeira de Rosemary aquela manhã. Na ocasião, também desbravara os armários superiores, encontrando várias latas de apresuntado com o prazo de validade vencido havia quase três anos e, o que era mais preocupante, no meio da louça, vários pratos que pareciam ter sido guardados sem ter passado pela máquina de lavar. Vivi os deixara de molho em água sanitária durante meia hora, só por precaução. Depois, temendo o que podia estar mofando escondido, trepara numa cadeira e passara um pano em todos os quatro armários antes de lhes repor o conteúdo.

Tudo isso significara precisar cancelar a sessão de ajuda semanal com as senhoras da Hipoterapia em Walstock, mas elas haviam sido muito compreensivas. Lynn Gardner, que dirigia o projeto, acabara de internar o pai numa clínica, e Vivi, ainda traumatizada pela canseira matinal, teve a reação inusitada de confessar por que se sentira incapaz de ir.

— Ah, nossa, coitada de você. É melhor verificar a gaveta embaixo do forno. Aquela onde a gente esquenta os pratos — gritara ela no telefone. — Encontramos um balde de larvas nos nossos. Ele andava botando louça suja lá dentro em vez de na máquina de lavar.

Vivi olhou horrorizada para o forno.

— Você está enfrentando sonambulismo?

— O quê?

—Ah, eles começam a andar pela casa de noite. Bem aflitivo, posso lhe dizer. No final, a gente dava remédio para o papai... eu tinha medo de que ele saísse de casa e acabasse junto com as ovelhas.

Os homens não tinham levado as canecas vazias da mesa para a pia, e Vivi, que já não suspirava resignada ao vê-las, fez isso para eles. Varreu as migalhas que ficaram de lembrança do almoço deles, colocou os pratos na máquina de lavar louça e empilhou os jornais espalhados. Enquanto desembalava as compras na mesa da cozinha, distinguiu o tom imperioso de Rosemary na sala, de onde soava uma conversa abafada com Douglas. Ela era muito dogmática, muito cheia de vida, pensou Vivi, para se parecer com o pai de Lynn, um espectro fantasmagórico vagando silenciosamente de pijama, e Vivi por um instante não soube direito se isso a deixava feliz ou outra coisa. Considerou meter a cabeça no vão da porta para dar um oi, mas se deu conta, com culpa, que preferia ter os cinco minutos extras só para si. Olhou o relógio e viu, com uma pontinha de prazer, que ainda podia pegar os últimos minutos de *The Archers*.

— Vamos aproveitar um pouco de paz, não vamos, Mungo?

O terrier, ao ouvir seu nome, estremeceu paradinho olhando atentamente para ela, aguardando num estado constante de expectativa que caísse algum resto de comida.

— Não deu sorte, querido — disse Vivi, guardando as várias carnes no freezer. — Por acaso sei que você já comeu a sua.

Colocou várias costeletas de cordeiro numa bandeja, tirando com cuidado a gordura das de Rosemary, que sempre reclamava de carne com gordura. Depois pôs as batatas miúdas para ferver com umas folhas de hortelã e começou a fazer uma salada. Provavelmente eles iriam comentar que era um jantar mais leve, mas ela comprara um pudim de verão para compensar. Se o tirasse da embalagem, Rosemary não comentaria sobre a superioridade do caseiro.

Quando *The Archers* terminou, Vivi ficou um instante parada, olhando pela janela enquanto escutava. A horta estava no auge naquela época do ano, as ervas enviando ondas de perfume para dentro de casa, a lavanda, a campânula e a lobélia transbordando dos canteiros de tijolos antigos, as trepadeiras, esqueletos marrons no inverno, agora uma profusão de verde viçoso. Rosemary tinha construído esse jardim quando se casou: foi uma das poucas coisas pelas quais Vivi se sentia descomplicadamente grata a ela. Durante algum tempo, achara que Suzanna se interessaria pela horta: a menina tinha o mesmo olhar que Rosemary, um jeito para a arrumação que realçava a beleza das coisas.

Vivi estava apreciando o perfume da prímula e escutando o zumbido preguiçoso das abelhas quando detectou que, sobrepondo-se aos ruídos suaves da noite que chegava, a voz de Rosemary assumira um tom incomumente agressivo. A de Douglas era mais suave, como se estivesse argumentando com ela. Vivi se perguntou, com um vago desconforto, se era ela o assunto da discussão deles. Talvez Rosemary tivesse se ofendido com a limpeza indiscriminada de suas prateleiras. Ou talvez ainda não tivesse lhe perdoado pela visita da Senhora Incontinência.

Virou as costas para a janela e colocou as costeletas em cima do fogão. Esfregou as mãos no avental e, com o coração aflito, encaminhou-se para a porta.

— Não consigo acreditar que você esteja sequer cogitando isso.

Rosemary estava sentada na cadeira de balanço, embora muitas vezes tivesse dificuldade de se levantar dali. Estava com as mãos cruzadas de maneira bastante rígida no colo, enfezada, o rosto virado para o lado como se estivesse se recusando fisicamente a reconhecer o que o filho tinha a dizer. Quando entrou e fechou a porta, Vivi reparou que a sogra abotoara errado a blusa, e ficou angustiada por não poder mencionar isso.

Douglas estava em pé ao lado do piano, um copo de uísque na mão. À sua esquerda, os ponteiros do relógio de pé que estava na família desde o nascimento de Cyril Fairley-Hulme formavam um ângulo reto.

— Já pensei bastante, mãe.

— Pode ser, Douglas, mas já lhe disse antes, nem sempre você sabe o que é melhor para esta propriedade.

Um leve sorriso esboçou-se nos lábios dele.

— A última vez que tivemos esta conversa, mãe, eu tinha vinte e sete anos.

— Estou ciente disso. E também tinha a cabeça cheia de ideias tolas.

— Eu só não acho que faz sentido financeiramente Ben herdar a propriedade inteira. — Não é só uma questão de tradição, é uma questão de dinheiro.

— Alguém poderia me pôr a par do que está acontecendo? — Vivi olhou do marido para a sogra, que continuava teimosamente virada para as janelas francesas. Tentou sorrir, mas parou quando se deu conta de que nenhum dos dois estava sorrindo.

— Tive umas ideias que achei que deveria discutir com a minha mãe...

— E enquanto eu for viva, Douglas, e tiver voz na administração desta propriedade, as coisas vão ficar exatamente como estão.

— Só estou sugerindo que uma...

— Sei muito bem o que está sugerindo. Você já disse isso muitas vezes. E estou lhe dizendo que a resposta é não.

— A resposta a quê? — Vivi chegou mais perto do marido.

— Eu me recuso a sequer continuar discutindo isso, Douglas. Você sabe muito bem que seu pai tinha opiniões firmes sobre essas coisas.

— E tenho certeza de que meu pai não ia querer ver ninguém nesta família infeliz por causa de...

— Não. Não, não aceito isso. — Rosemary pôs as mãos nos joelhos. — Agora, Vivi, quando sai o jantar? Pensei que fôssemos comer às sete e meia, e tenho certeza de que já passa disso.

— Um de vocês quer fazer o favor de me dizer o que estão discutindo? Douglas pousou o copo em cima do piano.

— Tive umas ideias. Pensei em modificar o meu testamento. Em talvez criar uma espécie de fundo que dê direitos iguais aos filhos na administração da propriedade. Talvez mesmo antes de eu morrer. Mas... — sua voz baixou de tom — ... a minha mãe não gosta da ideia.

— Direitos iguais? Para todos os três? — Vivi ficou olhando para o marido.

— Alguém me ajuda a levantar? Nunca consigo sair dessa cadeira ridícula.

Douglas encolheu os ombros, a cara curtida mostrando a Vivi uma exasperação cúmplice.

— Eu tentei. Não posso dizer que estou inteiramente feliz com o rumo das coisas.

— Você tentou?

Rosemary pelejou para se levantar da cadeira, apoiando-se em braços finos. Depois, caiu para trás e soltou um grunhido de irritação.

— Você precisa me ignorar? Douglas? Preciso do seu braço. Seu *braço*.

— Isso significa que você vai ceder?

— Isso não é ceder, minha velha. Eu simplesmente não quero piorar as coisas. — Douglas aproximou-se da mãe e colocou o braço embaixo do dela para levantá-la.

— Como podem piorar?

— Minha mãe também tem poder de decisão, Vi. Nós todos moramos aqui.

Rosemary, de pé, tentou, com algum esforço, endireitar-se.

— Seu cachorro — anunciou, olhando diretamente para Vivi — andou na minha cama. Encontrei pelos.

— Você tem que se lembrar de deixar a porta fechada, Rosemary — disse Vivi, calma, ainda fitando Douglas. — Mas isso solucionaria tudo, querido. Suzanna ficaria muito mais feliz. Tudo que ela precisa é se sentir igual. Ela não quer de fato administrar a propriedade. E os outros não se importariam... acho que eles nunca se sentiram muito confortáveis com os planos.

— Eu sei, mas...

— Chega — disse Rosemary, encaminhando-se para a porta. — Chega. Eu gostaria do meu jantar agora. Não quero discutir mais essa questão.

Douglas estendeu a mão para o braço de Vivi. O contato dele era leve, inconsistente.

— Me desculpe, minha velha. Eu tentei.

Quando Rosemary passou por ela, Vivi se sentiu sufocada. Observou Douglas se virar para abrir a porta para a mãe e reconheceu que, para eles dois, a conversa já estava terminada, questão encerrada. De repente, ouviu a própria voz, alta o suficiente para fazer Rosemary se voltar para ela e com uma irritação incomum.

— Bem, espero que vocês dois fiquem satisfeitíssimos quando tiverem alienado completamente a pobre coitada.

Passaram-se vários segundos até eles registrarem as suas palavras.

— O quê? — perguntou Rosemary, segurando o braço de Douglas.

— Bem, nós nunca lhe contamos a verdade, contamos? Não me olhem assim. Ninguém lhe contou sobre a mãe dela. E depois a gente se pergunta por que ela cresceu confusa e ressentida. — Finalmente, Vivi tinha a plena atenção dos dois. — Eu já estou farta disso tudo. Douglas, ou você faz dela sua herdeira ou institui alguma espécie de fundo igual, ou lhe conta a verdade sobre a mãe dela, incluindo o que não sabemos. — Ela estava ofegante, depois murmurou quase para si mesma. — Pronto. Falei de uma vez.

Seguiu-se um breve silêncio. Depois Rosemary levantou a cabeça e começou a falar, como que para alguém com problemas mentais:

— Vivi — disse pausadamente —, não é assim que essa família...

— Rosemary — interrompeu Vivi —, caso você não tenha reparado, eu *sou* essa família. Sou a pessoa que prepara as refeições, que passa as roupas, que mantém a casa limpa e que faz isso há uns trinta anos. Eu sou esta bendita família.

A boca de Douglas abrira ligeiramente. Mas ela não ligou. Era como se uma espécie de loucura a tivesse contagiado.

— É isso mesmo. Sou eu quem lava a roupa de baixo de vocês, que é o alvo do mau humor de todos, que limpa a sujeira dos bichos de estimação, quem faz de tudo para tentar manter o raio desta casa unida. Eu sou essa família. Posso ter sido a segunda opção de Douglas, mas isso não quer dizer que seja a segunda melhor...

— Nunca ninguém disse que você...

— E eu mereço dar a minha opinião. *Eu... também... mereço... dar... a minha opinião.* — Ela arfava, as lágrimas lhe irritando os olhos. — Agora, a Suzanna é tão minha filha quanto é de outra pessoa, e estou farta, *farta,* digo para vocês, de ver esta família, *a minha* família, dividida por causa de uma coisa tão banal quanto uma casa e alguns hectares de terra. Isso é uma besteira. Sim, Rosemary, comparado à felicidade dos meus filhos, à minha felicidade, é mesmo uma besteira. Então pronto, Douglas, já falei. Ou você coloca Suzanna devidamente como sua herdeira, ou conta a ela toda verdade.

Ela esticou o braço para desamarrar o avental às costas, passou-o pela cabeça e jogou-o no braço do sofá.

— E não me chame de "minha velha" — disse ao marido. — Eu não gosto nem um pouco disso.

Depois, sob os olhares estarrecido do marido e da sogra, Vivi Fairley--Hulme deixou para trás a cozinha, onde o gato idoso de Rosemary tentava dar um bote juvenil nas costeletas, e saiu para o sol do entardecer.

# Quatorze

*O dia em que minha mãe botou unhas de anjo*

As unhas da minha mãe eram muito curtas. Ela não roía — disse que, quando fazia faxina, mergulhava tanto as mãos em água sanitária que as unhas ficaram fracas depois disso. Embora as hidratasse com creme toda noite, nunca passavam da ponta do dedo. Viviam quebrando e, todas as vezes, ela praguejava, acrescentando em seguida: "Epa! Não conte ao seu pai que eu disse isso."

E eu nunca contei.

Às vezes, se eu tivesse sido boazinha, ela se sentava comigo e pegava a minha mão como fazem no salão e passava creme, depois lixava as minhas unhas. Eu ria, porque fazia cócegas. Depois, ela me deixava escolher um dos vidros de esmalte e pintava com muito cuidado para não borrar. Quando a gente pinta a unha, tem que ficar um tempão sem pegar em nada, para não arranhar a cor, e ela me servia uma bebida e botava um canudinho no copo para eu poder agitar as mãos até elas secarem.

A gente sempre tinha que tirar o esmalte de novo antes da escola, mas ela me deixava passar a noite de unha pintada, ou, às vezes, um fim de semana. Quando eu estava na cama, eu levantava as mãos e ficava mexendo os dedos, porque eles pareciam muito lindos, mesmo no escuro.

Um dia antes de morrer, minha mãe tinha marcado de colocar unhas postiças. Tinha me mostrado essas unhas numa revista — eram muito compridas, e tinham pontas brancas que não mostravam a sujeira, porque as unhas de verdade ficavam por baixo. Ela dizia que sempre quis ter unhas compridas, e, agora que estava ganhando um dinheirinho, ia se dar a esse luxo. Não ligava para roupa, dizia, nem para sapato, nem para cortes de cabelo elegantes. Mas unhas bonitas eram a única coisa que ela queria muito. Eu poderia ir com ela depois da escola. Sou boazinha, sabe. Consigo ficar sentada quieta lendo, e prometi que não ia fazer barulho no salão; ela disse que sabia disso, porque eu era a flor dela.

Quando minha avó me buscou na escola e me contou que minha mãe tinha morrido, eu não chorei porque não acreditei. Achei que tinham entendido errado, porque minha mãe tinha me deixado no clube de teatro e disse que depois que me pegasse ia comprar batata frita e nós íamos tomar chá juntas no fim da tarde. Mas então, quando a professora ficou triste e chorou, eu soube que não era brincadeira. Mais tarde, quando minha avó estava me abraçando, perguntei a ela o que a gente ia fazer com a hora marcada da minha mãe. Isso poderia parecer engraçado, mas fiquei aflita porque ela nunca colocaria as unhas, e eu sabia que era uma coisa que ela queria muito.

Vovó me olhou por um bom tempo, e achei que ela fosse chorar, porque ficou com os olhos cheios d'água. Depois segurou minhas mãos e disse: "Sabe de uma coisa? Vamos garantir que a sua mãe bote as unhas dela, porque, assim, vai ficar bonita quando chegar no céu."

Não olhei para minha mãe no caixão no dia do enterro, embora vovó dissesse que ela estava linda, como se estivesse dormindo. Perguntei-lhe se alguém tinha dado unhas compridas para ela, e vovó disse que sim, uma senhora simpática do salão, e que eram muito bonitas, e que depois, se eu olhasse para o céu à noite, talvez as visse cintilando. Eu não disse nada, mas achei que, se mamãe não conhecesse ninguém no céu, pelo menos podia acenar, como eu acenava na cama, e as pessoas não iam ter que saber que ela tinha sido faxineira.

Meu pai não sabe pintar unha. Eu pediria a ele, mas estou morando com a minha avó, e ela diz que vai pintar minhas unhas quando as coisas se acalmarem um pouco. Ela chora muito. Eu escutei quando ela achava que eu estava dormindo, mesmo que ela sempre faça uma voz alegre quando pensa que estou ouvindo.

Às vezes, eu também choro. Sinto muita falta da minha mãe.

O Steven Arnold diz que as unhas da minha mãe, a essa altura, não devem estar cintilantes. Diz que devem estar pretas.

Na verdade, não quero mais fazer isso.

# Quinze

Na adolescência de Suzanna, em dias como aqueles, Vivi a descreveria como alguém que acordou se sentindo "meio complicada". Não era nada específico, nenhuma consequência de um possível revés palpável, mas ela começava o dia coberta por uma nuvem carregada, com um sentimento de que seu universo estava distorcido de alguma maneira e de que ela estava a ponto de cair em prantos. Em dias assim, os objetos inanimados geralmente colaboravam para o desenrolar dos acontecimentos (ou pioravam as coisas): um pedaço de pão tinha ficado preso na torradeira, e ela levara um choque ao tentar tirá-lo com um garfo; tinha descoberto um vazamento embaixo da pia do banheiro e batido com a cabeça na porta baixa ao sair; Neil não tinha levado o lixo para fora, como prometera. Ela esbarrara com Liliane na delicatéssen quando passara lá para comprar uma caixa de amêndoas confeitadas, como sugerira Jessie para o próximo "símbolo de amor", e fora obrigada a metê-la na bolsa, como uma ladra, o que, teoricamente, se tornara ao se esquecer de pagar. E quando finalmente chegou ao Empório, tinha sido emboscada pela Sra. Creek, que lhe contou com um prazer perverso que estava esperando na rua havia quase vinte minutos e perguntou se Suzanna podia doar algumas de suas "quinquilharias" para um dos bazares dos pensionistas.

— Eu não tenho quinquilharia nenhuma — disse ela incisivamente.

— Não me diga que isso tudo está à venda — disse a Sra. Creek, fitando a vitrine na parede do fundo.

A Sra. Creek então passara sem esforço para uma história sobre jantares dançantes em Ipswich e como, na adolescência, complementava a renda dos pais costurando vestidos para as amigas.

— Quando comecei a fazer minhas próprias roupas, a New Look estava em alta. Grandes saias rodadas e mangas três quartos. A gente usava um monte de tecido naquelas saias. Sabe, quando a moda começou, as pessoas aqui se escandalizaram. A gente tinha passado anos economizando pano durante a guerra. Não tinha nada. Nem com cupons. Muitas de nós saíam para dançar com vestidos que fazíamos com as cortinas de casa.

— Jura? — disse Suzanna, acendendo interruptores e se perguntando por que Jessie estava atrasada.

— O primeiro que fiz foi em seda esmeralda. Era uma cor linda, muito elegante. Parecia um dos trajes do Yul Brynner em *O Rei e Eu*... sabe do que estou falando?

— Mais ou menos — disse Suzanna. — Gostaria de tomar um café?

— É muita gentileza sua, querida. Eu não me importo de lhe fazer companhia. — Sentou-se na cadeira perto das revistas e começou a sacar papéis da bolsa. — Tenho fotografias em algum lugar, de como a gente era. Eu e a minha irmã. A gente dividia vestidos nessa época. Cinturinhas que dava para envolver com as mãos. — Ela suspirou fundo. — Mãos de homem, quero dizer. As minhas mãos sempre foram miúdas. De fato, a gente quase sufocava com espartilhos para conseguir o visual, mas mulher sempre está disposta a sofrer em nome da beleza, não?

— Hum — disse Suzanna, lembrando-se de tirar as amêndoas confeitadas da bolsa e colocá-las embaixo do balcão.

Jessie podia levá-las lá mais tarde. Se decidisse aparecer.

— Ela agora está com uma colostomia, coitadinha.

— O quê?

— A minha irmã. Doença de Crohn. Um problema terrível. A pessoa pode usar todas as roupas folgadas que quiser, mas precisa cuidar para não esbarrar em ninguém, entende o que estou falando?

— Acho que sim — disse Suzanna, tentando se concentrar em medir o café.

— E ela mora em Southall. Então pronto... É desastre na certa. Mesmo assim, podia ser pior. Ela trabalhava em ônibus.

— Desculpe o atraso — disse Jessie. — Usava um jeans cortado, tinha uns óculos cor de lavanda na cabeça, um ar de verão, e estava quase insuportavelmente bonita. Logo atrás dela, veio Alejandro, abaixando-se ao entrar. — A culpa foi dele — explicou ela, animada. — Estava precisando de indicação de um açougue bom. Anda meio chocado com o estado da carne do supermercado.

— É chocante, aquele supermercado — disse a Sra. Creek. — Sabe quanto paguei outro dia por um pedaço de barriga de porco?

— Me desculpe — disse Alejandro, que registrara a boca crispada de Suzanna. — É difícil para mim descobrir essas coisas quando não estou de plantão. O meu horário não combina com o de mais ninguém. — No olhar dele havia um apelo mudo que acalmou e irritou Suzanna.

— Vou compensar os minutos extras — disse Jessie, largando a bolsa embaixo do balcão. — Ando ouvindo falar muito sobre carne argentina. Mais dura, aparentemente, porém mais saborosa.

— Tudo bem — disse Suzanna. — Não tem importância. — Desejou não ter visto o olhar que passou entre eles.

— Expresso duplo? — perguntou Jessie, indo para trás da máquina de café. Alejandro fez que sim, sentando-se na mesinha ao lado do balcão. — Aceita um? — perguntou a Suzanna.

— Não. Estou bem. — Desejou não estar com aquela calça. Grudava pelo, e o corte, ela percebia, tinha um aspecto barato. Mas o que ela esperava? A calça tinha mesmo sido barata. Suzanna não comprava roupas de qualidade desde que tinham deixado Londres.

— A gente não come muita carne — dizia Jessie. — Durante a semana, pelo menos. Tirando frango, carne é muito cara... e não gosto de pensar neles naquelas gaiolas de granja. E Emma não liga muito. Mas adoro rosbife. Para o almoço de domingo.

— Um dia vou encontrar para você uma boa carne argentina — disse Alejandro. — A gente deixa os nossos animais envelhecerem mais. Dá para ver a diferença.

— Pensei que os bois velhos ficavam fibrosos — comentou Suzanna, e imediatamente se arrependeu.

— Mas você amacia a carne, querida — disse a Sra. Creek. — Sova ela com uma coisa de madeira.

— Se a carne é boa — retrucou Alejandro —, não precisa ser sovada.

— A vaca já deve ter passado por muita coisa.

— Gordura de carne — disse a Sra. Creek. — Está aí um produto que nunca mais encontramos nas lojas.

— Não é o mesmo que banha?

— Podemos mudar de assunto? — Suzanna começava a se sentir enjoada. — Jessie, já acabou esse café?

— Você nunca nos contou — Jessie virou-se para Alejandro, debruçando-se no balcão — sobre a sua vida antes de vir para cá.

— Não tem muito para contar.

A loja dos sonhos 199

— Tipo, por que você quis ser parteiro? Quero dizer, sem querer ofender, mas não é uma profissão normal para um homem, é?
— O que é normal?
— Só estando muito confortável com seu lado feminino para fazer o que faz num país de masculinidade exacerbada como a Argentina. Então por que escolheu isso?
Alejandro pegou sua xícara de café e deixou cair dois torrões de açúcar no espesso líquido preto.
— Você está desperdiçando seu talento numa loja, Jessie. Devia ser psicoterapeuta. Na minha terra, esse é o emprego de maior prestígio que se pode ter. Ao lado de cirurgião plástico, é lógico... Ou talvez açougueiro.
*O que foi*, pensou Suzanna ao começar a desembalar uma caixa nova de sacolas, *um jeito bem engenhoso de não responder à pergunta*.
— Eu estava contando a Suzanna que fazia vestidos.
— Eu sei — disse Jessie. — Você me mostrou as fotos. Eram lindos.
— Eu mostrei essas? — A Sra. Creek exibiu um leque de fotografias surradas.
— São uma beleza — disse Jessie, amável. — Você é inteligente!
— Acho que a gente tinha mais habilidade manual naquela época. As moças hoje parecem ser... menos prendadas. Mas, também, a gente não tinha opção, com a guerra e tudo.
— E o que você fazia, Suzanna, antes de abrir essa loja? — A voz de Alejandro, com seu sotaque forte, era grave, tranquilizadora. Ela podia imaginá-lo consolando as mulheres no parto. — Quem você foi na vida pregressa?
— A mesma pessoa que sou agora — disse ela, consciente de que não acreditava no que dizia. — Tenho que dar um pulinho na rua para pegar mais leite.
— Ninguém é a mesma pessoa para sempre — insistiu Jessie.
— Eu era a mesma pessoa... mas acreditava menos veementemente que cada um deve cuidar da própria vida — respondeu ela, ríspida, e bateu a gaveta da caixa.
— Eu venho aqui pelo ambiente, sabe — confidenciou a Sra. Creek a Alejandro.
— Você está bem, Suzanna? — Jessie se inclinou para ver melhor a expressão dela.
— Ótima. Só ocupada, ok? Tem muita coisa para fazer hoje.
Jessie captou a crítica implícita e fez uma careta.

— Aquele peixe — disse ela a Alejandro, enquanto Suzanna empurrava canecas desnecessariamente pela prateleira acima da caixa —, o que você costumava pescar com seu pai, o tucu-qualquer-coisa.

— Tucunaré. *Peacock bass.*

— É conhecido por ser muito mal-humorado, certo?

A Sra. Creek tossiu discretamente dentro da xícara.

Houve uma breve pausa.

— Acho que tem que ser mal-humorado, como você diz, para sobreviver no habitat dele — disse Alejandro, inocente.

Eles esperaram até que Suzanna, com um olhar faiscando na direção deles, fechasse a porta da loja com força. Observaram-na subir a rua a passos largos, cabeça baixa, como se estivesse caminhando contra um vento forte.

Jessie soltou o ar, balançou a cabeça com admiração para o homem à sua frente.

— Puxa, Ale, não sou a única pessoa na profissão errada.

O padre Lenny desceu a Water Lane, virou à esquerda e assentiu pela vitrine para as pessoas no Empório Peacock. Ao ver o rosto alegre rodeado de tranças loiras, acenou com vigor, pensando na conversa que tivera mais cedo aquela manhã.

O rapaz — pois ainda era um rapaz, por mais maturidade que julgasse haver adquirido com a paternidade — tinha ido entregar um aquecedor para o presbitério. O aquecimento central quase não servia para nada, na época, e a diocese não tinha recursos para um sistema novo, ainda mais com a obra do telhado da igreja sendo prioridade. A reputação de Lenny era conhecida: todos sabiam que ele podia viver de seus contatos. Depois de vinte anos, fazia-se vista grossa para quaisquer atividades comerciais que, examinadas de perto, pudessem parecer impróprias para um servo da igreja. Então o carro de entrega tinha entrado no acesso da garagem, e Lenny tinha dado por si se preparando para acompanhar o rapaz.

Foi Cath Carter que inicialmente pedira o seu conselho. Cath, em várias ocasiões, já o convidara à sua casa para, supostamente, tomar um chá e, em suas palavras, "colocar a conversa em dia", mas, na verdade, queria pedir opinião a respeito da coleção cada vez maior de contusões e machucados "acidentais" da filha. Não era como se menina em si não fosse geniosa, dizia, e seria mentira se dissesse que ela própria e Ed nunca tinham chegado às vias de fato em todos os seus anos juntos, mas aquilo era diferente. O garoto ultrapassara um limite. E sempre que ela tentava tocar no assunto com Jessie, recebia uma resposta seca mandando que cuidasse da própria vida, ou algo do tipo.

— Mães e filhas, hã? — dissera ele, prontamente.

Não havia muito que ele pudesse oferecer. Cath achava que a moça se ofenderia se pensasse que eles estavam falando dela, então o padre não podia procurá-la. E o problema não era sério a ponto de chamarem a polícia, segundo a mãe. Antigamente, quando ele era jovem, uns dois homens mais velhos chegavam para aplicar-lhe um corretivo, uma surra, só para mostrar que estavam de olho. Quase sempre funcionava. Mas, já não tendo Ed Carter por perto, ninguém fora da assistência social tendia a querer assumir esse pequeno problema. E Cath e Jessie não queriam essa gente envolvida de forma alguma. Então o padre estava de mãos atadas.

Até o rapaz aparecer à sua porta. Porque ninguém tinha dito nada, afinal, a respeito de *eles* dois terem uma conversinha.

— Está gostando do seu novo trabalho, hã?

— Não é ruim, padre. Horário normal... O salário podia ser melhor.

— Ah, ora, essa é uma verdade universal.

O rapaz olhara para o padre, como se tentando avaliar o que ele queria dizer, depois levantou o aquecedor com uma facilidade extraordinária e o carregou, como lhe foi instruído, para a sala da frente, onde ignorou as pilhas altas de caixas de louça e despertadores com desconto encostadas nas paredes, parcialmente escondendo duas Virgens Marias e um São Sebastião.

— Quer que eu monte para o senhor? Leva cinco minutos.

— Seria ótimo. Não tenho nenhum talento especial com uma chave de fenda. Quer que eu procure uma?

— Tenho a minha. — O rapaz mostrara a ferramenta, e Lenny subitamente reparou, com desconforto, no vigor daqueles ombros, da força potencial por trás dos movimentos agora contidos.

A ironia era que ele não era um rapaz mau: geralmente atencioso, educado, criado na parte boa da propriedade. Embora não frequentassem a igreja, seus pais eram gente decente. Seu irmão, Lenny se lembrou, fora fazer serviço voluntário no exterior. Talvez tivesse também uma irmã, mas lhe fugia da memória. O caso era que o rapaz em si nunca se metera em nenhuma encrenca, não tinha sido um daqueles que o padre apanhava de vez em quando na praça do mercado, nas primeiras horas de um domingo, semi-

-inconscientes de sidra barata e só Deus sabia o que mais. Nunca fora pego fazendo rachas com carros roubados pelas estradas rurais ao luar.

Mas isso não significava que fosse *bom*.

Lenny ficou parado, observando, enquanto as pernas de aço eram presas ao corpo do aparelho, as porcas e os parafusos apertados com uma eficiência econômica. Depois, enquanto o rapaz segurava o aquecedor, preparando-se para endireitá-lo, Lenny falou:

— Então, o que a sua mulher está achando do emprego novo?

O rapaz não desviou o rosto do trabalho.

— Ela diz que gosta.

— É uma loja simpática. Bom ver uma coisa diferente na cidade.

O rapaz grunhiu.

— E bom para ela ganhar um dinheiro, sem dúvida. Qualquer coisinha ajuda, hoje em dia — disse Lenny.

— A gente já tinha o bastante antes de ela começar lá. — O rapaz colocou o aquecedor em pé no tapete e deu um pontapé no sapato, como se para deslocar alguma coisa.

— Tenho certeza de que sim.

Lá fora, dois carros tinham chegado a um impasse na rua atrás do pátio da igreja. Lenny podia vê-los, cada um se recusando a recuar o suficiente para deixar o outro passar.

— Ela deve estar trabalhando bastante.

O rapaz ergueu os olhos, sem entender.

— Evidentemente é um trabalho mais braçal do que parece. — Lenny olhava nos olhos do rapaz, tentando parecer mais à vontade do que se sentia. Escolheu as palavras com cuidado, e pronunciou-as lentamente, deixando o impacto do coice para o final. — Deve ser, afinal, considerando o número de contusões que ouço dizer que ela anda tendo.

O rapaz, enfim sobressaltado, desviou o rosto e depois tornou a encarar o padre, os olhos entregando seu desconforto. Então abaixou-se e pegou a chave de fenda, guardando-a no bolso superior. Embora seu rosto mostrasse pouca emoção, as pontas de suas orelhas tinham ficado rubras.

— É melhor eu ir andando — murmurou. — Tenho outras entregas.

— Muito obrigado. — Acompanhou-o pelo estreito corredor. — Não seja muito duro com ela agora — continuou o padre Lenny, levando o rapaz à porta. — É uma boa moça. Sei que, com o apoio de um homem como você, pode encontrar um jeito de se machucar um pouco menos.

Jason virou-se na varanda. Tinha uma expressão magoada e furiosa, agora evidente, e os ombros encurvados.

— Não é o que o senhor...
— Certamente.
— Eu amo a Jess.
— Sei que ama, e sempre há maneiras de evitar essas coisas, não?

O rapaz não disse mais nada. Soltou a respiração, como se tivesse considerado falar de novo e desistido. No andar emproado com que se encaminhou para a van havia um indício de petulância.

— Porque nós não íamos querer a cidade inteira preocupada com ela, afinal — gritou o padre, acenando quando a porta bateu e o veículo sobrecarregado derrapou ao sair do acesso para a rua.

Havia ocasiões em que ansiava por uma vida maior, por horizontes mais amplos, pensou Lenny, com certa satisfação, ao voltar para sua casa abandonada, descuidada, a mão protegendo do sol a pele clara. Mas às vezes havia mesmo vantagens em morar numa cidade muito pequena.

Liliane MacArthur esperou até os rapazes terem desaparecido, as sacolas penduradas sem preocupação em ombros vestidos com camisetas, uma ginga que os levava depressa para o outro lado da praça. Depois, olhando para dentro da loja para se assegurar de que estaria sozinha, abriu timidamente a porta e entrou.

Arturro estava ocupado nos fundos. Quando o sino soou, gritou que chegaria num minuto, e ela ficou parada canhestramente no meio da loja, entre as geleias e a massa seca, escutando o zumbido das geladeiras e alisando o cabelo.

Quando apareceu, enxugando as mãos no grande avental branco, ele abriu um sorriso enorme.

— Liliane! — Pelo modo de dizer seu nome, pareceu estar propondo um brinde.

Ela quase retribuiu o sorriso, mas se lembrou do motivo de estar ali. Enfiou a mão na bolsa e sacou a caixa de amêndoas confeitadas, verificando que os cantos não tivessem sido amassados pelos medicamentos controlados que acabara de buscar.

— Eu... Eu só queria lhe agradecer... pelos chocolates e todo o resto. Mas está começando a ficar meio exagerado.

Arturro não parecia entender. Olhou para a caixa na mão dela, e, como que seguindo a deixa, pegou-a.

Ela apontou para os chocolates na prateleira, mantendo a voz baixa como se a estivesse escondendo dos outros clientes.

— Você é um homem muito bom, Arturro. E é... é... bem, eu não ganho muitas surpresas. E foi muita gentileza sua. Mas eu... eu gostaria que isso parasse por aqui. — Segurou a bolsa apertada contra o flanco, como se estivesse se escorando nela. — Entenda, eu não sei direito o que... o que você está esperando de mim. Tenho que cuidar de minha mãe, você sabe. Não posso... Em nenhuma circunstância posso deixá-la sozinha.

Arturro deu um passo para perto dela. Passou a mão pelos cabelos.

— Achei que era justo elucidar. Mas fiquei muito tocada. Queria que soubesse disso.

A voz dele, quando saiu, estava grossa, pesada.

— Lamento, Liliane...

Ela abanou a mão, a expressão angustiada.

— Ah, não. Não quero que você lamente... eu só...

— ... mas eu não entendi.

Houve um longo silêncio.

— Os chocolates? Os presentes?

Ele continuou olhando para ela, na expectativa.

Ela então estudou sua expressão.

— Você me deixou chocolates? Em frente à minha porta? — Sua voz era insistente.

Ele ficou olhando para a caixa em sua mão.

— São daqui, sim...

Liliane corou. Olhou para a caixa, depois novamente para ele.

— Não foi você? Você não mandou nenhum desses?

Ele balançou a cabeça devagar.

Sem se dar conta, Liliane levara a mão à boca. Olhou em volta da loja, depois se virou para a porta.

— Ah! Me desculpe. Estou... Foi só um mal-entendido. Pode... por favor, por favor, esqueça o que eu disse... — E depois, ainda agarrada à bolsa como a uma tábua de salvação, saiu correndo da delicatéssen, os saltos repicando no piso de madeira.

Por alguns minutos, Arturro ficou parado no meio da loja vazia, fitando a caixa de amêndoas confeitadas, um resquício do perfume dela pairando no ar. Olhou para a praça do mercado quase deserta, em cuja área pombos andavam pelas sombras alongadas e o último dos carros de entrega se preparava para sair.

Depois, ergueu os olhos para os três aventais brancos recém-pendurados no gancho ao lado da porta e fechou a cara.

A alguns metros dali, Suzanna se preparava para fechar o Empório Peacock. Jessie já tinha saído fazia quase meia hora, e Suzanna ficara meio desconsertada ao notar que Alejandro, que pelo visto não havia trabalhado naquele dia, não tinha ido com ela. Ele tinha escrito uma série de cartões-postais e se encontrava sentado, lendo um jornal, de vez em quando olhando para a rua, a cabeça aparentemente longe dali.

Por alguma razão, a presença dele tinha deixado Suzanna ainda mais propensa a acidentes. Ela tinha deixado cair um vaso de vidro colorido justo quando ia entregá-lo a um cliente e sido obrigada a substituí-lo, sem cobrar nada, por outro. Tinha tropeçado nos dois últimos degraus do porão e torcido ligeiramente o tornozelo, ficando sentada no chão xingando a si mesma em silêncio antes de conseguir se recuperar o suficiente para reaparecer na loja. Tinha se queimado duas vezes na máquina de café. Se ele notara isso, não dissera nada. Permaneceu sentado, tomou o seu café e não disse nada.

— Não tem mais nenhum outro lugar para ir? — perguntou ela, quando só restou ele na loja.

— Gostaria que eu fosse embora?

Suzanna corrigiu-se, corando com a transparência dele.

— Não... me desculpe. Eu só estava imaginado que lugar faria você se sentir em casa.

Ele franziu o cenho para a vitrine.

— Nenhum onde eu queira passar muito tempo.

Ele tinha cílios longos. Pretos, sedosos, curvos. Ela não havia notado antes quão femininos eram os olhos dele.

— O hospital oferece acomodação? — A voz dela era quase interrogativa.

— Não de início.

Ela esperou.

— Até descobrirem que muitos dos senhorios das redondezas não querem "estrangeiros" como inquilinos. — Ele sorriu e ergueu a sobrancelha diante do interesse dela, como se aguardando que ela tropeçasse numa verdade de longa data. — Você, Suzanna, é uma das poucas pessoas que conheci aqui que não é nem loira nem tem olhos azuis.

O olhar que ele lançou para ela a fez corar. Suzanna saiu do balcão e começou endireitar os jarros de botões coloridos, ímãs de cores vivas, caixas de broches, formando linhas retas. Sentiu-se subitamente na defensiva.

— Aqui não é a Alemanha nazista. Quero dizer, nem todo mundo reagiria assim.

— Tudo bem. Eu tenho acomodação no hospital.

Lá fora, a cidade entrara num torpor de fim de tarde. As mães tinham levado os filhos pequenos para casa e agora tropeçavam neles em cozinhas, preparando-se para a investida vespertina de chá, banho e cama. Os pensionistas estavam transportando mochilas ou carrinhos de compras com legumes em sacolas de papel do mercado, porções únicas de carne ou empadão de carne. Em algum lugar longe dali, ruas apinhadas de gente se preparavam para a hora do rush, linhas de metrô rugindo no subsolo, bares e pubs enchendo, seus limites abafados atochados de trabalhadores de Londres com colarinho frouxo desesperados por libertação e calibragem.

Suzanna olhou em volta do interior de sua loja e sentiu-se sobrecarregada pelo peso de sua perfeição inventada, sua *estase*.

— Como você consegue aguentar isto aqui? — perguntou.

— Aguentar o quê? — Ele olhou para ela, a cabeça inclinada.

— Depois de Buenos Aires. O provincianismo. Como você disse, senhorios com medo porque você é *diferente*.

Ele franziu o cenho, tentando entender.

— Todo mundo tendo opinião sobre tudo. Todo mundo se achando no direito de saber da sua vida. Como se precisasse te catalogar, te botar numa categoria certa para se sentir confortável. Você não sente falta da cidade grande? Da liberdade da cidade grande?

Alejandro pousou a xícara de café vazia.

— Acho que talvez você e eu tenhamos ideias diferentes sobre liberdade.

De repente, Suzanna se sentiu inibida e ingênua. Não sabia nada sobre a Argentina, salvo os vagos fragmentos de que se lembrava do noticiário. Algumas revoltas, algumas crises financeiras. Madonna como Eva Perón. *Nossa*, pensou com amargura. *E acuso todo mundo de não olhar para fora.*

À sua frente, Alejandro abaixou-se para pegar a mochila embaixo da mesa. Olhou pela vitrine, que ainda brilhava com o sol do poente refratado, paralelogramos de luz se insinuando gradualmente pelo vidro, banhando cada elemento de dourado-claro.

Algo inundou Suzanna.

— Ela mora com uma pessoa, sabe?
— Quem? — Ele ainda estava abaixado sobre a mochila.
— Jessie.
Ele nem pestanejou.
— Eu sei.
Ela se virou e começou a esfregar a pia, furiosa e envergonhada.
— Jessie não precisa se preocupar comigo.
Foi uma coisa estranha de dizer, ainda mais por causa do modo enfático com que ele falou, como se estivesse tentando se convencer.
— Não foi minha intenção... Desculpe. — Ela abaixou a cabeça na direção da pia.
Resistiu ao impulso então de lhe contar sobre Jason, de explicar, de tentar reparar aquela demonstração de ciúme infantil. Não queria que ele a visse como os outros pareciam vê-la. Mas explicar a relação de Jessie a colocaria o mesmo nível das pessoas que ela andara criticando — que trocavam os segredos domésticos umas das outras como uma espécie de moeda social.
— Eu odiava morar aqui até ter esta loja. — Ela falou subitamente, polindo as torneiras. — Eu era uma garota da cidade, sabe? Gosto de barulho, movimento, anonimato. É muito difícil morar no lugar onde a gente cresceu... numa cidadezinha feito esta. Todo mundo sabe tudo sobre você, sabe quem são seus pais, em que colégio você estudou, onde você trabalhou, com quem saiu. Como você caiu do banco do piano no recital da escola.
Deu para ela sentir que ele a observava, e as palavras tinham saído, irrefreáveis, enquanto, lá no fundo, um lado sensato seu lhe perguntava por que sentia essa necessidade desesperada de preencher o silêncio.
— E por eles saberem as coisas que te aconteceram... algumas, pelo menos... acham que te conhecem. Acham que sabem quem você é. Você não tem espaço para ser outra pessoa. Por aqui, sou a mesma que era aos doze, aos treze, aos dezesseis anos. Sem tirar nem pôr. É assim que me enxergam. E o engraçado é que sei que sou alguém completamente diferente.
Ela parou, as mãos apoiadas nas laterais da pia, e balançou a cabeça ligeiramente, como se estivesse tentando afastar um zumbido dos ouvidos. Soltou a respiração e tentou colocar as ideias em ordem. Pareceu ridícula, até para si mesma.
— Enfim. A loja mudou tudo isso. Porque mesmo que eu não possa ser outra pessoa, a loja pode. Pode ser qualquer coisa que eu queira. Ninguém

espera nada dela. Sei que não é a ideia que todo mundo tem de um... empreendimento comercial. Sei que muita gente por aqui acha que é bobagem. Mas ela tem... ela tem um... — Ela não sabia direito o que estava tentando dizer.

Um carro deu ré lentamente na rua.

— Eu já a vi no hospital — disse Alejandro, em pé, a mochila pendurada no ombro. — Às vezes, vou com a cadeira de rodas buscar as mães em frente à emergência. As senhoras que têm dificuldade de andar ficam lá esperando ajuda para entrar. Já a vi... na sala de espera.

No aço inoxidável das torneiras, Suzanna conseguia distinguir o seu reflexo — torcida, invertida.

— Então você sabe... que ela ama o Jason. — Ela falou olhando para baixo.

Depois, quando não veio nenhuma resposta, encarou-o...

Ele estava observando-a. Agora chegou cuidadosamente a cadeira para baixo da mesa.

— Só sei o que vejo. — Encolheu os ombros. — Não é o meu tipo de amor.

— Não — disse Suzanna.

Ficaram parados de frente um para o outro. As mãos dele nas costas da cadeira. Como seu rosto estava na sombra, ela mal via sua expressão.

As portas traseiras de uma van bateram na rua, quebrando os fios frágeis da atmosfera. Alejandro olhou pela janela, depois para ela, fitando-a nos olhos durante vários segundos antes de se virar para a porta.

— Obrigado pela hospitalidade, Suzanna Peacock.

# Dezesseis

Douglas fechou a porta e olhou frustrado para o cachorro de sua mulher. Andara à procura de Vivi, passeara com o cachorro em volta dos jardins na esperança de que o animal a encontrasse, continuara em volta dos escritórios novos descendo para o pátio de laticínios e até para o outro lado do bosque, nos fundos dos galpões dos grãos. O cachorro não captara nada.

*Talvez eu precise de um cão farejador*, pensou, e suspirou diante da ironia. *Preciso de um cão farejador para localizar a minha mulher.* Ela andara muito ocupada ultimamente, deixava as refeições dele com bilhetes educados, ia se deitar tarde depois de descobrir inúmeras tarefas urgentes em partes da casa que não eram muito usadas. Ele não conseguia mais saber muito bem onde ela estava. Nem como estaria o seu humor quando a encontrasse. Sentia-se perturbado com o desacerto disso tudo.

O cachorro ficou embaixo de seus pés e ganiu quando Douglas tropeçou nele. Sua mãe, de trás da porta do anexo, chamou duas vezes para ver se era ele. Sentindo-se uma pessoa ruim, fez ouvidos de mercador: não queria receber mais nenhuma incumbência. Estava cansado por ter levado Rosemary de carro à cidade duas vezes aquela manhã — a terceira vez que tivera que fazer isso em uma semana. Sua mãe, ainda ressentida com a explosão de Vivi na semana anterior, já não perguntava por ela, como se a insurreição da nora tivesse infringido uma regra tácita, tornando-a, de certo modo, invisível. Se não estivesse com pena de si mesmo, ele poderia ter rido disso. A mãe, ele entendia, sentindo-se mal, tinha sido a queixa de sua mulher nos últimos meses. E o leve, mas tipicamente desagradável, aroma que não saía mais do banco do carona do Range Rover.

Douglas não deu bola para o cachorro, que estava sentado obedecendo a algum comando inexistente, pedindo sobras em silêncio, e pegou o bilhete na mesa da cozinha. O papel não estava lá quando ele saíra de manhã, nem uma hora antes, quando voltara para deixar Rosemary em casa, e sentiu-se irritado e triste ao vê-lo, como se seu casamento tivesse sido requisitado por duas estranhas infantis.

Vivi, informava o bilhete com uma letra caprichosa, havia saído e ia demorar. Tinha almoço no forno para ele e para Ben, e bastava aquecer por vinte minutos. Já ela, pelo visto, não podia garantir a mesma pontualidade.

Depois de reler o bilhete, Douglas o amassou e o atirou para o outro lado da cozinha, e o cachorro saiu correndo atrás da bolinha de papel.

E então, notando que as chaves do carro dela estavam no pino, olhou pela janela, enfiou o boné na cabeça e saiu de casa pela porta da cozinha, ignorando a voz imperiosa abafada gritando o seu nome às suas costas.

Alejandro puxou a carta aérea de seu escaninho, registrou o selo familiar e enfiou-a no bolso enquanto, cansado, atravessava o terreno do hospital rumo à sua cama, cerca de vinte e duas horas depois da última vez em que a vira. Ele podia ainda estar relegado aos plantões noturnos, embora o hospital frisasse, sempre que podia, ser uma organização que oferecia oportunidades iguais, mas, graças a seu sexo, tivera sorte com o alojamento. Tinha sido acordado que as enfermeiras e as parteiras não se sentiriam confortáveis dividindo a acomodação com um homem, por mais educado que este fosse. Quando ficou evidente que seria um problema encontrar para ele acomodações na cidade (a maioria dos proprietários esperava algo diferente quando ficavam sabendo a profissão do potencial inquilino), alguém encontrara a solução de lhe dar o que teria sido o apartamento do zelador, que o hospital não empregava mais para a manutenção do prédio das enfermeiras. Ele poderia ter que de vez em quando desentupir uma pia ou trocar um fusível, brincou a responsável pelas acomodações, e Alejandro encolhera os ombros. Não tivera condições de arcar com a despesa do próprio apartamento em sua terra. Não sabia o que esperar quando chegou, mas dois quartos e uma cozinha onde cabia uma mesa pareciam uma boa troca por alguns bicos.

No entanto, passados vários meses vivendo ali, Alejandro descobriu que o apartamento o deprimia, mesmo num dia como aquele, quando o sol o inundava de luz. Nunca entendera a aptidão, tão comum entre as mulheres, de imprimir a própria personalidade num espaço e, numa situação de vida que poderia ser temporária, faltava-lhe a vontade de tentar. Com a decoração bege sem graça e a mobília resistente, aquilo parecia desprezível e estéril.

A loja dos sonhos 211

Seu vazio era constantemente realçado pelo barulho das pisadas fortes, das conversas e das risadinhas das mulheres indo e vindo nos degraus do lado de fora. Só duas outras pessoas tinham visto o seu interior: a enfermeira que ele insensatamente levara para casa em suas primeiras semanas (e que desde então o ignorava toda vez que se cruzavam) e, mais recentemente, uma espanhola da escola de línguas local que ele conhecera num trem e que lhe informara, num momento em que normalmente ele poderia ter esquecido quem era, que tinha namorado — antes de passar mais de quarenta minutos chorando. O dinheiro que ele pagara de táxi para ela voltar para casa, refletiu, poderia ter alimentado uma família Argentina de quatro pessoas por um mês.

*Quando fui embora*, pensava ele com frequência demais para seu gosto, *só me lembrava do que eu estava fugindo*.

Serviu-se de um copo de chá gelado e deitou-se no sofá, colocando uma almofada embaixo do pescoço, consciente do ranço de suor em suas roupas. Seus ossos doíam de cansaço: a segunda mãe de seu plantão estava muito acima do peso e rodava pelo quarto enlouquecidamente enquanto ele a seguia, arrastado, supostamente lhe dando apoio. Como sempre, Alejandro não sentira nada senão alívio no momento do parto. Só agora, várias horas depois, que as dores e as contusões estavam se revelando. Sacou a carta do bolso e estudou o endereço. Recebia poucas correspondências, e ver o próprio nome contra essas desconhecidas palavras inglesas ainda tinha o poder de afligir.

> *Filho, eu ia escrever que está tudo bem aqui, mas me dou conta, com sinceridade, que isso só é verdade para um grupo seleto. No qual seu pai, felizmente, ainda está incluído. Fala-se num novo governo, mas não consigo ver como as coisas serão diferentes. Agora há dois "conselhos de bairro" perto de nós, e muitos de nossos vizinhos estiveram nos novos protestos — acenando chaves para os prédios do governo. Não vejo o que isso vai adiantar, mas Vicente Trezza, que tinha o consultório perto do meu, está lá entra dia sai dia com as chaves, as panelas, qualquer coisa que faça barulho. Tenho medo de que ele fique surdo. Sua mãe se recusa a sair de casa desde o dia em que o nosso supermercado foi assaltado por uma multidão de favelados. Não interprete mal o meu relato, filho. Estou satisfeito de poder dizer que você está se dando bem na Inglaterra. Estou ansioso por nossa viagem de pesca de salmão.*
> *Seu pai.*

*P.S. Uma senhora que marcou comigo pede que eu lhe mande lembranças: Sofia Guichane. É casada com aquele safado do Eduardo Guichane, da televisão. Queria fazer uma lipo e aumentar os seios. Só concordei com a lipo por ora, uma vez que ela acha que pode engravidar em breve. E tinha um par de seios fantástico. Não conte à sua mãe que eu disse isso.*

*Garoto, minha querida mãe (que Deus a tenha) dizia: "Na Argentina, você cospe no chão e uma flor cresce e desabrocha." Agora, eu digo a Milagros, faz as malas e desaparece. Choro por você todos os dias. Santiago Lozano conseguiu arranjar um emprego num banco suíço e manda dinheiro todo mês para o pai em dólar. Ana Laura, a garota Duhalde, está indo para os Estados Unidos morar com a irmã do pai. Você provavelmente não se lembra dela. Acho que daqui a pouco não vai sobrar nenhum jovem aqui.*
*A nora da Milagros está esperando gêmeos. Rezo para que, quando voltar para a Argentina, você me dê um neto. Não sobra muito amor na minha vida, tudo que eu peço é uma coisa para fazer minha existência valer a pena. Vou lhe mandar uns pacotes de mate, como você pediu (mandei Milagros ao supermercado, mas ela disse que as prateleiras estavam vazias). Enquanto isso, através dos oceanos que nos separam, eu lhe mando um presente precioso. Para você poder se lembrar da sua família. Se cuide. E cuidado com as inglesas.*
*Beijos,*
*Sua mamá.*

Alejandro se perguntou se sua mãe estava ficando esquecida. Tentou se lembrar se havia algum pacote em seu escaninho, mas, privado de sono como estava, tinha certeza de que lá só havia aquela leve carta. Meio que torceu para que ela tivesse esquecido: sentia-se culpado quando ela lhe enviava presentes, mesmo os pacotes baratos de sua bebida preferida. Virou a carta nas mãos e esfregou os olhos ressecados. Depois alcançou o envelope e, quase como se tivesse se lembrado disso depois, abriu-o.

Ali, aninhado no canto, leve como uma pluma, tão inconsistente que ele quase não vira. Enrolado com uma fitinha rosa. Um cacho do cabelo de Estela.

Alejandro fechou o envelope e o colocou de volta na mesa, o coração disparado. Esquecido o cansaço, levantou-se, sentou-se, depois tornou a se levantar e foi até a televisão, praguejando baixinho. Fitou a tela durante um bom tempo, depois olhou em volta do quarto, como se à procura de algum sinal que pudesse ter deixado de ver. E então, pegando as chaves, saiu do apartamento.

Vivi protegeu os olhos do sol, enquanto a figura familiar trotava em sua direção, ficando maior e mais nítida à medida que se aproximava, seu andar apenas ligeiramente mais rígido do que o do homem com quem se casara uns trinta anos antes.

Ele parou, como se pensando se pedia permissão, depois sentou-se ao seu lado, limpando sementes das calças.

— Seu almoço está no forno — disse ela.

— Eu sei. Obrigado. Vi o bilhete.

Ela estava de óculos escuros. Virou-se novamente para a paisagem, puxando a saia para cobrir os joelhos como se embaraçada por ser flagrada com a pele exposta.

— Dia bom para isso. Sentar-se ao ar livre, quero dizer.

Ela franzia os olhos para alguma coisa ao longe, depois abanou a mão para espantar uma mosca a vários centímetros do seu nariz.

A voz de Douglas estava animada, descontraída.

— A gente não costuma ver você por aqui.

— Não, acho que não.

— Você fez um piquenique ou coisa assim?

— Não. Só pensei em ficar sentada aqui um pouco.

Douglas digeriu isso durante vários minutos, olhando um pássaro que voava em círculos no alto.

— Olha esse céu. — Ele falou para o silêncio. — Pega a gente de surpresa a cada verão, não? Um céu azul assim.

— Douglas, você veio até aqui para me falar sobre o tempo?

— Hã... não.

Ela ficou esperando.

— Acabei de sair de casa... Minha mãe quer saber se você vai conseguir levar o gato dela no veterinário em algum momento.

— Ela marcou consulta?

— Acho que estava esperando que você marcasse.

— E há alguma razão para ela, ou mesmo você, não poderem ter executado essa tarefa?

Ele olhou para ela, pego de surpresa pelo tom, depois para os campos pardos abaixo.

— Tenho um monte de coisas no momento... querida.

— Eu também, Douglas.

No campo de baixo, uma enorme fera agrícola vermelha andava sem parar para cima e para baixo, grandes braços jogando para o alto nuvens de poeira das caprichadas fileiras plantadas. Quando ela se virou, o motorista avistou as figuras sentadas e ergueu o braço em saudação.

Distraidamente, Douglas também ergueu o seu. Ao tornar a abaixá-lo, suspirou.

— Sabe, Vivi, você não pode simplesmente ditar como nós todos devemos agir. — Abaixou a cabeça para se certificar de que ela tinha ouvido. — Vi?

Ela levou os óculos escuros para o alto da cabeça, revelando olhos vermelhos, cansados.

— Eu não dito nada aqui, Douglas. Não dito para você nem para Rosemary nem para Suzanna e nem mesmo para o raio do cachorro.

— Eu não tive intenção...

— Só tento manter tudo correndo bem. E isso funcionou por um tempo.

— Mas?

— Mas agora não está bom.

Ele esperou um pouco.

— O que quer que eu faça?

Ela respirou fundo, como alguém se preparando para recitar um discurso muito ensaiado.

— Quero que você aceite que sua mãe é sua responsabilidade também e a faça entender que eu não consigo lidar com os... os *problemas* dela sozinha. Quero ser consultada sobre questões que afetam essa família, quer você e sua mãe achem que eu tenha um direito automático a ser ou não. Quero me sentir... de vez em quando... como se eu não fosse apenas um móvel da casa. — Estudou a expressão dele, o olhar penetrante e feroz, como se desafiando-o a sugerir que essa reação fosse alguma coisa hormonal.

— Eu... eu nunca pensei em você...

Ela afastou o cabelo do rosto.

— Quero que você abra mão de mais um pouco da administração da propriedade.

— O quê?

— Eu gostaria que você e eu passássemos um tempo juntos. Sozinhos. Antes que eu fique muito velha para aproveitar. — *E se não quiser isso*, disse a si mesma no silêncio que se seguiu, *você estará me dizendo o que, lá no fundo, eu sempre temi.*

Ele ficou sentado, olhando para o vazio. Vivi fechou os olhos, tentando não interpretar nada no silêncio do marido, tentando juntar forças para continuar.

— O mais importante, Douglas, é que você traga Suzanna de volta — disse, devagar. — Precisa fazer com que ela se sinta tão importante quanto os outros.

— Vou garantir que Suzanna tenha igualdade financeira...

— Não, você não está me entendendo. Não se trata de dinheiro. Você precisa dar a Suzanna o mesmo sentimento de família, de pertencimento.

— Eu nunca discriminei...

— Você não está me ouvindo, Douglas...

— Eu sempre amei Suzanna da mesma forma... você sabe que sim. — A voz dele era zangada, tentando se justificar.

— É a Athene.

— O quê?

— Você tem que parar de agir como se Athene fosse um palavrão.

*Eu não consigo ser uma pessoa boa*, disse Vivi em silêncio. *Rosemary me mostrou isso. Mas num único ponto, pelo menos, posso fazer a coisa certa. Posso engolir meus sentimentos e fazer a coisa certa.* Lembrou-se, de repente, de como fora apresentada a Athene formalmente no primeiro casamento de Douglas. De como a moça, exótica e estranhamente fantasmagórica vestida de noiva, dera um sorriso vago e a ignorara. Como se Vivi fosse invisível.

Abaixo deles, o rugido agrícola morrera, deixando apenas o ruído da brisa, o zumbido distante de abelhas e pássaros e do tráfego ao longe.

As mãos dele se insinuaram nas delas. Vivi abriu os olhos, sentindo a aspereza familiar, os dedos rígidos rodeando os dela. A seu lado, Douglas tossiu sem jeito na outra mão.

— Não sei se isso vai ser fácil de explicar, Vi... mas você me entendeu mal. Eu não a odeio. Mesmo com o que ela fez. — Olhou para a mulher, cerrando a mandíbula ao lembrar-se da dor. — Você tem razão... eu nunca quis falar sobre Athene... não porque ela me deixasse desconfortável, mas porque eu tinha medo de fazer Suzanna se sentir diferente dos outros... Bom, talvez em parte fosse isso, mas principalmente porque eu não queria magoar você. Quer pretendesse ou não, ela prejudicou muita gente. Você... você nos protegeu esses anos todos. Botou tudo em ordem... eu... — Ele vacilou e levou a mão aos cabelos ralos. — Eu te amo, você sabe. — Seus dedos apertaram os dela. — Mesmo. E eu simplesmente não queria que ela tivesse a oportunidade de... te prejudicar, também.

Ela passou um tempo sentada sozinha ao ar livre, as brancas pernas compridas esticadas ao sol, o rosto inclinado para o céu azul sem fim, paradoxalmente aproveitando a ausência de clientes. A Sra. Creek tinha passado quase meia hora diante de seu café com leite resmungando num tom sinistro sobre a falta de biscoitos, enquanto Jessie não parava de falar sobre algum traje para uma peça da escola que era para ela ter feito até Suzanna mandar as duas embora juntas para continuar fazendo o que estava fazendo. Não era o tipo adequado de tarde para trabalhar. Muito quente. Muito úmida. Como se até pensar em fazer qualquer movimento com aquele sol exigisse muito esforço. *Perdi meus hábitos londrinos em algumas coisas*, refletiu, notando como os outros comerciantes também tinham colocado cadeiras do lado de fora, como se entretinham nos degraus da entrada, aparentemente sem se preocupar com a falta de clientes, satisfeitos de aproveitar o momento, suas conversas com pessoas que poderiam ou não, em algum momento no futuro talvez, escolher consumir alguma coisa ali. Ela ainda estava tendo dificuldade de explicar isso a Neil: na capital, as lojas subiam e decaíam baseadas em lucro e prejuízo, eram julgadas por suas colunas de números, interessavam-se por noções de números de clientes, faturamento e exposição. Aqui, pensou, lembrando-se de sua conversa com Jessie, eles eram como um serviço público. Um ponto focal para pessoas que, frequentemente, viviam vidas isoladas.

Quando o viu, a passos largos, muito rápido, muito determinado para a tarde sonolenta, recolheu as pernas para baixo do corpo, ajeitou a camisa, como se flagrada fazendo uma coisa que não deveria. Do fim da rua, ele lhe fez sinal como se para indicar que ela não precisava se levantar, mas, quando ele chegou na loja, Suzanna já tinha entrado e abastecia a máquina de café na penumbra fresca.

Teve dificuldade de erguer os olhos quando o ouviu entrar. Quando ergueu, de expressão neutra, viu que ele tinha uma aparência horrível, a barba por fazer, os olhos cansados.

— Expresso?
— Sim. Não. Você ainda tem chá gelado?

(Ela introduzira a bebida quando as vendas de café começaram a cair com o calor.)

— Tenho.

Para alguém cujos movimentos eram normalmente tão contidos, cujo comportamento era tão calmo, ele pareceu distraído, irrequieto.

— Se importa se eu fumar? — perguntara, quando ela lhe serviu o copo alto.

— Não se você levar o copo lá para fora.

Ele olhara para o maço de cigarros fechado na mão, depois para a rua luminosa, e aparentemente decidiu não fazer isso.

— Nada de Jessie?
— Foi para casa fazer uma fantasia de margarida.

Alejandro erguera as sobrancelhas, mas não parecera inclinado a continuar o assunto, de tal maneira que Suzanna sentiu-se vagamente tola por mencioná-lo. Ele tomou o chá gelado em goles sedentos, depois pediu mais.

Talvez fosse por causa da claridade lá fora, mas, na penumbra, a loja parecia ter encolhido. Suzanna se viu profundamente consciente dos próprios movimentos, do jeito que andava em volta do balcão, das sombras que seus dedos fizeram quando ela serviu o segundo copo de chá gelado. Olhou para ele disfarçadamente, registrando a camiseta amassada, o leve indício de suor masculino. Em contraste com os sabonetes delicadamente perfumados e o vaso de frésias ao lado da caixa, aquilo era tão masculino, de uma forma agressiva e perturbadora. Ela desejou, subitamente, que houvesse outros clientes, afinal.

— Fume aqui se quiser — disse alegremente. — Deixo a porta aberta.

Ele coçou o queixo.

— Você está com cara de que precisa de um cigarro.
— Não. Não, mesmo. Eu não fumo mais. Não sei por que comprei os cigarros.

— Você está bem? — perguntou ela, empurrando o copo para ele.

Ele soltou um longo suspiro.

— Plantão ruim?

— Tipo isso.

— Vou estar lá fora — disse ela e, sem saber direito por que precisou deixá-lo ali, voltou devagar para o sol.

Aos olhos de um passante, se tivesse algum ali, Suzanna teria parecido relaxada, debruçada na mesa, bebericando um copo de água gelada, observando os habitantes da cidade andarem de um lado para outro a caminho da praça do mercado. Mas ela estava dolorosamente consciente de cada minuto, sentia, ou imaginava sentir, nas costas quentes cada olhar da figura sombria dentro da loja. Tanto que quando ele finalmente foi para fora e sentou-se ao seu lado, ela teve que resistir ao impulso de soltar a respiração, como se tivesse passado por um teste que exigisse muito esforço.

— Quem é ela?

Ele pareceu mais à vontade, Suzanna notou. O brilho quase alucinado em seus olhos se dissipara.

— A moça no quadro. Não é você. Sua irmã?

Suzanna balançou a cabeça.

— Não, é minha mãe. Minha mãe biológica. — As palavras, pela primeira vez, saíram com facilidade.

— Você não guarda o quadro em casa?

— É complicado. — Alejandro estava olhando para ela. — Ele estava na casa da minha família. Na casa do meu pai. Ele se casou de novo. Mas quando me mudei para cá, me deram.

— Não o queriam em casa?

— Não sei se é bem isso.

— Você não o quer em casa.

— Também não exatamente... Tem uma... É só que o quadro no fundo não se encaixa mais em lugar nenhum.

A conversa já não estava tão agradável. Ela desejou ter deixado o quadro virado para a parede. Mexeu-se na cadeira, esticou o braço para pegar o chapéu de aba larga que mantinha por perto para lhe proteger a pele e o pôs, ficando com o rosto na sombra.

— Me desculpe. Não tive intenção de ofender...

— Ah, tudo bem. Jessie deve ter lhe contado. Sei que Jessie lhe conta... — Corrigiu-se. — Conta tudo para todo mundo. Mas é só que eu e meu pai temos uma relação complicada. E as coisas estão meio difíceis entre nós no momento.

Ele chegara a cadeira para ficar de frente para ela, que se virou um pouco na sua, consciente de que pareceria grosseiro ficar de costas para a parede. Lutava com sensações conflitantes de querer deixá-lo e ao mesmo tempo uma necessidade quase fundamental de se explicar.

— Tem a ver com herança — disse por fim. — Quem fica com o quê.

Ele a encarou.

— Minha família possui uma grande propriedade aqui. Meu pai não quer que eu a herde. Vai para o meu irmão mais novo. Talvez você tenha a mesma coisa na Argentina?

— Na Argentina isso não é um problema. — Ele sorriu com ironia. — Os filhos homens ficam com tudo.

— É óbvio que eu nasci no país errado. Ou meu pai nasceu.

— Isso incomoda você?

Ela ficou um pouco constrangida.

— Você acha que é ganância, não é? A pessoa se incomodar tanto por uma coisa que não ganhou?

— Não...

Suzanna prestou atenção para ouvir o eco das próprias palavras, como se fosse capaz de julgar como soaria para ele.

— Não sou uma pessoa gananciosa.

Ele esperou.

— Quero dizer, gosto de coisas boas, lógico, mas a questão não é o dinheiro. A questão é... como ele me vê.

Ela achou a intensidade da atenção dele quase excessiva. Baixou os olhos, percebeu que tinha terminado sua água.

— Às vezes acho que é porque sou parecida com ela. Já vi outros retratos, sabe, fotografias, e sou igualzinha a ela. — Ficou olhando para as pernas brancas, que nunca se bronzeavam, para as pontas do lustroso cabelo liso escuro, caídas em seus ombros.

— Então?

— Acho que ele está me fazendo pagar.

Ele tocou em sua mão, tão de leve que depois ela se pegou olhando para o ponto em que a pele deles havia se encostado, como se não soubesse direito se aquilo realmente havia acontecido.

— Por não ser a sua mãe?

Os olhos de Suzanna se encheram de lágrimas, inexplicavelmente. Ela mordeu o lábio, tentando segurá-las.

— Você não entenderia. — Ela meio que riu, constrangida com essa demonstração de emoção.
— Suzanna.
— Por... por ser responsável. Pela morte dela. Foi por minha causa que ela morreu, afinal. — Sua voz ficara dura, forçada, seu rosto tenso sob o sorriso. — Ela morreu no parto, sabe. Ninguém fala nisso, mas aí está. Ela ainda estaria aqui se não fosse por mim. — Esfregou com desdém o nariz. — Me desculpe — disse de repente. — Não sei por que estou lhe contando isso. Por você ser parteiro, talvez. Já viu isso acontecer... Enfim. Essa história geralmente não me afeta assim.

A rua estava deserta, o sol reverberando metálico nos paralelepípedos. Ela tornou a se virar para ele, o sorriso corajoso e alegre.
— Que herança, hein?

Por razões que ela não entendeu, ele pegou-lhe delicadamente a mão e pousou a cabeça ali, como que numa atitude de súplica. Ela sentiu a pele da testa dele, a dureza elétrica do osso por baixo, e suas lágrimas evaporaram diante da estranheza do que ele estava fazendo.

Quando Alejandro por fim ergueu os olhos, ela achou que ele poderia se desculpar. Mas ele apenas balançou com leveza a cabeça, como se já soubesse daquilo, como se estivesse esperando esse tempo todo que ela dissesse.

Suzanna, esquecendo a polidez, retirou a mão, mantendo-a junto ao peito como se tivesse sido queimada.

— Vou... vou buscar mais chá — disse, e correu para a segurança de sua loja.

Alejandro voltou a pé para o hospital, mas foi uma caminhada penosa. Andou quase dois quilômetros e meio e já estava tão cansado que se sentiu nauseado. Pegou o atalho pela propriedade Dere, os pés se movendo automaticamente nos calçamentos quentes. Ela já tinha gritado seu nome três vezes quando ele a ouviu.

— Nossa, você está com uma cara de arrasado. — Jessie e a filha estavam de mãos dadas, as expressões alegres e radiantes como o sol.

Ele se sentiu aliviado de vê-las, tão leves e bem.

— Estávamos fazendo roupas para a peça de fim de semestre. A Sra. Creek ajudou.

Emma mostrou uma sacola de plástico.

— Agora vamos para o parque. Pode nos acompanhar se quiser. Empurrar Emma nos balanços. Eu não estou muito bem para empurrar no momento — disse Jessie. — Machuquei o braço.

Ele talvez tivesse ficado tentado a dizer alguma coisa, pensara nisso muitas vezes, mas seu cérebro não estava organizado e ele não se garantia em dizer o que queria.

— Me desculpe. Não te ouvi muito bem.

O cabelo dela tinha um brilho preto-azulado no sol da tarde. Quando olhou para ele, tinha os olhos cor de mar zangados, como se estivesse ralhando com ele por alguma transgressão anterior. Ele ainda podia sentir sua pele na dele, aquele brilho fresco como orvalho.

— Você mal se aguenta em pé, coitado. — Jessie pôs o braço no dele. — Olha para ele, Ems. Dormindo em pé. Por que você não vai para casa?

— Seu queixo está com a barba grande. — A criança se balançou em volta de uma coluna, jogando as pernas para o alto com a exuberância da juventude, balançando em direção ao equipamento colorido do parquinho, visível apenas para além das árvores.

*Eu nunca a vi antes*, pensou. *Sei que nunca a vi antes. Então, por quê...?*

— Que bebês saíram hoje?

Jess afagou o cabelo da filha.

— Deixa ele, Ems. Ele está muito cansado para falar de bebês agora. Vai, Ale. Vai para a sua casa. Durma um pouco.

— Eu não sei... — murmurou, entre dentes, tão baixinho que, como ela disse à mãe mais tarde, não soube direito o que ele tinha dito. E, mesmo então, não soube direito o que queria dizer. — Acho que não sei onde é a minha casa.

Suzanna chegou em casa bem depois de Neil, justo quando as sombras começavam a se alongar, a luminosa tarde de verão tendo se estendido quase indecentemente até tarde. A casa, apesar de sua falta de esforço, estava idílica, clematites jorrando em cima do pórtico com vigas, a luz dourada cobrindo as pontas das plantas perenes que persistiam em sair à força dos canteiros, pulsatila, *alchemilla*, dedaleira, violeta brilhante, cor-de-rosa e azul, não afetadas pela falta de capina ou de fertilizante.

Ela não viu nada disso. Entrou, encontrou-o, os pés esticados na mesa de centro, olhos fixos na televisão.

— Eu já ia ligar para você — disse ele, levantando o controle remoto. — Você está (a) presa no trânsito, (b) fazendo uma liquidação de Natal sobre a qual não me contou, ou (c) presa embaixo de um móvel pesado sem conseguir alcançar o seu telefone? — Tirou os olhos da televisão e sorriu para ela, soprando um beijo. — Tem jantar no forno. Achei que você talvez chegasse com fome. Me desculpe, eu já comi.

— O que tem para o jantar?

— Nada empolgante. Espaguete à bolonhesa de mercado. Eu não estava muito inspirado.

— Na verdade, não estou com muita fome.

Ela começou a descalçar os sapatos, se perguntando o que se passava consigo mesma para se irritar só de vê-lo sentado ali tão satisfeito, mesmo tendo lhe preparado uma refeição. "Ele não é bom?", podia ouvir seus pais exclamando um para o outro. "Cozinha para ela também. Acho que ela não se dá conta da sorte que tem." Ficou parada na cozinha por um instante, encostada no aparador, desejando com todas as forças ser simpática, repreendendo-se por notar, como sempre notava, as migalhas do café da manhã, as cortinas floridas que odiava mas não conseguia se forçar a substituir (porque isso significaria fazer um investimento emocional na casa), as panelas e bancadas engorduradas e salpicadas que denunciavam as aventuras culinárias de Neil. *Vou ser sempre tão ruim assim?*, perguntou a si mesma. *Vou estar sempre tão insatisfeita?*

— Se quiser, pego uma taça para você — gritou ele, da sala. — Tem uma garrafa de vinho aberta.

Ela abriu o armário, pegou uma pela haste e entrou na sala. Sentou-se ao lado dele no sofá e ele lhe deu um tapinha na coxa.

— Dia bom? — perguntou, os olhos ainda na televisão.

— Tudo certo.

— Como esteve o tempo aqui? Estava maravilhoso em Londres. Na hora em que consegui sair, pelo menos.

— Ótimo. Bem quente.

— Estava lindo quando cheguei aqui. Olha esse cara. Está histérico. — Neil riu.

Tinha pegado sol, ela se deu conta. As sardas estavam ressaltadas.

Suzanna sentou-se, insensível ao comediante na tela, bebericando o vinho que o marido lhe servira.

— Neil — disse por fim —, você às vezes se preocupa com a gente?

Ele virou o rosto da tela após uma hesitação imperceptível, como se entendendo com relutância que estavam prestes a ter Uma Daquelas Conversas e, no íntimo, desejando não fazer parte disso.

— Não me preocupo mais. Por quê? Eu deveria?
— Não.
— Não está prestes a fugir com o fazendeiro vizinho, né?
— Estou falando sério. Você alguma hora se pergunta... se é só isso? Se isso é o máximo que a gente consegue?
— Máximo em termos de quê?
— Sei lá. De felicidade? Aventura? Paixão? — Ela disse a última palavra consciente de que ele poderia ouvir ali algum tipo de convite.

Viu-o tentando conter um suspiro. Ou talvez um bocejo. Os olhos dele ficavam deslizando furtivamente para a televisão.

— Não sei se estou acompanhando seu raciocínio.
— Olha para a gente, Neil. Parecemos um casal de meia-idade, e não acho que tenhamos passado pela fase boa antes de chegarmos aqui. — Esperou, monitorando a reação dele, desafiando-o a tornar a olhar para a televisão.
— Você está dizendo que está infeliz?
— Não estou dizendo nada. Só... só me perguntei o que você pensava sobre isso. Sobre nós. Se estava feliz.

Ele levantou o controle remoto e desligou a televisão.

— Estou feliz? Sei lá. Estou mais feliz do que eu era.
— Isso é bom o bastante?

Ele balançou ligeiramente a cabeça, um movimento provocado pela exasperação.

— Acho que não sei que tipo de resposta você está esperando.

Ela fez uma careta, insegura também.

— Você não acha, alguma hora, Suze, que pode ser responsável pela sua própria felicidade? Ou infelicidade?
— O quê?
— Esse interrogatório todo. Essa autoanálise toda. Estou feliz? Estou triste? Isso basta? Não acha que pode estar se preocupando demais com isso? Parece que... você vive procurando motivos para se preocupar, vive se julgando pelos padrões dos outros.
— Não vivo nada.
— Isso tem a ver com Nadine e Alistair?
— Não.

— Há anos eles são um acidente pronto para acontecer. Você não pode dizer que não notava cada vez que íamos lá. A certa altura, só se comunicavam por meio da babá.

— Não tem a ver com eles.

— A gente não pode se limitar a curtir o momento? Pela primeira vez em séculos, estamos sem dívidas, estamos os dois empregados, temos um lugar legal para morar. Quero dizer, ninguém está doente, Suzanna. Não há nada ruim no horizonte, só coisas boas, a sua loja, o bebê, o nosso futuro. Acho que a gente deveria pensar no que tem de bom.

— Eu penso.

— Então será que não podemos focar nisso e parar de procurar problemas? Uma vez na vida?

Suzanna olhou fixamente para o marido, até que, tranquilizado, ele tornou a se virar para a televisão e ligá-la com o controle remoto.

— Sim — disse ela. Levantou-se e foi andando devagar para a cozinha.

# Dezessete

O verão chegara com tudo na cidadezinha, envolvendo Dere Hampton delicadamente em seu abraço sufocante. As ruas estreitas suavam e assavam, os carros contornavam preguiçosamente a praça do mercado, os pneus pegajosos no asfalto fundido. Grupos de turistas norte-americanos com dor nos pés paravam e olhavam para as fachadas trabalhadas em estuque, exclamando com a cara enfiada em seus guias. Na praça, os comerciantes sentavam-se embaixo de toldos, bebericando latinhas, enquanto cães idosos jaziam no meio das calçadas, as línguas cor-de-rosa grosseiras encostadas na poeira.

A loja estava calma: os mais abonados tinham ido passar as férias de verão em cidades tranquilas, outros passavam o tempo pastoreando filhos enlouquecidos com seis semanas de libertação da educação escolar intensiva. Suzanna e Jessie, movendo-se num ritmo tranquilo, limparam prateleiras e janelas, rearranjaram vitrines, conversaram com turistas e fizeram jarras de chá gelado, que ficava cada vez mais diluído à medida que o gelo derretia com o passar da tarde.

Cada vez mais, Suzanna ficava insatisfeita com a disposição da loja e furiosa consigo mesma por não conseguir descobrir o que estava errado. Uma manhã, elas colocaram a placa dizendo "fechado", levaram todas as mesas e cadeiras para um canto e contrataram um faz-tudo conhecido do padre Lenny para levar as estantes para o outro lado. O resultado não ficou como o esperado, e Suzanna pagou ao homem a mesma quantia — para desespero de Neil, quando examinou os livros — para mudar tudo de novo. Ela decidira não vender mais joias (já tinham "sumido" peças demais, pequenas o suficiente para deslizarem para um bolso quando ela estava ocupada fazendo café) e levou o mostrador para o porão. Tão logo fez isso, não menos que três mulheres entraram separadamente querendo colares antigos. Escondeu os testamentos e substituiu-os por mapas coloridos da África do Norte. Depois, pintou a parede do fundo de turquesa-claro e imediatamente se arrependeu da cor. Durante todas essas modificações, Athene permanecera em sua moldura nos degraus do porão, o sorriso tão enigmático quanto o da Mona Lisa, inadequada tanto para a loja quanto para ser levada para casa, um lembrete constante da inabilidade de Suzanna de moldar seu mundo de uma forma que pudesse ser considerada satisfatória.

Por fim, contagiada por uma espécie de loucura, tirou um sábado de folga para ir a Londres. Inicialmente, pretendia encontrar Nadine, mas, por capricho, deu a desculpa de uma emergência familiar e foi para Bond Street, onde, entrando e saindo de lojas a uma velocidade incomum naquelas temperaturas, comprou dois pares de sandálias de verão, dos quais apenas um podia-se verdadeiramente dizer que servia, uma camisa cinza de mangas curtas, brincos, mais um par de óculos de grife e um tailleur de linho azul-claro que poderia ser útil se ela tivesse que ir a um casamento. Comprou também um vidro de seu perfume preferido, um hidratante caríssimo e um batom novo de uma cor que tinha visto numa revista de celebridades. Passou tudo menos a camisa no cartão de crédito que Neil achava que ela havia cancelado. Pagaria aos poucos, ponderou, e teve que se conter para não chorar no trem de volta.

Alejandro passou três dias sumido, depois voltou a aparecer diariamente. Às vezes, ela saía do porão e o encontrava sentado, aquele rosto aquilino, na expectativa, como se aguardasse algo, e ela corava e disfarçava a confusão com algum comentário muito alto sobre o tempo, o nível de café nas máquinas, a *bagunça* de tudo ali!˙ Depois ficava calada de um jeito inibido, repassando furiosamente na cabeça suas respostas inadequadas, parecendo cada vez mais tola.

Se Jessie estivesse por perto, Suzanna pouco falava, contentando-se em ouvir a conversa deles, em armazenar as informações que Jessie conseguia arrancar de Alejandro: que o pai dele escrevera, que ele preparara uma refeição inglesa, que, na noite anterior, uma "mãe" fora admitida na maternidade sem qualquer sinal de gravidez além de um travesseiro por baixo da camisola. Às vezes, Suzanna achava que, por meio de Jessie, ele estava lhe contando coisas a respeito de si mesmo, expondo-se diante dela por fragmentos. Às vezes, pegava-se fazendo o mesmo, sendo inusitadamente extrovertida, apenas porque havia partes dela que queria que ele visse: as melhores partes, uma pessoa mais atraente, mais inteira do que a que achava que ele geralmente via.

Já outras vezes, ele chegara quando Jessie havia saído para almoçar, e Suzanna se vira quase paralisada pelo constrangimento. Mesmo se houvesse outros clientes presentes, ela sentia-se estranhamente sozinha com ele, gaguejava e procurava coisas com que se ocupar para não deixar quase brecha alguma para falar com ele, e depois praguejava descaradamente quando Alejandro ia embora. Se ele parecesse concentrado num jornal ou num livro, ela conseguia se acalmar e, depois, gradualmente, eles começavam a conversar. De vez em quando durante uma hora inteira, até Jessie voltar.

Uma vez, Alejandro lhe contara que queria visitar o museu da cidade, uma série de salas atravancadas que detalhavam a história medieval bastante horripilante de Dere, e ela fora junto. Passaram uma hora rondando peças empoeiradas, enquanto a loja estava fechada, e ele lhe contava sua história e a de Buenos Aires. Provavelmente não era a melhor estratégia comercial, mas era bom ouvir de alguém uma perspectiva nova. Lembrar-se de que havia outras maneiras de ser, outros lugares para estar.

O rosto dele mudava quando sorria.

Sim, era bom ter um amigo novo. Suzanna tinha quase certeza de que alguém uma vez lhe dissera que amigos nunca eram demais.

Jessie estava na vitrine, prendendo lanternas chinesas em volta de um arranjo, de vez em quando acenando para um passante, quando gritou:

— Seu velho está subindo a rua.

— Meu pai?

— Não. Seu marido. Me desculpe. — Ela recuou, sorrindo, a boca cheia de tachinhas. — Esqueci que você é das classes endinheiradas.

— O que ele quer? — Suzanna foi para a porta e viu Neil acenar enquanto se aproximava.

— Reunião cancelada. Só preciso estar no escritório na hora do almoço — disse, beijando-lhe o rosto. Tinha o paletó do terno pendurado no ombro. Olhou para as mesas com clientes conversando, depois para o espaço na parede atrás do balcão. — A loja está bonita. Para onde foi o retrato?

— Você não acreditaria se eu lhe contasse. — Nem ela sabia direito o que pensar.

Seus pais haviam ido na loja dois dias antes. O retrato, eles decidiram, precisava de um trato. "Trinta anos" mofando no sótão e do dia para a noite precisava de um restauro "urgente". Eles estavam estranhos. Seu pai a beijara e dissera que a loja estava maravilhosa. A mãe, inusitadamente, não dissera quase nada, mas ficara atrás, sorrindo, radiante, como se isso fosse algo que ela de alguma forma tivesse arquitetado. Tinha confidenciado que Douglas concordara em comprar um aspirador de pó para a casa. "Não entendo porque demorou tanto", dissera Suzanna. Eles não mencionaram isso, mas ela desconfiava de que estivessem usando o quadro como forma de fazê-la aceitar o testamento.

— Então, afinal, o que você está fazendo aqui? — perguntou a Neil agora.

— Preciso de pretexto? Achei que pudesse vir tomar um café com a minha esposa antes de sair.

— Que romântico — disse Jessie, endireitando uma fita. — O próximo passo é mandar flores.

— Suzanna não gosta de flores — disse Neil, sentando-se ao balcão. — Significam que ela vai ter que lavar um vaso.

— Ao passo que joias...

— Ah, não. Isso ela tem que merecer. Tem todo um sistema de pontos envolvido.

— Então não vou perguntar o que ela tem que fazer para ganhar aquele anel de diamante.

— Ah! Se fosse por sistema de pontos, ela estaria usando anéis de lata.

— Vocês são hilários — comentou Suzanna, abastecendo a máquina de café. — Ouvindo isso dá até para esquecer que o feminismo existe.

Eles só tinham se encontrado três vezes, mas Suzanna achou que Neil provavelmente tinha uma quedinha por Jessie. Não se importou: quase todos os homens que ela conhecia tinham, em graus variados. Jessie tinha sempre aquela alegria e aquela simplicidade. Era de uma beleza feminina, pele de pêssego e sorrisos doces. Estimulava a testosterona deles: seu tamanho e sua fragilidade faziam os homens mais improváveis parecerem trogloditas e protetores. A maioria deles, afinal. E ela tinha o mesmo senso de humor de Neil, um atributo que ele devia achar que era pouquíssimo valorizado em casa.

— Eu nunca imaginei você queimando sutiãs, Suzanna.

— Eu não descreveria a minha esposa como uma militante... a não ser quando se esqueceram de abrir a Harvey Nichols na hora certa.

— Tem gente — disse Suzanna, entregando-lhe um café — que está trabalhando para viver em vez de ficar à toa tomando café.

— Trabalhando? — Neil levantou as sobrancelhas. — Fofocando na sua loja? Falando assim parece que você está cavando no fundo de uma mina.

Suzanna cerrou a mandíbula inconscientemente.

— Ah, certo, porque vender produtos financeiros exige um dublê de corpo, é óbvio. Não tinha ninguém fofocando aqui, querido, até você chegar. — O *querido* poderia ter estilhaçado um vidro.

— Ah! Falando em fofoca, adivinha só. O nosso argentino não é gay. Tinha mulher na Argentina. Casada, parece. — De volta à vitrine, Jessie rearrumava os itens, as pernas dobradas com a elegância de um gato.

— Com ele?

— Não. Ele era amante dela. Era casada com um astro de TV argentino. Você nunca ia acreditar, ia?

— O nosso argentino?

— É um parteiro que vem aqui. Da Argentina. Fabuloso, não é?

Neil fez uma careta.

— O rapaz deve ser esquisitão. Que tipo de homem vai querer passar o dia inteiro fazendo o que ele faz?

— Ué, o nascimento de uma criança não é a coisa mais importante do mundo para você?

— Se for do *meu* filho, sim, mas ainda assim acho que ia preferir estar na cabeceira, se é que me entende.

— Você é patético.

— Um ginecologista convencional, aí é diferente. Posso entender o atrativo disso. Embora não veja como conseguem trabalhar.

Jessie riu. Suzanna ficou constrangida.

— É meio do tipo come-quieto, não? O Alejandro, quero dizer. Jason sempre diz que os calados são os piores.

— Como você sabe tudo isso?

— Ah... ele estava no parque quando levei a Emma no domingo. Eu me sentei no banco e a gente ficou conversando.

— O que ele estava fazendo lá?

— Nada, até onde eu pude ver. Só curtindo o sol. Aliás, curtindo não. Estava com uma cara bem deprimida até eu chegar. — Olhou para Suzanna. — Estava com aquela cara de sofrido, sabe?

— Pensei que parteira tinha que ser mulher. — Neil bebericou o seu café. — Acho que eu não ia querer um parteiro homem se estivesse tendo um filho.

— Se você estivesse tendo um filho, essa seria a menor das suas preocupações — disse Suzanna com rispidez, e começou a pregar polaroides de clientes acima dos mapas do norte da África.

— Acho que eu não gostaria que você tivesse um parteiro homem, pensando bem.

— Se eu estivesse passando pela tortura de expelir um ser humano inteiro do meu corpo, acho que a decisão não seria sua, na verdade.

— Vou procurar essa mulher na internet, só para ver como é a cara dela. Ele me contou o nome, mas disse que eu nunca teria ouvido falar. — Jessie encostou a escada na parede.

— Ele ainda está apaixonado por ela, então? — perguntou Suzanna.

— Não disse. Mas sabe de uma coisa, Suze, desconfio de que ele seja do tipo que gosta de mulher casada.

— Entendi você dizendo que aqui não tem fofoca — caçoou Neil.

— Para não ter que se envolver emocionalmente.

— Como assim? — Suzanna observou Jessie levando a escada em direção aos degraus.

— Bem, ele é bem na dele, né? Não dá para imaginá-lo correndo atrás de alguém ou perdidamente apaixonado. Alguns homens gostam de dormir com mulheres que já estejam envolvidas com outro. É seguro para eles. A mulher não vai fazer nenhuma exigência emocional. Estou certa, Neil?

— Não é uma estratégia ruim — disse Neil. — Mas eu mesmo nunca consegui colocar em prática.

Suzanna fungou, tentando disfarçar o rubor no rosto.

— Você lê muita revista.

— Você bota as revistas aqui. — Jessie pendurou a bolsa no gancho da porta do porão e mostrou um avental branco engomado. — A Sra. Creek fez. Bonito, não? Quer que eu peça a ela para fazer outro para você?

— Não. Sim. Tanto faz.

Jessie amarrou as tiras na cintura, depois alisou o avental nas pernas.

— Ah, olha, a senhora com os filhos quer ser atendida. Eu vou... Bom, ele não mexe comigo. Muito... Sei lá. É que eu gosto de homem com um pouco mais de vida.

Ela parou e olhou para Suzanna, que desviou o olhar. Neil, folheando um jornal, não percebeu Jessie olhando uma segunda vez para Suzanna, nem Suzanna, tendo sorrido constrangida para Jessie para disfarçar o mal-estar, ocupando-se com uma caixa de pergaminho embaixo do balcão e levando bem mais tempo do que o estritamente necessário para o serviço em questão.

Não se tratava de Jason, apesar do jeito canhestro de Jessie com as palavras. Nem de Neil. Nem uma nem outra tinha dito coisa alguma, mas ambas tinham se dado conta.

Arturro tinha demitido todos os rapazes da loja. Sem mais nem menos, sem aviso, sem indenização, nada. A Sra. Creek foi a primeira a descobrir, quando passou por lá a caminho do mercado. Contou a elas pouco depois de Neil ter ido embora.

— Ouvi uma gritaria danada e sabe lá Deus o quê, e ele estava soltando fumaça como um touro num campo. Eu ia entrar para comprar daquele queijo bom, aquele com pedaços de damasco, mas, para ser honesta, achei melhor dar a ele uma chance de esfriar a cabeça.

Jessie e Suzanna ficaram muito caladas desde que a Sra. Creek começara sua história — que se estendeu por um bom tempo, acrescentando inflexões e gestos, aproveitando ao máximo aquela plateia embevecida. Quando terminou, elas se entreolharam.

— Eu vou — disse Jessie.

— Vou ficar de olho em Arturro — disse Suzanna.

Ele não viera.

Jessie foi na loja de Liliane, não para espionar, óbvio, só para se inteirar do clima, segundo suas próprias palavras, descobrir o que estava acontecendo. Inicialmente imaginou que a Sra. Creek devia estar exagerando. Liliane, embora reservada como sempre, estava serena e foi educada como de costume. Mas quando Jessie mencionou a delicatéssen, ela ficara visivelmente reativa. Já não ia mais lá, falou. Algumas pessoas na cidade achavam bem ruim o jeito deles de tratar os clientes. Bem ruim mesmo.

— Alguma coisa em particular? — insistiu Jessie.

— Digamos apenas — explicou Liliane, com um sorriso duro, o cabelo tão rígido quanto a mandíbula — que há pessoas de quem se poderia esperar algum cavalheirismo, mas que acham normal pregar peças mais adequadas ao jardim de infância.

— Ah, porra — disse Jessie quando voltou. — Estou com um mau pressentimento.

— Devemos confessar? — perguntou Suzanna, sentindo-se levemente nauseada.

— Se os rapazes perderam o emprego, acho que devemos. A culpa é nossa.

Suzanna pensou neles, se perguntando por que era capaz de se sentir tão distante de rapazes que já haviam ocupado uma parte nociva de sua imaginação.

— Vai você.

— Não, você.

Estavam dando risadinhas nervosas.

— A ideia foi sua.

— Você comprou as amêndoas confeitadas. A coisa estava indo bem até as amêndoas confeitadas.

— Não acredito que, com trinta e cinco anos na cara, eu esteja me sentindo como se tivesse que ir falar com a diretora da escola... Não consigo. Não mesmo. — Suzanna debruçou-se no balcão, refletindo. — E se eu te pagar? — Tornou a rir.

Jessie pôs as mãos na cintura.

— Dez mil. É meu preço final.

Suzanna sufocou um grito de um jeito teatral.

— Já sei... uma fala com o Arturro, outra com Liliane.

— Mas você conhece os dois melhor que eu.

— Portanto tenho mais a perder.

— Ela me assusta. Acho que não gosta muito de mim. Desde que comecei a vender essas camisetas. Acha que estou roubando os clientes.

— Por quê? O que ela disse?

— Não é o que ela disse, é como olha para as camisas quando entra aqui.

— Suzanna Peacock, você é patética. Quase dez anos mais velha que eu e...

— Nove, na verdade. Tenho trinta e cinco. Só trinta e cinco.

— Neil diz que você tem trinta e cinco há uns dez anos.

O medo as deixara histéricas. Elas se agarraram, olhos arregalados, às gargalhadas.

— Ah, eu vou... vou amanhã, se você me deixar sair cedo hoje à tarde. Preciso levar Emma para comprar sapato. E não posso levar mais tarde porque tenho curso à noite.

— Isso é chantagem.
— Quer que eu fale com Arturro? Você me deve uma. Então amanhã. — Jessie começou a preencher etiquetas de preço com uma caneta fúcsia. — E só se ele ainda não tiver esfriado a cabeça e deixado os rapazes voltarem.

Mas, no dia seguinte, Jessie não apareceu. Suzanna estava em casa secando o cabelo quando o telefone tocou.
— Me desculpe — disse Jessie, com uma voz estranhamente desanimada. — Sabe que eu normalmente não deixaria você na mão, mas não dá para eu ir hoje.
— É a Emma? — Suzanna estava com mil coisas na cabeça. Pretendia encontrar com um fornecedor em Ipswich. Teria que mudar seus planos.
Houve uma pausa.
— Não, não. Emma está bem.
— O que é? Um resfriado? Esse verão está esquisito. O padre Lenny disse que se sentiu estranho ontem. E aquela mulher com os cachorros. — Se ligasse já para o fornecedor, pensou, talvez conseguisse cancelar sem muito transtorno. Do contrário, teria que deixar a loja fechada a manhã inteira.
— Sabe de uma coisa? Talvez eu vá precisar de uns dias...
De repente Suzanna mudou o foco da atenção para a voz na linha.
— Jess? Você está bem?
Houve um silêncio.
— Precisa... precisa que eu leve você ao médico?
— Só preciso de uns dias. Prometo que não vou deixar você na mão de novo.
— Não seja ridícula. O que houve? Você está doente?
Outro silêncio, depois:
— Não exagere as coisas, Suze, por favor.
Suzanna sentou-se, olhando para a mesa de cabeceira, ainda com o secador de cabelo na mão. Largou-o e mudou o fone de orelha.
— Ele machucou você? — sussurrou.
— Parece pior do que é. Mas não está nada bonito. Não pega bem para a assistente de uma loja elegante. — Jessie conseguiu dar uma risada irônica.
— O que ele fez?
— Ah, Suze, por favor, deixa para lá. As coisas fugiram um pouco do controle. Ele vai fazer terapia de controle da raiva. Me prometeu dessa vez.

O quartinho ficara gelado.

— Você não pode continuar nisso, Jess — murmurou ela.

A voz de Jessie era dura.

— Estou resolvendo as coisas, ok? Agora, por favor, Suzanna, deixa pra lá. E se minha mãe passar na loja, não diga nada. Diga que saí com uma cliente ou coisa assim. Não quero que ela fique brava.

— Jess, eu...

A ligação caiu.

Suzanna ficou sentada na beira da cama, olhando para a parede. Depois fez um rabo de cavalo com o cabelo molhado, desceu correndo para buscar as chaves e foi para o centro de Dere Hampton, pertinho dali.

Havia, até onde Suzanna podia ver, vantagens limitadas em se morar numa cidade tão pequena, mas uma inegável era a facilidade de encontrar as pessoas. Encontrou o padre Lenny na casa de chá, prestes a dar uma mordida num sanduíche de bacon. Quando a viu, encolheu-se de brincadeira, como se tivesse sido apanhado cometendo uma traição.

— Vou passar lá mais tarde para o meu café normal — disse, enquanto ela se sentava à sua frente. — Prometo. Só tenho que testar a concorrência de vez em quando.

Suzanna deu um sorriso forçado, tentando parecer estar tranquila.

— Padre Lenny, por acaso o senhor sabe onde Jessie mora?

— Na propriedade Meadville. Perto da mãe. Por quê?

Suzanna lembrou-se do aviso de Jessie.

— Nada importante. Ela está em casa resfriada, e me esqueci de pegar uns detalhes de uma encomenda com ela. Pensei em aproveitar e passar lá para lhe levar umas flores. Matar dois coelhos com uma cajadada só, sabe. — Sorriu de um jeito tranquilizador.

Os olhos do padre Lenny procuraram os dela e, presumivelmente, tendo encontrado as respostas que procurava, olhou para o prato com o sanduíche de bacon.

— É um resfriado grave? — perguntou lentamente.

— Difícil dizer. Mas acho que ela vai precisar de uns dias de folga.

Ele balançou a cabeça, como se digerindo a informação.

— Você quer companhia? — perguntou com cautela. — Não tenho muito que fazer essa manhã.

— Ah, não. Estou bem.

— Vou com prazer. Fico só uns cinco minutos se vocês tiverem... coisas para discutir.
— É muita gentileza, mas sabe como é quando a pessoa está resfriada. Não gosta de ser incomodada.
— Não — disse o padre Lenny. — Não gosta. — Depois endireitou-se, empurrou o prato. — Ela mora no quarenta e seis do Crescente. Saindo na rua do hospital, pegue a primeira à direita e é ali, à esquerda.
— Obrigada. — Suzanna já tinha se levantado da cadeira.
— Diga a ela que mando lembranças, sim? E estou ansioso para vê-la de novo na loja.
— Digo.
— E, Suzanna...
— O quê? — Não era sua intenção ser grosseira. — Perdão. Sim?
O padre Lenny balançou a cabeça, um gesto de reconhecimento.
— Que bom que ela tem uma amiga. — Hesitou. — Alguém com quem falar.

Só que uma coisa era ter o endereço, outra completamente diferente, Suzanna se deu conta, enquanto estava sentada no degrau do lado de fora da loja, era ir até lá e se meter num potencial vespeiro, onde muito provavelmente não era chamada. E se ele estivesse lá? Ela não saberia o que lhe dizer. Qual era a etiqueta em tais situações? Ignorava-se a aparência da mulher? Jogava-se conversa fora? Aceitava-se uma xícara de chá? E se ele estivesse lá e não a deixasse entrar? Ela poderia piorar a situação só de colocar os pés na casa.

Suzanna só tivera que lidar com violência doméstica uma vez: na escola, sua professora de geografia, uma mulher de óculos que vivia se desculpando, chegava regularmente tentando esconder manchas roxas no rosto e nos braços. "O marido bate nela", diziam as meninas umas às outras depois, e em seguida não pensavam mais no assunto. Era como se, Suzanna agora percebia, elas estivessem repetindo como papagaio palavras que ouviam dos pais. Essas coisas aconteciam. A vida era assim. Afinal, a Sra. Nathan sempre teve cara de vítima.

Mas dessa vez era diferente.

Suzanna afundou a cabeça nos joelhos. Sentia-se fraca e inadequada. Podia simplesmente não ir, pensou. Jessie parecia não a querer por lá. Seria o caminho mais fácil. A amiga voltaria dali a um ou dois dias. No entanto, havia um grau de cumplicidade nessa opção que a deixou envergonhada só de considerá-la.

Parecia quase inevitável ir. Ergueu os olhos, ainda passando as chaves de uma mão para a outra, e o viu parado à sua frente, as pernas compridas pela primeira vez em calças claras, uma camiseta em vez do jaleco e da jaqueta de sempre.

— Ficou trancada do lado de fora? — Ele parecia relaxado, como se tivesse passado aqueles dias sumido num lugar reparador qualquer que fosse.

— Não exatamente. — Suzanna pensou que ele talvez pedisse um café, ou fosse entrando, mas Alejandro só esperou que ela falasse. — É a Jessie.

Ele olhou para a loja vazia atrás dela.

— Não sei se devo ir à casa dela. — Chutou uma pedra solta. — Não sei... o quanto é certo interferir. — Não precisou explicar a ele.

Ele se agachou diante dela, a expressão tensa e sombria.

— Você está com medo?

— Não sei o que ela quer. Quero ajudar, mas parece que ela não quer.

Ele olhou a rua.

— A Jess fala muito, mas na verdade é bem reservada. Não sei... com essa coisa, se ela se sente bem com... essa situação. Ou se, no íntimo, está desesperada para alguém se meter para ajudá-la. E... — Coçou o nariz — não sou muito boa em sondar as pessoas. Em procurar confidências e intimidades e essa coisa toda. Para ser sincera, Ale, não tenho preparo para lidar com isso. E estou apavorada de ter entendido errado. — Não lhe contou seus pensamentos mais sombrios: que tinha medo de chegar muito perto daquela confusão, daquela infelicidade deprimente. Não queria que, depois de ter recuperado uma espécie de paz frágil em sua vida, isso fosse corrompido pela infelicidade de outra pessoa.

Ele tocou o joelho dela com a ponta dos dedos. Um gesto delicado, tranquilizador.

Ficaram assim um bom tempo.

— Sabe de uma coisa? — disse ele, pondo-se de pé. Estendeu a mão. — Feche a loja. Acho que a gente deve ir.

A casa era mais bonita do que Suzanna esperara, mais bonita por dentro do que merecia ser, considerando o ar uniformemente deprimido da vizinhança, como se o sol, o céu azul, até a gloriosa paisagem rural de Suffolk em volta da propriedade tivessem falhado na tentativa de deixar sua impressão no casario sem graça do pós-guerra.

Dava para reconhecer a casa de Jessie pelas floreiras das janelas e pela porta da frente de um púrpura brilhante. Suzanna esperava encontrar uma zona de guerra no interior da residência. Em vez disso, deparou-se com uma sala de estar impecável com almofadas gordas de guingão e prateleiras sem um pingo de poeira. Os cômodos acanhados eram pintados de cores vivas, decorados com mobília barata que havia sido transformada em algo mais atraente. As paredes eram decoradas com fotos de família e quadros visivelmente pintados por Emma nas várias fases de sua vida escolar. Ainda havia cartões de aniversário engraçadinhos alinhados sobre o console da lareira e, no chão, um par de chinelos em forma de bicho de pelúcia que anunciavam ser "pés de urso". O único sinal de algum tumulto era um embrulho de jornal ao lado do conjunto de pá e escova, presumivelmente escondendo cacos de vidro ou porcelana. Mas o que o interior aparentemente alegre não conseguia esconder era o ar de quietude estupefata, uma atmosfera bem diferente do silêncio tranquilo de uma casa quase vazia, como se ainda estivesse digerindo ações que haviam acontecido por lá.

— Chá? — ofereceu Jessie.

Suzanna ouviu o grito sufocado de Alejandro quando a moça abrira a porta, a rápida tentativa dele de disfarçá-lo ao entrar na casa. A coitada tinha as finas feições inchadas, a boca emplastrada num ângulo grotesco pois ambos os lábios haviam sido cortados por um murro histórico. Havia um grande hematoma na parte superior do lado direito da bochecha e um tipo de tala caseira apoiava seu dedo indicador esquerdo.

— Não está quebrado — disse, meneando-o, ao acompanhar os olhos de Alejandro. — Eu teria ido ao hospital se achasse que tinha quebrado alguma coisa.

Ela tentou, mas não conseguir disfarçar o ligeiro coxear quando andava.

— Vamos para a sala — disse, um arremedo de anfitriã. — Sentem-se e fiquem à vontade.

Ouvindo o barulho de crianças andando de bicicleta na calçada do lado de fora, ficaram sentados em silêncio, lado a lado, no comprido sofá, que estava coberto com uma manta clara. Suzanna tentou não imaginar que tipo de marcas no sofá haviam feito com que precisasse ser coberto.

Jessie trouxe uma bandeja de canecas, recusou a ajuda para servir e sentou-se de frente para eles.

— Alguém quer açúcar? — perguntou, a voz grossa com o esforço de falar com a boca inchada.

Suzanna, com um soluço inesperado, começou a chorar, passando a mão no rosto numa tentativa de disfarçar as lágrimas. De alguma forma, parecia muito errado ver Jessie daquele jeito. Ela era muito diferente do tipo de mulher com quem geralmente esse tipo de coisa acontecia.

Alejandro sacou um lenço. Suzanna o pegou sem falar nada, envergonhada, diante de tanto sofrimento, de ser quem estava chorando.

— Não, por favor, Suze. — A voz de Jessie estava obstinadamente animada. — Parece pior do que é, sério.

— Cadê a sua filha?

— Ela estava na casa da minha mãe, graças a Deus. Agora só preciso arranjar um jeito de deixá-la mais uma noite lá sem minha mãe reclamar.

— Quer que eu dê uma olhada na sua mão? — ofereceu Alejandro.

— Só está machucada.

— Talvez você precise dar uns pontos nesse lábio.

— Não. Ele não cortou a pele por dentro. Eu verifiquei.

— Talvez você deva fazer um raio X também, só para checar se está tudo bem com a sua cabeça.

Suzanna observou Alejandro ir até Jessie e examinar o rosto dela, virando-o delicadamente para a luz.

— Quer que eu traga umas suturas borboletas do trabalho? Ajudariam a fechar isso mais depressa. Ou talvez uns analgésicos.

— Eu digo o que você pode fazer, Ale. Me explique como eu posso fazer para diminuir o inchaço. Preciso que Emma venha para casa o quanto antes e não quero assustá-la. Já botei gelo e creme de arnica, mas se tiver mais alguma coisa...

Alejandro ainda olhava com atenção para sua cabeça.

— Nada que vá fazer grande diferença — falou.

Houve um silêncio. Suzanna pegou seu chá e ficou olhando para ele, sem saber direito o que dizer. Jessie, com aquela dor e aquele controle, com aquela reação aparentemente bem ensaiada, parecia uma estranha.

— Quer que eu fale com ele?

Suzanna ergueu os olhos. A expressão de Alejandro era dura. Sua voz estava contida.

Jessie balançou a cabeça.

— Eu já conversei com ele — falou por fim. — Eu disse que isso foi longe demais.

Lá fora, as crianças estavam brigando. Gritavam umas com as outras na outra ponta da rua.

— Sei o que vocês estão pensando, mas não vou deixar isso continuar. Por Emma, principalmente. Já disse a ele, da próxima vez que encostar um dedo em mim, ele já era.

Alejandro baixou os olhos para a caneca.

— Estou falando sério — disse Jessie. — Não espero que vocês acreditem em mim, mas estou. Eu só quero ver o que acontece com esse negócio de gestão de raiva antes de realmente fazer as malas e ir embora.

— Jessie, por favor, vai agora. Por favor. Eu ajudo. Nós todos ajudamos.

— Você não entende, Suze. Ele não é um estranho, é o homem que amo desde que eu era... desde que eu era praticamente uma criança. Conheço a verdadeira personalidade dele e não é essa. Não posso jogar fora dez anos só por causa de alguns meses difíceis. Ele é o pai da Emma, pelo amor de Deus. E, acredite ou não, quando ele não está... assim, nos divertimos muito juntos. Somos felizes há anos.

— Você está criando desculpas para ele.

— É, talvez esteja. E posso ver como você enxerga essa situação. Mas só queria que você o tivesse conhecido antes que isso começasse. Queria que você tivesse visto a gente junto.

Suzanna olhou para Alejandro. Tinha pensado, dada a evidente afeição dele por Jessie, que ele talvez ficasse furioso, intercedesse por ela apesar de suas instruções, mas ele se limitou a ficar ali sentado, segurando a caneca, escutando. Isso a deixou quase frustrada.

— Não estou com medo dele, sabe? Quero dizer, sim, é meio assustador quando ele perde a cabeça, mas não é como se eu ficasse andando pela casa apavorada com a possibilidade de deixá-lo irritado. — Jessie olhou de Suzanna para Alejandro. — Não sou idiota. Esta é a última chance dele. Mas preciso dar mais essa. Todo mundo merece uma chance de mudar.

— Não é...

— Olha, você sabe o que provocou isso, não? — Jessie ergueu uma caneca com a mão machucada, depois passou-a para a mão boa e deu um gole. — O padre Lenny. Ele deu uma dura em Jason sobre ele se descontrolar. Jason ficou com a sensação de estar sendo julgado por todo mundo. Achou que eu andava contando histórias e que a cidade tinha se virado contra ele. Você sabe como as coisas são por aqui. É uma sensação horrível ter todo mundo desdenhando de você. Eu entendo, porque muita gente não falava comigo quando eu era faxineira. Como se isso de alguma maneira me tornasse diferente. — Ela pousou a caneca. — Você tem que deixar eu enfrentar isso sozinha. Não piore as coisas. Se eu decidir que ele realmente não é mais o mesmo, que virou alguém com quem eu não me sinto segura, faço as malas e vou embora. — Tentou sorrir. — Eu me mudo para a loja, Suzanna. Aí você nunca vai se ver livre de mim.

*Venha já,* Suzanna quis dizer, mas havia alguma coisa determinada na expressão de Jessie que a deteve.

— Meu número está aqui. — Alejandro estava rabiscando num pedaço de papel. — Mudando de ideia sobre a mão, querendo que eu lhe traga umas suturas borboletas, qualquer coisa — Suzanna achou que ele poderia ter se demorado significativamente no "qualquer coisa" —, me ligue.

— Volto a trabalhar depois de amanhã.

— Quando estiver pronta. Não se preocupe.

Suzanna se levantou e já ia abraçar Jessie, quando se deu conta de que poderia fazer pressão em machucados que a amiga não tivesse mencionado. Recuou e tentou imprimir uma certa urgência no olhar que trocaram.

— Pode me ligar também. A qualquer hora.

— Eu estou bem. Mesmo. Agora, sumam daqui, vocês dois. Vão abrir aquela loja, senão eu não vou ter trabalho para o qual voltar. — Ela os estava conduzindo porta afora.

Suzanna teria protestado, mas também sabia que Jason poderia chegar a qualquer momento, que Jessie poderia ter as próprias razões para querer a casa vazia.

— Até logo. — A voz de Jessie, alegre através da rede de cortinas, acompanhou-os pela rua.

Eles caminharam em silêncio até o hotel Cisne, na rua alta, cada qual concentrado nos próprios pensamentos, os passos ritmados na calçada que já irradiava ondas de calor, embora ainda não fosse meio-dia.

Suzanna parou na esquina da rua que levava ao centro da cidade.

— Não estou a fim de abrir a loja hoje — disse.

Ele enfiou as mãos nos bolsos.

— Vamos aonde, então? — perguntou.

Eles não estavam a fim de comer, o calor e os acontecimentos daquela manhã conspiraram contra o apetite. Após passar distraidamente pelas poucas opções de almoço da cidade, dirigiram-se ao mercado. Nenhum dos dois parecia saber aonde estava indo: simplesmente compartilhavam o desejo de estar sozinhos, de não retomar a rotina normal. Pelo menos, foi o que Suzanna disse a si mesma.

Caminharam amigavelmente ao redor das barracas na praça, bebendo garrafas de água, até que ele confessou, como quem se desculpa, estar entediado com o mercado.

— Venho aqui em quase todos os meus dias de folga — disse.

Não tinha visto quase nada, acrescentou, desde que chegara na Inglaterra. Não era assim que ele havia planejado, pensara que, nos dias de folga, viajaria para conhecer algumas cidades, mas as viagens de trem provaram ser proibitivamente caras e, na maior parte de seu tempo livre, estava muito cansado para fazer qualquer esforço maior. Fora uma vez a Cambridge, e tinha havido uma excursão a Londres para todas as parteiras, organizada pela administração do hospital, quando visitaram o Madame Tussaud, a Torre de Londres e a London Eye em rápida sucessão, sem registrar quase nada. Sendo de nacionalidades diferentes, as pessoas mal tinham sido capazes de compreender os sotaques umas das outras, as mulheres estavam ou rindo em grupinhos exclusivamente femininos, ou olhando para ele timidamente, sem envolvê-lo na conversa pelo fato de ele ser homem.

— Fiquei muito feliz por encontrar a sua loja — disse ele, as mãos enfiadas nos bolsos. — É o único lugar... era simplesmente diferente de tudo.

— Então o que você quer ver? — perguntou Suzanna, corando ligeiramente ao perceber quão sugestiva a frase poderia parecer.

— Me mostre de onde você é — disse ele. — Me mostre essa famosa propriedade. A que lhe causa tanto problema. — Ele dissera isso de um jeito brincalhão, e, sem querer, ela sorrira.

— Não é nenhuma estância — disse ela. — Tem uns cento e oitenta hectares. Provavelmente não muito grande para os padrões argentinos. — Mas estava de bom tamanho para proporcionar um bom passeio vespertino.
— Vou levá-lo até o rio — disse ela. — Se gosta de pescar, vai gostar do nosso rio.

Foi como se tivessem tomado uma decisão tácita de sair da sombra da manhã, não deixar que o problema de Jessie, a revolta e a impotência que ambos tinham sentido, assombrasse o restante do dia. Ou talvez, pensou Suzanna, enquanto subiam a trilha para o bosque, ela sempre passando pela lateral do milharal a fim de evitar o caminho esburacado, simplesmente fosse impossível se sentir arrasada durante muito tempo num dia em que o céu estava tão gloriosamente azul, em que os pássaros competiam em canto, o esforço lhes estourando o peito, quando a tarde em si estava contagiada pela alegria do ócio, de estar escondido quando todo mundo estava trabalhando.

Por duas vezes, ele pegara a mão dela para ajudá-la a atravessar a trilha.

Na segunda vez, ela tivera que fazer um esforço consciente para soltar a dele.

Eles se sentaram no topo do campo de dezesseis hectares e estavam olhando para o vale. Era um dos poucos pontos de onde a propriedade era visível na quase totalidade, as colinas onduladas e os trechos escuros de floresta criando um mosaico até o horizonte. Ela apontou para uma casa distante, rodeada de pavilhões.

— Aquela é a Casa Philmore. Está alugada no momento, mas meus pais moraram lá quando se casaram. — Ela se levantou e apontou para um bosque, cerca de oito quilômetros à esquerda da casa. — Aquela casa amarela... dá certinho para ver, né? É a casa dos meus pais agora. Meu irmão Ben, ele é mais novo que eu, e minha avó moram lá também.

Tinham atravessado um terço do campo, chegando no ponto em que havia uma inclinação acentuada, descendo na direção do vale e do rio, que não se via por trás da mata, quando ela disse:

— Eu e meu irmão vínhamos aqui quando éramos pequenos. Nós descíamos rolando. Ficávamos parados em pé, fazendo de conta que não sabíamos o que ia acontecer, e aí um empurrava o outro e rolava junto até lá embaixo apostando para ver quem chegava primeiro. No final, ficávamos com grama na boca, no cabelo... — Ergueu as mãos, os cotovelos dobrados, demonstrando a posição, perdida numa lembrança distante. — Teve um ano em que papai deixou esse campo para as ovelhas. Nós não pensamos nisso. Ben se levantou lá embaixo parecendo um pão de passas.

Suzanna percebeu que tinha começado a falar dos familiares e não quis continuar. Às vezes, parecia que não havia como fugir deles.

Ele estava ao lado dela, protegendo a vista do sol enquanto admirava o horizonte.

— É lindo.

— Eu já não vejo assim. Acho que, quando se cresce com alguma coisa, a gente deixa de reparar.

Abaixo deles, um gavião pairava no ar, de olho em alguma presa que não se via. Alejandro acompanhou-o quando ele mergulhou em direção à terra.

— Mesmo em dias como esse, acho que ainda prefiro a cidade.

Ele virou-se para ela.

— Então por que deixa isso te entristecer tanto? — Olhou-a como se achasse os sentimentos dela curiosos.

— Não estou triste. E não deixo isso me incomodar tanto assim. É que eu não concordo com o sistema, só isso.

Ela se sentou e, com um ar pensativo, puxou um capim comprido e colocou o talo entre os dentes posteriores.

— Isso não governa a minha vida nem nada. Não é como se eu estivesse sentada num quarto escuro em algum lugar espetando alfinetes num boneco vudu do meu irmão.

Ouviu-o rir ao se sentar ao seu lado cruzando as pernas embaixo do corpo. Ouviu o farfalhar do capim quando ele se ajeitou, observou, disfarçadamente, quando ele esticou as pernas ao lado das dela...

— A propriedade nunca foi sua, certo? Pertence ao seu pai?

— E ao pai dele. E antes era do pai do pai dele.

— Portanto nunca foi sua, nem nunca será. Então?

— E daí?

— Exatamente. E daí?

Ela ergueu os olhos para o céu.

— Acho que você está sendo meio ingênuo.

— Por lhe dizer para não deixar as terras da sua família comerem a sua felicidade?

— Não é tão simples assim.

— Por quê?

Ela chutou um inseto que pousara em seu pé.

— Ah, todo mundo é um grande especialista, não é? Todo mundo sabe como eu me sinto... como eu *devo* me sentir. Todo mundo acha que eu devo simplesmente aceitar as coisas do jeito que são e parar de reclamar. Pois bem, Alejandro, não é tão simples assim. Não é tão simples quanto a gente se convencer a não querer alguma coisa. Tem a ver com família, relacionamento, história e injustiça e... — Interrompeu-se, dirigiu-lhe um olhar furtivo. — Nunca envolve só a terra, ok? Se envolvesse só a terra, isso teria sido resolvido há muito tempo.

— Então envolve o quê?
— Sei lá. *Tudo*.

Ela pensou de repente nos problemas maiores que provavelmente já vira, na situação de Jessie, e sua voz pareceu infantil, petulante, até para ela mesma.

— Olha, podemos mudar de assunto?

Ele puxou as pernas para cima, olhou de rabo de olho para ela por cima do ombro.

— Não fique brava, Suzanna Peacock.
— Não estou brava — rebateu ela, irritada.
— Tudo bem... Acho que talvez você tenha que tomar uma decisão. Acho que... é muito fácil você se deixar engolir pela sua família, pela história dela.
— Agora você falou como o meu marido. — Ela não queria mencionar Neil, achava a presença dele indesejável entre eles.

Alejandro jogou o cabelo para trás.

— Então ele e eu estamos de acordo. Nenhum de nós quer ver você infeliz.

Ela olhou para ele, estudou seu perfil e, depois, quando ele se virou para ela, se deixou fazer perguntas mudas àqueles olhos castanhos, àquela boca que sabia das coisas. Ele estava com uma cara ligeiramente intrigada, como se estivesse tentando entender algo.

*Você é só mais uma paixãozinha*, disse ela a si mesma, depois estremeceu pensando na possibilidade de ter dito isso em voz alta.

— Não estou infeliz — murmurou. Parecia importante persuadi-lo disso.
— Tudo bem — disse ele.
— Não quero que você pense que estou.

Ele assentiu.

O jeito que olhou para ela, como se entendesse, como se conhecesse sua história, sua culpa, sua infelicidade. Como se as compartilhasse, como se também as carregasse.

*Ele devia ser uma paixãozinha*, pensou ela, deixando a cabeça cair com força nos joelhos para disfarçar o rápido pestanejar. *Estou imaginando demais, impondo sentimentos a ele que eu nem sei se ele tem.*

Sentou-se e pousou a testa nos joelhos, até sentir o toque elétrico dele em seu ombro.

— Suzanna — disse.

Ela olhou para ele. Contra o sol, só via uma silhueta indistinta, afinada de um jeito não natural.

— Suzanna.

Ela pegou a mão estendida dele, fez menção de se levantar, a vista ainda se adaptando à agressiva claridade vespertina, aceitando de algum modo, naquela estranha tarde de sonho, que iria atrás desse homem de qualquer maneira, que se deixaria ser levada para dentro da esteira dele. Alejandro não se levantou, mas puxou-a ligeiramente para si, e ela observou quando ele se deitou de costas na grama. Quando ela ficou com o ar engasgado no peito, ele fixou os olhos nos dela, com algo travesso no convite que sugeria. Então, com um grito infantil, deu um impulso e começou a rolar morro abaixo, as pernas batendo uma na outra à medida que ganhava velocidade.

Durante vários segundos, ela ficou olhando incrédula para a figura que se afastava. Depois, com o passar da tensão dos últimos instantes, ela se jogou atrás dele, aliviada, deixando o céu e a terra se dissolverem até se confundirem, deixando seus sentidos serem consumidos pelo capim que passava depressa, o cheiro da terra, o delicado solavanco de seus ossos batendo no chão. E ela estava rindo, perdida no ridículo daquilo, cuspindo pedaços de capim e margaridas e sabe Deus mais o quê, rindo, as mãos estendidas acima da cabeça, se deixando voar morro abaixo, criança de novo, sabendo que seria apanhada no fim.

Ele ficou parado acima dela, enquanto ela jazia rindo e arfando na relva, a cabeça ainda tonta por causa da descida. Ele balançava lá em cima, estendendo a mão como se para ajudá-la a se levantar, parado até ela conseguir aos poucos distinguir seu rosto sorridente, a calça toda suja de grama.

— Feliz agora, Suzanna Peacock?

Ela não conseguiu pensar em nenhuma resposta mais sensata. Portanto, ficou deitada, rindo, ainda sentindo tontura, os olhos fechados contra o céu dolorosamente azul.

Eles chegaram ao centro da cidade pouco antes de sete. Talvez pudessem ter chegado mais cedo, mas, por consentimento mútuo, haviam ido num passo comedido, quem sabe para poderem ter mais tempo para conversar. A conversa agora vinha com facilidade, como se aquela liberação física infantil dos dois tivesse destravado alguma coisa entre eles. Suzanna soube mais um pouco sobre Alejandro: sobre sua mãe que não saía de casa, a empregada, a situação política na Argentina. Ele soube da história familiar dela: sua infância, seus irmãos, sua raiva por ter que deixar Londres. Mais tarde, ela se lembraria que, em várias horas de conversa, Neil não fora mencionado, e não se sentiria muito culpada pela omissão.

Estavam atravessando a praça quando Suzanna notou os três rapazes deixando a delicatéssen, conversando, as bolsas confortavelmente penduradas nos ombros. Eles olharam para as calças de Alejandro, gesticularam entre eles e disseram alguma coisa possivelmente rude em italiano, depois fizeram uma saudação.

Alejandro e Suzanna levantaram as mãos em resposta.

— Ele os contratou de volta — sussurrou ela.

— Quem?

— Essa é uma longa história, mas é uma boa notícia. Jessie vai ficar muito contente. — Ela viu que não conseguia parar de sorrir, um sorriso largo, desinibido. Era como se o prazer do dia tivesse sido intensificado pelo modo excepcionalmente triste com que começara.

— É melhor eu ir andando — disse ele, olhando o relógio. — Estou num plantão noturno.

— Acho que eu devia ir até a loja — sugeriu ela, tentando não parecer tão cabisbaixa quanto se sentia. — Ver se deixaram alguma encomenda do lado de fora. — Não queria ir embora, mas ficou mais fácil sabendo que qualquer que fosse a barreira que tivesse sido quebrada hoje ainda estaria quebrada amanhã.

Olhou para o chão, depois de novo para ele.

— Obrigada — disse, esperando que ele entendesse tudo o que aquilo significava. — Obrigada, Ale. — Ele ficou ali um instante, depois afastou um fio de cabelo desalinhado da testa dela. Alejandro ainda cheirava a capim, a pele inundada de sol.

— Você é parecida com a sua mãe — disse.

Ela franziu ligeiramente o cenho.

— Acho que não sei o que isso quer dizer — disse com cautela.

Os olhos dele não tinham deixado os dela.

— Acho que sabe.

Neil não estava em casa quando ela chegou. Uma mensagem na secretária eletrônica disse que chegaria muito tarde: ia jogar squash com os colegas de trabalho, tinha lhe avisado aquela manhã, mas tinha quase certeza de que ela não se lembrava. Acrescentou, de brincadeira, que ela devia tentar não sentir muito a falta dele.

Suzanna não quis jantar. Por alguma razão, ainda não tinha apetite. Em vez disso, tentou em vão encontrar algo que lhe interessasse na televisão, depois ficou andando nervosamente pela casinha, olhando pela janela para os campos por onde andara mais cedo naquele dia até escurecer.

Finalmente, Suzanna estava em seu pequeno quarto. Sentou-se em frente ao espelho, que quase encaixava na parte mais baixa do teto inclinado. Ficou olhando algum tempo para o próprio reflexo e depois, quase inconscientemente, puxou o cabelo para cima e prendeu-o no topo da cabeça. Delineou os olhos com kohl, pintou as pálpebras o mais parecido com aquele azul gelado característico que conseguiu achar.

Sua pele, pálida como a da mãe, não tinha marcas de sol. Seu cabelo, livre de tinturas e disfarces químicos, de um preto profundo, quase artificial. Ela olhou em seus olhos, ergueu as comissuras da boca numa aproximação daquele sorriso.

Depois, ficou sentada, imóvel, enquanto Athene a fitava também.

— Sinto muito — disse para o seu reflexo. — Sinto muito mesmo.

# Dezoito

Isadora Cameron tinha o tipo de cabelo crespo e ruivo que quase não se vê mais: antes era comum em crianças muito caçoadas na escola ou era domado por atendentes de salão de beleza mal-humoradas. Uma nova geração de relaxantes e condicionadores leave-in eliminou esse tipo de cabelo, frisado, cheio, cor de cenoura, que emoldurava o rosto dela. Mas Isadora não parecia se importar. Desde o primeiro dia em que fora à Casa Dere, deixara o cabelo solto balançando em volta da cabeça, uma espécie de explosão avermelhada, diminuindo um rosto que, não fora por isso, seria quase redondo.

— A mulher parece um Bombril enferrujado — comentou Rosemary, com uma fungadela, no dia em que ela chegou. Mas, por outro lado, Rosemary estava propensa a não gostar dela fosse qual fosse a natureza de seu cabelo.

Para Rosemary, a Sra. Cameron foi descrita como faxineira, alguém para ajudar Vivi agora que ela passava mais tempo com Douglas. Era uma casa grande, afinal. A única surpresa era que a nora tivesse se virado por tanto tempo sem ajuda. Para o resto das pessoas, a Sra. Cameron era a motorista, a faxineira e a lavadeira de roupas íntimas de Rosemary e a ajudante nos serviços gerais da casa. "Alguém para lhe tirar o peso dos ombros", dissera Douglas, quando anunciou a contratação. A Sra. Cameron não se alterava com despensas anti-higiênicas nem com geladeiras perigosas. Não deixava gatos caquéticos nem terriers desonestos perturbarem seu jeito alegre. Achava que lençóis e roupas íntimas sujas faziam parte de seu trabalho. E durante quatro horas todas as manhãs, pela primeira vez desde que Rosemary chegara, desde que as crianças haviam crescido, talvez em toda a sua vida de casada, Vivi agora se via, durante várias horas por dia, em condições de fazer qualquer coisa que quisesse.

Primeiro, achara a liberdade quase intimidante. Arrumara armários, cuidara do jardim, fizera bolos extras para o Instituto das Mulheres. ("Mas você nem gosta de fazer bolo", dissera Ben. "Eu sei", disse Vivi. "Mas acho que não fazer é desperdiçar o dinheiro do seu pai.") Depois, aos poucos, passou a aproveitar as horas livres. Tinha começado a fazer uma colcha de retalhos com tecidos das roupas preferidas das crianças que guardara ao longo dos anos. Havia ido à cidade de carro, sozinha, para tomar uma xícara de chá feito por outra pessoa e curtir o luxo de ler uma revista sem ser interrompida. Levava seu cachorro para passeios de verdade, redescobrindo a propriedade desde o nível do chão, deleitando-se com a terra que nunca chegara realmente a ver. E tinha passado um tempo a sós com Douglas, dividindo sanduíches com ele no trator, corando com satisfação quando entreouviu um dos homens comentar que ela e o "velho" pareciam dois pombinhos ultimamente.

— Não gosto dela — reclamou Rosemary quando Vivi e Douglas voltaram para casa. — Ela é muito impertinente.

— Ela é muito simpática, mãe — disse Douglas. — Aliás, eu diria até que ela é um tesouro.

— Ela força uma intimidade comigo. E não gosto do jeito que ela limpa.

Vivi e Douglas se entreolharam. A Sra. Cameron era decididamente surda às grosserias de Rosemary, recebia suas queixas mal-humoradas com a mesma animação leniente com que, sem dúvida, tratava os velhos do lar de idosos de onde Douglas a aliciara. Ela ficara feliz em aceitar o emprego oferecido por Douglas, confidenciou a Vivi. Aqueles velhinhos podiam ser frágeis, mas não deixavam de lhe dar um ou outro beliscão no traseiro quando tinham a oportunidade. E não era como se a pessoa pudesse revidar com uma boa cacetada, com eles estando propensos a cair e tudo.

— Vou falar com ela, então, mãe. Garantir que ela não esteja deixando escapar alguma coisa.

— Ela devia dar um jeito naquele cabelo — murmurou Rosemary, voltando devagar para o seu anexo. — Ela não se arrumar um pouco realmente me incomoda. — Virou-se e ficou olhando desconfiada para o filho e a nora. — Estão acontecendo coisas por aqui — disse. — Cabelo e tudo o mais. E não estou gostando.

Naquela manhã, quando a Sra. Cameron entrou, Vivi pensou que Rosemary ia fazer a festa. O calor abafado das semanas anteriores arrefecera com um temporal: o céu escurecera quase que de forma perversa na hora do café da manhã e, após uma calmaria demorada e portentosa, se abrira para desencadear um aguaceiro torrencial. A Sra. Cameron aparentemente fora pega sem guarda-chuva e, na curta caminhada de seu carro até a porta, seu cabelo se armara em espiral em volta da cabeça.

— Será que vão reparar? — disse a Sra. Cameron, sacudindo o lenço que usava na cabeça, enxugando a água do rosto com um pano e examinando as mangas do casaco de malha escarlate.

— Graças a Deus por isso — disse Douglas, quando apareceu atrás delas. — Pensei que fôssemos ter que começar a irrigar se não tivéssemos uma chuva em breve.

— Quer... quer um secador de cabelo emprestado? — perguntou Vivi, apontando para o cabelo dela.

— Meu Deus, não. Se acha que parece bagunçado agora, devia ver depois de passar por um secador. Não, vou deixar secar ao natural. Mas vou botar meu casaco na secadora, se estiver tudo bem para você. — A Sra. Cameron foi andando em direção à cozinha com um passo enérgico, um rechonchudo ponto de exclamação vermelho invertido.

Douglas ficou parado à janela, depois virou-se para a mulher.

— Não se esqueça que vamos a Birmingham hoje, ver reboques. Tem certeza de que não se importa se pegarmos o seu carro?

O Range Rover estava na revisão anual e, para Douglas e Ben não cancelarem os planos, Vivi lhes ofereceu o seu carro.

— Tudo bem. Com um tempo desses, vou me limitar a ficar me distraindo em casa. Além do mais, se precisar de alguma coisa, sempre posso pedir à Sra. Cameron para ir a Dere para mim.

Ele levara a mão ao rosto dela, um gesto mudo, mas um reconhecimento mesmo assim. Deixou-a ali tempo suficiente para fazer Vivi corar, antes de indicar a galeria no andar de cima.

— Ligou para Suzanna? — Ele estava sorrindo do rubor dela.

— Não, ainda não.

— Vai convencê-la a vir aqui? Hoje podia ser um bom dia, com a chuva e tudo. Acho que a loja não deve estar muito movimentada.

— Ah, nunca se sabe. Amanhã, talvez. — Seus olhos não tinham deixado os do marido. — Mas acho que você devia ligar para ela. Partindo de você, tem mais significado.

Ele pôs o chapéu na cabeça, aproximou-se para abraçá-la. Ela sentiu as mãos do marido envolvendo a sua cintura, a segurança reconfortante do peito dele contra o dela, e se perguntou se, àquela altura da vida, podia se sentir feliz de um jeito tão embaraçoso.

— Você *é* uma mulher extraordinária, Vivi Fairley-Hulme — disse ele no ouvido dela. Colocara a ênfase no "é", como se só ela duvidasse disso.

— Vá — disse ela, recuando e abrindo a porta de tal maneira que a chuva escureceu a ardósia do piso do hall. — Antes que Ben suma e você demore uma hora para encontrá-lo. Ele está aflito para ir desde antes do café da manhã.

Na hora do almoço, todo mundo já tinha se cansado da chuva. Mesmo quem ficara aliviado quando ela chegara, chamando a atenção para a sede desesperada dos jardins, ou para o peso do calor recente, estava achando aquela força do aguaceiro torrencial opressiva. Parecia uma tempestade tropical, disseram os poucos que visitaram o Empório Peacock naquela manhã, enquanto contemplavam o céu cinzento, as calçadas espelhadas.

— Fui a Hong Kong na estação chuvosa uma vez — disse a Sra. Creek, que visitou a loja depois de seu linguado ao limão com batatas cozidas no Friday Lunch Club do Pensioners (Cozinha de Restaurante! A Preços de Café!) —, e chovia tanto que a água realmente cobria os meus pés. Estragou os meus sapatos, mesmo. Achei que talvez isso fosse um jeito de nos fazer gastar mais dinheiro.

— O quê? — disse Suzanna, que desistira de fazer qualquer coisa e assistia ao dilúvio pela janela.

— Pois é uma boa maneira de obrigar a gente a comprar mais sapatos, não é?

— O que... fazer chover? — Suzanna revirara os olhos para Jessie.

— Não seja ridícula. Tem lógica, não? Não fornecer uma drenagem decente para o escoamento da água.

Suzanna convenceu-se a sair da janela e tentou absorver as palavras da Sra. Creek. Panela vigiada não ferve, era o que sua mãe lhe dizia. Mas isso não a impedia de procurar a figura ágil e sedutora que se tornara familiar a ela, quanto mais não fosse, pela reminiscência. Uma figura que, hoje, até agora, recusara-se decididamente a aparecer. *Eu não deveria pensar assim*, disse a si mesma talvez pela trigésima vez naquele dia.

Suzanna obrigou-se a voltar para o interior confortável da loja, apenas vagamente consciente do jazz suave ao fundo e do bate-papo em surdina das mulheres no canto, que tinham ficado felizes de usar a chuva como desculpa para se dar o luxo de umas horinhas de conversa. A Sra. Creek estava estudando uma caixa de tecidos antigos, desdobrando as peças e murmurando baixinho ao examinar cada uma em busca de fios puxados e furos, e um jovem casal vasculhava uma caixa de contas art-déco vitorianas em que Suzanna ainda não tinha tido tempo de colocar preço individualmente. Era o ripo de chuva que em geral fazia o Empório Peacock parecer um esconderijo exótico, resplandecente, confortável e alegre, frente aos paralelepípedos cinzentos da rua, e lhe permitia se imaginar num lugar completamente diferente. Hoje, porém, ela se sentia inquieta, como se um mal-estar distante vindo com as nuvens cinzentas do Mar do Norte tivesse sido soprado para dentro da loja.

Ela olhou para Jessie, que ainda estava preenchendo etiquetas de preço para uma caixa de letras Perspex coloridas, como estivera na última meia hora, embora Suzanna lhe tivesse dito que aquilo não era muito necessário: bastava escreverem "75 *pence* a unidade" na frente da caixa.

Pensando bem, Jessie mal falara a manhã inteira. Desde que voltara a trabalhar, andava meio diferente: não exatamente desanimada, mas distraída, lenta para entender piadas que antes ela própria poderia ter instigado. Aparentemente, esquecera tudo a respeito de Arturro e Liliane, sua antiga obsessão, e Suzanna, ensimesmada, demorara mais a notar. As contusões externas podiam desaparecer, pensou agora, lamentando a própria distração, mas talvez as internas fossem mais difíceis de eliminar.

— Jess? — chamou com cautela, quando a Sra. Creek já havia ido embora. — Não me entenda mal, mas quer tirar mais um tempinho de folga?

Jessie ergueu os olhos bruscamente, e Suzanna logo quis recuar.

— Não é que eu não queira você aqui. Só achei... bem, não estamos com movimento no momento, e talvez você queira passar mais tempo com Emma.

— Não, não. Está ótimo.

— De verdade. Isso não é problema.

Jessie ficou olhando para a mesa um instante, depois virou a cabeça lentamente, registrando onde os clientes estavam, a privacidade relativa que tinha, e voltou-se com relutância para Suzanna.

— Na verdade, preciso falar com você — disse, evitando o olhar da amiga.

Suzanna hesitou, depois deu a volta no balcão em silêncio e sentou-se em frente a ela.

A moça ergueu os olhos.
— Vou ter que pedir demissão — disse.
— O quê?
Jessie suspirou.
— Já decidi que esse emprego não vale o sufoco. Ele está piorando. Estamos inscritos para a gestão da raiva dele e para a terapia de casal, ou seja lá o que for, mas isso pode levar semanas, meses até, e tenho que tomar alguma providência para fazer com que ele seja racional.
Seu rosto exprimiu um pedido de desculpas.
— Eu estava apavorada de falar com você — disse. — Mesmo. Mas tenho que botar a minha família em primeiro lugar. E, com um pouquinho de sorte, essa situação poderia ser apenas temporária. Só até ele se acalmar um pouco, sabe.
Suzanna ficou sentada em silêncio. A ideia de Jessie não aparecer mais ali a fez sentir-se doente. Mesmo sem suas distrações atuais, a loja já não parecia a mesma nos dias em que Jessie não estava presente: ela não sentia o mesmo entusiasmo na hora de abrir. As horas se estendiam, em vez de passar depressa com piadas ridículas e confidências compartilhadas. E se Jessie nunca mais voltasse, diziam seus pensamentos mais sombrios, quantos clientes desapareceriam com ela? A loja mal estava cobrindo os gastos, e Suzanna sabia muito bem àquela altura que a cara sorridente daquela moça e seu interesse pela vida de todo mundo eram uma atração que ela sozinha nunca poderia ter.
— Não fique zangada comigo, Suze.
— Não estou zangada. Não seja boba. — Suzanna estendeu a mão, pousou-a na de Jessie.
— Fico uma semana ou duas se isso te deixa num aperto. E vou entender se você quiser arranjar outra pessoa. Quero dizer, não estou esperando que você segure a vaga para mim.
— Não seja ridícula.
Suzanna viu uma lágrima cair na mesa.
— O emprego é seu — disse baixinho. — Você sabe que o emprego é seu.
Ficaram por alguns minutos escutando um carro de entrega descer a rua molhada de marcha à ré, criando marolas que chegavam no meio-fio.
— Quem imaginaria, hein? — O sorriso de Jessie voltou.
Suzanna ficou segurando sua mão, se perguntando se iria receber mais confidências, sem saber direito o que aguentaria ouvir.

— O quê?

— Suzanna Peacock. Precisando de gente.

A chuva batia ferozmente na rua, a vista das janelas uma mancha cor de chumbo.

— Gente, não — disse Suzanna, tentando, sem conseguir, fazer uma voz ranzinza para disfarçar o aperto no coração. — Talvez você tenha uma personalidade dividida, Jess, mas acho que nem você pode ser considerada gente por enquanto.

Jessie sorriu, um vestígio de seu antigo eu aparecendo, e, com delicadeza, retirou a mão.

— Mas o problema não sou só eu, não é?

A moça irritante saiu às quinze para as três, levando junto aquele cabelo ainda espetado como se ela tivesse sido arrastada para trás através de uma cerca viva. Ela se habituara a gritar com Rosemary, como se esta fosse surda, e Rosemary, irritada com esse tratamento condescendente, habituara-se a responder gritando, para lhe mostrar que não era necessário gritar. Os jovens podiam ser muito irritantes.

Quando a moça saíra, Rosemary dissera-lhe que, se quisesse conservar o marido, ela teria que comprar um espartilho.

— Se arrume um pouco — falou. — Homem nenhum gosta de ver uma mulher toda caída.

Tinha achado, esperado, talvez, no íntimo, que a moça se ofendesse e fosse embora. Mas, em vez disso, ela pousara aquela mãozinha gorducha na de Rosemary (outro gesto excessivamente familiar) e caíra na gargalhada.

— Obrigada, Rosemary — dissera. — Vou oferecer o meu marido como voluntário para o tratamento com a cinta antes de fazê-lo. Ele não tem vários galões de cerveja chacoalhando em volta da pança?

Ela era mesmo impossível. E era para ela ir embora às duas — *duas*, não às quinze para as três. Rosemary, olhando o relógio sem parar, não via a hora de ela sair. Vivi sempre levava o cachorro para passear depois do almoço, e Rosemary contava ter a casa só para ela.

Chamou, certificando-se de que Vivi não entrara em casa por uma das portas dos fundos, e começou a subir as escadas devagarinho, de um jeito meio emperrado, segurando-se com as duas mãos no corrimão. Tinham achado que ela não saberia, refletiu com amargura. Só porque já não ia no andar de cima, tinham pensado que podiam ignorar os desejos dela. Como se sua idade avançada significasse que a opinião dela já não contava. Mas ela não era burra. Sabia exatamente qual era o jogo deles: não tinha tido as suas suspeitas desde o dia em que o filho levantara novamente toda aquela história sobre dividir a propriedade? Mesmo na faixa dos sessenta, ele não tinha o juízo com que nascera, ainda era controlado por caprichos e fantasias femininos.

Ela alcançara o penúltimo degrau e parara, segurando o corrimão, maldizendo a dor nas juntas, a tonteira que provocava o canto de sereia que a atraía até poltrona. A velhice, ela descobrira havia muito, já não conferia sabedoria nem status, mas simplesmente uma série de indignidades e degenerescências físicas, fazendo com que a pessoa não só fosse ignorada mas também tivesse que planejar e avaliar com cuidado tarefas que antes executava automaticamente. Ela conseguia alcançar a lata de tomates naquele armário? E se conseguisse pegá-la e não a de feijões, muito parecida, ao lado, seus punhos agora fracos teriam forças para aguentá-la sem deixá-la cair até conseguir pousá-la no aparador?

Respirou fundo e olhou o piso amplo e nivelado da galeria. Mais dois passos. Não tinha sobrevivido a duas guerras mundiais para deixar uns degraus dissuadirem-na. Empinou o queixo, segurou o corrimão com mais firmeza e, com um gemido, conseguiu chegar à galeria.

Endireitou-se lentamente, registrando o espaço que não via havia quase sete anos. Estava tudo mais ou menos igual, decidiu, com uma vaga satisfação: o carpete, o radiador portátil ao lado do aparador e o cheiro de cera de abelha e brocado velho. De diferente, só o retrato, recém-instalado, que agora resplandecia com moldura nova irradiando malícia do espaço em frente à janela comprida.

Athene.

Athene Forster.

Ela nunca merecera o sobrenome Fairley-Hulme.

Rosemary ergueu os olhos para a tela, para a figura pálida com um sorriso afetado que parecia, mesmo agora, passados mais de trinta anos, estar rindo dela. Aquela ali riu de todo mundo. Dos pais que a tinham criado para ser a pequena vagabunda que foi, de Douglas, que lhe dera tudo, e a quem ela pagou desfilando o seu comportamento imoral por três condados, de Rosemary e de Cyril, que tinham feito de tudo para manter a continuidade da linhagem Fairley-Hulme e a integridade da propriedade. E sem dúvida, mais uma vez, de Douglas, por não ter coragem de deixar o retrato dela fora da galeria da família.

Ficou olhando para a garota, para o sorriso irônico, para os olhos que ainda transmitiam falta de respeito e excesso de conhecimento.

A chuva batia na janela, e o ar estava úmido, carregado de intenção.

Rosemary voltou-se rigidamente para a cadeira de braço gótica ao lado da balaustrada, avaliando, calculando. Olhou para suas pernas, depois andou lentamente até ela. Agarrando os braços do móvel com as duas mãos nodosas, empurrou-o para trás, arrastando-o pelo tapete em direção à parede, um passo doloroso de cada vez.

Foram vários minutos para fazer o trajeto de poucos palmos e, quando finalmente chegou ao seu destino, foi obrigada a sentar-se e vencer a tonteira, preparando-se para a arremetida final. Bastante confiante de que estava pronta, ficou de pé. Então, apoiando-se com uma das mãos nas costas da cadeira, olhou mais uma vez para a garota que fizera tanto estrago, que continuava insultando a família de Rosemary.

— Você não merece estar aí — disse, em voz alta.

Embora pouco tivesse feito nos últimos dez anos de mais acrobático que abaixar-se para encher a tigela do gato, Rosemary, com o queixo empinado, o rosto uma máscara de determinação, levantou um magro pé artrítico e começou, sem muita firmeza, a subir na cadeira.

Eram quase quinze para as quatro quando ele chegou. Fazia tempo que ela desistira de ficar olhando através dos fios de água que escorriam pela janela, estava num ponto em que até se censurar perdera o sentido. Decidiu fazer o que passara semanas adiando: arrumar o porão. A loja em si poderia estar impecável, mas ela e Jessie tinham se habituado a jogar caixas vazias escada abaixo, enfiando bandejas de produtos e caixas de café em qualquer espaço que conseguissem encontrar. Agora, no entanto, o estoque de outono estava a caminho, uma entrega importante estava prevista para chegar no dia seguinte, e Suzanna se dera conta de que não conseguiam circular em volta das caixas — e do lixo — a menos que se organizassem melhor.

Ela já estava lá embaixo fazia quase meia hora quando ouviu a exclamação de surpresa e deleite de Jessie, e ficou imóvel por um momento, sem saber direito se era apenas mais um de seus muitos visitantes que parecia incutir na amiga tal prazer instantâneo e vocal. Mas então, mesmo com o barulho da chuva, ouviu a voz dele, vacilante e tonal, seu pedido de desculpas risonho por alguma coisa. Parou e alisou o cabelo, tentando acalmar a palpitação no peito. Pensou, por um instante, na consulta médica que marcara mais cedo aquela manhã, e fechou os olhos, sentindo uma pontada de culpa que podia associar à presença dele ali. Depois respirou fundo e subiu as escadas deliberadamente.

— Ah — disse, na porta do porão. — É você. — Tinha tentado, em vão, falar com uma voz surpresa.

Ele estava sentado na mesa de sempre. Só que não estava virado para a janela, mas sim para o balcão. Na direção de Jess. Na direção de Suzanna. Seu cabelo escuro brilhava com a chuva, seus cílios separados virando pontos estrelados. Ele sorriu, um sorriso lento, encantador, limpando a água do rosto com a mão molhada.

— Olá, Suzanna Peacock.

Vivi conduziu o cachorro pela porta dos fundos, sacudindo o guarda-chuva no chão da cozinha e chamando o animal de volta antes que ele saísse correndo para os outros cômodos e deixasse suas pegadas nos carpetes claros.

— Ah, volte aqui, seu bicho ridículo! — exclamou.

Pensara que, de galochas e guarda-chuva, estava preparada para o tempo, mas esta chuva era de outro nível. Ela estava totalmente ensopada. *Vou ter que me trocar toda, até a roupa de baixo*, pensou, examinando as roupas encharcadas. *Vou preparar o chá e posso me trocar enquanto ele descansa.*

O céu carregado de chuva tinha deixado a cozinha numa escuridão incomum, e ela ligou vários interruptores, esperando enquanto as luzes acendiam. Encostou o guarda-chuva na porta, encheu a chaleira e tirou os sapatos, deixando-os encostados no fogão e se perguntando se devia colocar palmilhas neles para que não encolhessem. O gato de Rosemary estava dormindo, estirado e imóvel, ao lado deles, e Vivi encostou-lhe a mão no pescoço, só para se certificar de que ainda estava vivo. Atualmente, nunca se podia ter certeza. Ela temia que, quando ele morresse mesmo, só fossem notar vários dias depois.

Tirou o bule de chá do armário, encheu-o com água quente e deixou-o na bandeja para aquecer enquanto pegava duas xícaras com os pires. Por ela, teria usado uma caneca, mas Rosemary gostava de fazer as coisas formalmente mesmo quando eram só elas duas, e Vivi estava se sentindo bastante generosa esses dias para lhe fazer as vontades.

Olhou para o diário da cozinha enquanto despia o suéter e o colocava sobre o anteparo do fogão. Ben tinha uma reunião do clube de rúgbi essa noite: sem dúvida ia querer pegar o carro dela emprestado novamente.

Havia também um lembrete da Sra. Cameron de que estavam precisando de luvas de borracha e de pulverizadores novos. *Graças a Deus pela Sra. Cameron*, pensou. *Como consegui me virar sem ela por tanto tempo? Como podia uma coisa tão simples produzir uma mudança tão grande?*

Voltou para a chaleira e começou a preparar o chá.

— Rosemary — chamou, na direção do pavilhão —, gostaria de uma xícara de chá?

A falta de resposta não era incomum: frequentemente, Rosemary, por surdez ou teimosia, exigia ser chamada várias vezes antes de se dignar a responder, e Vivi sabia que ainda não tinha sido perdoada pela explosão. Mas, após a terceira tentativa, Vivi pousou a bandeja do chá em cima de uma boca do fogão e bateu à porta do anexo.

— Rosemary? — disse, o ouvido colado à porta. Depois abaixou a maçaneta e entrou.

A sogra não estava ali. Depois de revistar cada cômodo duas vezes, Vivi ficou parada no corredor tentando pensar aonde mais ela podia ter ido. A Sra. Cameron fora embora, portanto não poderia estar com ela. Ela não estaria nos jardins com um tempo ruim como aquele.

— Rosemary? — chamou de novo.

Foi então, acima do rumor monótono da chuva, que ouviu o barulho: um gemido distante, um arrastar de pés, anunciando algum esforço em um lugar longe do seu campo de visão. Esperou, depois virou a cabeça para melhor avaliar de onde vinha o ruído. Olhou, incrédula, para o teto e tornou a chamar.

— Rosemary?

Houve um silêncio do qual Vivi se lembraria por semanas, e depois, quando se dirigiu à porta, uma exclamação abafada de algum lugar no andar de cima e uma pausa imperceptível, seguida por um estrondo terrível, revestido de um furioso grito estrangulado.

— Eu lhe trouxe uma coisa — disse Alejandro, mas estava olhando para baixo e Suzanna não sabia direito com quem ele estava falando.

— Um presente? — perguntou Jessie, empolgada. Ela ficara mais animada quando ele chegou: de alguma maneira, ele sempre produzia este efeito nela.

— Não exatamente — respondeu ele, se desculpando. — É a bebida nacional argentina. Mate. Nossa versão da sua xícara de chá, se quiser. — Sacou um pacote colorido de dentro do casaco molhado e entregou-o a Suzanna, que estava parada ao lado do balcão. — É amargo, mas acho que você pode gostar.

— Mate — disse Jess, revirando a palavra na boca. — *La Hoja Yerba Mate* — leu no pacote. — Quer uma xícara de mate, Suze? Leite e dois torrões de açúcar, é isso?

— Leite não — disse Alejandro, fazendo careta —, mas pode acrescentar açúcar. Ou pedaços de laranja. Talvez limão, toranja.

— Faço um bule? — perguntou Suzanna.

— Não, não. Um bule, não. Aqui. — Ele foi para trás do balcão e, de repente, Suzanna estava profundamente consciente da proximidade dele. — A gente prepara isso numa cuia. Assim. — Do outro lado do casaco, sacou uma voluptuosa cuia de prata, como uma jarra em miniatura. — Aqui, deixa eu preparar. Vocês podem experimentar e me dizer o que acham. Eu sirvo vocês, para variar.

— Parece chá chinês — disse Jessie, olhando para o conteúdo do pacote. — Não gosto de chá chinês.

— Parece um monte de folhas e gravetos velhos — disse Suzanna.

— Eu vou fazer ficar doce — afirmou Alejandro, despejando a mistura da *yerba* na cuia.

Suzanna encostou na lousa, sem se dar conta de que o cardápio de café do dia estava se transferindo para sua camiseta preta. Alejandro estava tão perto que dava para ela sentir o cheiro dele: uma mistura de sabonete e água da chuva, e uma coisa por baixo disso, que a deixou tensa na hora. Sentiu-se vulnerável de um jeito estranho.

— Tenho que... que continuar a levar essas caixas lá para baixo — disse ela, desesperada para colocar a cabeça no lugar. — Me chame quando estiver pronto. — Olhou para Alejandro e acrescentou sem necessidade: — Nós... nós temos um monte de mercadorias chegando amanhã. E nenhum espaço. Simplesmente não tem espaço. — Desceu a escada bamba e sentou-se no último degrau, amaldiçoando-se por sua fraqueza enquanto seu coração batia erraticamente no peito.

— Em geral você não está aqui a essa hora — ela ouviu Alejandro dizer a Jessie, a voz não traindo nada da agitação que ela sentia.

Mas, por outro lado, ela não tinha ideia do que sentia. *O que eu espero que aconteça?*, pensou, segurando a cabeça. *Sou casada, pelo amor de Deus, e aqui estou eu, me jogando de cabeça em outra paixão. Qualquer coisa para evitar o que realmente está acontecendo na minha vida.*

— A Emma tem clube de teatro — disse Jessie.

Suzanna ouvia os passos dela no chão de madeira, via as madeiras cederem ligeiramente no alto enquanto ela andava de uma ponta a outra da loja.

— Pensei em ficar até mais tarde um pouquinho, já que não tenho andado muito por aqui ultimamente.

— E sua cabeça? Está parecendo melhor.

— Ah, está ótima. Eu literalmente me cobri de creme de arnica. E quase não dá para reparar no corte no lábio se eu estiver de batom... Olha.
— Houve um breve silêncio, quando, presumivelmente, Alejandro examinou o rosto de Jessie. Suzanna tentou não desejar que fosse em seu rosto que os dedos dele tivessem delicadamente pousado. Ouviu Jessie murmurar alguma coisa, e depois Alejandro dizer que não era nada, absolutamente nada.

Houve um silêncio, durante o qual a mente de Suzanna ficou em branco.

— Isso tem um cheiro... — comentou Jessie rindo. — Nojento.

Alejandro ria também.

— Não, espere, espere — dizia ele. — Vou pôr açúcar. Depois você pode experimentar.

*Tenho que me controlar*, pensou Suzanna, e pegou uma caixa pesada de álbuns de fotografia vitorianos que comprara em um leilão. Planejara retirar as fotos e colocá-las em molduras individuais, mas não conseguira arranjar tempo para isso. Sobressaltou-se quando a cara de Jessie apareceu no alto das escadas.

— Vai subir? Estamos prestes a ser envenenadas.

— Não devíamos chamar alguns dos nossos clientes preferidos — disse ela num tom leve —, para eles poderem se unir a nós?

— Não, não — disse Alejandro, rindo. — Só vocês duas. Por favor. Quero que experimentem.

Suzanna subiu correndo os degraus e notou que a chuva continuava torrencial, tão cinzenta e determinada quanto estivera o dia todo. A loja, no entanto, de repente parecia quente e aconchegante, bem iluminada em contraste com a rua monótona e molhada, impregnada de cheiros desconhecidos. Dirigiu-se à prateleira, começou a pegar xícaras, mas Alejandro, com um toque em seu braço, deteve-a.

— Não — disse, fazendo um gesto para que ela as repusesse no lugar.
— Não é assim que se bebe isso.

Suzanna olhou para ele, depois para a cuia de mate, da qual agora emergia um canudo de prata, retorcido como açúcar-cande.

— A gente bebe por esse canudo.
— O quê? Nós três? — disse Jessie, olhando.
— Um de cada vez. Mas, sim, pelo canudo.
— É meio anti-higiênico.

Alejandro assentiu.

— Não tem problema. Sou um médico capacitado.
— Você não tem herpes, tem? — perguntou Jessie a Suzanna, rindo.
— Sabe, é uma grande ofensa se recusar a dividir com alguém — disse Alejandro.

Suzanna ficou olhando para o canudo.

— Eu não me importo — disse. Segurou o cabelo para trás, depois sugou um bocado do líquido. Fez uma careta... *era* amargo. — É... é diferente.

Ele tornou a lhe oferecer o canudo.

— Pense no gosto do café da primeira vez que você experimentou. Você tem que ver o mate do mesmo jeito. Não é ruim, só é diferente.

Com os olhos presos aos dele, Suzanna pôs os lábios em volta do canudo. Estava com a mão na lateral da cuia, apoiando-a, ou se apoiando, não sabia direito. Olhava para seus dedos, muito claros e lisos ao lado dos dele, que eram bronzeados e estranhos e inconfundivelmente masculinos, protegida da luz pela cortina escura do cabelo. Aquelas mãos deram à luz crianças, enxugaram lágrimas de olhos de mulheres, conheceram nascimento e morte e viveram e trabalharam a um milhão de quilômetros dali. Mãos podiam contar a história do dono, pensou ela vagamente. As de seu pai eram marcadas e ásperas devido a décadas de trabalho braçal, e as de Vivi tinham envelhecido devido ao puro ato de *cuidar*. As suas eram pálidas e efêmeras, ainda não desgastadas por trabalho nem humanidade. Mãos que ainda não tinham vivido. Tomou mais um gole de mate, enquanto Jessie murmurava algo sobre precisar comprar mais açúcar. Depois observou a mão larga dele se mexendo, com delicadeza, para pousar na dela.

A leveza dos minutos anteriores foi substituída por algo perturbador, algo eletrizante. Suzanna tentou engolir o líquido pungente, os olhos nas mãos deles, todos os seus sentidos sintonizados naquela palma quente e seca em sua pele, resistindo a um impulso de encostar a boca nela, colar os lábios na pele dele.

Piscou com força, tentou regular os pensamentos. Poderia ter sido um movimento acidental, disse a si mesma. Tinha que ter sido.

Deu um longo suspiro trêmulo e ergueu o olhar para Alejandro. Os olhos dele já estavam nela. Não com uma expressão de cumplicidade divertida, de convite sexual, nem mesmo de ignorância, como ela meio que esperara, mas como se ele estivesse perplexo, procurando respostas.

O olhar dele, fixo no dela, causou-lhe um choque que foi quase doloroso. Ridicularizava a razão, cortava suas próprias crenças e desculpas. *Eu também não sei*, ela queria protestar. *Não entendo*. Depois, quase como se pertencessem a outra pessoa, os dedos dela se mexeram na cuia até estarem entrelaçados com os dele.

Ela escutou-o engolir e desviou o olhar para a prateleira de onde Jess retirava xícaras, entre elétrica e apavorada com o que tinha feito, sem saber direito se era capaz de lidar com a emoção que parecia ter provocado, o peso daquele pequeno movimento ameaçando desabar sobre ela.

Ele não mexeu a mão.

Ela ficou quase aliviada quando o silêncio da loja foi interrompido pelo toque estridente do telefone. Suzanna, retirando a mão, não conseguiu olhar para Alejandro. Limpou a boca e virou para o telefone, mas Jess tinha chegado lá primeiro. Suzanna sentia-se atordoada, desorientada, estava tão consciente dos olhos de Alejandro nela que, a princípio, não conseguiu distinguir o que a outra moça estava dizendo. E depois, lentamente, quando seus sentidos tornaram a entrar em foco, pegou o fone.

— É a sua mãe — disse Jess, com um ar ansioso. — Ela disse que sua avó sofreu um acidente.

— Mãe? — Suzanna encostou o fone no ouvido.

— Suzanna? Ah, querida, sinto muito incomodar você no trabalho, mas Rosemary levou um tombo e estou desesperada, precisando de ajuda.

— O que aconteceu?

— Estou sem carro. Os meninos saíram com o meu, seu pai se nega a andar com celular, e preciso levar Rosemary para o hospital. Acho que ela pode ter quebrado uma costela.

— Estou a caminho — disse Suzanna.

— Ah, querida, você pode vir? Eu não pediria, mas é isso ou uma ambulância, e Rosemary se recusa a permitir que uma chegue perto da casa. A questão é que não consigo levá-la lá para baixo sozinha.

— Ela está no andar de cima? O que ela estava fazendo lá?

— É uma longa história. Ah, Suzanna, tem certeza de que não se importa?

— Não seja boba. Vou o mais depressa possível.

Suzanna desligou.

— Tenho que sair — disse. — Jess, é melhor eu fechar a loja. Ah, meu Deus, onde botei as minhas chaves?

— E as caixas? — perguntou Jess. — Você tem aquelas entregas amanhã. Onde vamos botar tudo?

— Não posso pensar nisso agora. Tenho que levar minha avó correndo para o hospital. Simplesmente vou ter que lidar com o amanhã quando ele chegar. Talvez eu volte hoje à noite se não tiver que esperar muito tempo na emergência.

— Quer que eu vá com você? — perguntou Alejandro.

— Não, obrigada — Suzanna sorriu sem querer ao pensar em explicá-lo a Rosemary.

— Deixa eu ligar para minha mãe — disse Jess. — Ela pode buscar Emma e eu fico aqui e faço isso para você. Jogo as chaves pela sua porta mais tarde.

— Tem certeza? Você vai ficar bem? Tem umas caixas bem pesadas.

— Eu ajudo — disse Alejandro. — Vá. Não se preocupe. A gente resolve.

Suzanna correu da loja para o carro, as mãos levantadas acima da cabeça numa tentativa inútil de se proteger da chuva, se perguntado como era capaz, mesmo no meio de uma emergência familiar séria, mesmo diante da generosidade de Jessie, mesmo conhecendo a dedicação decidida da amiga a outro homem, de encontrar espaço para uma ponta de ciúme pelo fato de agora os dois estarem sozinhos na loja.

A vitrine era sobre Sara Silver. Era justo dizer que era uma das menos interessantes que o Empório Peacock já tinha montado, focando no dia em que ela se mudara para aquela reitoria georgiana de oito cômodos, Brightmere — agora rebatizada de Solar Brightmere —, no limite de Dere Hampton. Falava de como ela havia tido que esperar oito dias angustiantes para descobrir se o seu lance confidencial havia assegurado a casa e das longas e tortuosas semanas que passara escolhendo tecidos e estofados (as agonias da escolha!), das responsabilidades sufocantes de oferecer infinitos cafés da manhã de caridade e a quermesse anual da região. Incluía um dos "quadros de humor" que ela criara para mobiliar cada cômodo, inspirando-se em vários castelos e casas majestosas com que alardeava uma tênue ligação. Vários parágrafos antes do fim, havia duas linhas sobre o dia do seu casamento, uma ordem de prioridades que não surpreendia ninguém que a conhecia. Ela já estava na vitrine havia duas semanas, e Suzanna e Jessie tinham um prazer secreto em mudar sutilmente a arrumação aos pouquinhos: tinham se cansado de ver Sarah se gabando da projeção da mostra e passando "por acaso" várias vezes por ali para exibi-la a seus conhecidos — mas sem conseguir fazê-los entrar para comprar nada. Até agora, elas tinham inserido um catálogo da MFI e um anúncio de altura de fossa séptica entre suas revistas *Interiors* cuidadosamente arrumadas, substituído cirurgião "arbóreo" por "plástico" na parte do texto de apresentação que falava sobre a importância de um bom jardineiro e acrescentado vários zeros ao preço que ela pagara pela casa. De quebra, ao lado da seção interminável sobre o seu primeiro jantar como "dama do solar", Jess plantara uma lata de almôndega Brain.

— Eu não teria feito isso com mais ninguém — explicou ela a Alejandro, subindo com mais uma caixa —, mas ela realmente é a vaca mais pretensiosa que você já conheceu. Quando entra aqui, nem se dirige a mim. Só fala com Suzanna. Deixei escapar um dia que ela era uma Fairley-Hulme e o velho Fancy Pants acha que eles todos são uma única grande família aristocrática. — Fez uma pausa. — Sabe como o marido dela ganha dinheiro, não sabe? Pornografia na internet. Só que ela diz que "Ele faz alguma coisa de computador". A gente não a teria escolhido de jeito nenhum, mas eu estava sem tema e prometi a Suzanna que podia continuar fazendo isso.

Alejandro estava olhando para a vitrine.

— O que têm essas almôndegas?

Passava das seis, e o luminoso céu da tarde fechara prematuramente com nuvens carregadas: da hora do chá em diante, Jess fora acendendo todas as luzes da loja. Amontoara todo o lixo em sacos pretos, que tinham sido relativamente fáceis de carregar escadas acima. Agora, porém, precisava mover as caixas, algumas delas pesadas, carregadas de louça ou livros.

— Só Deus sabe o que ela anda comprando — disse, subindo com mais uma. Era a única maneira de abrir espaço para mudar as outras de lugar. — Acho que metade do tempo ela não sabe. — Soltou um suspiro de dor.

Alejandro veio depressa tirar a caixa da mão dela.

— Você está bem?

— Só peguei muito peso. Estou bem — disse Jessie, examinando o dedo, que continuava na tala caseira.

Alejandro pousou a caixa no chão e levantou a mão dela.

— Você devia fazer um raio X desse dedo.

— Não está quebrado. Teria inchado se estivesse.

— Não necessariamente.

— Não sou capaz de encarar o hospital de novo, Ale. Acho que aquelas enfermeiras todas me olham como se eu fosse uma idiota. — Suspirou. — Ele é muito burro! Nunca olhei para outro homem. Bom, óbvio que já olhei, mas nunca... sabe... pensei em fazer nada. — Franziu o nariz. — Sei que todo mundo acha que sou meio paqueradora, mas, na verdade, sou uma daquelas pessoas chatas que acham que só existe um único homem para uma única mulher.

— Eu sei. — Alejandro virou a mão dela ao contrário, separando delicadamente os dedos. O hematoma estava ficando de um verde doentio. — Se estiver quebrado e não for tratado, seu dedo pode perder um pouco do movimento.

— Vou correr esse risco. — Ela olhou para o dedo, esboçou um sorriso.

— Ei, eu nunca usei muito esse dedo, afinal.

Ele tornou a virar para a caixa e levantou-a.

— Tudo bem, de agora em diante, eu levanto o peso. Você me orienta. E então vamos para casa mais rápido. Onde quer que eu deixe isso?

Ela sentou-se no banco ao lado do balcão.

— Mesa azul. Acho que é estoque de verão, e sei que ela quer a maior parte do estoque de verão ou na liquidação ou lá embaixo de novo.

Ele colocou a caixa na outra ponta da loja, com a facilidade estimulante de um homem feliz de ter um objetivo. Do lado de fora, na rua sem iluminação, a chuva continuava caindo a cântaros, agora pesada o suficiente para quase não deixar ver a parede do outro lado da rua. Jessie tiritou, notando que a água tinha começado a entrar por baixo da porta.

— Tudo bem — disse Alejandro. — Não deve passar daí. É só porque os bueiros estão cheios. — Deu um tapinha de leve no cotovelo dela. — Ei, vamos lá, Jessie. Você não pode ficar sentada sem fazer nada, sabe. Tem que me mostrar quais caixas preciso mover.

\* \* \*

Na rua, a uns dez metros de distância, Jason Burden estava sentado na caminhonete, sem ser visto de dentro da loja. Tinha bebido um pouco, não estava realmente em condições de dirigir. Mais cedo, fora à casa de Cath buscar Emma e Jessie, e soube que a filha ainda estava no clube de teatro e a mulher devia estar fazendo as unhas em algum salão de beleza. Voltariam logo, logo, disse-lhe a sogra. Ele podia esperar, tomar uma xícara de chá com ela, e eles podiam ir a pé juntos buscar Emma. Em vez disso, ele fora para o pub.

Não soubera direito o que o motivara a ir para a frente da loja. Talvez fosse porque nada parecia certo no momento. Nada parecia seguro, como já parecera. Jessie não parecia a mesma, com suas amigas elegantes, seus livros, afastando-se noite após noite enquanto estudava, sem dúvida se preparando para construir uma nova vida longe dele. Vivia muito cansada para ir com ele ao pub agora que estava trabalhando, sempre falando de gente que ele não conhecia, de uma moça da propriedade Fairley-Hulme, se dando ares de importância. Sempre tentando fazê-lo ir à loja, conhecer seus novos "amigos", tentando transformá-lo em alguma coisa que ele não era. Agora olhava para ele com um olhar de censura estranho, mostrando-lhe as contusões como se isso já não o machucasse o suficiente.

Talvez fosse porque ele viu o padre Lenny andando na direção da casa de Cath, emproado como se fosse dono da propriedade toda, e o padre lhe dera aquele olhar, como se de certa forma não o considerasse melhor que a terra embaixo dos seus pés, ainda que tivesse disfarçado isso com um aceno falso.

Talvez fosse o número de telefone que achara no bolso dela. O número que tinha sido atendido por um cara com voz de estrangeiro antes de ele desligar.

Não sabia direito por que estava parado ali.

Jason estava sentado na caminhonete, ouvindo o barulho do motor esfriando, o constante chiado dos limpadores de para-brisa revelando, a cada poucos segundos, na loja bem iluminada, a visão que ele não quisera ver.

O homem segurando a mão dela.

Conversando com o rosto a centímetros do dela.

Indicando, sorrindo, com um gesto, que ela descesse ao porão, ao lugar onde Jason e Jessie haviam dividido o primeiro beijo. O lugar em que ele a fizera dele pela primeira vez.

Eles não tinham subido de volta.

Jason pousou a cabeça, que zumbia, no volante.

Depois, passada uma eternidade, pôs a mão na chave na ignição.

A última caixa estava cuidadosamente empilhada na estante improvisada, e Alejandro limpou o pó da mão nas calças. Jessie, sentada nos degraus acima dele (com as caixas, não havia espaço suficiente para duas pessoas passarem uma pela outra), examinou o porão e sorriu satisfeita.

— Ela vai ficar feliz.

— Espero que sim. — Ele sorriu para ela, pegou um papel amassado da escada e jogou-o de um jeito certeiro na lixeira.

Jessie o observava, a cabeça inclinada para o lado.

— Você é tão ruim quanto ele, sabe.

— Seu namorado? — perguntou ele, visivelmente perplexo.

— Nenhum de vocês é capaz de dizer o que sente. A diferença é que ele recorre a violência e você simplesmente guarda tudo.

— Não entendi.

Ele subiu em direção a ela, ficando com a cabeça no mesmo nível da de Jessie.

— Não entendeu uma ova. Você devia falar com ela, Ale. Se um de vocês não fizer alguma coisa logo, vou desmaiar sob o peso de todo esse desejo não declarado no ar.

Ele olhou fixamente para ela por algum tempo.

— Ela é casada, Jess. E achei que você fosse a grande crente... no destino, quero dizer. Um único homem para uma única mulher, certo?

— Eu sou — disse ela. — Ninguém tem culpa se escolhe errado da primeira vez.

O aparelho de som, que estava tocando uma compilação de Jazz, desligou bruscamente, deixando um silêncio na loja, permitindo que se ouvisse o ronco surdo de uma tempestade se aproximando do lado de fora.

— Acho que você é uma romântica — disse ele.

— Não. Acho que às vezes as pessoas precisam de um empurrãozinho. — Ela se mexeu no degrau. — Inclusive eu. Vamos, vamos sair daqui. A minha Emma deve estar se perguntando onde estou. Ela vem me ver fazer as unhas na manicure esta noite. A primeira vez. Não consigo decidir se uso um rosa de bom gosto ou um lindo vermelho piranha.

Alejandro estendeu o braço e ela o pegou, usando-o como alavanca para se levantar.

— Nossa — disse ela, quando emergiram na loja iluminada. — Estou imunda.

Ele encolheu os ombros concordando, limpou-se com a mão, olhou para a chuva.

— Você tem guarda-chuva?

— Capa de chuva — disse ela, apontando para sua capa de plástico fúcsia. — Roupa essencial do verão inglês. Você vai aprender. — Andou em direção à porta.

— Acha que devíamos ligar para Suzanna? — disse Alejandro, de um jeito displicente. — Ver se ela está bem?

— Ela vai passar horas presa na emergência. — Jess conferiu as chaves em sua mão. — Mas, como tenho que deixar isso aqui na casa dela mais tarde, posso dizer que você estava perguntando por ela, se você quiser... — Sorriu, com uma pontinha de malícia no olhar.

Ele se recusou a lhe responder, balançou a cabeça fingindo exasperação.

— Acho, Jessie, que você devia limitar as suas intrigas a Arturro e Liliane. — Parou para puxar uma fita adesiva que tinha colado na perna de sua calça. Mais tarde, diria que só tinha ouvido o início da risada de Jessie, uma risada que foi interrompida por um barulho de algo se precipitando, um chiado que parecia, no volume e na velocidade cada vez maiores, o guincho de um enorme pássaro irritado. Ele tinha erguido os olhos a tempo de ver a mancha branca, o ronco ensurdecedor do que poderia ter sido um trovão, e depois o estrondo da frente da loja explodindo para dentro, madeira voando para todo lado. Ele erguera os braços para se proteger da chuva de estilhaços de vidro, das prateleiras, dos pratos, das imagens que voavam, caíra para trás no balcão, e tudo que tinha visto, tudo que tinha visto não era Jessie, mas sim o flash do plástico rosa vivo desaparecendo, como uma sacola molhada, embaixo da frente do carro.

Era sua quarta xícara de café de máquina, e Suzanna percebeu que, se tomasse mais uma, suas mãos começariam a tremer. Mas era difícil, dado o tédio de esperar naquele cubículo, e desaparecer para tomar café parecia ser a única forma de fugir legitimamente do mau humor implacável de Rosemary.

— Se minha vó disser mais uma vez que "o sistema de saúde não é mais o que era" — sussurrou ela para Vivi, sentada ao seu lado —, vou dar nela com um urinol.

— O que está dizendo? — perguntou Rosemary, queixosa, da cama.
— Fale alto, Suzanna.
— Eu não me preocuparia, querida — murmurou Vivi. — Hoje em dia eles são feitos do mesmo material que as caixas de ovo.

Elas estavam lá havia quase três horas. Rosemary primeiro tinha sido examinada por uma enfermeira de triagem e enviada para fazer várias radiografias que constataram uma costela fraturada, escoriações e um punho torcido. Depois, aparentemente, tinha sido retirada do quadro de urgência e colocada no fim de uma longa fila de lesões banais, o que ela tomara como uma afronta pessoal. A chuva não ajudava, dissera a jovem enfermeira, informando depois que talvez tivessem que esperar mais uma hora no mínimo. Sempre há mais acidentes quando chove.

Suzanna olhava a toda hora para a mão esquerda, como se esta mostrasse os sinais de sua duplicidade. Seu coração pulava toda vez que pensava no homem que possivelmente ainda estava em sua loja. *Isso é errado*, dizia a si mesma. *Você está fazendo isso de novo. Saindo da linha*. E depois sentia o pulso disparar quando se permitia, mais uma vez, repassar os acontecimentos das horas anteriores.

Vivi inclinou-se para ela.
— Vá, querida. Volto para casa de táxi.
— Não vou embora, mãe. Mesmo. Não posso deixar você sozinha aqui.

Com *ela*, foi o acréscimo tácito.

Vivi apertou o braço da filha, agradecida.
— Eu devo contar a você como Rosemary fez isso — murmurou.

Suzanna virou-se para ela, e Vivi olhou para trás, prestes a revelar alguma informação, quando, com um chiado, a cortina do cubículo foi aberta.

Um policial estava parado na frente delas, o rádio zumbindo e parando bruscamente. Atrás dele, outra policial falava no dela.

— Acho que vocês estão procurando o último cubículo — disse Vivi, inclinando-se à frente de um jeito conspiratório. — Eles é que andaram brigando.

— Suzanna Peacock? — disse o policial, olhando de uma para a outra.
— Vai me prender? — disse Rosemary em voz alta. — Agora é infração esperar várias horas num hospital?
— Sou eu — disse Suzanna. *Isso parece um filme*, ela pensou. — É... é o Neil?
— Houve um acidente, senhora. Acho que é melhor vir conosco.

Vivi levou a mão à boca.
— Foi o Neil? Ele sofreu um acidente?
Suzanna ficou paralisada, gelada de culpa.
— O quê? — falou. — O que aconteceu?
O policial olhou com relutância para a mulher mais velha.
— Elas são da minha família — disse Suzanna. — Diga. O que houve?
— Não é o seu marido, senhora. É a sua loja. Houve um acidente sério e gostaríamos que viesse conosco.

# Dezenove

Suzanna tinha passado quase uma hora e quarenta minutos, intermitentemente, na sala com o inspetor de polícia. Soube que ele tomava café preto, que estava quase sempre com fome, embora escolhesse o tipo errado de comida, que achava que as mulheres sempre deviam ser chamadas de "madame", com um tipo de deferência exagerada que sugeria que não acreditava de verdade nisso. Ele não lhe contaria, inicialmente, o que havia acontecido, como se, apesar da insistência dela em dizer que a loja era sua e que seus amigos estavam lá dentro, só lhe transmitiriam as informações que julgavam que ela precisava saber. Davam a ela apenas dados soltos, apresentados de má vontade quando o detetive voltou para mesa dele depois de ter sido chamado aos sussurros por subordinados. Ela ficou sabendo dessas coisas todas porque o único de seus sentidos que parecia estar funcionando com eficiência era a capacidade de registrar detalhes sem importância. Na verdade, achou que era capaz de recordar de cada faceta da sala, das cadeiras de plástico laranja, das mesas empilháveis de instalações públicas, dos cinzeiros de metal barato fornecidos aos montes ao lado da porta.

O que ela não conseguiu fazer foi absorver o que eles disseram.

Eles quiseram saber de Jessie. Há quanto tempo ela trabalhava na loja? Tinha algum — aqui ele hesitou, olhou para ela significativamente — *problema* em casa? Eles não lhe contavam o que tinha acontecido, mas, pela direção sem sutileza das perguntas, ela percebeu que devia ter a ver com Jason. Suzanna, pensando em mil possibilidades, relutara em dizer muito antes de poder falar com Jessie, consciente de que o ódio da amiga aos atos de Jason só era igualado por seu horror de que as pessoas ficassem sabendo.

— Ela está muito ferida? — perguntava constantemente. — O senhor tem que me dizer se ela está bem.

— Tudo a seu tempo, Sra. Peacock — disse ele, escrevendo com uma letra ilegível no bloco à sua frente. Tinha uma barra de chocolate Mars fechada no bolso. — Agora, a Srta. Carter tinha... — hesitação, olhar significativo... — amigos homens que a senhora soubesse?

No fim, ela resolvera lhes contar o que sabia, racionalizando que talvez fosse o melhor caminho para Jessie. Fez o inspetor prometer que, se lhe desse as informações, ele teria que lhe contar a verdade sobre o que tinha acontecido com sua amiga. Ela não devia lealdade alguma a Jason, afinal. Contara-lhe, com certa pressa, sobre os ferimentos de Jessie, sobre sua dedicação e suas reservas em relação ao parceiro, sobre a determinação em levá-lo a terapia. Contou-lhes, temendo fazer Jessie parecer uma vítima, como ela era determinada, corajosa e querida por quase todo mundo na cidadezinha. Tinha ficado ofegante ao terminar, como se as palavras tivessem se forçado a sair um tanto irrefletidamente, e ficara sentada em silêncio por vários minutos tentando calcular se havia algo incriminador no que acabara de lhes contar.

O inspetor anotara o que ela dissera com cuidado, olhara para a policial ao lado dele e, depois, justo quando ela já ia perguntar onde era o banheiro, dissera-lhe, com uma voz que há muito havia aprendido a disfarçar o choque e o horror sob uma aparência de interesse calmo, que Jessie Carter tinha morrido instantaneamente naquela noite quando alguém entrara com uma caminhonete pela frente da loja.

Suzanna sentira um nó na barriga. Olhara sem enxergar para os dois rostos à sua frente, dois rostos, ela percebeu, numa parte distante ainda funcionando da mente, que estavam estudando a sua reação.

— Perdão? — disse, quando conseguiu fazer a boca formar palavras. — Pode repetir o que acabou de dizer?

Quando ele repetiu, ela experimentou uma súbita sensação de queda, a mesma que tivera quando rolava o morro com Alejandro, a confusão vertiginosa de um mundo fora do eixo. Só que dessa vez não havia alegria, nada de euforia, só o eco repulsivo das palavras do policial voltando para ela.

— Acho que o senhor deve ter cometido um equívoco — disse.

Depois, o inspetor tinha se levantado, lhe oferecido o braço e dito que precisavam ir até a loja verificar se faltava alguma coisa. Ligariam para qualquer pessoa que ela quisesse. Se fosse da vontade dela, podiam esperar enquanto ela tomava uma xícara de chá. Eles entendiam que seria um choque. Ela notou que ele tinha cheiro de queijo e salgadinho de cebola.

— Ah, por sinal, conhece Alejandro de Marenas?

Ele lera o nome num pedaço de papel, pronunciara-o com um "J", e ela apenas assentira, se perguntando por um instante se eles achavam que Ale tinha feito aquilo. *Feito o quê?*, corrigiu-se. A polícia vive cometendo erros, disse a si mesma, sentindo as pernas levantarem-na como se não estivessem ligadas ao resto do corpo. Olhe os Quatro do Guildford, os Seis de Birmingham. Quem disse que a polícia sempre sabia do que estava falando? Era impossível Jessie ter morrido. Morrido, *morrido*.

E depois eles saíram para o corredor, com aqueles ecos rançosos de antisséptico e fumaça de cigarros antigos, e ela o vira, sentado numa cadeira de plástico, a cabeça escura nas mãos, a policial ao lado dele pousando a mão em seu ombro, estranhamente consoladora.

— Ale? — chamou Suzanna.

Quando ele levantou a cabeça, o choque oco, a nova paisagem de desolação crua no rosto dele quando seus olhos encontraram os dela confirmaram tudo que o policial tinha dito, e ela deu um grande soluço gutural, levando automaticamente as mãos à boca enquanto o barulho ecoava no corredor vazio.

Depois disso, a noite virara um borrão. Ela se lembrava de ser levada à loja, de ficar parada tiritando atrás da fita amarela com a policial murmurando atrás dela, de contemplar a fachada desmoronada, as janelas estilhaçadas, cujas fileiras superiores ainda conservavam o vidro georgiano como que negando a realidade do que acontecera embaixo. A parte elétrica aparentemente sobrevivera ao impacto, e a loja brilhava de um jeito incongruente, como o interior de uma enorme casa de boneca, as prateleiras ainda intactas e cuidadosamente empilhadas ao longo da parede do fundo, ao lado dos mapas da África do Norte, tudo ainda colado com capricho, como que se recusando a aceitar a carnificina ali embaixo.

A certa altura, tinha parado de chover, mas os calçamentos ainda brilhavam com reflexos de néon dos refletores posicionados pelos bombeiros. Dois estavam parados embaixo do que fora o marco de uma porta, apontando para a madeira e murmurando baixinho para o policial encarregado. Pararam de falar quando a policial conduziu Suzanna por ali.

— Fique aqui — disse a policial no ouvido dela. — Não dá para chegar mais perto.

Em volta dela, havia grupos de policiais e bombeiros murmurando em rádios, tirando fotos com câmeras com flash, advertindo os poucos curiosos a se afastarem da cena, dizendo-lhes que não havia nada para ver ali, absolutamente nada. Suzanna ouviu o relógio na praça do mercado marcar dez horas, e se aconchegou no casaco, pisando com cuidado na calçada, onde seus cadernos forrados de camurça e os guardanapos bordados à mão jaziam encharcados, cercados de estilhaços de vidro, etiquetas de preço borradas de chuva. Acima dela, a placa balançava pela metade, o fim da palavra "Empório", pelo visto, arrancado pelo impacto. Ela avançou inconscientemente, como se para colocá-la no lugar, depois se deteve ao ver vários rostos olharem com cautela para ela, as expressões lhe dizendo que ela já não tinha direito. Já não era a loja dela.

Era prova.

— Já retiramos o máximo que conseguimos do estoque da frente — dizia a policial —, mas, obviamente, até os andaimes chegarem, não podemos garantir a segurança do prédio. Infelizmente, não posso deixá-la entrar.

Ela estava parada, percebeu distraída, numa parte da vitrine de Sarah Silver. O catálogo da MFI que Jessie achara tão engraçado. Abaixou-se e pegou-o, limpando a própria pegada molhada com a mão.

— Mas se a chuva parar de vez, você não deve perder muita coisa. Imagino que tenha seguro.

— Ela não devia estar aqui esta noite — disse Suzanna —, só se ofereceu para ficar porque tive que levar minha avó ao hospital.

A policial olhou para ela com compaixão, pousou a mão em seu braço.

— Você não deve se culpar — disse, a voz estranhamente confidencial. — Isso não foi sua culpa. Pessoas boas sempre se acham responsáveis de alguma maneira.

*Boa?*, pensou Suzanna. Depois viu o guincho que, a uns dez metros dali, levava a caminhonete branca amassada como uma carga preciosa, seu para-brisa destruído por uma força invisível. Suzanna aproximou-se dela, tentou ler a inscrição na lateral.

— É a caminhonete do Jason? A caminhonete do namorado dela?

A policial ficou sem jeito.

— Sinto muito. Não sei. Mesmo se soubesse, não poderia lhe dizer. Oficialmente, isso é uma cena de crime.

Suzanna olhou para o catálogo em sua mão, medindo mentalmente as palavras da mulher, tentando imbuí-las de algum tipo de significado. *O que Jessie diria sobre isso?*, pensou. Imaginou o rosto dela, animado com a empolgação daquilo tudo, olhos arregalados pelo puro prazer de ter algo realmente *acontecendo* em sua cidade natal.

— Ele está vivo? — disse ela de repente.

— Quem?

— Jason.

— Sinto muito, Sra. Peacock. Não posso lhe dizer nada no momento. Ligue para a delegacia amanhã, tenho certeza de que conseguirá mais informações.

— Não entendo o que aconteceu.

— Acho que neste momento ninguém consegue ter certeza absoluta do que aconteceu. Mas vamos descobrir, não se preocupe.

— Ela tem uma filhinha — disse Suzanna. — Ela tem uma filhinha.

Ela ficou parada enquanto o guincho, acompanhado de vários gritos não identificados e um policial fazendo movimentos circulares com o braço, começou a rebocar sua infeliz carga lentamente pela rua iluminada de um jeito anormal, acompanhado pelo estridente comando de alertas de marcha à ré e o assobio interrompido dos rádios da polícia.

— Há alguma coisa pessoal aí dentro? Algum objeto vital que queira que a gente tire para a senhora? Chaves? Carteira?

Suzanna sentiu a mordida das palavras dela, ouvindo pela primeira vez o pedido que agora jamais poderia ser respondido com satisfação. Seus olhos estavam muito secos para chorar. Virou-se lentamente para a policial, colocou o catálogo cuidadosamente na parede ao lado da loja.

— Eu gostaria de ir embora agora, por favor — disse.

A polícia ligou para Vivi em algum momento para dizer que Suzanna talvez ficasse um tempo na delegacia. Depois de confirmar, aflita, que a filha não a queria lá e que Douglas não podia ir buscá-la, Vivi prometera ligar para Neil e lhe contar o que aconteceu. Até o dia seguinte, disseram, Suzanna estaria liberada. Poderiam lhe dar uma carona para casa, se ela quisesse, até mesmo mandar alguém lhe fazer companhia se ela estivesse se sentindo um pouco abalada. Já era quase meia-noite.

— Eu espero — disse ela.

E quarenta e cinco minutos mais tarde, quando ele apareceu, a cabeça ainda curvada, o rosto, normalmente bronzeado, cinzento e envelhecido pela dor, o sangue de Jessie ainda grotescamente visível nas roupas, ela pegou com delicadeza o seu braço enfaixado e disse que o acompanharia até em casa. Não conseguiria ter que explicar isso para ninguém. Não havia ninguém com quem suportaria ficar. Pelo menos esta noite.

Eles seguiram em silêncio a caminhada de dez minutos pela cidade iluminada a vapor de sódio, seus passos ecoando nas ruas desertas, as luzes das janelas quase todas apagadas enquanto, acima deles, seus habitantes dormiam felizes, sem saber dos acontecimentos da noite. A chuva trouxera à tona o cheiro orgânico doce de relva e flores rejuvenescidas, e Suzanna inspirou, inconsciente do prazer que havia nisso, notando com um sobressalto que Jessie não sentiria o cheiro doce daquela manhã. Era assim que parecia, como pareceria de agora em diante, o prosaico misturado com o surreal: um estranho sentimento de normalidade barbaramente interrompido por grandes soluços de horror. *Talvez sejamos incapazes de absorver completamente*, pensou Suzanna, refletindo sobre como se sentia calma naquele momento. *Talvez só se possa aguentar um tanto*. Ela não sabia, afinal, não tinha nenhum termo de comparação. Não tinha perdido nenhum conhecido até então.

Perguntou-se, por um instante, como sua família poderia ter reagido à morte de sua mãe. Era impossível imaginar. Vivi era o núcleo materno da família fazia tanto tempo que Suzanna não era capaz de imaginar um sentimento de perda numa família que existisse sem Vivi. Alejandro e Suzanna alcançaram o alojamento da enfermagem e um segurança, patrulhando o perímetro com seu cachorro que puxava e rosnava, acenou uma saudação quando Alejandro a conduziu pelo caminho de asfalto para o prédio. Provavelmente uma cena não muito inusitada, pensou ela distraída, enxergando-os com os olhos do segurança, uma enfermeira e o namorado voltando de uma noitada regada a álcool. Alejandro se atrapalhou com a fechadura, aparentemente incapaz de localizar suas chaves. Ela pegou o molho de chaves da mão dele e abriu a porta para que entrassem no apartamento silencioso. Registrou aquele vazio, aquela impessoalidade, como se ele estivesse determinado a ser apenas um visitante temporário. Ou talvez não se sentisse no direito de causar impacto ali.

— Vou preparar um café para a gente.

Ele tinha tomado um banho e mudado de roupa, seguindo as instruções dela, depois sentou-se no sofá, obediente como uma criança. Suzanna o observara por um instante, se perguntando que horrores ele havia visto, pensando sobre acontecimentos a respeito dos quais ela ainda não tinha coragem suficiente para perguntar.

Foi a paralisia dele que lhe deu uma espécie de força. Ela o deixou ali e começou a organizar o café, lavando a louça, limpando as bancadas de sua cozinha já em ordem, arrumando com uma loucura leve, como se, ao fazer isso, pudesse impor ordem na noite. E depois, saindo da cozinha, sentou-se ao lado dele, entregou-lhe um café adoçado e esperou que ele falasse.

Ele não disse nada, perdido em algum lugar inacessível.

— Sabe de uma coisa? — perguntou ela baixinho, como se estivesse falando sozinha. — Jess era a única pessoa que parecia gostar de mim por quem eu era. Nada a ver com a minha família, com o que eu tinha ou deixava de ter. Passou meses sem nem saber qual era o meu nome de solteira. — Encolheu os ombros. — Acho que não entendia isso até hoje à noite, mas ela não parecia me considerar problemática. Todo mundo considera, sabe. Minha família, meu marido. Eu mesma, metade do tempo, vivendo à sombra da minha mãe. Aquela loja era o único lugar onde eu podia ser simplesmente eu. — Ela alisou um vinco imaginário na calça. — Estava na sua cozinha dizendo a mim mesma que Jess morreu e a loja morreu. Tudo. Dizendo isso em voz alta. Mas o esquisito é que não consigo acreditar.

Alejandro não disse nada.

Na rua, a porta de um carro bateu, e o barulho de passos e de vozes murmurando ecoou nas pedras do calçamento, desaparecendo lentamente.

— Vou lhe contar uma coisa engraçada. Durante um tempo, tive inveja dela. Por causa do jeito que vocês se davam — disse ela, quase tímida. — Jess era assim... sabe? Ela se dava bem com todo mundo. Achei que eu estava com ciúme, mas ciúme é a palavra errada. Não se podia ter ciúme de Jessie, podia?

— Suzanna... — Ele levantou a mão, como se para detê-la.

— A certa altura, hoje à noite — prosseguiu ela, persistente, determinada —, achei que fosse minha culpa. O que aconteceu. Porque ela ficou até tarde por minha causa. Mas até eu sei que assim vou enlouquecer...

— Suzanna.

— Porque, se a gente analisar friamente, ela ficou lá por minha culpa. Então eu a coloquei no caminho da caminhonete. Eu. Porque saí cedo. Posso escolher ver isso ou posso escolher dizer a mim mesma que não podia ter feito nada para mudar o que aconteceu. Que, com Jason, isso teria acontecido de um jeito ou de outro. Talvez até pior. — Ela segurou uma lágrima. — Vou ter que acreditar nisso, não vou? Para conservar algum tipo de sanidade. Para ser sincera, não sei até que ponto isso vai dar certo.

— Suzanna...

Finalmente, ela ergueu os olhos.

— A culpa é minha — disse ele.

— Ale, não...

— A culpa é minha. — Ele falou com certeza, como se tivesse conhecimento de algo que ela não entendesse.

Ela balançou a cabeça com cansaço.

— Isso não foi culpa de nenhum de nós, no fim das contas. Você sabe tão bem quanto eu que foi culpa de Jason. O que ele fez foi decisão dele, foi culpa dele, não minha nem sua.

Ele não pareceu ouvi-la. Afastou-se dela novamente, os ombros encurvados. Observando-o, Suzanna sentiu uma inquietude crescente, como se ele estivesse à beira de um grande abismo que ela não pudesse ver. Compulsiva, começou a falar de novo, depressa, sem saber o que ia dizer mesmo enquanto falava.

— Jess amava Jason, Ale. Nós sabemos disso, e fizemos tudo que podíamos para tentar convencê-la a se afastar dele. Ela estava decidida a fazer as coisas darem certo. Olha, estivemos na casa dela não tem nem uma semana, não? Não havia nada que você pudesse ter feito. Nada. — Ela não sabia se acreditava no que dizia, mas estava determinada a tirar algum peso de cima dele, desesperada para forçá-lo a externar o que quer que fosse, algo como raiva ou incompreensão, qualquer coisa que não essa certeza ruim. — Acha que Jessie iria querer que você pensasse assim? Ela não estava confusa. Tinha bastante clareza quanto ao que achava que estava acontecendo. E nós confiamos no julgamento dela. Ela não teria pensado um minuto que isso tinha alguma coisa a ver com você. Ela te adorava, Ale. Ficava sempre muito feliz quando te via. Olha, a policial mesmo disse que pessoas boas sempre tentam se culpar...

Os lábios dele estavam contraídos.

— Suzanna...

— A culpa não é sua. É burrice continuar com isso na cabeça.

— Você não entende...

— Eu entendo. Ninguém entende melhor que eu.

— Você... não... entende. — A voz dele ficara seca.

— O quê? Que você tem o monopólio da desgraça? Olha, entendo que você viu isso acontecer, certo? Entendo que estava lá. E, pode acreditar, a ideia do que você viu ainda me assombra. Mas isso não está ajudando. Não vai ajudar a nenhum de nós.

— Foi *minha culpa*.

— *Ale, por favor* — A voz dela tremeu. — Você tem que parar de dizer isso.

— Você não está me ouvindo!

— Porque você está errado! Você está errado! — Ela disse isso com uma espécie de desespero. — Você não pode simplesmente...

— *Carajo*! Você tem que me escutar! — A voz dele explodiu no quartinho. Ele se levantou de repente e andou até a janela.

Suzanna estremeceu.

— Você está dizendo que dirigiu a caminhonete? Você bateu nela? O quê?

Ele fez que não com a cabeça.

— Então você tem que...

— Suzanna, eu dou azar para todo mundo.

Ela parou, como que para se certificar de tê-lo ouvido direito.

— O quê?

— Você me ouviu. — A cara dele estava virada para o outro lado, seus ombros rígidos com uma fúria contida.

Ela se aproximou dele.

— Está falando sério? Ah, pelo amor de Deus, Ale. Você não fez isso. Isso não envolve azar. Você não pode...

Mas ele a interrompeu, a mão levantada.

— Você se lembra que Jess me perguntou por que eu resolvi ser parteiro? — Ela assentiu sem dizer nada. — Não precisa de psicanalista, sabe. Eu tive uma irmã gêmea. Quando nasceu, ela estava azul. O meu cordão umbilical tinha se enroscado no pescoço dela.

Suzanna sentiu o familiar aperto interno.

— Ela morreu? — murmurou.

— Minha mãe nunca se recuperou. Manteve o berço dela montado, comprava roupas para ela. Até abriu uma conta bancária para ela. Estela de Marenas. Ainda existe, não sei para quê. — A voz dele era amarga.

As lágrimas se acumularam nos olhos de Suzanna. Ela piscou tentando escondê-las.

— Nunca me disseram isso na minha cara. Mas o fato é que ela assombra a minha casa, a minha família. Somos todos sufocados pela ausência dela. — Sua voz acalmou. — Sei lá... Talvez se minha mãe tivesse conseguido ter outro filho... quem sabe... — Ele esfregou os olhos e a raiva se insinuou de novo em sua voz. — Eu só queria um pouco de paz, entende? Pensei, por algum tempo, que tinha encontrado. Pensei que, por criar vida, por dar vida, eu podia fazer... fazer com que ela fosse embora. E, em vez disso, tenho essa coisa, esse *fantasma* me seguindo.... Eu devo ter sido um idiota. — Olhou para ela. — Na Argentina, Suzanna, os mortos vivem entre nós. — Sua voz agora era lenta, com a paciência controlada de um professor, como se lhe explicando coisas que mal se podia esperar que ela entendesse. — Os fantasmas deles andam entre nós. Estela está comigo o tempo todo. Eu a sinto, uma presença, sempre me lembrando, sempre me culpando...

— Mas não foi sua culpa. Você, mais que ninguém, devia entender isso.

Ela pegou o braço dele, querendo fazê-lo enxergar.

Mas ele ficou balançando a cabeça, como se não conseguisse entender o que ela dizia, e levantou a mão para afastá-la.

— Eu nem quero chegar perto de você, entende?

— É apenas uma superstição...

— Por que você não quer ouvir? — disse ele com desespero.

— Você era um *bebê*. — Houve um longo silêncio. — *Você... era... apenas... um... bebê* — insistiu ela, a voz engasgada. Depois, lentamente, pousou a sua xícara de café na mesa. Inclinou-se para a frente e, com timidez, pousou os braços em volta de Alejandro, sentindo o corpo dele rígido contra o seu, desesperada para diminuir um pouco do que ele sentia, como se, por pura proximidade, ela pudesse dividir a carga. Ouviu a voz dele de algum lugar ao lado de seu cabelo.

Depois, ele recuou, e ela sentiu sua determinação vacilar sob o peso visível do sofrimento dele, da dor e da culpa em seus olhos.

— Às vezes, Suzanna — disse ele —, a pessoa pode fazer mal aos outros só por existir.

Suzanna pensou em sua mãe. Nos cavalos brancos e nas sapatilhas brilhantes ao luar. Por um instante, contagiada pela noite e pela loucura, se perguntou se tinha a alma da mãe, se era isso que perturbava seu pai. Inclinou a cabeça, a voz embargada com uma dor que até então não conhecia.

— Se for assim... sou tão culpada quanto você.

Ele pegou o rosto dela nas mãos, então, como se só agora a estivesse vendo, levantou a mão enfaixada e enxugou o rosto dela uma, duas vezes, com o polegar, sem conseguir estancar o fluxo de lágrimas. Franzindo o cenho, aproximou o rosto do dela, os olhos tão perto que ela via neles os pontinhos dourados, ouvia a natureza irregular de sua respiração. Alejandro parou e, lentamente, encostou os lábios na pele dela, onde as lágrimas tinham passado, fechou os olhos e beijou o outro lado, apropriando-se do caminho salgado, enrolando as mãos no cabelo dela enquanto tentava afastar lágrimas com beijos.

E Suzanna, com os olhos bem fechados, chorando, levou as mãos à cabeça dele, sentindo o macio cabelo escuro, os ossos embaixo. Sentiu a boca dele nela, aspirou o eco antisséptico da delegacia e do casaco velho de couro dele, e depois seus lábios estavam nele, procurando os dele com uma espécie de urgência, um desespero para apagar o que acontecera antes. Ouvindo suas próprias palavras ecoando no silêncio em volta dela, os furiosos espíritos deslocados rodeando-os enquanto eles se abraçavam.

*Sou tão culpada quanto você.*

# Vinte

A construtora levou dois dias escorando a frente da loja para a equipe de inspeção fazer a avaliação oficial do estrago, e mais três para começar a obra de reconstrução. (A companhia de seguro não discutira: ao que parecia, em casos de grave dano estrutural, aceitava-se que os reparos fossem feitos o mais depressa possível.) Embora a moldura da porta tivesse sido gravemente danificada, com a alvenaria em volta dela e das janelas parcialmente destruída, a avaliação inicial mais severa envolvendo vigas de aço e vários meses de fechamento provara ser excessivamente pessimistas. Dois dias depois, Suzanna foi autorizada a entrar para começar o trabalhoso processo de limpeza.

Durante este tempo, uma procissão vacilante e irregular de gente viera trazendo flores, pequenos buquês e ramalhetes embrulhados em celofane, que eram colocados do lado de fora da fita da polícia. Muitos acharam mais fácil marcar o súbito fim de Jessie com um tributo floral do que com o recurso mais complicado de palavras. A princípio, foram só dois, amarrados tristemente no poste de luz no dia seguinte ao acidente, as mensagens fazendo as pessoas que paravam para lê-las se entreolhar e murmurar tristes a respeito da injustiça daquilo tudo. E então, quando a notícia se espalhou pela cidade, as flores vieram em quantidades maiores. O florista local esforçou-se para dar conta, e elas formaram um buquê, depois um tapete na frente da loja.

Foi como se, pensou Suzanna, sua dor tivesse se espelhado na da cidade. O clima voltara ser de céu azul e temperaturas amenas, a quermesse fizera sua visita bianual ao campo municipal, mas não havia alegria na atmosfera de Dere Hampton, não havia prazer na agitação da praça do mercado. Um vilarejo sentia ondulações, que talvez não fossem notadas na cidade, como uma onda de maré. E Jessie, pelo visto, conhecia muita gente, fazendo com que o choque de sua morte não passasse rapidamente. O jornal local colocou a matéria na primeira página, tomando o cuidado de só dizer que um conterrâneo de vinte e oito anos estava sendo interrogado pela polícia. Mas todo mundo sabia: quem a conhecia e quem dizia conhecê-la especulava sobre uma relação que agora virara propriedade comum. A diretora da escola de Emma Carter apelara por duas vezes aos repórteres para que deixassem as instalações. Suzanna examinara os relatórios e observara com indiferença que seu pai ficaria feliz por só terem se referido a ela como Peacock.

Naquela primeira semana, ela fora duas vezes à loja, uma na companhia do inspetor, que queria conversar sobre arranjos de segurança, e outra com Neil, que observara repetidamente que aquilo era "inacreditável, simplesmente inacreditável". Em determinado momento, ele tentara lhe falar sobre as implicações financeiras para a loja e ela gritara obscenidades até ele sair da sala, a mão como um escudo sobre a cabeça. Ela sabia que a reação tinha a ver com culpa. De que tipo específico, não podia dizer. Agora recebera as chaves e fora autorizada a fazer a limpeza, até mesmo a reinaugurar. Mas, parada na porta de moldura de aço, ladeada pelas janelas cobertas com tapumes e com a placa que Neil fizera para ela, declarando que a loja estava "aberta para negócios", não sabia ao certo por onde começar. Era como se isso fosse um trabalho para Jessie, como se a única forma de se aproximar daquilo fosse com ela, rindo de banalidades, empunhando juntas vassouras e pás.

Suzanna abaixou-se para pegar sua placa danificada, que alguém encostara com cuidado na porta. Segurou-a um instante. O Empório Peacock era a sua loja. Só sua. A extrema dificuldade da tarefa pela frente a esmagou e seu rosto se franziu.

Atrás dela, alguém tossiu.

Era Arturro, o corpo bloqueando a luz.

— Achei que você poderia precisar de ajuda.

Ele segurava uma caixa de ferramentas na mão e trazia uma cesta embaixo do braço, contendo o que pareciam sanduíches e várias garrafas de refrigerante. Ela se sentiu desabar um pouco, imaginou por um instante o que seria deixar-se envolver por aqueles braços quentes enormes, soluçar naquele avental, ainda impregnado de aromas de queijo e café da loja dele. Ter, só por um momento, o conforto daquela solidez.

— Acho que não consigo fazer isso — murmurou.

— Temos que fazer — disse ele. — As pessoas vão precisar de algum lugar para vir.

Ela já tinha entrado, sem registrar o que ele dissera. Em algumas horas, entendeu. Apesar do aspecto desagradável, apesar dos obstáculos de arranjos florais e cones da polícia do lado de fora, a loja ficou mais movimentada do que nunca. Não havendo outro lugar, tornara-se o ponto focal para aqueles que haviam conhecido Jessie, aqueles que queriam dividir seus sentimentos pela perda dela. As pessoas vinham para tomar café, para chorar lágrimas disfarçadas diante dos vestígios da vitrine que ela montara, para deixar presentes para a família dela e, em alguns casos menos altruísticos, simplesmente para olhar.

Suzanna não tinha escolha senão deixar.

Arturro posicionara-se atrás do balcão e encarregara-se de fazer o café, aparentemente tentando evitar conversas diretas. Nas poucas ocasiões em que as pessoas tinham falado com ele, ela o observara ficar cada vez mais desconfortável, piscando com força e se ocupando com a máquina. Suzanna, com olhos vidrados e a sensação esquisita de operar de dentro de uma bolha, limpava, respondia a perguntas, dizia o quanto sentia, recolhia os cartões em tons pastel e os bichos de pelúcia destinados a Emma e deixava as pessoas que pareciam não enxergar a natureza caótica do ambiente satisfazerem uma necessidade incontrolável de falar, com vozes engasgadas, sobre a bondade, a honestidade de Jessie em tudo, e sobre Jason, com sussurros ferozes, acusatórios. Falavam num tom especulativo sobre Alejandro: tinham ouvido como ele havia passado vinte minutos tentando salvá-la, como fora encontrado, coberto de sangue, espremido com metade do corpo embaixo da caminhonete, enquanto tentava, em vão, ressuscitá-la. Quem morava na vizinhança falava de como ele tinha sido apartado, agitando os punhos e gritando de um jeito incoerente em espanhol, de um Jason meio petrificado, ao se dar conta de que seu esforço era em vão. As pessoas se sentavam, choravam e conversaram — do mesmo jeito que costumavam fazer com Jessie.

No fim do dia, Suzanna se sentia exausta. Estava atirada num banco enquanto Arturro andava em volta dela, arrumando cadeiras, colocando as últimas prateleiras no lugar.

— Você devia fechar agora — disse ele, deslizando o martelo para dentro da caixa de ferramentas. — Você já fez o suficiente. E sabe que amanhã vai ter mais.

Pela porta aberta, as flores embrulhadas em celofane brilhavam à luz do sol da tarde, algumas suando ali dentro. Ela se perguntou se devia tirá-las da embalagem para deixá-las respirar. Isso de certa forma parecia uma intrusão.

— Quer que eu venha de novo?

Havia algo na voz dele... A mente de Suzanna se desanuviou por um instante e ela se virou para ele, a cara angustiada.

— Ai, meu Deus, Arturro, tenho uma coisa horrível para lhe contar.

Ele estava limpando as mãos num pano de prato. "O que podia ser mais horrível?", dizia sua expressão.

— A Jess... a Jess e eu — corrigiu-se ela —, nós íamos lhe contar... mas... — Desejou estar em qualquer lugar menos ali. — Os chocolates, os que deixaram Liliane tão perturbada. Os que te levaram a demitir os rapazes. Foi a gente que mandou. Jessie e eu mandamos para a Liliane para ela pensar que eram da sua parte. Queríamos aproximar vocês, sabe. Jess... ela achava... ela dizia que vocês eram feitos um para o outro... — Parecia quase ridículo agora, como se isso tivesse acontecido em outra vida, com outras pessoas, como se a frivolidade daquilo fizesse parte de outra existência. — Sinto muito. A nossa intenção era boa, de verdade. Sei que o tiro meio que saiu pela culatra, mas, por favor, não pense mal dela. Ela só achou que vocês seriam felizes juntos. Ela ia lhe contar a verdade, mas... mas alguma coisa aconteceu e... bem, agora é comigo. Sei que foi uma ideia idiota e insensata, mas eu a encorajei. Se quiser culpar alguém, culpe a mim.

Ela não ousou olhar para ele, até se perguntou, enquanto falava, se devia ter lhe contado. Mas Arturro fora muito bom, muito generoso. Ela não poderia ter sobrevivido ao dia sem ele. O mínimo que ele merecia era a verdade.

Esperou, temerosa, pela lendária explosão que a Sra. Creek descrevera, mas Arturro continuou a guardar as últimas ferramentas na caixa, e tampou-a. Depois pôs a mão no ombro de Suzanna.

— Vou dizer a Liliane — falou, engolindo em seco. Deu-lhe uma palmadinha, e então encaminhou-se pesadamente para a porta e abriu-a. — Até amanhã, Suzanna.

Ela fechou a loja às quatro e meia, depois foi a pé para casa, deitou-se na cama toda vestida e dormiu até as oito do dia seguinte.

Alejandro não fora lá. Ela ficou feliz. Havia um limite para o que ela era capaz de enfrentar em um único dia.

* * *

O funeral era para ser em St. Bede, a igreja católica no lado leste da praça. Inicialmente, Cath Carter dissera ao padre Lenny que queria uma cerimônia privada, não queria curiosos especulando sobre a morte prematura da filha, com a investigação da polícia ainda em andamento. Mas o padre Lenny passara dias lhe falando delicadamente da força do sentimento na cidadezinha, das numerosas pessoas que lhe perguntaram se podiam render suas homenagens. De como isso ajudaria a pequena Emma, nas circunstâncias, a ver quão amada era a mãe dela.

Suzanna sentou-se diante da penteadeira, amarrando o cabelo preto num coque firme. O padre Lenny dissera que a cerimônia seria uma celebração da vida de Jessie, que não queria que fosse uma ocasião sombria. Suzanna não se sentia em condições de celebrar e isso se refletia em sua aparência. Sua mãe, que dissera que iria com seu pai, tanto por Suzanna quanto por Jessie, emprestara a ela um chapéu preto.

— Acho que é importante você fazer o que considera correto — disse, pousando a mão no rosto de Suzanna —, mas o formal nunca é inadequado.

— Você disse que tinha me comprado uma gravata preta? — Neil se abaixou, já calejado, ao entrar pela porta baixa. — Não estou conseguindo achar.

— Minha bolsa — disse Suzanna, enfiando os brincos, olhando seu reflexo. Normalmente, não usava brinco, perguntou-se se sugeririam uma alegria inadequada.

Neil estava no meio do quarto, como se na esperança de que a bolsa pulasse em cima dele.

— No patamar. — Ela mais o ouviu do que o viu saindo do quarto, pisando nas tábuas do assoalho rangentes do topo da escada.

— Dia lindo para isso, quero dizer, não um dia lindo propriamente dito — corrigiu-se ele —, mas não há nada pior do que um enterro quando chove a cântaros. Não pareceria certo para Jessie, de alguma maneira.

Suzanna fechou os olhos. Toda vez que pensava em chuva torrencial agora, associava-a a imagens de caminhonetes derrapando e freios chiando, de estrondo de vidro se estilhaçando. Alejandro tinha dito que não ouvira nenhum grito, mas, na imaginação de Suzanna, Jessie tinha contemplado sua morte iminente e...

— Achei. Ah, nossa, olha... acho que merecia uma repassada rápida antes de eu colocá-la.

Ela afastou a imagem e abriu a gaveta para pegar o relógio. Ouviu Neil cantarolando consigo mesmo, resmungando alguma coisa sobre a tábua de passar, e depois um breve silêncio.

— O que é isso?

Ela torceu para que Jessie não tivesse sentido nada. Alejandro dissera que não via como, que acreditava que ela já estava morta mesmo quando ele passou por cima da madeira e do vidro para chegar a ela.

Neil estava ao seu lado.

— O que é isso? — ele tornou a dizer. Estava com uma expressão diferente no rosto.

Ela se virou no banco e olhou para o cartão com o lembrete da consulta médica que ele estendia à frente, com as palavras: "Clínica de Planejamento Familiar". Ela sabia que seu rosto tinha um ar resignado, culpado, mas, de certa forma, não conseguia fazer uma expressão que se provasse mais satisfatória.

— Eu ia te contar.

Ele não disse nada, limitou-se a ficar com o cartão estendido.

— Marquei uma consulta.

O cartão era rosa, de repente uma cor inadequada.

— Para...

— Para botar um DIU. Sinto muito.

— Um DIU?

Ela assentiu, constrangida.

— Um DIU?

— Olha, eu ainda não fui. Com o que aconteceu com Jess e tudo, acabei faltando à consulta

— Mas você vai. — A voz dele era desanimada.

— Vou — disse ela, e ergueu os olhos. Desviou a vista quando encontrou os dele. — Vou, sim. Olha, eu não estou pronta, Neil. Pensei que estivesse, mas não estou. Tem muita coisa acontecendo. É preciso resolver algumas questões primeiro.

— Você precisa resolver algumas questões?

— Sim. Com meu pai. Com minha mãe... minha mãe biológica, quero dizer.

— Você precisa resolver umas coisas com a sua mãe biológica.

— Sim.

— E quanto tempo acha que isso vai levar?

— O quê?

Ele estava furioso, ela percebeu. Virou-se para encará-la com uma atenção doentia.

— Quanto. Tempo. Acha. Que. Isso. Vai. Levar? — O tom dele era sarcástico.

— Como vou saber? O tempo necessário.

— O tempo necessário. Nossa, eu já devia saber.

Ele andou de um lado para o outro no quarto, como um detetive de um programa de televisão explicando a gênese de um crime antigo.

— O quê?

— A única coisa que eu queria. A única coisa em relação à qual achei que estivéssemos de acordo. E, ah, olha, de repente, depois de conseguir tudo que quer, Suzanna mudou de ideia.

— Eu não mudei de ideia.

— Não? Não? Então o que é isso, botar um DIU? Porque com certeza não está indicado na lista de coisas apropriadas, assim como ostras e champanhe, para quem quer engravidar.

— Eu não mudei de ideia.

— Então que diabo é isso?

— Não grite comigo. Olha, me desculpe, ok? Me desculpe, Neil. Não posso engravidar agora. Não posso engravidar agora.

— É óbvio que não pode...

— Não faça isso, está bem?

— O quê? Que diabo estou fazendo?

— Me intimidando. Estou prestes a enterrar a minha melhor amiga, certo? Estou confusa...

— Sua melhor amiga? Não tem nem seis meses que você a conheceu.

— Agora tem limite de tempo para amizade?

— Você nem tinha certeza a respeito dela quando ela começou na loja. Achava que estava se aproveitando de você.

Suzanna se levantou e foi para a porta, empurrando-o da sua frente.

— Não acredito que a gente esteja tendo essa conversa.

— Não, Suzanna, não acredito que, justo quando pensei que finalmente estivéssemos nos entendendo, você arranjou um jeito de sabotar tudo de novo. Quer saber? Acho que tem uma outra coisa acontecendo aqui. Uma sobre a qual você não está sendo franca comigo.

— Ah, não seja ridículo.

— Ridículo? Então o que é para eu dizer, Suzanna? Ah, você não quer um bebê afinal. Não se preocupe, querida, eu simplesmente vou suspender os meus sentimentos por um tempo... como sempre faço.

— Não comece, Neil. Não agora. — Ela esticou o braço para pegar o casaco atrás dele e aconchegou-se no agasalho energicamente, sabendo que sentiria muito calor mais tarde.

Ele estava parado, e recusou-se a sair da frente quando ela se adiantou.

— Então, quando é a hora certa, Suzanna? Quando essa decisão deixa de ser só sua, hein? Quando os meus sentimentos finalmente têm alguma chance?

— Por favor, Neil...

— Eu não sou santo, Suzanna. Já tentei ser paciente com você, tentei ser compreensivo, mas estou perdido. De verdade. Simplesmente não vejo como seguimos em frente daqui...

Ela ficou olhando para o rosto confuso do marido. Adiantou-se, pôs a mão em sua face, um eco inconsciente do gesto de sua mãe.

— Olha, conversamos sobre isso depois do funeral, certo? Prometo...

Ele retirou a mão dela e foi abrir a porta quando o táxi chegou, buzinando para se anunciar.

— Tanto faz — disse ele. Não olhou para trás.

O consenso é que foi um funeral horrível. Não que o padre Lenny não tivesse feito um esforço com o seu elogio fúnebre — que foi lindo e apropriado e inteligente e com humor suficiente para despertar um ou outro sorriso corajoso entre os enlutados — ou que a igreja não estivesse linda, com as senhoras do supermercado tendo feito tamanho esforço para decorá-la com flores, permitindo que um observador de fora pensasse que um casamento estava prestes a ser celebrado ali. Não era que o sol não brilhasse num céu azul infinito, como se para oferecer a esperança de que o lugar para onde Jessie tinha ido fosse sem dúvida maravilhoso, claro, luminoso e cheio de canto de pássaros — todas as coisas que se poderia esperar de um paraíso.

Porém, por mais que se disfarçasse, havia um sentimento de algo muito terrível, de muito errado em enterrá-la. No fato de, todos disseram depois, alguém como ela ter partido quando havia tantos menos merecedores da vida. Na pequena figura que estava imóvel no banco da frente, segurando a mão da avó, e no lugar vazio ao seu lado, o que significava que ela era efetivamente órfã ainda que só um dos pais tivesse morrido.

Suzanna fora convidada por Cath a ir à beira do túmulo. Respondera que se sentiria honrada, e ocupara seu lugar ao lado dos parentes distantes de Jessie e dos mais antigos amigos de escola, tentando não se sentir uma impostora, tentando não pensar em onde Jessie encontrara a morte.

Ele nem tentara ir, pelo visto. O padre Lenny lhe contara no dia anterior. Fora ver o rapaz no hospital. Embora isso fosse contra todos os seus instintos, disse ele, seu trabalho era confortar o pecador. (E não era como se mais alguém fosse visitá-lo. Isso fora tudo que ele conseguiu fazer para impedir os vizinhos de Jessie de se reunirem para linchá-lo.)

Na verdade, o padre Lenny ficara abalado com a aparência do rapaz. Aquele rosto, suturado e inchado depois de ele ter sido atirado pelo para-brisa, a pele contundida e roxa, ferimentos que se assemelhavam, de forma desconfortável, aos de Jessie em semanas anteriores. Ele se negara a dizer qualquer coisa além de que a amava e que a caminhonete não quis parar. O médico disse não ter certeza se o estado mental dele lhe permitia ser capaz de assimilar o que havia feito.

— Teria sido melhor para todo mundo se ele tivesse morrido também — dissera o padre Lenny, a voz incomumente amarga.

A liturgia familiar do pó ao pó, das cinzas às cinzas, terminara. Suzanna viu Emma com as mãos da avó nos ombros, amparando-a e aconchegando-a. Perguntou-se quem ganhava mais conforto com aquele contato físico aparentemente interminável. Pensou no primeiro dia em que reabrira a loja, quando a menina e a avó haviam ido e ficado na frente da loja. Elas não fizeram nada, tinham recusado o seu convite para entrar. Limitaram-se a ficar ali, de mãos dadas, os rostos cinzentos, os olhos arregalados absorvendo a fachada destruída.

*Emma vai crescer sem mãe*, pensou. *Como eu cresci*. E depois, olhando para Vivi, que estava parada ao lado do carro, sentiu a costumeira pontada de culpa por ser capaz de pensar assim.

Foi quando se afastavam da sepultura que ela o viu. Parado um pouco mais para trás, depois do padre Lenny, afastando-se de Cath, com quem evidentemente andara trocando algumas palavras em voz baixa. Cath segurava suas mãos, balançando a cabeça enquanto ouvia, o rosto dignificado e curiosamente compreensivo na dor. Ele ergueu os olhos quando Suzanna olhou, e, por um momento, eles se encararam, trocando naqueles breves segundos toda a dor, a culpa, o choque... e a alegria secreta da semana anterior. Ela se adiantou, como se para ir até ele. Parou quando sentiu uma mão no ombro.

— Seus pais nos convidaram para ir até a casa deles, Suze. — Era Neil. Ela ergueu os olhos para o marido, como se estivesse tentando registrar quem ele era. — Acho que seria uma boa ideia.

Ela se obrigou a continuar olhando para ele, esforçou-se para se controlar.

— Para a casa da minha mãe? — E depois, quando assimilou as palavras dele: — Ah, não, Neil. Lá, não. Acho que não consigo enfrentar isso hoje.

Neil já tinha virado as costas.

— Estou indo. Você pode fazer o que quiser.

— Está indo?

Ele continuou andando, rígido naquele terno preto, deixando-a parada na relva.

— É um dia para a família — disse por cima do ombro, alto apenas o suficiente para ela ouvir. — Seus pais foram legais o bastante para te apoiar hoje. E, para ser franco, não acho que seria muito bom você e eu ficarmos sozinhos no momento. Você acha?

Alejandro caminhara de uma ponta a outra do cemitério com Cath e Emma. Suzanna se virara justo a tempo de vê-lo alcançar os portões. Quando chegou lá, ele se agachou para falar com a menina e pôs uma coisa na mão dela. Quando a criança saiu, ele talvez tivesse feito um aceno de cabeça para Suzanna. Daquela distância, era difícil ter certeza.

— Quase seiscentas pessoas vieram quando seu pai morreu. A igreja estava tão cheia que tiveram que acomodar gente lá fora, na grama. — Rosemary aceitou uma segunda xícara de chá. Dirigia-se ao filho, que estava recostado na cadeira. — Sempre achei que devíamos ter usado uma catedral. Acho que, se houvesse mais espaço, haveria mais gente ainda.

Vivi apertou o braço de Suzanna ao sentar-se ao lado da filha no sofá. Ela de fato estava terrivelmente pálida.

— Bolo ótimo, Sra. Cameron — disse. — Molhadinho. Leva raspas de limão?

— O arcebispo se ofereceu para fazer o sermão. Lembra, Douglas? Aquele homem horroroso que ciciava.

Douglas assentiu.

— E quatro ovos — disse a Sra. Cameron. — De galinha criada solta. É o que dá o amarelo.

— Achei que seu pai iria preferir o vigário. Ele era um grande amigo da família, entende. E Cyril nunca foi de pompa e circunstância, apesar da posição que ocupava. — Ela balançou a cabeça, como se confirmando isso para si mesma, depois olhou para a Sra. Cameron enquanto esta levava o bule de chá para ser reabastecido.

— Não gostei daquele presunto nos sanduíches. Não era de pernil.

— Era, Rosemary — disse Vivi, com uma voz conciliadora. — Comprei um inteiro no açougue.

— O quê?

— Era presunto de verdade — disse ela, a voz elevada.

— Tinha gosto de coisa reconstituída. Pedaços de carne descartados na fábrica e colados sabe-se lá com quê.

— Eu trinchei pessoalmente do osso, Sra. Fairley-Hulme. — A Sra. Cameron virou-se da porta, com uma piscadela para Vivi. — Da próxima vez, trincho na sua frente, se quiser.

— Eu não confiaria em você perto de mim com um trinchante — disse Rosemary, fungando. — Já ouvi sobre vocês, cuidadoras. Depois vão me fazer mudar meu testamento enquanto eu estiver dormindo...

— Rosemary! — Vivi quase cuspiu o chá.

— ... e aí vão me fazer sofrer um suposto "acidente", como a amiga da Suzanna.

Houve um silêncio perplexo na sala enquanto os presentes tentavam decidir qual das afirmações de Rosemary tinha sido mais ofensiva. Tranquilizados pela gargalhada espontânea da Sra. Cameron entrando na cozinha, todos os olhares tinham caído sobre Suzanna, mas ela pareceu não estar ouvindo. Encarava o chão, presa na mesma infelicidade que seu marido calado.

— Mãe, acho que isso não é adequado... — Douglas inclinou-se à frente.

— Tenho oitenta e seis anos, digo o que quero — falou Rosemary, acomodando-se de novo na cadeira. — Até onde vejo, é a única vantagem de ter tanta idade.

— Rosemary — disse Vivi delicadamente —, por favor... a amiga da Suzanna acabou de morrer.

— E eu vou ser a próxima a ir, portanto, acho que isso me dá mais direito que a maioria das pessoas de falar de morte. — Rosemary pôs as mãos no colo, depois olhou em volta para os rostos mudos à sua frente. — Morte — disse, afinal. — Morte. Morte. Morte. Morte. Morte. Pronto, viu?

— Ah, pelo amor de Deus — disse Douglas, levantando-se da cadeira.

— O quê? — Ela ergueu os olhos para o filho, a expressão desafiadora sob as trilhas inflexíveis de veias e rugas. — Morte. Morte. Morte. — Terminava cada palavra bruscamente, fechando a boca tal qual uma tartaruga zangada.

— Hoje, não, mãe. Por favor. — Ele se aproximou dela. — Quer que a Sra. Cameron leve você para o jardim? Para ver as flores?

— O que você disse? Não quero aquela mulher perto de mim — disse ela.

— Acho que um pouco de ar puro seria ideal — disse Douglas. — Sra. Cameron!

— Não quero ir para o jardim — reclamou Rosemary. — Douglas, não me bote no jardim.

Vivi virou-se para a filha, ainda consentindo languidamente em que lhe segurassem o braço.

— Querida, você está bem? Anda muito calada desde que voltamos.

— Estou bem, mãe — disse ela apaticamente.

Vivi olhou para Neil.

— Mais um pouco de chá, Neil? — perguntou, esperançosa. — Mais um sanduíche, talvez? É de presunto com osso mesmo. Eu não compraria aquela coisa quadrada.

Ele pelo menos tentou dar um sorriso.

— Estou bem, obrigado, Vivi.

Lá fora, eles ouviam os protestos furiosos de Rosemary por estar sendo levada na cadeira de rodas para passear em volta do jardim do pátio pontuados pelas exclamações alegremente tranquilas da Sra. Cameron.

— Desculpem-me — disse Douglas, voltando para a sala, limpando a cabeça. — Ela está meio... difícil agora. Não é a mesma desde a queda.

— Acho que ela simplesmente fala a verdade — disse Neil.

Vivi podia ter jurado que ele lançou um olhar significativo para Suzanna, mas o genro se virou tão depressa que não deu para ela ter certeza. Olhou para Douglas, tentando dar a entender que não sabia ao certo o que fazer em seguida. Ele foi até o sofá, pegou a mão dela.

— Aliás — disse, pigarreando —, chamamos você aqui por uma razão, Suzanna.

— Qual?

— Sei que foi um dia muito ruim para você. Sua mãe e eu... nós queríamos te mostrar uma coisa.

Vivi sentiu uma onda de esperança. Pegou a mão da filha e apertou-a, depois começou a tirar do colo a xícara vazia com o pires.

Suzanna olhou para Neil, depois para seus pais. Deixou-se ser levada do sofá, como uma sonâmbula. Vivi, consciente de que a parte de Neil nisso era importante, passou o braço em volta da cintura do genro, desejando ver Suzanna fazer o mesmo de vez em quando.

— Para o andar de cima — disse Douglas, indicando-lhes com um gesto.

Subiram em silêncio para a galeria. Pelas janelas, era possível que Vivi distinguisse com nitidez Rosemary balançando a cabeça quando a Sra. Cameron virou na direção de um canteiro.

— Estamos pensando em colocar lâmpadas novas aqui em cima, não é mesmo, querida? — A voz de Douglas vinha da frente dela. — Alegrar um pouco esse andar. Sempre foi meio triste — disse ele a Neil.

Eles pararam no alto das escadas e ficaram reunidos, Suzanna com um ar pouco receptivo e Neil olhando para a cara de Vivi à procura de alguma pista.

— O quê? — disse Suzanna, por fim, num fio de voz.

Douglas olhou para a filha e sorriu.

— O quê? — tornou ela a perguntar.

Ele apontou para a parede do fundo. E foi então que Suzanna viu.

Os olhos de Vivi não a deixaram enquanto ela estava imóvel e olhava o quadro a óleo da mãe, intacto apesar do atrito com Rosemary, agora excessivamente iluminado por uma estreita arandela de latão. O perfil fino de Suzanna, tão parecido com o de Athene, estava tão imóvel e branco quanto o de uma estátua grega. Seu cabelo, puxado para trás, fez Vivi contrair o rosto. Mesmo depois desses anos todos. Ela se lembrou das coisas boas que tinha, especialmente as mais recentes. Isso é por Suzanna, disse a si mesma. Pela felicidade de Suzanna.

Sentiu Douglas ao seu lado, o braço deslizando em volta de seus ombros, e esticou os dedos para os dele, extraindo conforto do gesto. Era o certo. O que quer que Rosemary dissesse, era o certo.

Mas, quando Suzanna virou-se para eles, estava rubra, com o olhar furioso.

— E isso... isso é para fazer tudo ficar bem?

Vivi assimilou a boca contraída de Suzanna, o eco da pior parte, aquela mais prejudicada de Athene. E percebeu, tarde demais, que a mágoa ia muito mais fundo que a colocação de um quadro podia alcançar.

— Nós apenas achamos... — começou Douglas, a confiança habitual abandonando-o. — Achamos que isso podia fazer você se sentir melhor.

Os olhos de Neil moviam-se entre os três, sua expressão anterior substituída por algo menos certo.

— Sentir-me melhor? — perguntou Suzanna.

— Ver o quadro aqui, quero dizer — continuou Douglas.

Vivi estendeu a mão para ela.

— Pensamos que seria uma boa lembrança...

A voz de Suzanna atravessou a galeria silenciosa.

— De outra pessoa cuja morte, sem querer, eu causei?

Douglas estremeceu, e Vivi segurou-o com mais força.

— Você não...

— Ou, que tal, eu superei o que aconteceu com ela portanto vou superar o que aconteceu com Jess também? É isso?

A mão de Vivi pressionava a boca.

— Não, não, querida.

— Ou até "vamos fazer uma coisa realmente sem sentido para compensar o fato de não acharmos que Suzanna valha mais a pena que o irmão caçula dela".

Douglas tinha se adiantado.

— Suzanna, você...

— Eu não posso ficar aqui — disse Suzanna e, as lágrimas brilhando nos olhos, dirigiu-se para a escada empurrando-os da sua frente. Após uma fração de segundo de hesitação, Neil foi atrás dela.

— Me solte! — gritou ela, quando ele a segurou no meio da escada. — Me solte! — A ferocidade em suas palavras o fez recuar.

Não era sempre que Vivi se sentia verdadeiramente solidária com a sogra, mas, consciente da mágoa perplexa no rosto de Douglas ao seu lado, ouvindo agora o barulho abafado da gritaria entre a filha e o genro lá fora, no caminho de acesso, contemplando, na parede do fundo, aquele sorrisinho, aqueles olhos azuis gelados, maliciosamente divertidos, como se soubessem do problema que ainda causavam, Vivi achou que finalmente poderia ter entendido o que Rosemary sentia.

Suzanna fez a pé todo o perímetro do campo de dezesseis hectares. Caminhou pela floresta, ao longo da trilha conhecida como Brejo Curto, subiu o morro cuja parte de trás dava no campo de beterraba e sentou-se no topo onde tinha se sentado com Alejandro menos de duas semanas antes.

A noite trouxera uma brisa fresca e suave da costa, baixando as elevadas temperaturas do dia. O terreno estava se aquietando devagarinho para o anoitecer, abelhas zumbindo preguiçosamente pelos prados, patos se alvoroçando e grasnando na água, sementes sopradas da relva da campina pairando por um instante no ar quase parado, depois flutuando suavemente em direção à terra.

Suzanna sentou-se e pensou em Jessie. Pensou em Arturro e Liliane, a quem tinha visto juntos do lado de fora da igreja, o braço de Liliane enganchado no dele quando ele parou para lhe oferecer um lenço, e desejou que Jessie também pudesse ter visto a cena. Pensou em como seu pai fechara os olhos quando ela lhe virara as costas, um olhar de desespero mudo, tão fugaz que era provável que só ela o tivesse visto. Ela o identificara bem: era a mesma expressão que vira em Neil naquela manhã.

A alguns passos dali, um estorninho bicava o solo, suas penas lisas reluzindo ao sol da tarde enquanto ele saltitava pela terra rachada. Do outro lado do vale, ela ouviu o ruído distante do sino da praça do mercado: bateu cinco horas, seis, sete, como batera em todos aqueles anos em que ela estivera ausente, criando uma vida para si mesma a muitos quilômetros dali, como batera nos anos antes de ela sequer existir. Hora de se levantar. Hora de seguir em frente.

Suzanna deitou a cabeça nos joelhos e respirou fundo, se perguntando a quantas pessoas em sua vida precisava pedir perdão.

Só algumas delas algum dia a ouviriam.

# Vinte e um

A loja passou pouco mais de uma semana fechada. Suzanna chegara para abri-la na manhã seguinte ao funeral, mas depois de ficar quase sete minutos parada na soleira da porta, tempo suficiente para a gerente do pet shop da esquina indagar se ela estava bem, tornou a guardar a chave na bolsa e foi a pé para casa. Dois fornecedores tinham telefonado para lhe perguntar se havia algum problema. Ela lhes dissera educadamente que não, mas que não receberia nenhuma entrega tão cedo. Os construtores telefonaram querendo saber se daria para colocarem uma caçamba bem em frente à porta, e ela os surpreendera com a prontidão com que respondera que sim. Arturro telefonara para sua casa para se certificar de que estava bem. Ela lutou contra a suspeita de que ele temia que acontecesse alguma coisa com ela também.

Suzanna pouco fizera naquela semana. Terminara várias tarefas domésticas, para as quais, de alguma maneira, nunca tinha tempo quando a loja estava aberta: lavou janelas, pendurou cortinas, pintou a parte inacabada da cozinha. Fez algumas tentativas superficiais de capina. Preparou várias refeições, uma delas, pelo menos, tão atraente quanto comível, não sendo capaz de digerir nenhuma. Não dissera nada a Neil sobre o fechamento temporário da loja. Ao descobrir isso vários dias mais tarde, quando lhe perguntaram no trem quando ela reabriria, ele não respondera nada. E se ela estava bastante silenciosa, ele também não falava muito sobre o assunto. Foi um período estranho, desestabilizou todo mundo. A dor era uma coisa estranha. Eles ainda estavam um pouco vulneráveis um com o outro, desde a discussão no dia do funeral de Jessie. E até ele sabia muito bem àquela altura que havia momentos num casamento em que não falar muito era o certo.

\* \* \*

Na segunda-feira seguinte, exatamente nove dias depois, Suzanna levantou-se às sete e meia. Encheu a banheira (a casa não tinha chuveiro), lavou o cabelo, maquiou-se e vestiu uma camisa recém-passada. Depois, num dia em que ventava o suficiente para despenteá-la e deixá-la com as bochechas coradas, aceitou uma carona do marido até o Empório Peacock (ele tinha a manhã de folga). Sem nenhuma hesitação visível, enfiou a chave na porta anti-intrusão e abriu. Então, após ter oferecido aos operários uma caneca de chá, classificou a pilha de correspondência — notando, com sentimentos ambíguos, o desaparecimento da vasta barreira de flores velhas e a chegada de vários ramos mais novos, incluindo um buquê de Liliane — e tirou da bolsa tudo que guardara durante a semana, coisas que examinara e que a tinham deixado nervosa, coisas de que se lembrara e coisas que escolhera só por serem bonitas. Arrumou tudo na mesa pintada de rosa, uma expressão de intensa concentração no rosto, depois começou a juntar o que era de Jessie.

A Sra. Creek, como era de se imaginar, foi a primeira cliente a aparecer. A rapidez com que chegara à loja assim que abriu levou Suzanna a se perguntar depois se a senhora não tinha passado os últimos dias posicionada sub-repticiamente em algum lugar, de olho na loja, aguardando o momento em que a porta tornaria a abrir. Estava tão despenteada pelo vento quanto Suzanna se sentia, o cabelo prateado saindo espetado da boina de crochê como se ela tivesse sido eletrocutada.

— Você não avisou a ninguém que ia fechar — falou ela em tom de acusação, enquanto arrumava a bolsa na mesa ao seu lado.

— Eu não sabia — disse Suzanna, mudando as canecas de lugar na prateleira numa tentativa de encontrar a preferida de Jessie.

— Isso não é muito bom para a clientela.

Encontrou. Uma azul e branca com um bulldog delineado e as palavras *chien méchant* do outro lado. Jessie dissera que o desenho lhe lembrava Jason quando ele acordava de manhã. Ela achara isso engraçado.

— Tive que ir ao Coffee Pot em vez de vir aqui — continuou a Sra. Creek. — Não gosto dos sanduíches deles. Mas você não me deixou escolha.

— Eu não vendo sanduíches.

— A questão não é essa, querida. Não se pode tomar um café ali depois de onze e meia se não estiver disposto a comer alguma coisa. O queijo com tomate mais barato deles custa mais de duas libras, você sabe.

— Quer aquelas caixas fechadas com adesivo no fundo? — Neil saiu por um instante do porão, vendo se havia marcas nas calças. — Têm a inscrição "Natal", portanto presumo que você ainda não vai querê-las aí em cima.

Suzanna se virou.

— Não — disse. — Pode deixar nos fundos do estoque. Desde que eu consiga chegar nas outras coisas.

— Você tem sorte de os operários terem colocado esse material todo para dentro para você — disse ele, apontando para o porão, onde a presença de caixas de entrega precariamente empilhadas disfarçava o fato de que só recentemente a área tinha sido limpa e reorganizada. — Alguém poderia ter roubado as caixas.

— As coisas não são assim por aqui — disse Suzanna, que não tinha a mínima vontade de sentir gratidão por ninguém. Especialmente por operários que estavam lhe custando mais quatrocentas libras na apólice de seguro e aparentemente bebendo quase metade disso todos os dias em grãos de café brasileiro do mais fino que havia. — Quer beber mais alguma coisa ou já está de saída?

— Estou bem por enquanto. Vou fazer o máximo que puder antes de precisar sair. Vou te deixar livre para arrumar as coisas aqui em cima — disse Neil, e tornou a desaparecer escada abaixo.

— Esse é o seu marido? — A Sra. Creek brincava com uma revista velha.

Suzanna ficou irritadíssima com o jeito que ela olhou para a escada, como se ter Neil ali fosse um ato de duplicidade seu.

— Sim — disse, e voltou para sua vitrine.

— Eu vi vocês dois no funeral.

— Ah.

— Você tem visto a menina?

— Quem?

— A filha de Jess, Emma. É uma menina boazinha. Fiz para ela uma fantasia de margarida.

— Eu sei — disse Suzanna, para as flores de papel cor-de-rosa à sua frente.

— Serviu nela lindamente. Fiz com um pedaço velho de crêpe-de-Chine. Eu não fazia um vestido de crêpe-de-Chine tinha vinte... não, devia ter trinta anos. — Deu um gole no café. — Coitadinha. Isso não parece certo.

Suzanna tentara manter a visão da vitrine de Jessie intacta na cabeça. Soubera exatamente o que queria quando saíra de casa, mas suas ideias já estavam ficando confusas, corrompidas pela conversa.

— Vestidos de baile e de noiva. O crêpe-de-Chine era lindo para isso. É óbvio, quase todos os vestidos de noiva eram de seda... os de quem podia pagar, afinal. Mas alguns daqueles tecidos mais finos às vezes são chatos para costurar. A gente fica desmanchando as costuras duas, três, quatro vezes para garantir que não franzam nem repuxem.

O que sobrou de sua visão evaporou. *Ah, por favor, vá embora*, pensou Suzanna, resistindo ao impulso de ficar batendo com a cabeça dela no tampo duro do balcão. *Me deixe em paz. Não consigo ouvir as suas divagações hoje.*

O vento lufava na rua, fazendo copos de papel e as primeiras folhas desgarradas do outono correrem em círculos errantes no seu rastro. Do outro lado dos tapumes de compensado, ela ouviu os operários gritando e exclamando uns com os outros, interrompidos de vez em quando por uma arrancada da furadeira elétrica. As janelas entrariam na semana seguinte, disseram. Feitas à mão por um marceneiro local. Ainda melhores que as antigas. Incoerentemente, ela decidira que gostava bastante da vedação de madeira nua, da luz mortiça. Não tinha certeza se estava pronta para ficar tão exposta de novo.

— Você não podia preparar mais um café para a gente, amor? — O operário mais velho, um homem de cabelo prateado e muito convencido do próprio charme, deslizou o rosto pela porta da frente. — Ficou frio de amargar aqui fora e estou precisando muito me esquentar um pouco.

Ela conseguiu dar um sorriso. Como o que dera para a Sra. Creek.

— Certo — disse. — Já estou indo.

Vários minutos mais tarde, ela tornou a ouvir a porta abrir. Mas quando finalmente se afastou da máquina de café, não era o operário que estava parado à sua frente.

— Suzanna — disse o homem e, por um segundo, ela não enxergou nada a não ser ele, seu jaleco de hospital azul, sua mochila surrada, seu olhar íntimo, baixo. Ele olhou em volta da loja, para a Sra. Creek, aparentemente absorta em sua revista, e estendeu a mão por cima do balcão para ela. — A loja estava sempre fechada — disse ele baixinho. — Eu não sabia onde encontrá-la.

A súbita proximidade dele deixou-a com falta de ar. Ela piscou com força para os cafés à sua frente.

— Tenho que levar esses lá fora — disse, a voz falhando.

— Preciso falar com você.

Ela olhou para a Sra. Creek, depois para ele.

— A loja está bem movimentada no momento — disse distintamente, tentando transmitir algo, não sabia bem o quê, na voz.

Do outro lado da loja, a Sra. Creek perguntou:

— Está cobrando o preço cheio a esses homens pelo café?

Suzanna fez força para tirar os olhos dele.

— O quê? Não — disse. — Não estou cobrando nada a eles.

— Isso não é justo.

Suzanna respirou.

— Se quiser trocar as minhas janelas, Sra. Creek, ou redigir o meu pedido de seguro, talvez até fazer a minha contabilidade, eu ficaria encantada em lhe dar um café de graça.

— Suzanna — murmurou ele em sua orelha esquerda agora, igualmente insistente.

— Isso não é muito simpático, né? — murmurou a Sra. Creek. — Não acho que Jess... — Ela pareceu mudar de ideia. — Acho que as coisas vão voltar a ser o que eram, agora.

Sua voz não deixava dúvidas quanto ao que ela achava daquilo.

— Não paro de pensar em você... — disse ele baixinho. Ela agora focava a boca dele, a vários centímetros da dela. — Mal tenho dormido desde... eu me sinto culpado por ser capaz de sentir tanta alegria, tanta... numa época que é tão... tão ruim.

Apesar do peso das palavras, uma carga saíra de cima dos ombros dele: seu rosto brilhava.

O olhar de Suzanna moveu-se da boca dele para a Sra. Creek, lendo de novo no canto. Lá fora, ela ouvia pessoas falando na rua, as vozes dos operários respondendo, e se perguntou se estavam deixando mais flores. Estava vagamente consciente do assobio de Neil, que começara vários passos abaixo deles. Ele assobiava "You Are My Sunshine".

— Acha que é errado? — A mão de Alejandro tocou a dela, o contato leve como uma pluma. — Estar tão feliz?

— Ale... eu...

— Você disse o que queria que fosse feito com aquele saco de lixo? Eu podia perguntar aos caras lá fora se dava para eu jogar na caçamba deles.

Ela levou um susto, retirando bruscamente a mão, e virou-se depressa, enquanto Neil, a alguns passos dali, esfregava o nariz e examinava os dedos como se esperasse ver poeira.

— Ah — disse ele, amavelmente. — Perdão por interromper.

Suzanna esforçou-se para não corar. Sentiu, mais que viu, Alejandro se afastar um passo do balcão, e desejou não estar envolvida na surpresa dele.

— Tudo bem — disse Alejandro, rigidamente. — Eu só queria um café.

Neil ficou olhando para ele um instante.

— Sotaque espanhol — observou. — Você deve ser o argentino. — Me desculpe, as moças me disseram, sim, o seu nome.

Os nós dos dedos de Suzanna tinham ficado brancos nas alças da bandeja. Desejou intensamente segurá-la com menos força.

— Alejandro.

— Alejandro. Você trabalha no hospital, certo?

— Certo.

— Grande trabalho — disse Neil. — Grande trabalho — repetiu. — Sim, Jessie me falou de você. — Fez uma pausa. — Ela gostava muito de você, a velha Jess.

— Eu gostava muito dela.

Alejandro olhava atentamente para ele, como se avaliando-o, determinando seu valor, a força do direito dele sobre Suzanna. Havia algo diferente em sua postura, um indício de combatividade na vigilância exacerbada, nos ombros retos. Suzanna, os sentidos vibrando tanto que ela achou que deviam estar visíveis, sentia-se tanto empolgada quanto apavorada com aquela cena, consciente da cegueira de Neil. Queria levar a bandeja para a rua, estar em qualquer outro lugar que não fosse ali. Mas tinha os pés fincados no chão.

— Terrível — disse Neil. — Terrível. — Lá fora, alguém começou a martelar. — Só vou botar essas prateleiras para fora antes de ir — disse a Suzanna. — Um monte de escombros foi parar atrás delas, sabe Deus como. — Tornou a desaparecer escada abaixo, assobiando.

Alejandro olhou para a porta do porão atrás dela, para os barulhos das caixas sendo mexidas lá embaixo, e se adiantou.

— Tenho que lhe dizer como eu me sinto — murmurou. — Preciso falar com você. Parece a primeira vez que falo de verdade.

Ela levantou o rosto, o corpo se lembrando reflexivamente.

— Por favor, não...

— Ela viu isso, Suzanna. Percebeu antes que a gente visse.

— Sou *casada*, Ale.

Ele lançou um olhar de desdém para a porta do porão.

— Com o homem errado.

Na outra ponta da loja, a Sra. Creek olhava para eles com interesse. Suzanna recuou em direção às prateleiras e brincou com os xaropes de café, organizando-os numa fila caprichada.

— Suzanna.

— Sou casada — disse ela baixinho. — Talvez até esteja grávida do filho dele.

Ele olhou para a barriga dela, depois fez que não com a cabeça.

— Apenas não posso ignorar este fato, Ale. Sinto muito.

Alejandro chegou mais perto, a voz baixa no ouvido dela quando disse:

— Então você está me dizendo que vai ficar com ele? Depois de tudo?

— Sinto muito. — Virou-se para ele, encostada na parede.

— Eu não entendo.

A voz dele se elevava perigosamente. Suzanna olhou para a Sra. Creek, que agora examinava a revista com a concentração intensa de quem tentava, ou fingia, não ouvir a conversa alheia.

Olhou para ele suplicante.

— Olha, eu nunca fiz o certo, Ale, não de verdade.

Pensou na noite anterior, em como ficara deitada sem dormir no quarto de hóspedes e depois, às três e meia, insinuara-se na cama do marido e se aninhara, puxando o seu braço para cima dela, tentando fazê-lo possuí-la, tentando se oferecer como um pedido de desculpas. Eles tinham feito amor, alguma coisa triste e resignada no ato. Ela rezara o tempo todo para que ele não falasse.

A voz de Neil flutuou escada acima:

— Quer deixar esses cartazes aqui embaixo, Suze? Os que estão ao lado do carrinho?

Suzanna tentou acalmar a sua.

— Dá para deixá-los aí, por favor? — gritou. E murmurou para Alejandro — Já pensei muito. E me dei conta de que as coisas têm que mudar. Eu tenho que mudar.

— Você me disse, Suzanna. *Você me disse...* tem uma hora em que é preciso largar o passado, os fantasmas. Você me mostrou que era hora de viver. — Ele pegou as mãos dela, aparentemente sem se importar se estavam sendo observados. — Você não pode voltar atrás. Sabe disso. Não pode. Eu não posso.

— Eu posso.

Ela olhou para as mãos deles. Era como se pertencessem a outra pessoa.

— Tudo mudou, Suzanna.
— Não.
— Você tem que me escutar.
— Ale... eu não te conheço. Não sei nada sobre você. Você não sabe nada sobre mim. Tudo que sabíamos era que gostávamos da mesma amiga e a perdemos. Isso não é base suficiente para uma relação, ou é?

Deu um passo para o lado, ouvindo os passos de Neil no porão, sua exclamação silenciosa quando uma coisa se encaixou pesadamente.

— Você acha que acabou? Acha que somos só isso?

Ele agora soltara as mãos dela e a encarava, incrédulo. Suzanna se esforçou para manter seu tom de voz calmo.

— Sinto muito. Mas eu fiz isso a vida toda. Fiz isso durante todo o meu casamento... você não é o primeiro por quem tive uma paixãozinha.

— Uma paixãozinha? Acha que isso é uma *paixãozinha*?

Alejandro agora estava a um pouco mais do que centímetros dela. Ela sentia o cheiro do couro do casaco dele, do travo do mate em seu hálito. Os operários tinham começado a bater alguma coisa no tapume, e ela sentiu o impacto reverberar nela.

— *Eu conheço você,* Suzanna.

Ele agora a tinha encostada na janela coberta com o tapume, cada mão de um lado de seus ombros, uma expressão de fúria apenas contida.

— Não — disse ela. — Não conhece.

— Conheço, sim. Conheço tão bem quanto me conheço. Conheci no instante em que te vi, tão linda e... e furiosa, presa atrás do balcão da sua loja.

Ela estava balançando a cabeça, as vibrações do martelo ecoando pelo corpo, enchendo a loja, abafando tudo menos ele, o cheiro de sua pele, a proximidade terrível dele.

— Não posso...

— Diga que não me conhece — murmurou ele.

Ela chorava em silêncio, já não ligando se a Sra. Creek estava olhando.

— Diga. Diga que não sabe quem eu sou. — A voz dele era rouca, urgente em seu ouvido.

— Não... Eu...

Ele deu um tapa no compensado ao lado da cabeça dela, e as batidas pararam por um momento.

— Suzanna, por favor. *Me diga que não me conhece.*

Ela assentiu com a cabeça, finalmente, o rosto se franzindo, os olhos fechados encostados nele, perdida no perfume dele, na proximidade dele.
— Eu... eu conheço você, Ale. Conheço.
Vingado, ele se afastou dela com um profundo grito suprimido, enxugando o rosto com a mão.
A voz de Suzanna chegou a ele por trás, hesitante:
— Mas isso não faz com que seja certo.

Ele a deixara menos de um minuto depois, o rosto tão magoado e furioso que ela achou que poderia murchar e morrer. Preferia a morte a ser olhada por ele daquele jeito. Segundos depois, Neil aparecera, empoeirado e satisfeito, ao ouvir a porta de aço batendo.
— Você vai ficar feliz quando conseguir a sua porta boa de volta — disse ele, abanando as orelhas. — Parece que a gente está sendo trancado na prisão cada vez que alguém bate a de agora. Certo. Acabei. Quer examinar o meu trabalho?
— Não — disse Suzanna, contendo as lágrimas. — Confio em você.
— Tolice sua, hã? — disse Neil, piscando para a Sra. Creek. Antes de sair, ele lhe deu um abraço de apoio. — Você parece esgotada — disse, bondoso. — Por que não procura alguém para ajudá-la nas próximas semanas? É um trabalhão, administrar isso tudo sozinha.
Ele não conseguiu entender por que isso a fez recomeçar a chorar.

# PARTE TRÊS

# Vinte e dois

Dizem, entre os poucos que foram ressuscitados de um afogamento, que os últimos momentos antes da asfixia são bastante agradáveis. Quando a luta termina e a água inunda os pulmões, a vítima entra num estado passivo de aceitação, até vê uma espécie de beleza despropositada naquela situação.

Suzanna pensou nisso com frequência durante as semanas seguintes. Às vezes, tinha uma sensação de afogamento. Às vezes, parecia sonâmbula, como se executasse cegamente movimentos pré-determinados, sem muito controle do que dizia ou fazia. Diriam, pensou com ironia, que isso era um progresso. Em casa, mantinha tudo arrumado e a geladeira bem abastecida, e já fazia tempo que não reclamava das vigas. Ela e Neil eram delicados um com o outro, solícitos, reconhecendo que as últimas semanas haviam prejudicado a eles dois de alguma forma e não querendo ser responsáveis por mais sofrimento. Ela dizia a Neil que o amava uma vez por dia e, justiça seja feita, era um sentimento que ele sempre retribuía com prontidão. Engraçado como, no casamento, uma frase que começara como uma pergunta, até mesmo uma provocação no início do relacionamento, podia, em última instância, tornar-se uma espécie de garantia benévola.

Ela pouco pensava em Alejandro. Conscientemente, pelo menos. À noite, muitas vezes acordava chorando e se perguntava, temerosa, o que tinha dito enquanto dormia. Neil colocara esses episódios noturnos na conta da morte de Jessie, e constantemente ela se sentia culpada, pedindo desculpas em silêncio à amiga, por ainda não ter falado a verdade.

Alejandro não ia mais à loja. Mas, por outro lado, poucas pessoas iam. Quando o impacto da morte de Jessie se dissipou, as flores foram retiradas e o sentimentalismo e a curiosidade haviam se dissolvido, Suzanna ficara apenas com alguns clientes assíduos. Havia a Sra. Creek — que vinha, Suzanna desconfiava, porque já tinha abusado da hospitalidade nos outros lugares. Uma vez entreouvira o nome da mulher mencionado no café do mercado, onde houve um subsequente revirar de olhos e, por um instante, sentira pena dela. Só que as histórias em todo momento autocentradas e as exigências inadequadas da Sra. Creek faziam com que a compaixão nunca durasse muito.

Havia o padre Lenny, que lhe disse solenemente que, se ela quisesse falar, falar mesmo (aqui ele erguera uma sobrancelha significativa), ele estava sempre à disposição. Ah, e se ela quisesse luminárias de miçangas por um bom preço, bonitas, veja bem, ele sabia onde encontrar. Liliane vinha de vez em quando, resplandecente com o que talvez fosse um novo amor, e comprou, entre outras coisas, uma carteira de couro de porco para Arturro e vários cartões de felicitações feitos à mão. Ela não falava com Suzanna mais que o estrito necessário e, apesar do desfecho aparentemente feliz dos atos seus e de Jessie, Suzanna sabia que, de alguma maneira, ela não tinha sido perdoada pelos chocolates do jeito que Jessie poderia ser sido.

Arturro ia lá, pelo menos uma vez por dia, para comprar um expresso de que ela desconfiava que ele já não precisava. Um passarinho tinha lhe contado que ele pensava em mandar instalar a própria máquina, mas estava adiando só por lealdade a Suzanna, talvez achando que a loja já tinha sofrido o suficiente. Ele era sempre bondoso, verificando se havia algum serviço precisando ser feito, oferecendo-se para olhar a loja para que ela pudesse sair para almoçar. Suzanna não aceitava a oferta dele com muita frequência. Era raro, naquela época, sentir fome suficiente para fazer o esforço de comprar alguma coisa, e temia que, se ele passasse muito tempo por ali, Liliane a olhasse de um jeito mais malévolo do que já olhava.

De vez em quando, percebia que ele a olhava com olhos tristes, preocupados, então ela dava um sorriso forçado. Um sorriso que dizia: "Estou bem, mesmo." Um sorriso que ela se via usando tantas vezes que já tinha esquecido como era o verdadeiro.

Neil lhe disse que a loja não estava dando certo. Não falou com todas as palavras. Provavelmente não queria deixá-la mais triste do que ela já estava. Limitava-se a olhar os livros a cada poucos dias, e o jeito como ele pousava a cabeça na mão enquanto examinava os recibos lhe dizia tudo de que ela precisava saber.

Suzanna percebeu que devia se importar mais do que se importava, mas a fachada vistosa pintada de novo e os cartazes que alguém havia colocado para esconder os feios tapumes nas janelas não eram tão atraentes como no passado. As mesas de cores alegres de repente tinham um ar triste e improvisado, os copos deixando círculos coloridos nos tampos que ela não havia secado bem. Os trechos nus nas paredes, cujas fotografias e imagens, que haviam colado ali juntas, ela não tinha coragem de substituir; a emulsão branca com que, com uma urgência estranha, ela cobrira todos os mapas em uma única tarde; a ausência de vitrine — tudo, de alguma forma, conspirava para fazer a loja parecer diferente. Menos acolhedora. Falando menos ao seu público. Menos parecida com o que, quase um ano antes, ela imaginara.

Suzanna sabia disso. Como as outras pessoas todas sabiam. De alguma forma, por mais piegas que isso parecesse, o coração da loja tinha morrido.

O clima estava definitivamente querendo mudar, assim as boas senhoras do mercado do Instituto das Mulheres disseram a Vivi naquela manhã, quando ela foi lá pegar a encomenda semanal de vegetais. As semanas de céu azul suave e calor sem vento que pareciam intermináveis tinham sido substituídas, primeiro por algumas horas, mas agora durante dias inteiros, por ventos fortes, céu cinzento e pancadas de chuva. As flores já tinham perdido o viço havia muito, as cabeças marrons e murchas, aguardando a dissolução gradual na terra de onde tinham vindo, enquanto árvores perdiam prematuramente as folhas, cobrindo ruas e calçadas de verde e dourado desbotados. Talvez, para um verão como o que tinham tido, pensou Vivi, sempre tivesse que haver um preço. Desistiu de pôr a roupa para secar fora de casa.

— Tudo pronto? — Douglas estava atrás dela, as mãos em sua cintura, e beijou seu rosto.

— O máximo possível. Aceitei o que você disse sobre não querer um almoço de verdade.

— Um sanduíche está ótimo — disse ele. — Imagino que nenhum deles queira demorar muito. Bem, Lucy talvez queira, se tirou o dia de folga.

— Não, ela me disse que vai tomar o trem de volta hoje à tarde e vai retornar ao escritório.

— A garota é uma viciada em trabalho — disse Douglas, chegando para o lado para conferir os sanduíches. — Não consigo *imaginar* a quem ela saiu.

Os celeiros estavam cheios de feno e palha. Os campos de trigo e cevada tinham sido arados e cobertos. Vivi observou o marido olhando distraidamente pela janela da cozinha, monitorando o céu que escurecia para ver se ia chover, como tinha feito, várias vezes por dia, por toda a sua vida adulta. As primeiras gotas esparsas caíam na janela, e ela se sentiu melancólica com o fim do verão. O inverno era muito mais longo no interior. Era só escuridão e frio, lama sem fim e terra marrom nua, um se agasalhar e se desagasalhar sem fim para enfrentar o frio severo. E, no entanto, este ano, a perspectiva dos dias menores, do avanço da escuridão, de certa forma, não tinha o peso que parecia ter antes.

— Você conversou com a sua mãe? — perguntou ela, tirando o embrulho de um bolo comprado em loja. Não se deu ao trabalho de baixar a voz: a audição de Rosemary agora era tão ruim que ela raramente captava qualquer coisa dita numa conversa normal.

— Sim — respondeu Douglas. — Eu disse a ela que, apesar do que ela achava, não estávamos ignorando os desejos dela. E que isso é mais ou menos um meio-termo feliz e que, se olhasse bem, devia ser capaz de enxergar isso.

— E?

— E eu disse a ela que a felicidade da família era a coisa mais importante. Incluindo a dela.

— E?

— Ela fechou a porta na minha cara — disse ele.

— Coitado — falou Vivi, adiantando-se para dar um abraço no marido, depois deu um tapa na mão dele quando ele enfiou um dedo áspero no glacê.

Suzanna foi a primeira a chegar, e Vivi pisou no gato quando corria pelo corredor para abrir a porta. O pobrezinho deu um gemido tão fraco que ela se deu conta de que o animal provavelmente já não tinha energia suficiente para reclamar.

— Acho que acabei de esmagar o gato da Rosemary — disse, ao abrir a porta.

Suzanna não pareceu ter ouvido.

— Não posso ficar muito tempo — disse, dando um beijo no rosto da mãe. — Preciso abrir a loja de novo à tarde.

— Eu sei, querida, e você faz muito bem de se esforçar. O seu pai não vai demorar, prometo. Fiz uns sanduíches para vocês poderem comer enquanto ele fala. Quer dar uma olhada no gato da Rosemary e me dizer se acha que eu quebrei alguma coisa?

— É difícil dizer. — O sorriso de Suzanna era forçado. — Ele sempre teve as pernas meio tortas. Olha, está andando. Eu não me preocuparia.

A filha estava magra, notou Vivi, seguindo-a até a cozinha, onde a Sra. Cameron preparava uma bandeja. Mas não era só a magreza: Suzanna estava cinzenta, abatida, como se a sua essência de certa forma tivesse se diluído. Vivi desejou que, na infelicidade, a filha pudesse ter encontrado mais conforto em Neil. Mas, por outro lado, ela não sabia ao certo o quanto Neil era parte do problema.

— Quer que a gente prepare mais alguma coisa para a Sra. Fairley-Hulme? Se bem me lembro, ela não é muito fã de sanduíche — indagou a Sra. Cameron.

— Já conhece a Suzanna, Sra. Cameron? A minha filha mais velha. Suzanna, esta é a Sra. Cameron. Aliás, eu ia lhe perguntar se você se importava de fazer uns ovos mexidos. — Baixou a voz. — Ela não vai sair do anexo hoje, pelo visto.

— Isso é um protesto? — perguntou Suzanna, encostando-se no fogão, como se pudesse absorver o seu calor.

— Acho que a vida inteira da Rosemary é um protesto — disse Vivi, e se sentiu desleal. — Vou só terminar as camisas e aí faço uma bandeja para ela.

Passados uns minutos, levou a bandeja para o anexo, depois fez outra com um bule e quatro canecas. Quando voltou à cozinha, Suzanna olhava pela janela. A tristeza em seu rosto, subitamente, fez Vivi sentir-se deprimida e consciente de que esta era uma emoção que tinha sentido com muita frequência, durante muito tempo. Não existe felicidade, pensou, se um dos seus filhos estava infeliz. Secou as mãos no avental, depois desamarrou-o e pendurou-o atrás da porta, resistindo ao impulso de abraçar a filha assim como acabara de abraçar o marido.

— Você pensou, querida, sobre querer ou não que a gente deixe o quadro de Athene na galeria lá em cima?

— Não — disse Suzanna. — Não tive muito tempo para isso.

— Não, é lógico que não. Bem, se quiser dar mais uma olhada, sabe onde ele está.

— Obrigada, mãe, mas hoje, não.

Vivi, ouvindo a vozinha gelada, controlada, se perguntou se ela ainda estava chorando a morte da amiga. A perda ainda era relativamente recente, afinal. Lembrou-se do impacto da morte de Athene — o choque daquilo reverberando pelas famílias deles, o número limitado de pessoas que conhecia a verdade sobre as "férias estendidas de Athene no exterior". Embora fosse provável que Vivi não tivesse ficado tão triste quanto poderia (*quem havia ficado?*, pensou com culpa), ainda se lembrava do choque esmagador de uma pessoa tão jovem e tão linda — *uma mãe* — tendo sido arrancada da vida com tanta brutalidade.

Perguntou-se, com o familiar sentimento de inadequação, o que podia fazer para aliviar um pouco do sofrimento da filha. Queria lhe perguntar o que havia de errado, oferecer algum remédio, apoiá-la. Mas sabia, por experiência amarga, que Suzanna só falava quando estava pronta. E isso, no caso de Vivi, era bem provável ser nunca.

— Lucy deve chegar em um minuto — disse, pegando guardanapos na gaveta de toalha de mesa. — Ben acabou de buscá-la na estação.

Vivi não ia participar da pequena reunião deles: sabia o que ia ser dito, afinal. Mas, como Douglas dissera que a queria ali, ela se colocou no fundo da sala, encostada na estante de livros, saboreando com uma vaga satisfação maternal a visão das cabeças dos três filhos à sua frente. Ben ficara com o cabelo bem loiro durante o verão, trabalhando ao ar livre o dia inteiro, e parecia a caricatura de um filho de fazendeiro alimentado a milho. Lucy, à direita dele, estava bronzeada e em forma, tendo acabado de voltar de suas férias exóticas. Suzanna, à direita, não podia parecer mais diferente dos outros, com a pele leitosa, o cabelo escuro e os olhos sombrios. Sempre seria linda, pensou Vivi, mas hoje parecia alguém tentando não ser.

— Eu ia ligar para você, Suze — disse Ben, enfiando um sanduíche na boca. — Dizer a Neil que estou preparando uma lista para aquela primeira caçada. Tenho um lugar para ele, se ele quiser vir.

— Não tenho certeza se a gente tem dinheiro — disse ela baixinho.

— Mas eu não quero que ele pague — disse Ben. Sua indignação pareceu forçada, sua atitude natural, jovial demais para confirmá-la. — Olha só, se ele está preocupado, diga a ele que pode me pagar limpando os chiqueiros velhos.

— Ou arrumando o seu quarto — disse Lucy, cutucando-o. — Não consigo ver muita diferença. Quando você vai se mudar, filhinho da mamãe?

— Quando você vai arranjar um namorado?

— Quando você vai arranjar uma namorada?

— Você não tem coisa melhor para fazer?

— Humm — disse Lucy, de um jeito teatral. — Oitenta mil por ano mais bônus, uma sala dando para o Tâmisa, meu apartamento próprio, título de dois clubes privados e férias nas Maldivas. *Ou* mesada da mamãe e do papai, o quarto que você tem desde os doze anos, um carro tão imprestável que você acaba sempre pegando o da mamãe e a melhor noitada sendo a discoteca Young Farmers de Dere. Humm, me pergunto quem realmente precisa ter coisa melhor para fazer?

Era o jeito como eles se reapresentavam uns aos outros, Vivi sabia, o jeito como restabeleciam seus vínculos. Mas, enquanto Lucy e Ben continuavam aquela briga amigável, Suzanna não dizia nada, só olhava para o relógio e depois para o pai, que procurava os óculos no meio dos papéis.

— Então, o que é, pai? — disse Lucy por fim. — *O Rei Lear?* Eu vou ser a Cordélia?

Douglas encontrou os óculos, colocou-os com cautela no nariz e olhou para a caçula por cima da fina armação de prata.

— Muito engraçado, Lucy. Aliás, achei que estava na hora de consultar vocês um pouco mais sobre a administração da propriedade. Já alterei meu testamento para que, enquanto ela for administrada por Ben, cada um de vocês tenha finalmente um interesse financeiro nela, bem como alguma voz em seu futuro. Acho que é melhor vocês terem alguma noção do que está acontecendo por aqui antes que me aconteça alguma coisa.

Lucy pareceu interessada.

— Posso ver a contabilidade? Sempre me perguntei quanto essa propriedade rendia.

— Duvido que leve você às Maldivas — disse o pai secamente. — Já fiz cópias. Estão ali na pasta azul. Só peço que não as leve daqui. Me sinto mais confortável sabendo que todas as informações financeiras estão num lugar só.

Lucy dirigiu-se à mesa e começou a estudar as planilhas que Vivi sempre achou impenetráveis. Sabendo que algumas mulheres de fazendeiros agiam como contadoras dos maridos, ela avisara a Douglas desde o início que não localizava a diferença entre débito e crédito.

— O mais importante que eu queria contar para vocês é que nós temos autorização para transformar os celeiros ao lado da Casa Philmore em casas de fim de semana.

Ben mexeu-se na cadeira, deixando óbvio que já sabia disso. Lucy assentiu com a cabeça vagamente. A cara de Suzanna era inexpressiva.

— Acho que existe um mercado potencial e que, com níveis de ocupação razoáveis, podemos recuperar o custo da transformação em poucos anos.

— Hóspedes de fim de semana — disse Lucy. — Atenda o alto público do segmento e você vai rir.

— E pessoas que querem uma semana inteira. Menos roupa para lavar e menos faxina — disse Ben.

— Meu chefe diz que não há casas realmente boas de fim de semana para quem tem dinheiro para gastar. Diz que só encontra talher de plástico e lençóis de náilon.

— Mãe, anote que a gente não quer lençóis de náilon.

Vivi se inclinou.

— Acho que nem se vende mais isso. É uma coisa horrível. Fazia a pessoa transpirar muito.

— Ben vai supervisionar e administrar a obra. — Douglas examinou os três filhos. — Ele vai cuidar das reservas, da limpeza e da entrega das chaves, bem como da parte do dinheiro. Se ele fracassar, mandamos dar um tiro nele.

— O que vai poupar na criação de faisões.

— Imaginei agora o Ben correndo pelado pela mata, perseguido por banqueiros vestidos de tweed — disse Lucy, rindo. — Até perdi a vontade de almoçar.

— Bruxa — disse Ben. — Me passa um queijo com picles.

— Há mais algumas questões, uma das quais tem a ver com subsídios. Não vou aborrecê-los com elas agora, pois sei que nenhum de vocês tem muito tempo. Mas, Suzanna, tinha uma coisa que eu queria conversar com você, em especial.

Suzanna estava sentada com a caneca de chá no colo. Vivi notou que a filha não tinha comido nem um pedacinho do sanduíche.

— Quando eu estava discutindo o que fazer com os celeiros, tive uma longa conversa com Alan Randall... sabe, o agente imobiliário. Ele me disse que o proprietário da sua loja está pensando em vender. Nós nos perguntamos se você gostaria que tivéssemos uma participação financeira.

Suzanna pousou a caneca com cuidado na mesa a seu lado.

— O quê?

— No Empório Peacock. Neil me disse que as coisas não estão muito boas para você no momento, e sei que você anda trabalhando muito na loja. Acho que é um bom negócio, ou tem potencial para ser, e gostaria de ajudar para que tenha futuro.

Vivi, observando a filha, viu que, mais uma vez, eles tinham feito a coisa errada.

Suzanna engoliu em seco, depois levantou a cabeça, a expressão penosamente controlada.

— Você não tem que fazer isso, pai.

— Fazer o quê?

— Me compensar. Pela nossa relação. Pelas casas de fim de semana do Ben. O que for.

— Suzanna... — disse Lucy, exasperada.

— É uma oferta de negócios legítima — disse Douglas.

— Eu não estou sendo grosseira. De verdade. Mas prefiro que vocês fiquem fora do meu negócio. Eu decido o que acontece com ele.

— Nossa, Suzanna — disse Ben, irritado. — Eles só estão tentando ajudar.

A voz de Suzanna era glacial, educada.

— Eu sei. E é muita bondade de vocês pensarem em mim, mas não quero nenhuma ajuda. Mesmo. Eu preferiria que vocês me deixassem em paz. — Olhou em volta da sala. — Não estou sendo difícil — disse ela, com uma voz, agora, equilibrada. — Eu preferiria que vocês se limitassem a deixar isso comigo e com Neil.

Douglas tinha fechado a cara.

— Ótimo, Suzanna — disse, abaixando a cabeça sobre a papelada. — O que você quiser.

Lucy encontrou Suzanna onde imaginava que a irmã estaria, nos degraus de pedra que davam para os escritórios. Suzanna andara fumando, curvada sobre os joelhos como alguém tentando combater uma dor de estômago. Quando Lucy fechou a porta ao passar, a irmã balançou a cabeça reconhecendo sua presença.

— Gostei do cabelo — disse Lucy.

Suzanna levou a mão a ele.

— Por que você cortou? Pensei que gostasse dele comprido.

Suzanna franziu o nariz.

— Precisava dar uma mudada. Aliás — disse, apagando o cigarro —, isso não é estritamente verdade. Enjoei de ter as pessoas me dizendo que pareço com aquele quadro idiota.

— Ah.

Lucy esperou por mais alguma coisa. Estendeu a mão e pegou um cigarro do maço da irmã.

— O Neil gostou — disse Suzanna, por fim. — Sempre gostou de mim com o cabelo curto.

O céu estava nublado, ameaçando mais chuva, e as duas se aconchegaram nos casacos, mexendo-se à medida que o frio do degrau de pedra penetrava implacavelmente por suas roupas.

Lucy deu uma longa tragada.

— Faz dois anos que parei, mas, quando fumo um de vez em quando, ainda é delicioso.

— O maço que eu fumo de vez em quando também — disse Suzanna.

Havia algo estranho na voz dela. Lucy, mudando de ideia, apagou o cigarro e jogou a prova num vaso de flor, como se elas ainda fossem adolescentes.

— Vai brigar comigo?

— Por quê?

— Por recusar a ajuda do papai. Como Ben brigou.

— Por que eu brigaria?

— Bem, foi o que todo mundo fez.

Elas ficaram em silêncio, cada uma sozinha com seus pensamentos, observando as nuvens correrem pelo céu, de vez em quando revelando um trecho azul.

— O que está havendo, Suze?

— Nada. — Suzanna olhava reto para os celeiros.

Houve uma longa pausa.

— Ouvi falar do que aconteceu na loja. Tentei ligar umas duas vezes... para ter certeza de que você estava bem.

— Eu sei. Desculpa. Eu sempre esqueço de retornar as ligações.

— Você voltou a trabalhar a todo vapor?

— Em tese. Neil diz que não vou durar muito neste ritmo. Não estou ganhando dinheiro. É difícil... é difícil saber o que fazer para atrair gente para a loja. — Ela sorriu para a irmã como quem se desculpa. — Acho que não sou a pessoa mais acolhedora no momento. Não sou uma grande atração mesmo em circunstâncias normais. Por isso realmente não vejo sentido algum em papai investir nela.

Lucy inclinou-se à frente, trazendo os joelhos até o peito.

— E você e Neil?

— Estamos bem.

— Estou presumindo que os cigarros significam que o bebê Peacock ainda não está a caminho...

— Acho que a expressão aceita é "se vier, vem". Talvez tente com mais afinco quando estiver me sentindo um pouco... mais alegre. — A voz dela sumiu.

— Tentar com mais afinco? — Lucy fez uma careta. — Em que você está tentando se transformar? Em algum tipo de mulher de Stepford? — Ela estudou o perfil da irmã, o sorriso se apagando quando viu que não haveria resposta jocosa. — Você está diferente, Suze. Está parecendo... — Não conseguiu achar as palavras certas. — Casada, para variar?

Quando Suzanna tornou a se virar para ela, Lucy ficou chocada de ver que ela tinha os olhos cheios d'água.

— Não zombe de mim, Luce. Estou fazendo o meu melhor. Mesmo. Estou tentando fazer o meu melhor — disse, seu cabelo em pé de um lado por conta do vento, parecendo tosado e bruto.

Lucy Fairley-Hulme hesitou por apenas um segundo, depois colocou os braços em volta da irmã linda, perturbada e complicada e apertou-a com mais força do que a apertara desde que eram crianças.

Suzanna já ia fechar a loja. Não precisava ter voltado depois do almoço na casa dos pais. Provavelmente gastou mais em gasolina para voltar do que lucrou com o café. Com o passar das horas, o céu ia ficando cada vez mais cinza, anunciando um crepúsculo prematuro, e o vento aumentara, empurrando ao longo dos bueiros latas de estanho que chocalhavam desconsoladas.

Ela sabia que a loja parecia tão pouco acolhedora quanto ela achava. Apesar das promessas dos operários, as janelas novas ainda não tinham chegado, e os tapumes que ocupavam seu lugar estavam cada vez mais desbotados e encardidos, um lembrete desagradável do destino de Jessie. Na véspera, ela tivera que remover da fachada vários adesivos, que ofereciam a chance para "quem trabalhava em casa" de ganhar "dezenas de milhares" se ligasse para o número de celular divulgado, e um cartaz grosseiro anunciando uma venda em frente ao White Hart.

Parecia que ela não conseguia arranjar energia para expulsar os operários. Olhava em volta para o estoque indesejado, os espaços vazios na estante que ainda não tinham sido preenchidos com os produtos das caixas novas, se perguntando até que ponto aquilo lhe faria falta quando acabasse. Se ela se importasse o suficiente, a oferta do pai poderia ter parecido uma tábua de salvação. Em vez disso, parecia a última numa longa fila de afrontas, pela qual ela já não tinha forças para se alterar.

Suzanna conferiu as caixas de leite na geladeira e, mais por hábito que por necessidade, reabasteceu a máquina de café, notando que era improvável ela ter mais algum cliente naquele dia, uma vez que as mães que levavam os filhos de carro para a escola já tinham ido para casa. Não se importava. Estava cansada. Pensou em sua cama agradável, no consolo anestesiante de ir para casa e se enfiar debaixo dos lençóis. Programaria o despertador para as sete e meia naquela noite, para estar acordada de novo antes de Neil voltar. Parecia funcionar muito bem assim

A porta abriu.

— Já viu o engarrafamento na praça do mercado? — perguntou a Sra. Creek.

— Eu já estava fechando a loja.

— Os carros deram um nó no trânsito. Tudo por causa de uma vaga. As pessoas estão todas gritando umas com as outras lá. — Ela tirou o chapéu e sentou-se à mesa azul. — Os comerciantes do mercado estão rindo deles. Velhos bobos. Tudo porque não estão a fim de pagar quarenta pence para estacionar atrás da igreja. — Ela se pusera à vontade e apertava os olhos para a lousa como se ela tivesse mudado desde a véspera, como se Suzanna algum dia tivesse oferecido alguma coisa senão sete tipos de café diferentes. — Vou querer um cappuccino, por favor, com aqueles cubos de açúcar marrom do lado. Os da caixa bonita. Eles têm um gosto bem diferente dos que a gente compra no mercado.

Não adiantava protestar. Suzanna nem sabia direito se era capaz de levantar a voz o suficiente para fazer isso. Pensou em mostrar a Neil os recibos do caixa do dia, no total impressionante de três cafés que teria vendido naquela tarde, um para cada hora em que a loja estivera aberta.

Começou a preparar a máquina, ouvindo mais ou menos a tagarelice da Sra. Creek, assentindo com a cabeça como se exigia. A Sra. Creek de vez em quando precisava de um pequeno estímulo: Jessie e Suzanna tinham decidido havia muito que ela simplesmente era desesperada por uma plateia. "Balance a cabeça e sorria", Jessie a aconselhara uma vez. Isso fazia parecer que a pessoa estava ouvindo.

— Me pediram para costurar um vestido de noiva, eu lhe contei?

Suzanna nunca perguntara a Jessie se ela queria se casar. Podia imaginá-la vestida de noiva. Uma criação maluca cor-de-rosa forte, repleta de contas e plumas e flores. Pensou no que Cath Carter tinha dito no funeral sobre as unhas de Jessie e, de repente, desejou que ela pudesse ter tido a chance de usar um vestido de noiva também. Só que isso teria envolvido ela estar mais ligada ainda a Jason. Pensar nele trouxe a caminhonete entrando loja dentro de novo, como trazia várias vezes por dia, e Suzanna se esforçou para tirar a imagem da cabeça.

—Você esqueceu os torrões de açúcar. Os daquela caixa, por favor.

— O quê?

— Os torrões de açúcar, Suzanna. Eu pedi dois.

Ela achou que talvez tivesse entrado num estado em que quase nada era capaz de afetá-la. A dor da morte de Jessie não tinha diminuído, mas ela sabia que estava sendo protegida dela cada vez mais por um aturdimento que se alastrava, um sentimento de que pouca coisa importava, de que a situação estava de fato além do seu controle. As coisas pareciam estar fugindo aos poucos, e ela já não se importava o suficiente para lutar. Era mais fácil apenas se deixar ser carregada com essas estranhas marés novas. Era irônico, pensou, que, bem quando entrava neste estado passivo, Alejandro tinha saído do dele. Ela ainda sentia o eco nos ouvidos de quando ele batera na tábua ao lado de sua cabeça, o barulho do ar que lhe disse que ele tinha virado outra pessoa. Mas, por outro lado, ela não pensava em Alejandro.

— É para a moça da biblioteca. A com os dentes... você a conhece? Cabelo medonho, mas as moças não parecem se importar tanto com isso como a gente se importava. A gente fazia o cabelo duas vezes por semana, sabe.

— É mesmo? — Suzanna colocou o café na frente da Sra. Creek e andou em direção à janela remanescente, olhando os passantes, cabisbaixos, casacos voando atrás.

— Sabe, não faço um vestido de noiva há... nossa, deve ter uns trinta e cinco anos. Eu estava falando com ela sobre um livro na biblioteca. Todas as estrelas de Hollywood dos anos 1950, sabe? E ela disse que aquele era o tipo de visual que ela queria, mas não tinha visto um vestido assim em nenhum lugar. Então eu disse a ela que podia fazer. Mais barato do que nessas lojas de noiva, pelo menos. É incrível o que cobram por um vestido de noiva hoje.

Estava chovendo de novo. Como chovera no dia em que Alejandro entrara e as fizera beber mate. Ela olhou para a prateleira às suas costas e viu que a cuia dele continuava lá, metida atrás de um monte de coisas que esperavam para serem separadas depois do que todo mundo educadamente chamava de "o acidente". Ela mal podia acreditar que não a tinha notado até agora.

— Sim, trinta e cinco anos. O último foi para um casamento nesta cidade, também.

— Hum — disse Suzanna.

Ela pegou a cuia com cuidado e segurou-a com as duas mãos, sentindo o seu peso, seus contornos de prata lisos. *Sinto muito, Ale*, disse silenciosamente.

— Era lindo. Seda branca, godê. Muito simples, meio como as moças gostam hoje. Tirei o modelo de um vestido que Rita Hayworth usou em... Ah, qual era aquele filme em que ela era uma verdadeira *vamp*? *Gilda*, é?

— Não sei — disse Suzanna. Ergueu a cuia e encostou-a no rosto, deixando o frio penetrar na pele, depois sentindo-a esquentar gradualmente em contato com ela. A transformação foi reconfortante.

— Imagine só, Rita Hayworth não era um modelo ruim. A noiva também era uma mulher dada. Fugiu... o quê... dois anos depois do casamento?

— Ah. — Suzanna tinha fechado os olhos.

— Como era o nome dela mesmo? Era um nome incomum. Atalanta? Ariadne? Athene alguma coisa. Era isso. Casada com um Fairley-Hulme.

O nome levou vários segundos para ser registrado. Suzanna virou a cabeça para a Sra. Creek, que estava despreocupadamente mexendo a xícara, o chapéu de lã ao seu lado na mesa.

— O que acabou de dizer?

— Uma moça bonita. Teve um caso com um vendedor, logo um vendedor, e largou o marido com o bebê. Só que o bebê não era dele. Ah, eles não falaram nada sobre isso, mas todo mundo soube.

O tempo parou. Suzanna teve a sensação de que a loja estava correndo para trás, para longe dela, enquanto as palavras da Sra. Creek caíam pesadamente no espaço entre elas.

— Era isso. Athene Forster. Você talvez não vá se lembrar dos Fairley-Hulme, por ter morado muito tempo em Londres, mas eles eram uma grande família de agricultores aqui quando eu era menina. — Ela tomou um gole de café, alheia à figura paralisada ao lado da janela. — Era um vestido lindo. Fiquei muito orgulhosa dele. Acho que até tenho um retrato dele em algum lugar. Mas eu me senti péssima depois, porque, na pressa de terminá-lo, esqueci de pregar um pedaço de fita azul na bainha. A gente fazia isso, sabe. Para dar sorte. Uma coisa velha, uma coisa nova. — A mulher começou a gargalhar. — Anos depois, quando descobri que a moça tinha fugido, falei para o meu marido: "Pronto. Deve ter sido minha culpa..."

# Vinte e três

O gato de Rosemary estava morrendo. O fato de todos saberem que isso ia acontecer, de estarem esperando esse desfecho havia vários dias, não o tornava menos triste. O bicho, cansado, ossudo, agora leve como uma pluma, definhado com os vários tumores internos, dormia quase continuamente, despertando só para cambalear pela cozinha até a tigela de água, muitas vezes sujando o chão no caminho. Vivi não tinha se queixado de limpar a sujeira, apesar das expressões dissimuladas de nojo do marido. Ela sabia que Rosemary estava ciente de que o gato tinha que ser sacrificado, mas vendo sua tristeza apenas contida, não quis tornar maior a pressão que a sogra visivelmente sentia para mandar fazer isso.

Depois do café da manhã após a visita dos filhos, com o vento uivando lá fora e o frio incomum significando que as lareiras seriam acesas pela primeira vez naquele outono, Rosemary tinha aparecido na porta do anexo para perguntar a Vivi se ela se importaria de chamar o veterinário. Quando este chegou, ela pediu a Vivi para pôr o gato em seus braços, e segurou o bicho ali, acariciando-o com dedos artríticos. E, então, disse à nora secamente que desejava ficar a sós. Ainda era capaz de falar com um veterinário sozinha, muito obrigada.

Vivi tinha saído de costas, o veterinário por um instante encontrando o seu olhar, e fechado a porta atrás de si, sentindo-se triste de uma forma que não podia explicar.

Depois de um espaço de tempo quase curto demais, o veterinário tinha aparecido, dito que mandaria a conta e anunciado que, por instruções de Rosemary, tinha deixado o corpo numa sacola especial ao lado da porta dos fundos. Ele havia se oferecido para se desfazer do animal pessoalmente, mas a velha senhora dissera que gostaria que seu gato fosse enterrado em seu jardim.

— Vou chamar Ben para ajudar — disse Vivi e, naquela manhã, ignorando a chuva e o vento, ela e o filho vestiram um casaco corta vento, cavaram um buraco de profundidade apenas suficiente para manter as raposas afastadas e enterram o velho animal, observados pelo rosto impassível de Rosemary à janela.

— Suponho que você ache que fui egoísta, mantendo o gato vivo — disse ela depois, enquanto Vivi servia o chá na sala, as orelhas ainda cor-de-rosa do vento.

Vivi colocou a xícara com o pires na mesa ao lado dela, certificando-se de que estivessem perto o suficiente para Rosemary alcançá-los sem mudar de posição na cadeira.

— Não, Rosemary. Acho que você era a única que podia saber quando ele estava pronto para partir. — Ela se perguntou se devia pedir a Lucy para ligar para Suzanna. As meninas pareciam mais próximas do que nunca. Quem sabe Suzanna talvez se abrisse com a irmã.

— Este é o problema, viu. Nenhum de nós está.

Vivi foi arrancada de seus pensamentos.

— Ele sabia que era um chato — começou Rosemary, a cara virada para as janelas francesas —, sabia que se metia embaixo dos pés de todo mundo, que fazia a maior sujeira. Mas às vezes é muito difícil... desapegar das coisas.

O bule de chá estava queimando a mão de Vivi. Ela o pousou com cuidado na bandeja, esquecendo-se de se servir de uma xícara.

— Rosemary...

— Só porque uma coisa é velha não quer dizer que é inútil. Talvez pareça mais inútil do que é.

Lá fora, um dos tratores estava entrando de ré pelo portão da frente, preparando-se para entrar no celeiro atrás da casa. Elas podiam ouvir o leve arranhar de marchas, revestido dentro de casa pelo reconfortante rugido do fogo, o tiquetaquear constante do relógio de pé.

— Ninguém achava que seu gato era inútil — disse Vivi, com cautela. — Acho que... nós apenas preferimos nos lembrar dele saudável e feliz.

— Sim. Bem. — Rosemary pousou a xícara na mesa. — Ninguém nunca imagina que vai acabar assim.

— Não.

— Um estado horroroso.

— É.

Rosemary empinou o queixo.

— Ele me mordeu, sabe, quando a agulha entrou.

— O veterinário me contou. Disse que isso era bastante raro.

A voz trêmula de Rosemary era desafiadora.

— Fico feliz que ele ainda tenha tido forças... para mandar todo mundo para o inferno. Até o último minuto... ele ainda tinha alguma coisa dentro dele. — Seus velhos olhos reumosos fixavam Vivi atentamente com um significado que ela não deixou escapar.

— Sabe de uma coisa, Rosemary? — Vivi viu que estava com um nó na garganta. — Eu também fico muito feliz.

Rosemary adormecera na cadeira. Provavelmente foi a emoção daquilo tudo, dissera a Sra. Cameron sabiamente. A morte podia fazer isso com as pessoas. Quando o poodle de sua irmã tinha morrido, eles tiveram que segurá-la para ela não se atirar na sepultura. Mas, por outro lado, ela sempre fora apaixonada pelo cachorro, tinha emoldurado fotos dele e lhe comprado casacos e coisas do gênero. Mandara enterrá-lo num daqueles cemitérios especiais, dá para acreditar? Sabia que se podia enterrar até um cavalo nesses lugares? Vivi tinha assentido, depois balançado a cabeça, sentindo a tristeza da sogra se entranhando, como o tempo úmido, nos ossos da casa.

Ela tinha dezenas de coisas para fazer, várias delas na cidade, inclusive um convite para uma reunião da obra de caridade local que administrava os abrigos de acolhimento da cidade, para a qual Douglas a indicara quando se casaram. Mas, de alguma maneira, Vivi estava relutante em sair da sala, como se a fragilidade de Rosemary desde a morte de seu amado gato a deixasse temerosa por ela. Não dissera nada disso à Sra. Cameron, mas a moça vira alguma coisa:

— Quer que eu passe as roupas aqui dentro? Fique de olho nas coisas? — perguntara ela com tato.

Teria parecido bobagem explicar sua perturbação. Vivi lhe dissera, com uma energia determinada na voz, que achava isso uma ideia esplêndida. E, tentando não fazer caso do mau pressentimento, fora para a despensa separar as maçãs que tinha deixado de lado para congelar.

Ela estava ali sentada no velho caixote de chá havia quase vinte minutos, separando os sacos plásticos de maçãs boas para cozinhar dos de maçãs podres demais para guardar, encontrando consolo no mecânico ritual anual, quando ouviu a campainha da porta e os passos enérgicos da Sra. Cameron assoviando no corredor ao ir abri-la. Houve um breve diálogo abafado, e Vivi, jogando uma fruta especialmente bichada numa caixa de papelão, tinha se perguntado se a senhora que deixava as sacolas da obra de caridade para serem enchidas tinha chegado um dia antes.

— Aqui? — Ouviu a voz, imperiosa e exigente, do outro lado da porta, e Vivi estremeceu, subitamente se endireitando.

— Suzanna?

A porta abriu e Suzanna ficou ali parada. Seus olhos ardiam escuros num rosto que era mortalmente branco. Havia discos azuis em volta de seus olhos e seu cabelo não tinha sido escovado, indicando uma tumultuada noite em claro.

— Querida, você...

— É verdade? Ela fugiu do papai e teve um filho?

— O quê?

Vendo o conhecimento abrasador naquele rosto, Vivi sentiu a história dar um pulo para soterrá-la e entendeu que aquela apreensão que sentira nada tivera a ver com o gato. Levantou-se e tropeçou à frente, fazendo maçãs rolarem pelo chão.

— Minha mãe? Era da minha mãe que ela falava?

As duas estavam em pé no quartinho impregnado do cheiro de detergente e de maçãs em decomposição. Vivi ouviu a voz de Rosemary, sem saber ao certo se era imaginação sua.

— Viu? — dizia. — Ela cria problema até depois de morta.

Com as mãos ao lado do corpo, respirou fundo e imprimiu à voz uma firmeza que não sentia. Sempre soubera que este dia podia chegar, mas nunca previra que, quando chegasse, poderia ter que enfrentá-lo sozinha.

— Suzanna, seu pai e eu já queríamos lhe contar isso há algum tempo. — Procurou o lugar para se sentar de novo. — Aliás, nós queríamos lhe contar na quinta-feira. Devo chamá-lo? Ele está lavrando na Page Hill.

— Não. Conte você.

Vivi queria dizer que a história não era dela para contar, que o peso daquilo sempre fora excessivo para ela. E, confrontada com o febril olhar acusativo de Suzanna, dizer que não teve culpa. Mas ser mãe era isso, não? As declarações de amor, a garantia de que todo mundo havia feito o que fez na melhor das intenções, achando que tudo ficaria bem... a consciência de que muitas vezes o amor não é o suficiente.

— Me conte você.

— Querida, eu...

— Aqui. Agora. Já. Eu simplesmente quero *saber* — disse Suzanna. Havia uma espécie de desespero em seus olhos, em sua voz, um tom que Vivi nunca vira mais triste ou mais estranho.

A mulher chegou para o lado com cuidado, fazendo sinal para a filha ocupar a metade vaga do caixote.

— Está bem, Suzanna — disse. — É melhor você se sentar.

A ligação tinha chegado quando ele menos esperara, numa das poucas ocasiões em que voltara para a casa que, por dois breves anos, chamara de lar. Entrara no hall ecoante à procura do casaco de tweed, tentando não pensar muito no que o rodeava, quando o telefone na mesa do hall tocara estridentemente. Ficara algum tempo olhando para o aparelho, depois adiantou-se timidamente. Ninguém mais ligaria para ele naquele número. Todo mundo sabia que já não morava lá.

— Douglas — dissera a voz, e, diante daquela indagação surda, devastadora, ele descobriu que perdera a capacidade de ficar em pé.

— Onde você está? — perguntara ele, deixando-se cair na cadeira do hall. Foi como se não tivesse falado.

— Ando tentando falar com você há semanas — disse ela. — Você é um farrista impossível.

Como se eles fossem duas pessoas flertando numa festa. Como se ela não o tivesse destruído, partido o seu coração e transformado o seu futuro, a sua vida, em pó.

Ele engoliu em seco.

— Está na época do feno. Dias longos. Você sabe.

— Achei que você tinha ido para a Itália, afinal — disse ela levianamente. — Para fugir desse clima inglês horroroso. — A voz dela parecia estranha, abafada pelo tráfego, como se ela estivesse numa cabine telefônica. — Não é horrível? Você não odeia esse clima?

Ele tinha imaginado por tanto tempo este momento, ensaiara tantos argumentos, pedidos de desculpas, reconciliações na cabeça, e agora ela estava do outro lado da linha. Respirar era só o que ele conseguia.

— Douglas?

Ele notou que a mão tremia encostada na perna.

— Senti sua falta — grunhiu.

Houve uma pausa imperceptível.

— Douglas, querido. Não posso falar muito, mas preciso te encontrar.

— Venha para casa — disse ele. — Venha para cá.

Ela respondera docemente que, se ele não se importasse, ela realmente preferiria não ir até lá. Em Londres, talvez? Algum lugar onde pudessem falar em particular?

— O restaurante de peixes Huntley's — sugerira ele, a mente hesitante, começando a funcionar. Lá havia mesas isoladas, onde podiam falar praticamente sem ser observados.

— Você é tão esperto, querido — dissera ela, aparentemente sem perceber como uma frase, descartada com tanta facilidade, podia atiçar as chamas da esperança.

Seria no Huntley's, então. Quinta-feira.

Agora, quatro intermináveis dias depois, ele estava sentado à mesa nos fundos do restaurante, a mais discreta da casa, garantira-lhe o garçom, que piscara para ele de um jeito impertinente, como se ele estivesse encontrando uma amante.

— É para a minha mulher — dissera Douglas.

Com frieza, o garçom respondera:

— Certo, senhor, é lógico que é.

Ele chegara quase meia hora antes, passara a pé pelo restaurante várias vezes, disposto a resistir à tentação de entrar, sabendo que os operários no andaime acima deviam tê-lo achado transtornado. Mas havia uma parte dele que temia talvez sentir falta dela, temia que o destino interviesse e descruzasse os seus caminhos, então comprou um jornal e sentou-se lá sozinho, tentando conter o suor da palma das mãos e desejando poder entender alguma coisa nas notícias à sua frente.

Na rua, um ônibus de dois andares afastou-se penosamente do meio-fio, suas vibrações fazendo as janelas chacoalharem. Garotas passavam vestindo saias curtas, os casacos coloridos destoando dos tons de cinza do céu e do calçamento de Londres, provocando assobios abafados. Por um instante, ele se sentiu tranquilizado por ela ter concordado em se encontrar com ele ali, um lugar onde seu terno não parecia provinciano, careta, em jargão moderno, um lugar onde ele não tinha que se sentir como um amálgama de todas as coisas que a irritavam.

— Gostaria de alguma bebida, senhor, enquanto espera?

— Não. Aliás, sim. Só uma água, por favor.

Ele olhou quando a porta abriu e mais uma mulher magra entrou. O raio do restaurante parecia não atender a nenhum outro tipo de cliente.

— Gelo e limão, senhor?

Douglas sacudiu o jornal com irritação.

— Ah, pelo amor de Deus — disse secamente —, do jeito que vier... está bom — disse, controlando-se. Afastou o cabelo do rosto, ajustou a gravata e tentou normalizar a respiração.

Não tinha contado aos pais que estava indo — sabia qual seria a resposta da mãe. Ela não permitia que o nome de Athene fosse pronunciado na casa desde o dia que ele lhe contara sobre a partida da esposa. Ele se mudara para lá vários meses antes, deixando a Casa Philmore como o *Mary Celeste,* exatamente como ela a tinha deixado, até o cinzeiro que a esposa enchera de bitucas marcadas de batom. Os empregados receberam instruções estritas de não mudar nada.

Até ele ter certeza.

Até ele ter certeza absoluta.

— Aliás — disse ele ao garçom, quando este chegara trazendo um copo de água numa bandeja de prata —, me traga um conhaque, sim? Duplo.

O garçom tinha olhado para ele um segundo a mais do que sugeria um serviço completamente atencioso.

— Como queira, senhor — dissera, e se retirara.

Ela se atrasara, como ele já imaginara. Ele terminara o conhaque e mais outro na meia hora que se arrastara depois do horário combinado para o encontro. Quando ele ergueu os olhos do jornal e a viu à sua frente, o álcool já começara a suavizar a sua ansiedade.

— Douglas — dissera Athene, e ele ficara olhando vários minutos para ela, não se sentindo capaz de lidar com a esposa em carne e osso, com a versão definida do espectro que, durante quase um ano, assombrara seus sonhos. — Como você está elegante.

Ele olhara para o terno, temendo ter derramado alguma coisa nele. E, depois, olhara para ela, ciente de estar transpondo um limite invisível, mas incapaz de se deter.

— Vamos sentar — dissera ela, com um sorriso nervoso, provocante. — As pessoas estão começando a olhar.

— De fato — murmurou ele, e tornou a entrar no reservado.

Ela parecia alterada, também, embora fosse impossível dizer se isso era porque a Athene de sua lembrança, de sua imaginação, era uma criatura perfeita. Esta mulher à sua frente, embora linda, embora indiscutivelmente a sua Athene, não era bem a deusa que ele se acostumara a imaginar. Tinha um rosto fatigado, a pele um pouco menos lisa, um pouco mais cansada do que já fora. Seu cabelo estava preso num coque desleixado. Vestia, notou ele com espanto, um tailleur que ela comprara na lua de mel deles, que ela decidira, após usá-lo uma única vez, ser "uma coisa abominável" e jurara jogar fora. Ao lado do estilo colorido das garotas na rua, tinha um aspecto antiquado. Ela acendera um cigarro. Ele notou, com certo alívio, que as mãos dela tremiam.

— Posso beber alguma coisa, querido? — disse Athene. — Sabe, estou morrendo de sede.

Ele acenou para o garçom, que olhou para ela com interesse moderado. Foi quando pegou o homem olhando ostensivamente para a mão esquerda da mulher que Douglas levou um susto ao perceber que ela já não usava a aliança. Deu um gole na bebida, tentando não pensar no que isso poderia significar.

O importante era que ela estava lá.

— Você está... você está bem? — perguntou ele.

— Maravilhosa. Tirando esse tempo horrível.

Ele tentou descobrir alguma pista pela aparência dela, arranjar coragem para lhe fazer as perguntas que davam voltas implacavelmente em sua cabeça.

— Você vem muito a Londres?

— Ah, você me conhece, Douglas. Teatro, uma boate de vez em quando. Isso não pode me manter afastada da velha Fumaça. — Por trás de sua voz, havia uma alegria frágil.

— Fui ao casamento do Tommy Gardner. Achei que poderia ver você lá.

— Tommy Gardner? — Ela soprou a fumaça com desdém pelos lábios pintados. — Eca. Não suporto nenhum deles.

— Acho que você devia estar muito ocupada.

— Sim — disse ela. — Estava, sim.

O garçom trouxe a bebida de Athene e dois cardápios encadernados em couro. Ela tinha pedido um gim-tônica, mas, quando a bebida chegou, pareceu se desinteressar por ela.

— Você gostaria de comer? — perguntou Douglas, rezando para ela não querer sair imediatamente, para já não a ter desapontado.

— Peça para mim, querido. Não quero me preocupar em ler essas opções todas.

— Vou querer o linguado — disse ele ao garçom, tirando com relutância os olhos da mulher por tempo suficiente para devolver os cardápios.

— Dois linguados. Obrigado.

Havia nela um estranho desassossego, notou ele. Embora estivesse absolutamente silenciosa, lânguida como sempre, havia uma tensão visível nela, como se estivesse pendurada entre dois fios esticados. *Talvez ela esteja tão nervosa quanto eu*, pensou ele, e tentou conter o acesso de esperança provocado por essa ideia.

Houve um silêncio penoso enquanto eles estavam sentados um em frente ao outro, os olhares de vez em quando se cruzando, e esboçando sorrisos tensos, constrangidos. Na mesa ao lado, um grupo de homens de negócio caiu na gargalhada, e ele captou o ligeiro levantar de sobrancelhas de Athene, o olhar que dizia que não se podia imaginar nada mais ridículo que eles.

— Você nem falou comigo — disse, tentando usar um tom leve, como se fosse uma crítica moderada. — Deixou apenas um bilhete.

Ela cerrou ligeiramente a mandíbula.

— Eu sei, querido. Sempre fui inútil para esses tipos de conversas.

— Esses tipos de conversas?

— Não vamos fazer isso, Douglas. Hoje, não.

— Por que não nos encontramos em Dere? Eu teria ido à casa dos seus pais, se você quisesse.

— Não quero vê-los. Não quero ver ninguém. — Ela acendeu um segundo cigarro no primeiro e amassou o maço agora vazio em sua mão. — Douglas, seja um amor e peça mais uns cigarros para mim? Acho que estou sem trocado.

Ele pediu sem protestar.

— Você é um amor — murmurou Athene, e ele nem tinha certeza se ela sequer se dava conta do que estava dizendo.

A comida chegou, mas nenhum deles tinha apetite para comer. Os dois peixes ficaram sinistramente sentados na manteiga que se solidificava até Athene empurrar o prato e acender outro cigarro.

Douglas temeu que isso sugerisse a partida iminente dela. Não conseguiu esperar mais. Não tinha nada a perder.

— Por que você me ligou? — perguntou, a voz falhando.

Os olhos dela encontraram os dele e se arregalaram ligeiramente.

— Não posso mais falar com você? — disse ela.

Sua tentativa de sedução foi prejudicada pela tensão em volta de seus olhos, pelos olhares fugazes que ficava lançando para a frente do restaurante.

— Está esperando alguém? — perguntou ele, subitamente temendo que *ele* pudesse estar lá também. Que isso pudesse ser algum estratagema elaborado para fazê-lo mais ainda de bobo.

— Não seja tolo, querido.

— Não me chame de querido, Athene. Não consigo fazer isso. Não consigo mesmo. Preciso saber por que você está aqui.

— Sabe, é ótimo ver você com uma cara tão boa. Você sempre ficou maravilhoso com esse terno.

— Athene! — protestou ele.

Chegou uma mulher à mesa deles, a atendente do vestiário. Douglas se perguntou, por um instante, se ela já ia lhes dizer que havia uma ligação para Athene e o que faria se a mulher dissesse isso. Seria *ele*, é óbvio. Devia passar a mão no telefone? Mandar o outro homem deixar a sua mulher em paz? Ou o quê?

— Desculpe, madame, mas a sua bebê está chorando. A senhora precisa pegá-la.

Passaram-se vários segundos até ele registrar o que a outra mulher havia dito.

Athene olhou para ele, um traço cru e desprotegido no rosto. Depois, composta, virou-se de novo para a mulher, o sorriso perfeitamente sereno.

— Sinto muito — disse. — Seja um amor e traga-a para mim? Não vou demorar muito.

A moça desapareceu.

Athene deu uma longa tragada no cigarro. Os olhos dela eram brilhantes e insondáveis.

— Douglas, preciso que você faça uma coisa para mim — disse tranquilamente.

— Uma bebê? — disse ele, a mão no alto da cabeça.

— Preciso que você tome conta da Suzanna para mim.

— O quê? Uma bebê? Você nunca...

— Eu não posso mesmo discutir sobre isso. Mas ela é uma boa bebê. Sei que vai adorar você.

A moça chegou com a criança, quase escondida por mantas, choramingando como se tivesse acabado de cair uma terrível tempestade. Athene apagou o cigarro e esticou o braço para pegá-la, sem olhar para o rosto da menina. Embalou-a distraidamente, observando Douglas.

— O carrinho dela está na frente do restaurante. Tem tudo de que ela precisa por um tempinho. Ela não dá problema, Douglas, mesmo.

Ele não estava acreditando.

— Isso é... isso é algum tipo de piada? Não sei o que fazer com um bebê. — A criança tinha começado a ficar nervosa de novo, e Athene deu tapinhas no traseiro dela, ainda sem olhar para seu rosto. — Athene, não posso acreditar que você...

Ela se levantou e empurrou a bebê por cima da mesa, e ele não teve muita opção senão pegar o pacote. A voz dela era urgente, insistente.

— Por favor, por favor, Douglas, querido. Não posso explicar. Mesmo. — Os olhos suplicantes dela eram um eco de um tempo passado. — Ela ficará muito melhor com você.

— Você simplesmente não pode me deixar com um bebê...

— Você vai amá-la.

—Athene, não posso...

A mão fria dela estava no braço dele.

— Douglas, querido, eu já te pedi alguma coisa? De verdade?

Ele mal conseguia falar. Estava vagamente consciente dos ocupantes da mesa ao lado olhando para eles.

— Mas e você? — Ele balbuciava, sem sequer saber ao certo o que dizia. — E você e eu? Eu não posso simplesmente ir para casa com um bebê.

Mas ela já tinha lhe virado as costas. Estava arrumando a bolsa, brincando com alguma coisa dentro dela, um estojo de pó de arroz, talvez.

— Tenho que ir agora. Depois nos falamos, Douglas. Muito obrigada.

—Athene, você não pode me deixar com...

— Sei que você vai ser maravilhoso com ela. Um pai maravilhoso. Muito melhor que eu nesse tipo de coisa.

Ele estava olhando para o rosto inocente embrulhado nas mantas à sua frente. A menina conseguira encontrar o polegar e chupava furiosamente, uma expressão de concentração extasiada no rosto. Tinha os cílios pretos de Athene, seus lábios com um arco de cupido.

— Não quer nem dizer adeus? — perguntou ele.

Mas ela já estava na metade do caminho de saída do restaurante, os sapatos de salto alto repicando como alfinetes no piso cerâmico, os ombros retos no tailleur abominável.

— O carrinho dela está com a moça da chapelaria — falou. E, sem olhar para trás, desapareceu.

Ele nunca mais a viu.

* * *

Ele contara esta história a Vivi alguns meses após o acontecido. Até então, disse ela, a família de Douglas simplesmente falara a todo mundo que Athene estava "passando uma pequena temporada no estrangeiro", mas que considerava o clima inglês melhor para o bebê. Diziam "o bebê" levianamente, como se todo mundo devesse saber que havia um. Uns achavam que talvez já tivessem lhes contado e, de algum jeito, eles tivessem esquecido. Quem porventura não tivesse aceitado esta versão dos acontecimentos ficou quieto. O pobre homem já tinha sido humilhado o suficiente.

Ele contara a Vivi com firmeza, sem olhar para ela, pouco depois de terem sabido da morte de Athene. E ela o abraçara enquanto ele chorava lágrimas de raiva, humilhação e perda. Depois, ela se deu conta de que ele nunca perguntara se o bebê era dele.

Suzanna, paralisada no caixote de chá, estava mais pálida, se possível, do que quando chegara. Ficou sentada ali por algum tempo, e Vivi não disse nada, dando-lhe espaço para digerir a história.

— Então ela não morreu me dando à luz? — disse por fim.

Vivi estendeu a mão.

— Não, querida, ela...

— Ela fugiu de mim? Simplesmente me entregou? No raio de um restaurante de peixe?

Vivi engoliu em seco, querendo que Douglas estivesse ali.

— Eu acho que ela sabia que não conseguiria ser a mãe de que você precisava. Eu a conheci um pouco na juventude, e ela era uma pessoa bem rebelde. Tinha uma relação difícil com os pais. E talvez o homem com quem ela fugiu a tenha forçado... Alguns homens ficam incomodados com crianças, especialmente se... se não são filhos deles. Douglas sempre achou que aquele homem poderia ter sido bastante cruel com ela. Então, veja bem, você não deve julgá-la com muita severidade. — Desejou que as palavras soassem mais convincentes do que soaram. — As coisas eram diferentes naquela época.

Tão logo Athene fora embora, Vivi voltara a Dere. Não na esperança de fisgá-lo: sempre soubera que Douglas queria Athene de volta, que ele nunca aceitaria mais ninguém enquanto a possibilidade persistisse. Mas ela o adorava desde que eram crianças e achava que pelo menos podia oferecer certo apoio.

— Tive que escutar muitas histórias do quanto ele amava sua mãe — disse ela friamente —, mas ele precisava de ajuda. Não podia cuidar de um bebê com tudo que tinha que fazer. E, para começar, os pais dele não eram muito... — estava tentando encontrar a palavra adequada — prestativos.

Dois meses depois da morte de Athene, ele tinha pedido Vivi em casamento.

Ela afastou o cabelo do rosto.

— Sinto muito não termos lhe contado a verdade antes. Durante muito tempo, nós todos achamos que estávamos protegendo seu pai. Ele tinha passado por muita humilhação e muito sofrimento. E depois... não sei... talvez achássemos que estávamos protegendo você. Na época, não se insistia tanto quanto hoje em que todo mundo soubesse de tudo. — Ela deu de ombros. — Simplesmente fizemos o que julgamos que fosse melhor.

Suzanna chorava havia vários minutos.

Timidamente, Vivi levantou a mão para ela.

— Sinto muito.

— Mas você devia ter me odiado — disse Suzanna, soluçando.

— O quê?

— Aquele tempo todo eu estava atrapalhando, sempre fazendo com que ela fosse lembrada.

Vivi, enfim cheia de uma espécie de coragem, envolveu a filha nos braços e apertou-a com força.

— Não seja boba, querida — disse. — Eu amei você. Quase mais do que a meus próprios filhos.

Os olhos de Suzanna estavam embaçados de lágrimas.

— Não entendo.

Vivi segurou os ombros muito magros da filha e tentou transmitir ao menos uma parte daquilo que sentia. Sua voz, quando saiu, estava determinada, incomumente segura:

— Eu amei você porque você era o bebê mais lindo que eu já tinha visto — disse, e abraçou-a ferozmente. — Amei você porque nada disso foi sua culpa. Amei porque, desde que coloquei os olhos em você, foi impossível não te amar. — Parou, os olhos agora também cheios d'agua. — E, de alguma maneira, Suzanna, te amei porque, sem *você,* criança adorada, *ele* nunca teria sido meu.

Mais tarde, quando tinha se soltado dos braços de Suzanna, Vivi lhe contou como sua mãe realmente morrera, e Suzanna tornou a chorar, por Emma, por Alejandro e, sobretudo, por Athene, por cuja morte ela não tinha sido responsável, afinal.

# Vinte e quatro

A primeira noite que Suzanna Fairley-Hulme passou com sua família foi cenário de enorme transtorno na propriedade Dere, de grande emoção e insônia, de ansiedade e inquietude e de medo mal disfarçado. Retirada do ambiente em que passara os primeiros meses, de tudo e de todos os que tinha conhecido, era de se esperar que ela ficasse bastante inquieta, mas a bebê dormiu pacificamente do crepúsculo até quase sete e meia da manhã seguinte. Foram os novos adultos em sua vida que só conseguiram alguns momentos de sono.

Rosemary Fairley-Hulme, que tinha se acostumado a ter de novo o filho na casa da família, entrara em pânico quando ele não chegou no fim da noite, e mais ainda quando se deu conta de que nem ela nem o marido tinham ideia de onde ele passara o dia. Até meia-noite, ela andara de um lado para o outro nos assoalhos rangentes, olhando pelos vitrais na esperança vã de ver dois faróis chegando lentamente pelo acesso. A governanta, tirada da cama, disse a Rosemary que tinha visto o Sr. Douglas pegar um táxi para a estação às dez horas naquela manhã. O chefe da estação, quando ela fez Cyril ligar para ele, disse que Douglas usava um terno elegante.

— Foi até a cidade para assistir a um show, foi? — perguntou jovialmente. — Que bom para ele desopilar um pouco.

— Mais ou menos isso, Tom — disse Cyril Fairley-Hulme, e desligou.

Foi aí que eles ligaram para Vivi, sem perder a esperança da possibilidade de que o filho, só desta vez, a tivesse levado a cidade, embora não parecesse lhe prestar mais atenção do que prestava à mobília quando ela ia à Casa Dere várias vezes por semana.

— Sumiu? — disse Vivi, e se afligiu quando entendeu que Douglas, o seu Douglas, que tinha passado os últimos meses chorando em seu ombro, confidenciando seus pensamentos mais sombrios sobre a partida da mulher, guardara segredos dela.

— Esperávamos que estivesse com você. Ele está a noite inteira fora de casa. Cyril está procurando por ele de carro agora — informou Rosemary.

— Já estou a caminho — disse Vivi e, apesar do desconforto, sentia-se vagamente satisfeita por Rosemary, apesar da hora, ter parecido achar isso conveniente.

Vivi correra para a propriedade, sem saber direito se tinha mais medo de ele estar ferido, caído numa vala, ou de o desaparecimento estar ligado ao reaparecimento de outra pessoa. Ele ainda amava Athene, ela sabia. Ouvira-o fazer esta afirmação muitas vezes nos últimos meses. Mas isso era suportável quando ela conseguia achar que os sentimentos dele andavam morrendo, como as brasas de um fogo — um fogo que, agora que tinha sabido de todos os detalhes, ela não achava que seria realimentado.

Entre meia-noite e o alvorecer, divididos em pequenos grupos, munidos de lanternas, eles haviam vasculhado a propriedade, para o caso de ele ter ido para casa bêbado e caído numa vala. Um rapaz fizera isso algumas semanas antes e se afogara. A lembrança daquele corpo encontrado de bruços em vários centímetros de água estagnada ainda assombrava Cyril.

— Desde as primeiras semanas, ele não bebe muito. — disse ele, enquanto iam andando, esbarrando delicadamente um no outro ao luar. — O pior para o rapaz já passou. Ele está muito mais ele mesmo.

— Deve estar na casa de um amigo, Sr. Fairley-Hulme. Aposto que tomou umas e outras e decidiu passar a noite em Londres. — O guarda-caça, que andava no Bosque Rowney com a agilidade e a confiança de alguém acostumado a contornar galhos e raízes de árvores no escuro, tinha uma visão otimista do caso. Já comentara quatro vezes que os garotos eram assim mesmo.

— Poderia ter ido para Larkside — murmurou um dos rapazes. — A maioria termina em Larkside uma hora ou outra.

Vivi fez uma careta: a casa nos arredores do vilarejo era mencionada em tons sussurrados ou em brincadeiras de bêbados, e pensar em Douglas se rebaixando àquele nível, na possibilidade de ele recorrer a mulheres assim quando ela só estava esperando que ele a chamasse...

— Ele tem juízo para não ir parar lá.

— Não se ele estiver de cara cheia. Ele está sozinho há um ano.

Ela ouviu o baque suave da bota do guarda-caça batendo em um pano, e um xingamento resmungado.

— Isso não tem jeito — disse Cyril. — Maldito Douglas. Maldito rapaz sem consideração.

Vivi ergueu os olhos para sua mandíbula cerrada enquanto caminhava, o casaco aconchegado ao corpo na vã tentativa de espantar o frio. Tinha certeza de que a crítica dele a Douglas era para disfarçar a ansiedade. Ele, como Vivi, sabia da profundidade do desespero de Douglas.

— Ele vai aparecer — disse ela calmamente. — Ele é muito sensato. De verdade.

Ninguém cogitou ir à Casa Philmore. Por que iriam até lá, quando ele mal pusera os pés na propriedade desde que ela tinha ido embora? Portanto, só lembraram disso uma hora depois de o dia ter raiado, quando os dois grupos de busca convergiram na luz fria, gelados e cada vez mais calados, em frente aos celeiros Philmore.

— Tem uma luz acesa, Sr. Fairley-Hulme — disse um dos rapazes, apontando. — Na janela de cima. Olhe.

E enquanto estavam parados no gramado coberto de mato, encharcado de orvalho, seus olhos se ergueram para os andares superiores da velha casa, o canto dos pássaros num crescente em volta deles, e a porta da frente se abriu. Lá estava ele, os olhos sombrios traindo a sua própria noite em claro, a calça do terno elegante amassada e as mangas da camisa arregaçadas, uma criança dormindo pacificamente nos braços.

— Douglas! — A exclamação de Rosemary trazia um misto de choque e alívio.

Houve um breve silêncio depois, quando o pequeno grupo de pessoas registrou a cena à sua frente.

Douglas olhou para baixo e ajustou o xale em volta do bebê.

— O que está havendo, filho?

— Essa é... Suzanna — disse ele calmamente. — Athene me entregou a menina. Isso é tudo que eu quero dizer sobre o assunto. — Tinha um aspecto ao mesmo tempo magoado e desafiador.

O queixo de Vivi caíra e ela o fechou. Ouviu o guarda-caça praguejar vigorosamente entre dentes.

— Mas nós achamos... ah, Douglas, que diabo foi...

Cyril, os olhos fixos no filho, deteve Rosemary com a mão em seu ombro.

— Agora não, Rosemary.

— Mas, Cyril! Olha a...

— Agora não, Rosemary. — Ele fez um sinal de cabeça para o filho e virou para o caminho de acesso. — Vamos todos descansar um pouco. O rapaz está em segurança.

Vivi sentiu-o empurrá-la delicadamente pelo gramado: esperava-se que ela também fosse embora.

— Obrigado a todos — ela o ouviu dizer, quando olhou para trás na direção de Douglas, que ainda contemplava o rosto suavemente iluminado da criança. — Se quiser voltar para a Casa Dere, acho que um café cairia bem para nós todos. Tem muito tempo para falar depois que tivermos dormido um pouco.

Ele tinha ido para a Casa Philmore, segundo contou a Vivi muito depois, porque precisava ficar sozinho, não sabia direito se era capaz de admitir nem para si mesmo a verdade do que acontecera naquele dia. Talvez tenha ido porque, carregando a filha de Athene, tivesse sentido um desejo primitivo de estar mais perto da mãe dela, de levar a criança para um lugar que pudesse passar alguma familiaridade, alguma sensação dela. De uma maneira ou de outra, só ficou na casa dois dias, até descobrir que lidar sozinho com um bebê estava além das suas possibilidades

Rosemary, a princípio, ficara roxa de raiva. Não admitiria a filha daquela mulher lá dentro, exclamara, quando Douglas chegou na casa da família. Não podia acreditar que ele tivesse sido tão idiota, tão ingênuo. Não podia acreditar que ele se expusesse a tal ridículo. E agora? Esperava-se que eles recebessem os amantes de Athene também?

Foi nesse ponto que Cyril dissera a ela para sair para tomar um pouco de ar. Com uma voz mais calma, mas comedida, tentara raciocinar com o filho. Ele tinha que ser sensato, não? Era um rapaz com a vida toda pela frente. Não podiam lhe botar um bebê nas costas para criar. Especialmente um que... E as palavras ficaram não ditas. Algo no olhar implacável de Douglas o deteve no meio da frase.

— Ela vai ficar aqui — dissera Douglas. — Só isso. — Ele já a segurava com a destreza relaxada de um jovem pai.

— E como você vai mantê-la? — disse Cyril. — Não pode esperar que a gente leve você nas costas, com todo o trabalho que precisa ser feito na propriedade. E sua mãe não vai fazer isso. Você sabe que ela não vai.

— Vou dar um jeito — disse Douglas.

Mais tarde, confidenciou a Vivi que sua determinação silenciosa não tinha envolvido só o seu desejo de ficar com a criança, embora já a amasse. Não gostava de admitir para o pai que, mesmo que tivesse querido devolver Suzanna, que tivesse concordado com os desejos da família, não havia lhe passado pela cabeça perguntar a Athene como poderia entrar em contato com ela.

Os primeiros dias tinham sido absurdos. Rosemary ignorara a presença da criança e se atarefara no jardim. As esposas da propriedade tinham sido menos condenatórias, pelo menos diante dele, trazendo, ao saberem da notícia, seus próprios bebês confortos, suas mamadeiras e suas musselinas, um arsenal inteiro de coisas imprescindíveis para um bebê, que ele não considerara que poderiam ser necessárias para o cuidado de um único pequeno ser humano. Ele pedira a Bessie para aconselhá-lo no essencial, e ela passara uma manhã explicando a forma correta de prender a fralda com o alfinete, a melhor maneira de esquentar mamadeiras de leite, como amassar com um garfo a comida sólida para torná-la digerível. Ela observara de longe, reprovação se misturando com ansiedade enquanto ele canhestramente tentava alimentar a criança, praguejando e limpando comida das roupas quando a pequenina afastava do rosto a colher cheia com um tapa.

Em poucos dias, ele estava exausto. Cyril estava perdendo a paciência com a incapacidade do filho para trabalhar, os papéis empilhados e os homens reclamando da falta de comando nas terras.

— O que você vai fazer? — perguntou Vivi, tendo observado quando ele embalava a bebê embaixo do braço enquanto tentava negociar com um comerciante de produtos alimentícios no telefone. — Por que não arranja uma ama de leite, ou seja o que for que os bebês têm?

— Ela já passou da idade de mamar no peito — respondeu ele, a falta de sono tornando-o ríspido. Não disse o que ambos pensavam: que a criança precisava da mãe.

— Você está bem? Está com uma cara cansadíssima.

— Estou bem — disse ele.

— Mas você não pode administrar tudo sozinho.

— Não comece, Vi. Não fale como os outros.

Ela se indignou, magoada com a sua suposição de que ele a colocava no mesmo lugar que "os outros". Observou em silêncio enquanto ele andava para cima e para baixo na sala, balançando as chaves na frente das mãos ávidas da menina, murmurando alguma lista de controle entre dentes.

— Eu ajudo você — disse ela.

— O quê?

— Não estou trabalhando no momento. Cuido dela para você. — Ela não sabia o que a tinha feito dizer aquilo.

Os olhos dele se arregalaram, a esperança se esboçando em seu rosto.

— Você?

— Sei cuidar de criança que está para começar a andar. Fui *babá*, quero dizer. Quando estava em Londres. Uma da idade dela não pode ser muito mais difícil.

— Você tomaria mesmo conta dela?

— Para você, sim. — Ela corou com a escolha de palavras, mas ele pareceu não notar.

— Ah, Vi. Você tomaria mesmo conta dela? Todo dia? Até eu conseguir resolver alguma coisa, é lógico. Até eu conseguir resolver o que fazer. — Ele se aproximara dela, como se já estivesse com muita vontade de entregar Suzanna.

Ela hesitou então, de repente vendo naquele cabelo escuro sedoso, nos grandes olhos azuis, a lembrança de um tempo anterior. Depois, olhou para ele, para o alívio e a gratidão em seu rosto.

— Sim — disse. — Tomaria, sim.

Os pais dela tinham ficado apavorados.

— Você não pode fazer isso — dissera sua mãe. — Nem é sua filha.

— Não devemos carregar os pecados dos pais, mamãe — respondera Vivi, parecendo mais confiante do que se sentia. — Ela é um bebê absolutamente adorável. — Tinha acabado de ligar para o Sr. Holstein para lhe dizer que não voltaria a Londres.

A Sra. Newton, agitada, chegara até a visitar Rosemary Fairley-Hulme, e ficara surpresa ao ver que ela também se opunha ferozmente a todo aquele plano infeliz. Os jovens pareciam ter se decidido, disse Rosemary, sem esperanças. Com certeza não dava para dizer a Douglas o que fazer.

— Mas, querida, pense nisso, quero dizer, ela pode voltar a qualquer momento. E você tem o seu trabalho, a sua carreira. Isso pode seguir por anos. — Sua mãe quase chorara. — Pense, Vivi. Pense em como ele te magoou antes.

*Eu não me importo. Douglas precisa de mim*, disse ela silenciosamente, saboreando a sensação de estarem, os dois, unidos contra o mundo. *Isso já está bom para mim.*

\* \* \*

Eles todos acabaram amolecendo. Tiveram que amolecer: quem podia resistir a uma linda bebê inocente e sorridente? Vivi viu, com o passar dos meses, quando a presença de Suzanna na casa se tornou algo normal, quando já não discutiam tanto na cidade as explicações para seu aparecimento, que, de vez em quando, ao ouvir a criança chorar, Rosemary saía de sua cozinha "só para ver se ela estava bem", que Cyril, encontrando-a nos braços do filho antes do banho, dava um tapinha no rosto dela e fazia barulho de pum para ela. Enquanto isso, Vivi estava toda boba, o cansaço afastado pelos sorrisos desinibidos, as mãos que se agarravam e a confiança cega. Suzanna também fez com que ela e Douglas se unissem: toda noite, diante de um gim-tônica, quando ele chegava dos campos, eles se sentavam e riam das pequenas manias dela, sentiam pena por causa de seus dentes ou de seu gênio volúvel. Quando ela dera os primeiros passos, Vivi tinha ido correndo até o campo de dezesseis hectares para encontrá-lo, e eles tinham voltado correndo juntos, com falta de ar, cheios de expectativa, para o lugar em que a bebê estava sentada com a governanta, olhando em volta com o semblante alegre. E tinha havido o dia perfeito quando eles a tinham levado juntos ao jardim, empurrando o velho carrinho pela propriedade, para fazer um piquenique, como se, pensou Vivi no íntimo, furtivamente, eles fossem uma família de verdade.

Douglas andara alegre naquele dia, segurara a criança abraçada, mostrando os celeiros, um trator, pássaros voando no céu. E algo na perfeição disso tudo, em sua própria felicidade, levara a pergunta aos lábios de Vivi.

— Ela vai querer a filha de volta? — perguntou.

Ele abaixara o dedo que apontava.

— Vou lhe dizer uma coisa, Vi. Uma coisa que não contei a ninguém.
— Seus olhos, que tinham andado brilhantes e alegres, de repente pareceram assombrados.

Com o bebê sentado entre eles, ele lhe contou exatamente como essa criança acabara aos seus cuidados, como ele fora tolo de ir ao restaurante achando que Athene o queria lá por outro motivo, como até mesmo em face de sua própria ignorância, de sua burrice, não fora capaz de lhe negar nada.

Vivi sabia agora que a razão de ele amar tanto essa criança era ela ser um elo duradouro com sua antiga mulher: ele achava que, enquanto a segurava, enquanto cuidava dela, havia uma grande possibilidade de que

Athene voltasse. E que, por mais que ele confiasse em Vivi, por mais que dependesse dela, por mais tempo que passassem falando de bebês, ou agindo como se fossem uma família de verdade, ela nunca seria capaz de atravessar esta barreira.

*Eu não devo ter inveja dela*, pensou Vivi, fingindo que havia um cisco em seu olho e se afastando. *Eu não devo invejar a mãe de uma criança, pelo amor de Deus. Deve bastar ele precisar de mim, eu ainda fazer parte da vida dele.*

Mas era mais forte que ela. Agora a questão não era só Douglas, pensou, ao pôr Suzanna no berço aquela noite, bendizendo seu rosto com beijos, quando a menina se acomodou para dormir chupando os dedos, satisfeita. Não queria devolver nenhum dos dois.

Exatamente seis meses depois de Suzanna ter chegado, Rosemary telefonara pouco antes do café da manhã. Sabia que Vivi planejava ir à cidade, mas será que podia pegar Suzanna para passar o dia?, perguntou, a voz brusca.

— Claro, Rosemary — disse Vivi, refazendo mentalmente os planos. — Algum problema?

— Sim... é...

Depois Vivi se deu conta de que, mesmo então, Rosemary relutara em dizer o nome dela.

— Recebemos um telefonema. É tudo meio difícil. — Ela parou. — Athene... faleceu.

Houve um silêncio perplexo. A respiração de Vivi engasgou na garganta. Ela lamentava, disse, balançando a cabeça, mas não tinha certeza do que Rosemary acabara de lhe contar. — Ela morreu, Vivi. Recebemos um telefonema dos Forster. — Era como se, cada vez que dissesse aquilo, Rosemary ganhasse um pouco mais de confiança, até por fim poder falar friamente no assunto.

Vivi sentou-se na cadeira do hall, sem fazer caso da mãe, que, vestida com um robe, tentava avaliar o que estava acontecendo.

— Você está bem, querida? — ficava articulando em silêncio, abaixando-se para ver se captava a atenção da filha.

Athene não voltaria. Não voltaria para lhe tirar Douglas e Suzanna. Embora petrificada, Vivi percebeu que seu choque estava marcado com algo desconfortável, próximo da alegria.

— Vivi, você ainda está na linha?

— Douglas está bem?
Ela sempre tinha se sentido culpada depois por ele ter sido a sua primeira preocupação, por ela nem ter pensado em perguntar as circunstâncias da morte de Athene.
— Vai ficar — disse Rosemary. — Obrigada por perguntar, Vivi. Ele vai ficar. Vai deixar a bebê aí em meia hora.

Douglas passara dois meses de luto, revelando um nível de dor que muitos à sua volta acharam excessivo, considerando que a sua mulher tinha fugido havia mais de um ano e todo mundo sabia que começara uma relação com outro homem.
Vivi não. Vivi achou a dor dele tocante, um sinal de quão profundo, quão apaixonado podia ser o sentimento daquele homem. Ela podia se dar ao luxo de ser generosa agora que Athene havia morrido. Não se fixou na morte de Athene, achando impossível se decidir pelo equilíbrio certo de compaixão e opróbrio, portanto, em vez disso, concentrou-se em Suzanna, como se pudesse expiar seus pensamentos ruins inundando a criança de amor. Já se encarregara sozinha da criança havia semanas, descobrindo que, sem a ameaça do retorno de Athene, era despejada uma quantidade quase chocante de amor na menina agora órfã de mãe.
Suzanna pareceu responder à afeição desinibida de Vivi e tornou-se mais radiante do que era antes, encostando a bochecha macia na dela, pegando seus dedos com a mãozinha gorducha. Vivi chegava pouco depois de sete e meia e levava-a para longos passeios pela propriedade, afastando-a da dor de Douglas, que pairava sobre a casa como uma nuvem negra, e das conversas sussurradas dos pais dele e dos criados, que pareciam todos considerar a presença de Suzanna um problema de certa urgência.
— Não podemos nos livrar dela agora — ouvira Rosemary dizer a Cyril, ao passar pelo escritório. — Já contamos a todo mundo que a criança é filha de Douglas.
— A criança é filha de Douglas — dissera Cyril. — Ele vai ter que decidir o que quer fazer com ela. Diga ao menino que ele tem que pôr a cabeça no lugar. Tem decisões a tomar.

Estavam esvaziando a Casa Philmore. A casa que tinha permanecido um santuário de Athene — cujos armários ainda estavam abarrotados de vestidos dela, em cujos cinzeiros ainda havia bitucas manchadas de batom

— recaíra na lista de responsabilidades de Rosemary. Douglas e Suzanna estavam agora firmemente instalados na Casa Dere. E Rosemary, que há muito tempo estava louca para retirar da propriedade as provas físicas "daquela garota", aproveitara o recente estado passivo do filho para cuidar disso.

Vivi estava no topo do morro, segurando o chapéu na cabeça, quando viu os homens saírem para o jardim, carregando braçadas de vestidos coloridos e depositando-os no gramado da frente, enquanto as mulheres, ajoelhadas em tapetes e se protegendo do frio, separavam sacolas, caixas de joias e cosméticos, exclamando entre elas ao perceberem a qualidade dos objetos.

Para alguém que se proclamara tão indiferente em relação a objetos pessoais, Athene possuíra uma quantidade de coisas prodigiosa. Não só vestidos, casacos e sapatos, mas também discos, fotos, lâmpadas, coisas bonitas compradas às pressas e descartadas, ou recebidas como presentes e logo esquecidas.

— Levem tudo que quiserem. Empilhem o resto para ser queimado.

Ela ouviu a voz de Rosemary, clara e autoritária, talvez se elevando com a recuperação da autoridade, e observou-a entrando de novo na casa com um passo decidido para buscar mais uma caixa. Perguntou-se se ela também estava vibrando um pouquinho com a remoção definitiva e forçada de Athene do mundo. Uma emoção mesquinha que ela mal era capaz de confessar a si mesma. O mesmo sentimento baixo que a levara até ali para assistir àquilo, como uma bruxa velha diante de uma execução.

— Você não quer nada disso, quer? — gritou Rosemary, avistando Vivi, que para lá se dirigia sem pressa, empurrando o carrinho de Suzanna.

Vivi olhou para o tailleur de lua de mel de Athene, para as sapatilhas bordadas que ela usara naquele primeiro baile de caça, agora jogadas ao lado do canteiro de gerânios, de vez em quando se agitando no vento forte.

— Não — respondeu. — Obrigada.

Os próprios pais de Athene nada quiseram. Vivi tinha escutado seus pais discutindo isso quando eles acharam que ela não estava ouvindo. Os Forster tinham ficado muito embaraçados com o comportamento da filha, querendo muito se distanciar dela mesmo na morte. Mandaram cremá-la numa cerimônia fechada, nem sequer colocaram um anúncio no *The Times*, dissera a Sra. Newton, num sussurro chocado. E não quiseram conhecer a própria neta. Só que não tinham se referido a Suzanna como criança.

Vivi empurrou devagar o carrinho com Suzanna através das pilhas de pertences, inclinando-se à frente para ver como estava a bebê adormecida, assegurando-se de que ela estava protegida de quaisquer rajadas de vento. Hesitou, estremecendo, ao ver uma gaveta de roupas íntimas de Athene, peças diáfanas de renda e seda, artigos que falavam de noites de segredos sussurrados, de prazeres desconhecidos, agora expostas e descartadas. Como se não houvesse nenhuma parte dela que merecesse permanecer inviolável.

Vivi achara que aquela situação poderia lhe trazer alguma satisfação secreta. Agora que estava ali, esta alienação apressada, completa das coisas de Athene, parecia quase indecente. Como se todo mundo estivesse determinado a apagar sua presença. Douglas já não falava dela. Rosemary e Cyril haviam proibido qualquer menção a seu nome. Suzanna era muito criança para se lembrar da mãe: sua idade lhe permitira seguir em frente perfeitamente, aceitar o amor dos estranhos à sua volta como um substituto feliz. Mas, por outro lado, não se sabia o quanto Suzanna tinha sido amada antes.

Vivi passou com cuidado por uma pilha de casacos de lã caros e ficou parada na margem do gramado, enquanto um homem jogava fora uma caixa de fotografias ao seu lado. Depois, não soube direito o que a levara a fazer aquilo. Talvez pensar na falta de raízes de Suzanna, talvez seu próprio desconforto com o que parecia quase um desejo ardente entre aqueles que tinham conhecido Athene de apagá-la até mesmo da história. Talvez fossem as belas roupas íntimas, exibidas, descartadas, como se elas também tivessem sido contaminadas.

Vivi abaixou-se, puxou um punhado de fotografias e recortes de jornal da caixa e meteu-os embaixo da bolsa no fundo do carrinho. Não sabia direito o que faria com essas coisas. Nem sabia direito se as queria. Simplesmente pareceu importante Suzanna poder, quando ficasse mais velha, ter alguma ideia de sua origem, por mais desagradáveis que fossem esses documentos, por mais perguntas difíceis que pudessem suscitar.

— Quem é a minha menina linda? — Quando Vivi voltou para o alto do morro, Suzanna tinha começado a chorar. Vivi levantou-a do carrinho e rodou-a, deixando suas bochechinhas ficarem coradas no ar fresco. — Quem é a minha menina linda?

— Com certeza é ela.

Vivi girou nos calcanhares, encontrando Douglas parado atrás dela, e corou.

— Desculpe — disse com a voz entrecortada. — Eu não... eu não sabia que você estava aí.

— Não se desculpe. — Ele estava com a gola de tweed levantada para se proteger do frio, os olhos cansados e vermelhos. Aproximou-se, ajeitou a touca de lã de Suzanna. — Ela está bem?

— Está ótima. — Vivi sorriu, radiante. — Muito bonita. Comendo tudo que aparece, não é, amor? — A bebê esticou uma mão rechonchuda e deu um puxão num dos cachos loiros que saíam de baixo do chapéu de Vivi. — Ela está... ela está muito bem mesmo.

— Me desculpe — disse Douglas. — Eu abandonei a pobrezinha. Abandonei vocês duas.

Vivi corou de novo.

— Você não tem... não tem de que se desculpar.

— Obrigado — disse ele baixinho. Olhou para o gramado lá embaixo, onde agora as pessoas já estavam pondo as coisas em ordem. — Por tudo. Obrigado.

— Ah, Douglas... — Ela não sabia direito o que mais dizer.

Douglas colocara o casaco no chão, e eles se sentaram ali em silêncio por algum tempo, de frente para a casa. Ele olhando para o gramado, para a criança cujos dedos agarravam e soltavam as folhas de relva na segurança do colo de Vivi.

— Posso pegá-la?

Ela entregou a bebê. Ele parecia mais calmo, pensou. Talvez estivesse saindo daquele exílio autoimposto.

— Fico pensando que é tudo minha culpa — disse ele. — Que, se eu tivesse sido um marido melhor... que se ela tivesse ficado aqui, nada disso...

— Não, Douglas. — A voz dela estava inusitadamente seca. — Não havia nada que você pudesse ter feito. Nada.

Ele baixou os olhos.

— Douglas, ela tinha morrido para você há muito tempo. Muito antes disso. Você deve saber.

— Eu sei.

— A pior coisa que você podia fazer era transformar a tragédia dela em sua. — Ela se admirou com a força, a determinação das próprias palavras.

De alguma maneira, essa certeza lhe vinha com mais facilidade ultimamente. Havia prazer em apoiá-lo. — Suzanna precisa de você — disse ela, puxando o chocalho da criança de um bolso. — Precisa que você seja alegre. E que mostre a ela que pai maravilhoso você é.

Ele deu uma risadinha.

— Você é, Douglas. Você provavelmente é o único pai que ela conheceu, e ela te ama muito. — Ele olhou para ela de soslaio. — Ela *te ama* muito.

Vivi corou de prazer.

— Eu a amo. É impossível não amar.

Eles observaram a figura empertigada de Rosemary andando para baixo e para cima com um passo decidido entre as pilhas remanescentes, gesticulando e apontando com eficiência militar. E depois perceberam que a fogueira começara a arder, fora do campo de visão, a espiral de fumaça indicando o fim irrefutável da permanência de Athene na propriedade. Quando a coluna cinza ficou mais forte, perdeu a transparência, Vivi sentiu a mão de Douglas se insinuar pela grama para a dela, e apertou-a de volta de um jeito tranquilizador.

— O que vai acontecer com ela? — perguntou.

Ele olhou para a criança entre eles e deu um longo suspiro.

— Não sei. Não posso cuidar dela sozinho.

— Não. — Diante disso, Vivi sentiu algo se agitar dentro dela, os primeiros indícios de uma confiança que nunca sentira. O sentimento de ser, pela primeira vez na vida, indispensável. — Estarei aqui — disse —, pelo tempo que você precisar de mim.

Ele olhara para ela então, os olhos, muito velhos e tristes para sua cara jovem, vendo-a como se pela primeira vez. Tinha observado as suas mãos entrelaçadas e depois balançara a cabeça ligeiramente, como se tivesse deixado de ver alguma coisa e naquele momento estivesse se repreendendo por isso. Pelo menos, era assim que ela gostava de se lembrar do episódio.

Então, quando ela ficara com a respiração engasgada no peito, ele levara a mão livre ao seu rosto, quase da mesma maneira que levara ao da criança. Vivi levantara a sua mão para encontrar a dele, seu sorriso doce, generoso, se abrindo, inculcando-lhe energia, amor, como se pudesse fazer isso apenas com a força de vontade. Quando os lábios dele encontraram os seus, não foi grande surpresa. Apesar de o gesto finalmente fechar aquela ferida dela que sempre estivera em carne viva, não foi uma grande surpresa.

— *Querido* — dissera ela, maravilhando-se com a determinação, a certeza que o amor correspondido podia conferir. E seu sangue cantou quando ele lhe respondeu do mesmo jeito, envolvendo-a num abraço que falava tanto da necessidade dele quanto da dela. Não exatamente um conto de fadas, mas nem por isso menos importante, não menos real.

*Estarei aqui.*

# Vinte e cinco

Os passageiros procedentes de Buenos Aires saindo do voo BA7902 pelo portão de chegadas eram um grupo que se destacava pela beleza. Não que os argentinos em geral não fossem bonitos, observou Jorge de Marenas depois (especialmente quando comparados com aqueles galegos espanhóis), mas era talvez inevitável que cento e cinquenta membros de uma convenção de cirurgiões plásticos — e suas esposas — fossem um pouco mais agradáveis esteticamente que a maioria: mulheres bronzeadas com cinturas de vespa e cabelos da cor de bolsas caras, homens de fartos cabelos uniformemente escuros e queixos extraordinariamente firmes. Jorge de Marenas era um dos poucos cuja aparência tinha relação com sua idade biológica.

— Martin Sergio e eu fizemos um joguinho — contou ele a Alejandro no táxi seguindo a toda para Londres. — Você olha em volta e descobre quem fez o quê. As mulheres, é fácil. Segurou um par de bolas de futebol imaginárias no peito e fez bico. — Elas começam a exagerar. Primeiro é uma puxadinha aqui, depois querem ficar igual à Barbie. Mas os homens... Estávamos tentando espalhar o boato de que o avião tinha ficado sem combustível para ver quem ainda era capaz de franzir a testa. A maioria deles disse... — Ele imitou uma expressão congelada de aquiescência benevolente: — "Tem certeza? Mas isso é terrível. Vamos morrer!" — Ele riu com vontade e deu uma palmada na coxa do filho.

A viagem de avião e a perspectiva de ver seu amado filho Alejandro o tinham deixado loquaz, e ele falara tanto desde que se abraçaram no saguão de desembarque cheio de eco que, só quando chegaram nos arredores de Chiswick e o táxi diminuiu a velocidade na autoestrada, ele se deu conta de que o filho quase não abrira a boca.

— Quanto tempo você tem de folga? — perguntou. — Vamos mesmo fazer a nossa viagem de pescaria?

— Tudo reservado, *papá*.

— Aonde vamos?

— A um lugar a mais ou menos uma hora de carro do hospital. Reservei para quinta-feira. Você disse que a conferência acabava na quarta, certo?

— Perfeito. *Buenísimo*. E o que vamos pescar?

— Truta salmonada — disse Alejandro. — Comprei uns anzóis em Dere Hampton, o lugar onde estou morando. E peguei emprestado um par de caniços com um dos médicos. Você não precisa de nada além do seu chapéu e as suas botas altas.

— Tudo na mala — disse Jorge, apontando para o porta-malas. — Truta salmonada, hein? Vamos ver se elas são boas de briga. — Seguiam sem prestar atenção na zona oeste plana de Londres, que ficava mais densa à medida que passavam, a mente já em rios ingleses transparentes, barulho da linha ao ser arremessada e pousar na água à sua frente.

— Como vai a *mamá*?

Jorge pesarosamente deixou para trás as águas borbulhantes. Tinha passado grande parte do voo se perguntado o quanto lhe contar.

— Você conhece a sua *mamá* — disse com cautela.

— Ela foi a algum lugar recentemente? Chegou a sair de casa com você?

— Ela... ela ainda está preocupada com a criminalidade. Não consigo convencê-la de que as coisas estão melhorando. Ela assiste demais à *Cronica*, lê *El Guardian, Noticias,* esse tipo de coisa. Não é bom para os nervos dela. Milagros está morando conosco em tempo integral por um período, eu lhe contei?

— Não.

— Acho que sua mãe gosta de ter outra pessoa na casa quando eu não estou. Isso a deixa... mais calma.

— Ela não quis vir com você? — O filho estava olhando pela janela do táxi, portanto era difícil dizer por seu tom voz se ele estava pesaroso ou feliz.

— Hoje em dia ela não gosta muito de avião. Não se preocupe, filho. Milagros e ela se dão muito bem.

A verdade era que ele estava feliz por ter um pouco de descanso da esposa. Ela ficara obcecada com a ideia do suposto caso que ele estava tendo com Agostina, sua secretária, e ao mesmo tempo censurava o desinteresse dele por ela. Se ao menos ele concordasse em lhe diminuir a cintura, lhe levantar as bochechas, poderia achá-la mais atraente. Ele tendia a não contestar muito, anos de experiência tinham lhe mostrado que isso geralmente fazia com que ela ficasse pior, mas nunca podia articular a verdade: que não só ele estava tendo sucesso, como também já não sentia a grande necessidade de reafirmação física que antes sentia. Após anos abrindo essas jovens, remodelando-as, preenchendo-as e depois puxando-as, esculpindo com cuidado suas partes mais íntimas, já não tinha muito mais do que um apetite imparcial de artista por carne feminina.

— Ela sente sua falta — disse. — Não estou lhe contando isso porque quero que se sinta culpado. Deus sabe que você está na idade de se divertir, ver o mundo um pouco. Mas ela sente sua falta. Colocou mate na minha mala para você, umas camisas novas e umas coisas que achou que você talvez quisesse ler. — Fez uma pausa. — Acho que ela gostaria que você escrevesse com mais de frequência.

— Eu sei — disse Alejandro. — Desculpe. — Tem sido... um período estranho.

Jorge olhou duramente para o filho. Ia sondar um pouco, mas mudou de ideia. Eles tinham quatro dias juntos, e pelo menos um dia de pescaria combinado. Se Alejandro tivesse algo em mente, ele logo descobriria.

— Então, Londres, hein? Você vai gostar do Hotel Lansdowne. Sua mãe e eu estivemos aqui nos anos 1960, quando nos casamos, e fomos a um baile. Dessa vez reservei para nós um quarto com duas camas. Não faz sentido ficar separados depois desses meses todos. Eu e meu filho, hã?

Alejandro sorriu para ele, e Jorge sentiu o prazer familiar de estar na companhia de seu belo filho. Pensou no abraço apertado com os dois beijos que recebera de Alejandro nos portões do aeroporto, um grande progresso em relação aos apertos de mão reservados que ele habitualmente dava, mesmo quando o garoto voltava do internato. Diziam que viajar mudava a pessoa, Jorge pensou. Talvez, nesse clima frio, seu filho estivesse finalmente derretendo um pouco.

— Vamos nos divertir juntos como garotos, hein? Vamos aos melhores restaurantes, a umas boates. Viver um pouco. Tem muita coisa para pôr em dia, Turco, e muitos bons momentos para aproveitar fazendo isso.

A conferência de Jorge terminava todo dia às quatro e meia, e enquanto os outros delegados se encontravam em bares, admiravam fotografias brilhosas do trabalho uns dos outros e murmuravam sobre o suposto trabalho atamancado dos colegas pelas costas, ele e o filho começavam um período frenético de atividades noturnas. Visitaram um amigo de Jorge que morava numa casa de fachada de estuque em St. John's Wood, foram ver uma peça no West End, embora nenhum dos dois gostasse de teatro, tomaram drinques no bar do Savoy e chá no Ritz, onde Jorge insistiu para que o garçom tirasse uma foto deles ("Foi o único pedido da sua mãe", disse, quando Alejandro tentou se esconder debaixo da mesa). Falaram de prática médica, da política argentina, de dinheiro e de amigos em comum. Bêbados, batiam nas costas um do outro e diziam que estavam se divertindo à beça, como era bom estar juntos, como os melhores momentos eram aqueles vividos por homens sozinhos. Depois, mais bêbados, ficaram chorosos e sentimentais, expressando a sua tristeza pelo fato de a mãe de Alejandro não poder estar lá também. Jorge, embora gratificado de ver estas raras demonstrações de emoção do filho, estava ciente de que ainda havia algo a ser dito. Alejandro contara que uma amiga tinha morrido, e isso explicava um pouco da sua mudança de personalidade, um pouco da tristeza que pairava sobre ele, mas não explicava a tensão, a ansiedade sutil, mas crescente que até Jorge, um homem com as emoções de um cavalo de tração, como sua mulher sempre lhe dizia, podia sentir no ar.

Não perguntou nada diretamente.

Não sabia bem se queria saber a resposta.

Cath Carter vivia a duas casas de distância da casa da falecida filha, uma volta à época em que a política da municipalidade tentava colocar os membros da família próximos uns dos outros. Jessie contara a Suzanna histórias de famílias cujos membros ocupavam vielas inteiras, avós ao lado de mães, irmãs e irmãos cujos filhos tinham se fundido num grupo familiar amorfo entrando e saindo correndo das casas uns dos outros com o sentimento de posse confiante da família estendida.

A casa de Cath, no entanto, não podia ter sido mais diferente da de sua filha. Enquanto a porta da frente de Jessie e as cortinas de guingão passavam a imagem de um gosto esotérico, de um amor ao brilho e ao chamativo, de uma irreverência refletida em sua personalidade, a de Cath mostrava uma mulher convicta da própria posição. Seus canteiros florais caprichados e sua pintura impecável traíam uma determinação de manter as coisas em ordem. E isso de uma mulher inserida no caos, pensou Suzanna, desviando a vista da porta da frente da amiga. Não queria pensar na última visita àquela casa. Não estava nada convencida de querer estar lá. As crianças tinham acabado de ser deixadas na escola pela manhã, e a rua estava salpicada de mães empurrando carrinhos, outras levando jornais e caixas de leite compradas no mercadinho da rua. Suzanna continuou andando, as mãos enfiadas nos bolsos do casaco, sentindo o envelope que preparara meia hora antes. Se Cath não estivesse lá, ela se perguntou, devia empurrá-lo por baixo da porta? Ou este era um tipo de conversa que se tinha de ter cara a cara?

Uma fotografia de Jessie estava na janela da frente, maria-chiquinha no cabelo, o sorriso conhecido no rosto. A fotografia tinha a borda preta, havia o que pareciam cerca de quarenta santinhos de luto em volta dela. Suzanna desviou a vista deles e tocou a campainha, consciente dos olhares curiosos dos passantes.

O cabelo de Cath Carter estava branco. Suzanna ficou olhando para ele, tentando se lembrar de que cor era antes, depois se deu conta.

— Olá, Suzanna — disse Cath.

— Me desculpe por eu andar sumida — respondeu Suzanna. — Eu queria vir. Eu só...

— Não sabia o que dizer?

Suzanna corou.

— Tudo bem. Você não é a única. Pelo menos você veio, o que é mais que a maioria. Entre. — Cath recuou, segurando a porta, e Suzanna entrou, o passo pesado no tapete impecável do hall.

Foi conduzida à sala da frente e direcionada a um sofá, de onde via a parte de trás da foto emoldurada e dos santinhos, alguns dos quais virados para a pequena sala. Era a mesma disposição da casa de Jess, o interior igualmente imaculado, mas o ambiente carregado de dor.

Cath atravessou pesadamente a sala e sentou-se na cadeira em frente, dobrando a saia embaixo do corpo com mãos aflitas.

— Emma está na escola? — perguntou Suzanna.

— Voltou esta semana. Meio do semestre.

— Eu vim... ver... se ela está bem — disse Suzanna sem jeito.

Cath fez que sim, olhou inconscientemente para a foto da filha.

— Ela está enfrentando — disse.

— E para dizer... se existir alguma coisa em que eu possa ajudar...

Cath inclinou a cabeça de um modo interrogativo.

Havia uma fotografia atrás dela no consolo da lareira, Suzanna notou, da família inteira junta, com um homem que devia ter sido o pai de Jessie segurando Emma, ainda bebê, no colo.

— Eu... eu me sinto responsável — disse ela.

Cath balançou a cabeça energicamente.

— Você não é responsável. — Havia um peso enorme nas palavras que ela deixou por dizer.

— Eu realmente só me perguntei... talvez se eu pudesse... — Suzanna meteu a mão no bolso e estendeu o envelope à frente — ... contribuir com alguma coisa. — Cath ficou olhando para a mão estendida de Suzanna. — Financeiramente. Não é muito. Mas pensei que se houvesse um fundo ou alguma coisa... para Emma, quero dizer...

Cath levou a mão ao pequeno crucifixo de ouro pendurado no pescoço. Sua expressão pareceu endurecer.

— Não precisamos do dinheiro de ninguém, obrigada — disse secamente. — Emma e eu vamos nos virar bem.

— Desculpe-me, não tive intenção de ofender. — Suzanna meteu o envelope no bolso, censurando-se pela falta de tato.

— Você não me ofendeu. — Cath se levantou, e Suzanna se perguntou se ela já ia mandá-la embora, mas a mulher dirigiu-se à bancada no fundo da sala, esticou o braço e ligou o botão na chaleira do outro lado. — Há uma coisa que você podia fazer — disse, de costas para a sala. — Estamos criando uma caixa de lembranças para Emma. A professora dela sugeriu. A gente pede que as pessoas escrevam as lembranças que elas têm da Jessie... boas recordações, sabe? Coisas boas que aconteceram. Dias bons. Para que, quando ficar mais velha, Emma ainda possa ter... um retrato completo de como a mãe dela era. O que cada um achava dela.

— É uma ideia ótima. — Suzanna pensou na prateleira da loja que tinha um pequeno santuário de coisas de Jessie.

— Achei que fosse.

— Um pouco como as nossas vitrines, suponho.

— Sim. Jessie era boa nisso, não era?

— Melhor do que eu. Acho que não vão lhe faltar lembranças desse tipo. Boas, quero dizer.

Cath Carter não disse nada.

— Vou... vou tentar fazer alguma coisa que esteja à altura, que faça jus a ela.

A senhora se virou.

— Jessie fazia tudo plenamente, sabe? — disse ela. — Não foi uma grande vida, foi uma vida bem insignificante para alguns. Sei que ela não realizou nada de fato, nem chegou a lugar nenhum. Mas ela amava as pessoas, amava a família dela e era autêntica. Não escondia o que sentia.

— Cath olhava para a foto acima do console da lareira.

Suzanna estava imóvel.

— Não... nunca escondia. Dividia as pessoas em sumidouros e radiadores. Sabia disso? Sumidouros são o tipo que está sempre infeliz, que querem lhe contar os seus problemas, sugar a sua vida... Radiadores são como Jess era. Ela aquecia a todos nós.

Suzanna percebeu, com algum desconforto, em que grupo talvez estivesse enquadrada. Cath já não parecia estar falando com ela: dirigia-se à foto, o rosto distendido.

— Apesar daquela tola, vou ensinar Emma a fazer o mesmo. Não quero que ela cresça assustada, cautelosa com tudo, só por causa do que aconteceu. Quero que ela seja forte e corajosa e... igual à mãe. — Arrumou a moldura, movendo-a imperceptivelmente na prateleira. — É isso que eu quero. Que ela seja igual à mãe dela.

Espanou um pelo inexistente da saia.

— Agora — disse — vamos tomar uma xícara de chá.

Alejandro levantou-se de repente no barquinho, fazendo-o balançar perigosamente, e, desgostoso, jogou o caniço no fundo. Na outra ponta, seu pai olhou para ele sem compreender.

— O que houve? Você vai assustar os peixes!

— Não tem nada beliscando. Nada.

— Já tentou uma dessas moscas? — Jorge mostrou uma das iscas artificiais muito coloridas. — Parece que eles mordem melhor nas iscas menores.

— Eu já tentei.

— Então uma linha de fundo. Acho que a sua flutuante não serve.

— Não é a linha. Nem a isca. Hoje eu só não estou conseguindo.

Jorge puxou o chapéu para trás.

— Odeio te lembrar, filho, mas é o único dia que tenho.

— Não sei mais pescar.

— É porque você fica se mexendo como um cachorro pulguento. — Jorge se inclinou e prendeu o caniço de Alejandro dentro do barco, depois pousou o seu ao lado do puçá do filho, com peixes atônitos, brilhantes. Estava quase completando a cota de seis a que seu bilhete dava direito. Ia ter que entrar na do filho em breve.

Mexeu-se no banco e pegou uma cerveja no cooler, segurando-a como uma oferta de paz.

— O que está havendo? Você sempre pescou melhor que eu. Hoje está parecendo um menino de cinco anos. Cadê a sua paciência? — Alejandro sentou-se, ombros encurvados. Seu ar antes abatido desaparecera nos últimos dias com a mesma segurança que as ondulações que ele causara no lago.

— Venha — disse Jorge, com a mão em seu ombro. — Venha. Coma alguma coisa. Mais uma cerveja... Ou algo mais forte? — Deu um tapinha no cantil de uísque no bolso do colete de pesca. — Você mal tocou na comida.

— Não estou com fome.

— Bem, eu estou. E se você continuar saracoteando desse jeito, não vai sobrar nada na água num raio de milhas.

Eles comeram os sanduíches que Alejandro fizera em silêncio, deixando o barco à deriva no meio do lago. Não era um apartamento ruim, contou-lhe Jorge. Espaçoso. Leve. Seguro. Muitas enfermeiras jovens passando. (Ele na verdade não tinha dito a última parte.) Sim, ele ficara bastante impressionado com a região, a paisagem ondulada, as casas pitorescas, os pubs ingleses de pé-direito baixo. Gostou da tranquilidade desse lago, do fato de os ingleses terem consideração suficiente para reabastecê-lo de peixes todo ano. A Inglaterra parecia continuar a mesma, disse. Era tranquilizador, quando se via um país que já fora glorioso como a Argentina afundando, saber que havia alguns lugares onde padrões civilizados, um pouco de dignidade, ainda importavam. Alejandro lhe contara dos senhorios que o tinham rejeitado por ter a pele mais "escura", e Jorge, bufando, dissera que o lugar obviamente estava cheio de imbecis e ignorantes.

— Se diz um país civilizado — murmurou. — E tem metade das mulheres usando sapatos masculinos...

Alejandro ficou olhando para a água durante algum tempo, depois virou-se para ele.

— Pode dizer à *mamá* — falou, e deu um suspiro profundo —, que estou indo para casa.

— O que tem de errado com um bom sapato feminino? Por que as mulheres deste país acham que precisam parecer homens? — Jorge parou e engoliu o último bocado do sanduíche. — Como disse?

Jorge se perguntou se o tinha ouvido direito.

— Sua mãe vai ficar feliz — disse com cautela. Depois limpou o bigode e tornou a guardar o lenço no bolso. — O que aconteceu? O salário não é bom?

— O salário é legal.

— Você não gosta do trabalho?

— O trabalho é bom. É bem universal, sabe. — Alejandro não sorriu.

— Você não consegue sossegar? É a sua mãe? Ela está te azucrinando? Ela me falou do cacho de cabelo... Sinto muito, filho. Ela não entende. Não vê isso como as outras pessoas. É porque ela não sai muito, sabe? Pensa demais nas coisas... — Jorge de repente foi massacrado pela culpa. Por isso sentia-se mais confortável com a reticência. As conversas inevitavelmente criavam constrangimento. — Você não devia deixá-la te perturbar.

— É uma mulher, *pa*. Ela está me matando.

O fato de eles estarem no meio de um lago de cento e vinte e um mil metros quadrados significava que ninguém viu os olhos de Jorge se arregalarem ligeiramente, depois se levantarem para o céu quando dele pronunciou um "Graças a Deus!" quase inaudível.

— Uma mulher! — disse, tentando não imprimir uma alegria evidente na voz. — Uma mulher!

A cabeça de Alejandro caiu para os joelhos.

Jorge endireitou o rosto.

— E isso é um problema?

Alejandro falou encostado nos joelhos:

— Ela é casada.

— E?

Alejandro ergueu os olhos, a expressão perplexa.

As palavras brotaram da boca de Jorge.

— Você está ficando mais velho, filho. Não é provável encontrar alguma que não tenha uma pequena... história — Estava resistindo ao impulso de dançar uma gigazinha em volta do filho. Uma mulher.

— História? Isso é só uma parte do problema.

Uma *mulher*. Ele poderia ter cantado isso, deixado o som irromper de seus pulmões. Repercutir na praia do outro lado do lago e voltar para ele. Uma mulher!

Alejandro tinha a cara escondida, as costas encurvadas como se estivesse sentindo uma dor profunda. Jorge se recompôs, tentou focar na tristeza do filho, incutir um tom mais sóbrio na voz.

— Então, essa mulher...
— Suzanna.
— Suzanna. — Jorge disse o nome com reverência. *Suzanna*. — Você gosta dela?

Era uma pergunta idiota. Alejandro levantou a cabeça, Jorge se lembrou de como era ser jovem, a agonia, a certeza e a incerteza do amor.

A voz do filho estava entrecortada, quebrada:

— Ela... ela é tudo. Não consigo enxergar nada a não ser ela, sabe? Mesmo quando estou com ela. Nem pisco quando estou perto dela, para o caso de perder...

Talvez, se Jorge fosse outra pessoa, poderia ter dito algumas platitudes sobre o primeiro amor, sobre como essas coisas ficam mais fáceis, sobre como tinha muita mulher por aí... e algumas, ele sabia, com seios parecendo melões maduros com cicatrizes imperceptíveis. Mas era o seu filho, e Jorge, ainda se esforçando para se conter, sabia que não devia dizer essas coisas.

— *Papá*? O que eu faço? — Parecia que Alejandro ia estourar de frustração e tristeza, como se o ato de revelar a causa de sua infelicidade não lhe tivesse trazido alívio, mas sim intensificado a sua dor.

Jorge de Marenas se endireitou, os ombros um pouco mais retos, a expressão digna e paternal.

— Você disse a ela o que sente?

Alejandro assentiu, triste.

— E você sabe o que ela sente? — O rapaz olhou para o outro lado da água. Por fim, tornou a olhar para o pai e encolheu os ombros. — Ela quer ficar casada?

Alejandro fez menção de falar, mas fechou a boca antes de lhe dar chance de formar palavras.

Se eles estivessem sentados lado a lado, Jorge teria passado o braço em volta do filho. Um tipo de abraço reconfortante, espontâneo, de homem para homem. Em vez disso, inclinou-se à frente e pousou a mão no joelho do rapaz.

— Então, você tem razão — disse. — Está na hora de ir para casa.

A água lambia o costado do bote. Jorge ajustou os remos, abriu mais uma cerveja e entregou-a ao filho.

— Eu ia te contar. Essa Sofia Guichane... a que mandou lembranças. — Ele se recostou no bote, dando graças a Deus em silêncio pela alegria da pesca. — A *Gente* diz que ela e Eduardo Guichane vão se separar.

\* \* \*

Quando saiu, Suzanna encontrou com padre Lenny. Ele estava andando na calçada, com uma sacola embaixo do braço, a batina balançando.

— Como ela está? — perguntou, indicando a casa de Cath com um gesto de cabeça.

Suzanna fez uma careta, incapaz de transmitir o que sentia.

— Que bom que você a visitou — disse ele. — Pouca gente vai. Uma pena, mesmo.

— Não sei se ajudei — disse ela.

— O que está acontecendo com a loja? Você está indo para lá agora? Notei que ultimamente tem andado quase sempre fechada.

— Está... difícil.

— Aguente — disse ele. — Talvez você ache as coisas mais fáceis depois do inquérito.

Ela sentiu o aperto familiar de desconforto. Não queria depor.

— Já passei por alguns — disse ele, fechando o portão às suas costas. — Não é tão ruim quanto parece. De verdade.

Ela deu um sorriso forçado, mostrando mais coragem do que sentia.

— Acho que o seu amigo também não estava querendo muito, pelo que ele me disse.

— O quê?

— Alejandro. Disse que ia voltar para a Argentina.

— Ele está voltando?

— Uma pena, não é? Bom sujeito. No entanto, não posso dizer que o culpo. Não é a cidade mais fácil para a pessoa se adaptar. E ele passou mais perrengues do que a maioria.

Suzanna quase não pregou o olho à noite. Pensou em Cath Carter, em Jessie e em sua loja falida, vazia. Assistiu ao dia raiar, a luz azul entrando pela brecha nas cortinas de que ela jamais gostara, e observou o rastro prateado dos jatos dissecando silenciosamente o céu.

Depois, enquanto Neil catava as abotoaduras nas bancadas sentado na cozinha e metendo torradas na boca, ela lhe disse que estava indo embora.

Ele pareceu não ouvi-la.

— O quê? — disse.

— Estou indo embora. Desculpe, Neil.

Ele ficou imóvel, um pedaço de torrada se projetando da boca. Ela se sentiu bastante constrangida por Neil.

Por fim, ele retirou a torrada.

— Isso é uma piada?

Ela fez que não com a cabeça.

Eles se entreolharam por alguns minutos. Depois, ele se virou e começou a guardar coisas na pasta.

— Não vou discutir isso agora, Suzanna. Tenho um trem para pegar e uma reunião importante nesta manhã. Vamos falar sobre isso à noite.

— Não vou estar aqui — disse ela, calma.

— O que é isso? — disse ele, a incredulidade estampada no rosto. — É por causa da sua mãe? Olha, sei que tudo foi um choque para você, mas você tem que olhar pelo lado bom. Você não tem mais que viver com aquela culpa toda. Achei que vocês todos estavam se entendendo melhor agora. Você me disse que achava que as coisas talvez melhorassem.

— Eu acho.

— Então o quê? Tem a ver com filhos? Porque eu desisti, você sabe que desisti. Não comece a fazer com que eu me sinta mal por isso.

— Não é...

— É burrice tomar decisões drásticas quando não se está pensando direito.

— Eu estou.

— Olha, sei que você ainda está perturbada por causa da sua amiga. Eu também estou triste por ela. Ela era uma boa moça. Mas você vai se sentir melhor com o tempo, garanto. — Balançou a cabeça para si mesmo, como se confirmando o que disse. — Tivemos uns meses difíceis. A loja te deixa exausta, você sabe disso. Deve ser deprimente ter que trabalhar com o espaço parecendo... bem, com aquilo tudo ainda no ar. Mas as janelas vão entrar... quando?

— Terça-feira.

— Terça-feira. Sei que você está infeliz, Suzanna, mas não exagere, está certo? Vamos ver as coisas como elas são. Não é só por Jessie que você está chorando, é pelo que pensou que fosse a história da sua família, provavelmente até pela sua mãe. É pela sua loja. É pelo seu modo de vida.

— Neil... não é a loja que eu queria.

— Você queria a loja, sim. Ficava falando nela sem parar. Não pode me dizer agora que não queria.

Ela ouvira uma ponta de pânico na voz dele. A sua estava calma de um jeito quase anormal quando ela falou:

— Sempre envolve outra coisa. Eu sei disso agora. Envolvia... tapar um buraco.

— Tapar um *buraco*?

— Neil, eu sinto muito. Mas estamos nos enganando. Nos enganando há anos.

Finalmente, ele a levava a sério. Sentou-se com dificuldade na cadeira da cozinha.

— Tem outra pessoa?

A hesitação dela foi breve justo o suficiente para a resposta ser convincente.

— Não.

— E então? O que você está dizendo?

Ela respirou fundo.

— Eu não estou feliz, Neil, e não estou te fazendo feliz.

— Ah — disse ele com sarcasmo. — A grande conversa não-é-você--sou-eu. Então fomos reduzidos a isso.

— Somos nós dois — disse ela. — A gente não combina mais.

— O quê?

— Neil, você consegue dizer que é feliz? De verdade?

— Isso de novo, não. O que está esperando, Suzanna? Tivemos um momento difícil. Anda sendo um ano difícil. Tem gente que foi parar no hospício por menos tensão do que a que enfrentamos. Não se pode esperar ser *feliz* o tempo todo.

— Não estou falando de alegria. De ser feliz-feliz.

— Então é o quê?

— Estou falando... sei lá, de uma espécie de satisfação, um sentimento de que as coisas estão certas.

— Suzanna, as coisas *estão* certas. Mas somos casados... nem sempre vai ser um mar de rosas. — Ele se levantou, começou a andar de um lado para o outro na cozinha. — Você não pode simplesmente jogar tudo para o alto, fazer comparações, só porque não acorda cantando toda manhã. Tem que tentar melhorar alguma coisa, insistir em alguma coisa na sua vida. A vida é isso, Suze, é persistência. É um ficar com o outro. E esperar os bons momentos voltarem. Nós tivemos bons momentos, Suzanna, e vamos ter de novo. Você só precisa ter um pouco de fé. Ser realista nas suas esperanças.

Quando ela não falou, ele tornou a se sentar, e eles ficaram algum tempo em silêncio. Na rua, um dos vizinhos bateu a porta de um carro e gritou uma instrução para uma criança, depois saiu com o veículo.

— Você formará uma família, Neil — ela disse calmamente. — Tem muito tempo, mesmo que ache que não.

Neil levantou-se e aproximou-se dela. Agachou-se e pegou suas mãos.

— Não faça isso, Suze. Por favor. — Seus olhos castanhos estavam sofridos e ansiosos. — Suze.

Ela continuou olhando para baixo.

— Eu te amo. Isso não significa nada? Doze anos juntos? — Ele abaixou a cabeça, tentando ver o rosto dela. — Suzanna?

Ela levantou o rosto até o dele, os olhos firmes, não pesarosos o suficiente. Balançou a cabeça.

— Isso não basta, Neil.

Ele olhou para ela, ouvindo nitidamente a certeza em sua voz e vendo algo definitivo em sua expressão, e deixou as mãos caírem.

— Então nada vai ser suficiente para você, Suzanna. — Eram palavras amargas, cuspidas depois da constatação de que aquilo era realmente o fim. De que ela falava sério. — A vida real nunca vai bastar. Você está atrás é de um conto de fadas. E isso vai te fazer muito infeliz.

Ele se levantou e abriu a porta com força.

— E quer saber? Quando você cair em si, não venha correndo para mim, porque já estou farto. Está bem? Já estou farto.

Como já o magoara o suficiente, ela ficou quieta. Não disse que preferia correr este risco a viver com o que, finalmente percebeu, já sabia que seria uma vida de decepção.

# Vinte e seis

Suzanna estava deitada na cama em que dormira quando criança, enquanto os sons de sua infância ecoavam através da parede. Era capaz de ouvir o cachorro de sua mãe chorando, as unhas arranhando o chão de pedra no andar de baixo, o frenesi de latidos entrecortados proclamando algum desaforo invisível. Ela absorveu o barulho abafado da televisão de Rosemary, ligada no jornal da manhã. O índice FTSE subiu quatro pontos, a precisão é de céu nublado com chuvas esparsas, ela ouviu, sorrindo com ironia da incapacidade do forro de madeira e estuque oferecer qualquer resistência ao óbvio problema de audição de Rosemary. Do lado de fora, no acesso da frente, ouvia o pai falando com um dos homens, discutindo algum problema com um duto de grãos. Barulhos que, até então, sempre lhe diziam que ela era estranha a esse ambiente. Pela primeira vez, Suzanna foi reconfortada por eles.

Ela chegara tarde duas noites antes, tendo embalado os seus pertences quando Neil estava no trabalho. Apesar do que ele tinha dito, Suzanna sabia que ele esperava que ela mudasse de ideia depois que ele fosse embora. Que o que ela falara talvez tivesse sido um efeito colateral infeliz da dor. Mas ela sabia. E achava que, no fundo, ele também sabia, que a dor tinha atrasado a decisão, confundido a sua certeza de que essa decisão tinha que ser tomada.

Vivi encontrara-a à porta, escutara sem dizer uma palavra quando ela anunciara chorosa (tendo pensado que sairia de casa sem olhar para trás, ela se admirara de quão emotiva ficara ao pôr as roupas na mala) porque estava lá. Para sua surpresa, Vivi não lhe suplicara que fizesse mais uma tentativa, nem lhe dissera que homem maravilhoso Neil era — mesmo quando ele apareceu, como ela sabia que havia chances de acontecer, bêbado e incoerente mais tarde aquela noite. Vivi fizera café para ele e o deixara reclamar, divagar e soluçar. Dissera-lhe, contou depois, que lamentava muito, que não só ele era bem-vindo para continuar morando na casinha, mas que faria parte da família deles pelo tempo que quisesse. Depois, levara-o em casa de carro.

— Lamento ter feito você passar por isso — dissera Suzanna.

— Não há nada que lamentar — retrucou Vivi, e lhe fez uma xícara de chá.

Era como se ela tivesse passado anos estática, pensou Suzanna, contemplando os botões de rosa no papel de parede, notando o canto ao lado do armário onde rabiscara à caneta quando era adolescente, seu ódio aos pais. Agora, como se desencadeadas por seus atos, as coisas estavam andando depressa, como se o próprio tempo tivesse decidido que ela tinha muito para compensar.

Houve uma batida à porta.

— Sim? — Suzanna se endireitou, e viu, chocada, que eram quase quinze para as dez.

— Vamos, preguiçosa. Está na hora de se sacudir. — A cabeça loira de Lucy entrara, olhando com um sorriso tímido no rosto.

— Oi. — Suzanna sentou-se, esfregando os olhos. — Desculpe. Não sabia que você vinha tão cedo.

— Cedo? Você não demora a voltar aos velhos hábitos. — Ela se adiantou e abraçou a irmã. — Você está bem?

— Tenho vontade de me desculpar com todos por não estar um lixo. — O pior foi como tinha sido fácil sair de casa. Ela se sentia culpada, é óbvio, por ter sido a causa da infelicidade dele, e triste por ter que quebrar um hábito, mas não tinha nada do esmagador sentimento de perda que previra. Se perguntara por um instante se isso significava algum tipo de deficiência moral de sua parte. — Doze anos, e tão pouco choro e ranger de dentes. Acha que sou estranha?

— Não, só honesta. Isso significa que é o certo — disse Lucy, pragmática.

— Fico esperando sentir alguma coisa... outra coisa, quero dizer.

— Talvez sinta. Mas não adianta procurar por isso, tentar provocar um sentimento que não existe no momento. — Ela se sentou na cama de Suzanna e remexeu na bolsa. — Está na hora de seguir em frente. — Segurou um envelope no alto. — Falando nisso, estou com suas passagens aqui.

— Já?

— Não deixe para amanhã o que pode fazer hoje. Acho que você deve ir logo, Suze. Podemos resolver o problema da loja. Acho que não é justo com Neil ter que cruzar com você por aí. É uma cidade pequena, afinal, e a fofoca rola solta.

Suzanna pegou as passagens e ficou olhando para a data.

— Mas são para daqui a menos de dez dias. Quando falamos, pensei que você tivesse se referindo ao mês que vem. Talvez até daqui a uns dois meses.

— O que prende você aqui?

Suzanna mordeu o lábio.

— Como vou reembolsar você? Nem vou ter tempo para liquidar o estoque.

— Ben vai ajudar. Ele também acha que você devia ir.

— Deve estar feliz por eu sair de casa. Acho que ele anda bastante chateado por eu estar aqui de novo.

— Não seja ridícula. — Lucy riu para a irmã. — Adoro a ideia de você fazendo um mochilão. Hilário. Estou quase tentada a ir também. Só para ver.

— Eu queria que você viesse. Estou bem nervosa, para ser sincera.

— A Austrália não é o fim do mundo. — Elas riram. — Tudo bem, é o fim do mundo. Mas, sabe, poderia ser pior.

— Já falou com a sua amiga? Ela ainda está feliz de me hospedar por uns dias?

— Lógico. Vai te mostrar Melbourne. Ajudar você a começar. Está ansiosa para te conhecer.

Suzanna tentou se imaginar em horizontes estrangeiros, sua vida, pela primeira vez, um espaço em branco, esperando ser povoada de gente nova, experiências novas. Parecia apavorante.

— Não faço nada sozinha. Há anos. Neil organizava tudo.

— Neil te infantilizou.

— Isso é meio forte.

— É. Talvez seja. Mas ele deixou, sim, você se comportar um pouco feito uma criança mimada. Não fique irritada comigo por eu dizer isso — ela logo acrescentou — enquanto estamos tendo o nosso encontro para promover a nossa união como irmãs.

— É o que isso significa?

— Sim. Com quase quinze anos de atraso. Vamos lá, me mostre onde estão as suas malas e vou começar a separar as coisas para você.

— Lucy abriu rapidamente o grande saco preto, decidida. — Caramba! Quantos pares de sapatos de salto alto você tem, Imelda? — Fechou o saco e arrastou-o para o outro lado do quarto. — Você não vai precisar de nenhum desses. Mande o papai botá-los no sótão. Cadê as suas roupas?

Suzanna puxou os joelhos para cima embaixo do edredom e abraçou-os, pensando nas infinitas possibilidades à sua frente. E nas que perdera. Tentou lutar contra a sensação de que estava se precipitando, de que devia ficar quieta por um tempo e fazer um balanço. Mas sua irmã tinha razão. Ela já havia prejudicado muito Neil. Era o mínimo que podia fazer.

— Vai se levantar hoje, sua preguiçosa?

Suzanna deitou o rosto nos joelhos, observando a cabeça loira da irmã subindo e descendo enquanto separava suas roupas — roupas que subitamente pareciam não ser suas.

— Eu disse à mamãe que não tinha outra pessoa — falou por fim.

Lucy parou, um par de meias embolado na mão. Colocou-as numa pilha à sua esquerda. Quando ergueu os olhos, seu rosto tinha uma cautelosa expressão vazia.

— Não posso dizer que estou surpresa.

— Ele foi o primeiro.

— Eu não quis dizer isso. Só pensei que ia ser preciso uma coisa bem radical para tirar você da sua zona de segurança.

— Acha que foi isso? — Suzanna se deu conta de que se sentia vagamente na defensiva em relação a seu casamento. Durara muito, sobrevivera a mais percalços do que muitos relacionamentos.

— Não só isso.

Suzanna ficou olhando para a irmã.

— Não foi só uma aventura casual.

— Acabou?

Suzanna hesitou.

— Sim — disse por fim.

— Você não parece muito segura.

— Houve uma época em que... em que pensei que pudesse dar certo... mas as coisas mudaram. E, afinal, eu devia passar um tempo sozinha. Botar a cabeça no lugar. Uma coisa que Neil disse me fez pensar um pouco.

— Você contou a Neil sobre ele?

— Nossa, não. Já o magoei o suficiente. Você é a única que sabe. Acha que sou uma pessoa horrível? Sei que gostava de Neil.

— Nem por isso eu achava que vocês eram certos um para o outro.

— E não achava?

Lucy balançou a cabeça.

Suzanna sentiu-se aliviada e, no entanto, meio traída pela aparente convicção da irmã. Mas, por outro lado, mesmo que Lucy tivesse dito qualquer coisa, raciocinou, ela não teria levado em conta. Passara anos sem ligar muito para as opiniões da família.

— Neil é uma alma singela — disse Lucy. — Só um cara simples e bom.

— E eu sou uma vaca velha complicada.

— Ele precisa de alguma *mina* dos Home Counties com quem levar uma boa vidinha simples.

— Como você.

*É isso mesmo que você pensa?*, perguntavam os olhos de Lucy, e Suzanna descobriu que não sabia porque nunca tinha prestado muita atenção.

Lucy parou, como se medindo cuidadosamente as palavras.

— Se isso te deixa mais feliz, Suze, talvez um dia eu jogue a minha própria bombinha na mamãe e no papai. Minha vida pode parecer simples para você, mas isso não significa que eu seja simples.

A afirmação tinha sido feita de um jeito brincalhão, mas Suzanna, olhando para a jovem à sua frente, pensou na ambição furiosa da irmã, sempre ciosa da própria privacidade, sempre sem namorado. E, à medida que o germe de uma ideia se desenvolvia, pensou em como fora cega e egocêntrica.

Deslizou para fora da cama, agachou-se ao lado da irmã e despenteou o cabelo loiro curtinho dela.

— Bem, minha irmã pródiga — disse —, só jogue quando tiver certeza de que estou por perto para saborear a cena.

Ela encontrou o pai ao lado dos celeiros Philmore. Tinha feito a pé o percurso longo, subindo pela trilha equestre e passando pelo bosque Rowney, carregando a cesta que Vivi preparara e pretendia levar de carro para eles. Não tinha problema, dissera Suzanna, ela estava a fim do passeio. E caminhara pensativamente, sem fazer caso da chuva fina, consciente da intensificação resplandecente das cores outonais no terreno em volta.

Ouviu, antes de ver, o rangido e o solavanco do trator, o estalar de madeiras, e teve que fechar os olhos por um segundo: tais barulhos nem sempre significavam desastre. Depois de ter recuperado o fôlego, continuara andando, mais para perto da casa. E então, deparando-se com a cena, ficou parada à beira do que já tinha sido um pátio e observou o trator se chocando com a madeira podre, derrubando, em meio ao que ainda estava em pé, as construções centenárias quase em ruínas que, até mesmo para o agente do patrimônio que mais defendia o que era antigo, já não mereciam ser salvas.

Seu pai e seu irmão estavam do outro lado, fazendo gestos para os homens nos tratores, mas seu pai deixava de gesticular de vez em quando para falar com dois outros, um dos quais parecia estar encarregado das caçambas.

Quando Suzanna chegou, dois prédios já tinham ido abaixo, transformando-se de abrigo em escultura com uma rapidez quase aflitiva. No chão, com as madeiras enegrecidas se projetando como um derradeiro protesto obsceno, observou que, para estruturas tão grandes, tinham produzido uma quantidade surpreendentemente pequena de escombros.

Ben a vira e apontou para o pai, como quem faz uma pergunta, e ela fez que sim com a cabeça, observando o irmão se aproximando para interromper a conversa dele. Ben e ele tinham o mesmo andar rígido, ombros encurvados à frente, como se permanentemente preparados para travar uma batalha. Seu pai, inclinando o ouvido para o filho, terminou a conversa e, acompanhando a mão de Ben, apontou para ela. Ela ficou imóvel, sem querer jogar conversa fora. Finalmente, talvez sentindo sua reticência, o pai foi até ela, vestido com uma camisa de algodão fina que desde menina ela se lembrava de ver nele, alheio, como aparentemente sempre fora, ao clima.

— Almoço — disse ela, entregando a cesta. E depois, quando ele ia lhe agradecer, acrescentou: — Tem um minutinho?

Ele indicou o celeiro remanescente e passou alguns sanduíches para Ben no caminho.

Eles não tinham se visto nas vinte e quatro horas em que ela permanecera na casa. Ele estivera ao ar livre com a equipe da demolição, e ela passara quase o tempo todo no quarto, dormindo. O pai apontou para sacos velhos de fertilizante, puxando um para si enquanto ela se encostava com cautela no seu.

Houve uma pausa cheia de expectativa. Ela não tocou nas circunstâncias do seu nascimento, nem no fato de estar se separando Neil, embora soubesse que Vivi teria discutido os dois assuntos com o marido. Até onde Suzanna sabia, Vivi não escondia nada dele.

— Fica estranho, sem os celeiros do meio.

Ele ergueu os olhos para os buracos no telhado.

— Também acho.

— Quando você começa a obra das casas novas?

— Vai demorar um pouco. Vamos ter que nivelar o terreno primeiro, construir um novo sistema de drenagem, esse tipo de coisa. As que ainda estão em pé terão quase todas as madeiras substituídas. — Ele lhe ofereceu um sanduíche, e ela fez que não com a cabeça. — É uma pena — disse ele. — Tínhamos pensado inicialmente que podíamos converter tudo. Mas às vezes a gente tem que aceitar que vai ter que começar do zero.

Sentaram-se lado a lado, o pai parando de comer o sanduíche para beber do cantil de chá. Ela se pegou olhando para as mãos dele. Lembrou-se de Neil lhe dizer que, quando o pai dele morreu, ele se dera conta, chocado, de que nunca mais tornaria a ver as mãos do pai. Tão familiares, tão corriqueiras, no entanto desaparecidas de forma tão chocante.

Ela olhou para as suas. Não precisava ver um retrato para saber que eram de sua mãe.

Colocou-as entre os joelhos e olhou para onde os homens tinham parado para o almoço. Depois, finalmente, virou-se para o pai.

— Eu queria perguntar uma coisa a você. — Suas palmas faziam pressão uma contra a outra, a pele surpreendentemente fria. — Eu queria saber se você se importaria se eu pegasse uma parte do meu quinhão do dinheiro da propriedade agora.

Suzanna viu, pelo jeito como o pai olhou para ela, que ele não sabia o que vinha pela frente. Que talvez ele estivesse esperando por algo pior. Os olhos dele estavam interrogativos e aliviados, verificando se era isso que ela queria. Ela entendeu que, ao perguntar, dissera-lhe o que agora achava aceitável.

— Você está precisando disso agora?

Ela fez que sim.

— Ben vai fazer coisas boas com a propriedade. Está... no sangue dele.

Houve um breve silêncio enquanto as palavras se assentavam entre eles. Sem dizer nada, ele pegou um talão de cheque do bolso traseiro e rabiscou um número, depois entregou-o a ela.

Suzanna ficou olhando para o cheque.

— Isso é muito.

— É seu direito. — Ele fez uma pausa. — Foi o que gastamos pagando a universidade de Lucy e de Ben.

Ele tinha terminado o sanduíche. Amassou o papel impermeável que o embrulhara e colocou-o de volta na cesta.

— É bom você saber — disse ela — que eu vou para o exterior com esse dinheiro. Abrir as asas. — Ela estava consciente do silêncio dele, dos silêncios com que ele falara com ela a vida toda. — Lucy comprou uma passagem para mim. Vou para a Austrália. Vou ficar com uma amiga dela por uns tempos, só até eu me familiarizar com o ambiente.

O pai mudou de posição.

— Não fiz muita coisa com a minha vida, pai.

— Você é igualzinha a ela — disse ele.

Ela se sentiu ferver.

— Eu não sou uma desertora, pai. Só estou tentando fazer o que é certo para todo mundo.

Ele balançou a cabeça, e Suzanna se deu conta de que o olhar em seu rosto não tinha sido de condenação.

— Eu não quis dizer isso — falou ele lentamente. — Você... você precisa começar. Encontrar o seu jeito de fazer coisas. — Ele balançou a cabeça, como que se tranquilizando. — Tem certeza de que esse dinheiro vai bastar?

— Nossa, tenho. Fazer um mochilão é bem barato, pelo que Lucy diz. Aliás, estou esperando não gastar muito. Vou deixar a maior parte do dinheiro aqui no banco.

— Ótimo.

— E o padre Lenny vai liquidar o estoque remanescente para mim. Para que entre um pouco mais, se Deus quiser.

— Ele consegue?

— Acho que sim. Todo mundo me diz que não seria possível me livrar de tudo sem ele.

Eles observaram enquanto Ben andava entre os dois tratores, aparentemente dando instruções, se interrompendo uma vez para atender o celular e rir com estardalhaço.

O pai olhou para ele um instante, depois virou-se para ela.

— Sei que as coisas não foram fáceis entre nós, Suzanna, mas quero, sim, que você saiba de uma coisa. — Os nós dos dedos dele estavam brancos em volta do cantil. — Eu nunca fiz o exame, sabe... naquela época não existia DNA e essas coisas... mas eu soube desde o início que você era minha.

Mesmo no celeiro escurecido, Suzanna conseguiu ver a intensidade do olhar dele, ouvir o amor no que ele estava dizendo. Percebeu que até ele era obstinado em sua relação com o passado, convicções profundamente arraigadas sobre sangue e herança. Havia maneiras de ter certeza em relação a essas coisas. Mas, de repente, ela entendeu que eram irrelevantes.

— Está bem, pai — disse.

Ficaram em silêncio um instante, conscientes de uma distância aumentada por anos de palavras duras e equívocos, do fantasma que sempre se colocaria entre eles.

— Talvez a gente faça uma visita. Quando você estiver na Austrália — disse ele, se chegando mais, já quase com o braço encostando no dela. — Sua mãe sempre gostou de viajar. E eu não gostaria de ficar muito tempo... sem te ver, quero dizer.

— Não — disse Suzanna, deixando o calor dele se infiltrar nela. — Nem eu.

Ela encontrou Vivi na galeria de quadros, olhando para o retrato.

— Você vai para a sua loja?

*Minha loja*, pensou Suzanna. Esta já não parecia a expressão correta para descrevê-la.

— Vou pegar o resto das minhas roupas na casa do Neil primeiro. Acho que é mais justo com ele fazer isso enquanto ele não está lá.

— Só roupas?

— Alguns livros. Minhas joias. Vou deixar o resto. — Ela franziu o cenho. — Você vai ficar de olho nele enquanto eu estiver fora?

Vivi fez que sim com a cabeça.

*Talvez ela já tivesse decidido isso*, pensou Suzanna.

— Não sou completamente desalmada. Eu gosto dele, sim, você sabe — disse.

Teria gostado de acrescentar: quero que ele seja feliz. Mas achava bom não estar por ali para ver isso. O altruísmo não chegava a tanto.

— Você vai ser feliz?

Suzanna pensou na Austrália, um continente desconhecido do outro lado do mundo. Pensou em seu próprio mundinho, naquilo que, um dia, fora a sua loja. Em Alejandro.

— Mais feliz do que fui — disse, incapaz de explicar bem o que sentia. — Definitivamente mais feliz.

— É um começo.
— Acho que é.

Suzanna se adiantou, e elas ficaram lado a lado, olhando para o quadro de moldura dourada.

— Ela devia ficar aqui — disse Vivi. — Se você concordar, Suzanna, querida, é provável que eu fique na parede em frente. Seu pai, velho bobo, acha que eu também devia estar aqui em cima.

Suzanna passou o braço em volta da cintura de Vivi.

— Sabe de uma coisa? Talvez deva ser só você. Talvez do outro jeito fique meio estranho. E aquela moldura dela não combina muito com o que tem em volta.

— Ah, não, querida. Athene tem direito. Ela merece ter o lugar dela também.

Suzanna ficou paralisada por um instante pelos olhos faiscantes da mulher no retrato.

— Você sempre foi muito boa — disse —, tomando conta de todos nós.

— Isso não tem nada a ver com bondade — disse Vivi. — É a natureza da gente... a minha natureza.

Suzanna se virou do retrato para a mulher que a amou, que sempre a amara.

— Obrigada, mãe — disse.

— Ah, por sinal — disse Vivi, quando se encaminhavam para as escadas —, chegou uma coisa para você enquanto você não estava. Foi entregue por um velho extraordinário. Ficou sorrindo para mim como se me conhecesse.

— Um *velho?*

Vivi estava examinando a madeira de uma mesa, esfregando o tampo com a ponta do dedo.

— Ah, sim. Com mais de sessenta anos. Um sujeito de bigode com aspecto estrangeiro. Nunca o vi na cidade.

— O que é?

— Ele não quis me explicar de quem vinha. Mas é uma planta. *Roscoea purpurea,* acho que esse é o nome.

Suzanna ficou olhando para a mãe.

— Uma planta? Tem certeza que é para mim?

— Talvez seja de um dos seus clientes. Enfim, está na despensa. — Ela desceu as escadas, depois falou por cima do ombro: — Conhecíamos essa planta aqui na cidade como olho de pavão. Não era uma das minhas preferidas, devo confessar. Dou para Rosemary se você não quiser.

Com um ruído que parecia um grito suprimido, Suzanna quase empurrou a mãe ao passar e desceu correndo as escadas.

# Vinte e sete

Ela achara que sabia tudo o que havia para saber sobre Jessie. Agora, com uma hora e meia de inquérito, aprendera que a falecida Jessica Mary Carter tinha exatamente um metro e cinquenta e oito e meio de altura, que extraíra o apêndice e as amígdalas havia mais de dez anos, que tinha um sinal de nascença no início das costas e que fraturara o dedo indicador da mão direita pelo menos três vezes, a última havia relativamente pouco tempo. Entre suas outras lesões, muitas das quais Suzanna escolhera não ouvir, havia equimoses que não podiam ser explicadas pelos acontecimentos da noite de sua morte. Não parecia Jessie: parecia um amálgama de elementos físicos, de pele e ossos e danos catalogados. Isso era o mais perturbador: não o fato de haver tantos machucados dos quais não soubesse, mas sim o de não haver nada da essência dela no inquérito.

Dentro do tribunal, amigos e parentes de Jessie que tinham acompanhado o inquérito, uns porque ainda não conseguiam aceitar a morte dela, outros porque, no íntimo, estavam saboreando participar do evento mais importante que acontecera com Dere Hampton desde o incêndio do pet shop, em 1966, murmuravam entre si, ou choravam em silêncio nos lenços, intimidados pela ocasião. Suzanna mexia-se na cadeira, tentando olhar da beira da galeria pública para a outra porta. Tinha que parar de pensar que ele podia estar, neste momento, sentado lá fora no banco, com as irmãs de Cath Carter que fumavam um cigarro atrás do outro. Seria desrespeitoso sair da sala toda hora para verificar.

Ele não estava lá quando ela chegou. Não estava lá quando ela saíra vinte minutos antes para ir ao banheiro. Mas, na qualidade de única testemunha do evento, ele teria que depor.

Teria que vir.

Suzanna alisou o cabelo para trás, sentindo o familiar aperto no estômago, o nó de empolgação e medo que a dominava havia mais de vinte e quatro horas. Por duas vezes, para se consolar, contemplara sua coleção de tesouros peculiares dentro da bolsa. Havia a etiqueta da planta que chegara naquele primeiro dia; depois, endereçada a ela na casa de seus pais, uma borboleta de papel enviada num envelope apócrifo, que Ben, um entusiasta amador na adolescência, identificara somente como *Inachis io*. Ela escrevera o nome no verso. Ontem, quando tinha ido na loja terminar sua última tarefa antes de entregar as chaves, encontrara uma pluma enorme presa com alfinete no marco da porta. A pluma agora se projetava inconvenientemente da aba de sua bolsa. Não tinha havido mensagem nenhuma. Mas ela soubera que essas coisas tinham algo a ver com ele. Que tinha que haver algum significado.

Tentou não pensar muito na possibilidade de terem vindo de Neil.

O investigador havia terminado o relatório *post-mortem*. Debruçou-se solicitamente sobre seu banco e perguntou a Cath Carter se ela queria que alguma coisa fosse elucidada. Cath, imprensada entre o padre Lenny e uma mulher de meia-idade não identificada, fez que não com a cabeça. O investigador voltou à lista de testemunhas à sua frente.

Em seguida seria a sua vez. Suzanna olhou para o repórter de óculos no canto, taquigrafando fielmente em seu caderno. Ela falara com o padre Lenny anteriormente sobre seus temores de que, se contasse ao investigador tudo que sabia, *tudo*, Jessie fosse retratada nos jornais como uma vítima de violência doméstica. A amiga nunca quis ser vista como vítima, Suzanna lhe dissera. Não deviam a ela pelo menos essa pequena dignidade? Ele lhe dissera que Cath tinha preocupações semelhantes.

— Mas há uma conclusão aqui, Suzanna — dissera ele —, e o ponto é que você preferiria ver Emma crescendo. Porque, mesmo que não cheguem a um veredicto criminal neste tribunal, pode apostar que o que for dito nesta sala passará a ser usado em qualquer caso criminal. Acho que Jessie não se importaria de sacrificar um pouquinho a privacidade dela em nome da... estabilidade da filha.

Ele escolhera a palavra com cuidado. O que tornara a decisão bastante simples.

Suzanna ouviu seu nome sendo chamado e levantou-se. Sob a estimulação delicada, o que foi uma surpresa, do investigador, ela lhe contou com uma voz comedida dos machucados de Jessie na época em que trabalhara no Empório Peacock, da sequência de acontecimentos que levaram à noite em que ela morreu e da personalidade gregária, generosa, que inadvertidamente tinha levado à sua morte. Não fora capaz de olhar para Cath ao falar, ainda se sentindo como se estivesse traindo a confiança da família, mas, ao descer, tinha captado o olhar de Cath, que fizera um sinal de cabeça positivo. Uma espécie de reconhecimento.

Ele não entrara.

Ela sentou-se em seu lugar, sentindo-se murchar, como se tivesse falado enquanto prendia a respiração.

— Você está bem? — padre Lenny articulou sem emitir som, virando-se em seu assento.

Ela assentiu, tentando não deixar os olhos se moverem de novo para a porta de lambri de madeira. Que, a qualquer momento agora, ameaçava abrir. E alisou, já pela quadragésima vez, seu cabelo excessivamente curto.

Três outras pessoas prestaram depoimento: o médico de Jessie, que confirmou que, em sua opinião, Jess não sofria de depressão e pretendia deixar o companheiro; o padre Lenny, que, na qualidade de grande amigo da família, falou de sua tentativa de remediar o que chamava de "situação" dela e da feroz determinação que ela tinha para resolvê-la; e uma prima que Suzanna não conhecera. A prima caíra em prantos e apontara um dedo acusatório para a mãe de Jason Burden: ela sabia o que acontecia e devia ter impedido, impedido Jason, aquele filho da mãe. O investigador sugeriu que ela talvez fizesse uma pausa para se recompor. Suzanna ouvia sem prestar muita atenção, esforçando-se para identificar todas as vozes abafadas do lado de fora, se perguntando em que altura podia razoavelmente tornar a sair do tribunal.

— Agora nos voltamos para nossa única testemunha — disse o investigador —, o Sr. Alejandro de Marenas, argentino, antigo residente do hospital de Dere Hampton, onde ele trabalhava na maternidade. — O coração de Suzanna parou. — Que forneceu uma declaração escrita. Passarei para que a meirinha a leia em voz alta.

A meirinha, uma mulher gorda de cabelo pintadíssimo, levantou-se e, com um sotaque monótono, neutro, começou a ler.

Uma declaração escrita. Suzanna caiu para a frente como se estivesse sem fôlego. Não ouvira quase nada das palavras de Alejandro, as palavras que tinha ouvido sussurradas em seu ouvido na noite da morte de Jessie, palavras pronunciadas em meio a lágrimas e beijos, palavras que ela interrompera com os próprios lábios.

Depois, ficou olhando para essa mulher, que devia ter sido Alejandro, e tentou conter o gemido de exasperação que subiu dentro dela.

Não conseguia ficar quieta. Remexia-se na cadeira, febril, desesperada, e, quando a mulher parou de ler, deslizou rapidamente no banco e, desculpando-se com um gesto de cabeça, fugiu para o corredor onde duas das tias de Jessie, a prima e uma amiga de colégio já estavam sentadas no banco.

— Aquele filho da mãe assassino — disse uma delas, acendendo o cigarro. — Como a mãe dele tem a coragem de aparecer aqui?

— Lynn diz que os garotos vão pegá-lo se ele tentar voltar a Dere. O mais velho dela anda com um taco de beisebol no carro, só para o caso de vê-lo na rua.

— Ele ainda está preso. Não vão deixá-lo sair.

— Sylvia não tem culpa — disse a outra. — Você sabe que ela está arrasada.

— Ela ainda o visita, não? Ainda vai vê-lo toda semana.

A mulher mais velha deu palmadinhas no braço da moça.

— Qualquer mãe iria. Ele é do sangue dela, não? Independente do tenha feito. — Falou para Suzanna: — Você está bem, amor? Achou isso muito duro de ouvir, achou?

Suzanna, encostando-se na parede, não conseguiu responder. É óbvio que ele não tinha vindo. Por que viria, depois de tudo que ela dissera? Talvez ele estivesse partindo enquanto ela estava sentada ali, futilmente verificando a aparência. A arrogância da certeza dela! Suzanna se levantou um instante, franzindo o rosto, levando as mãos à cabeça como se pudesse fisicamente mantê-la estruturada. Sentiu um braço feminino desconhecido à sua volta, sentiu o cheiro acre de cigarros recém-fumados.

— Não fique nervosa, amor. Ela está com os anjos agora, não? Estávamos acabando de dizer, ela está com os anjos. Não faz sentido ficar nervosa agora.

Suzanna resmungou alguma coisa e foi embora. Não precisava saber se a morte seria registrada como acidental, homicídio ou mesmo se sua causa ficaria em aberto. Jessie tinha morrido. Este era o único fato relevante.

Só podia rezar para que Alejandro não tivesse morrido também.

Tinha havido vários atrasos, uns atribuídos a problemas com motor, outros a questões de segurança e ao mau tempo, e o aeroporto de Heathrow estava apinhado de gente circulando, arrastando malas com rodinhas ou empilhadas em carrinhos que davam guinadas de um jeito rebelde no piso de linóleo reluzente que rangia sob o peso combinado de intermináveis pares de sapato de sola macia. Viajantes exaustos tomavam conta de extensões de assentos para se esticar enquanto bebês choravam e crianças pequenas faziam o possível para sumir em cafés feericamente iluminados, exaltando os nervos já em pandarecos dos pais.

Jorge de Marenas, um pouco cheio demais de café de aeroporto, olhou para o quadro de voos, levantou-se e pegou a mala. Bateu no bolso do paletó, verificando se a passagem e o passaporte estavam no lugar, depois apontou para o portão de embarque, onde havia uma fila serpeante de conterrâneos argentinos pacientes aguardando, passagens em punho.

— Tem certeza de que quer fazer isso? — perguntou ao filho. — Não quero que pense em mim. Nem na sua mãe. A decisão deve ter a ver com você. Com o que você quer.

Alejandro acompanhou o olhar do pai para o quadro de partidas.

— Está tudo bem, *pa* — disse.

O prédio do alojamento das enfermeiras no hospital Dere Hampton era maior do que Suzanna se recordava. Tinha duas entradas, das quais julgava se lembrar, e uma ampla área relvada em volta, pontuada por arbustos com um ar descuidado de que não se lembrava de todo. O espaço, no geral, tinha um aspecto muito diferente na luz do dia, salpicado de gente, ligeiramente coberto com folhas de outono, pouco tendo a ver com o que tinha sido o pano de fundo de seus sonhos.

Mas, por outro lado, a última vez em que fora até lá, ela não andara pensando no que a cercava. Ficou algum tempo parada, tentando resolver que entrada usar, frustrada com sua falta de memória visual, sua incapacidade de decidir qual tinha sido o apartamento de Alejandro. Ele morara no térreo, ela sabia, então andou na relva e olhou para dentro de várias janelas, tentando ver através das cortinas de *voile* que pareciam ser o padrão no prédio.

O terceiro apartamento que ela olhou se assemelhava ao que se lembrava do dele. Ela conseguiu distinguir justamente o sofá G-plan, as paredes brancas, a mesa de faia. Mas a visão embaçada causada pelas cortinas de *voile* não lhe permitia dizer se havia alguém morando no apartamento naquele momento.

— Por que diabo há tantas cortinas? — resmungou.

— Para impedir que as pessoas olhem pelas janelas — disse uma voz às suas costas.

Suzanna corou. Duas enfermeiras, uma irlandesa ruiva, a outra antilhana, estavam ao seu lado.

— É incrível como tem gente que se empolga com a ideia de um prédio cheio de enfermeiras — disse a antilhana.

— Eu não estou espiando...

— Está perdida?

— Estou procurando uma pessoa. Um homem. — Ela captou a reação divertida delas, viu que faltava pouco para virar piada de mau gosto. — Um homem específico. Ele trabalha aqui.

— Este é um prédio feminino.

— Mas vocês tinham um único homem aqui. Um parteiro. Alejandro de Marenas. Argentino?

As enfermeiras se entreolharam.

— Ah... ele.

Suzanna sentia que estava sendo avaliada, como se sua associação com Alejandro a tivesse colocado sob uma nova luz.

— Esse é mesmo o apartamento dele, mas acho que ele não está aí. Faz tempo que não anda por aqui, não?

— Tem certeza?

— Os estrangeiros não duram muito — disse a antilhana. — Eles ficam com todos os plantões ruins.

— E se sentem sozinhos — acrescentou a irlandesa. — Sim. — Olhou para Suzanna, a expressão ilegível. — Não tenho certeza se *ele* se sentia sozinho.

Suzanna piscou furiosamente, desafiando-se a desabar diante dessas mulheres.

— Será que alguém daqui saberá me informar? Se ele foi embora, quero dizer.

— Tente na administração — disse a irlandesa.

— Ou o RH. Quarto andar do prédio principal.

— Obrigada — disse Suzanna, odiando as moças por seus olhares cúmplices. — Muito obrigada. — Foi embora correndo.

A mulher do RH tinha sido educada, mas cautelosa, como se não fosse incomum para ela ser confrontada por gente exigindo saber para onde o seu pessoal tinha desaparecido.

— Já tivemos alguns casos em que enfermeiras estrangeiras contraíram dívidas consideráveis enquanto estiveram aqui — disse, à guisa de explicação. — Às vezes, as que vêm de países subdesenvolvidos se empolgam um pouco com o estilo de vida.

— Ele não me deve dinheiro nenhum — disse Suzanna. — Não deve dinheiro a ninguém. Eu só... eu só preciso realmente saber onde ele está.

— Infelizmente, não podemos dar detalhes pessoais dos funcionários.

— Eu tenho os detalhes dele. Só preciso saber se ele ainda está por aqui.

— E isso seria uma informação sobre o quadro de funcionários do hospital.

Suzanna tentou regular a respiração.

— Veja bem, era para ele depor num inquérito hoje de manhã sobre a morte de uma moça daqui da região na minha loja. Preciso saber por que ele não estava lá.

— Então você vai ter que falar com a polícia — disse ela.

— Ele é meu amigo.

— Eles sempre são.

— Olhe — disse Suzanna —, por favor. Se quiser que eu me humilhe, eu...

— Ninguém está pedindo para você se humilhar.

— Eu o amo, certo? Não disse a ele quando devia ter dito e tenho medo de que seja tarde demais. Preciso dizer antes que ele vá embora. Porque nunca vou achá-lo na Argentina. Nunca. Eu nem saberia onde encontrar o lugar no mapa. — A mulher agora a fitava. — Eu nem sei se é perto da Patagônia ou de Porto Rico ou sei lá. Só sei que tem vaca aos montes, bebidas com gosto de graveto e água e peixes maus, horrorosos, e que é muito, muito grande, e, se ele for embora daqui, eu perderei todas as minhas esperanças de encontrá-lo. Não sei se eu teria coragem suficiente para tentar. Por favor. *Por favor*, me diga simplesmente se ele ainda está aqui.

A mulher olhou para Suzanna por um minuto, depois foi até o fundo da sala e puxou uma pasta de uma gaveta abarrotada. Ficou debruçada sobre ela, lendo cuidadosamente, muito longe para Suzanna ver as páginas.

— Não podemos, por lei, revelar os detalhes pessoais dos arquivos dos funcionários. O que podemos lhe dizer é que ele não é mais funcionário do hospital — falou.

— Ele já não trabalha aqui?

— Foi o que eu disse.

— Então pode me dizer onde ele está. Se ele não trabalha mais para você, ele não é mais um funcionário.
— Boa tentativa — disse a mulher. — Olhe, pode tentar a agência dele. São as pessoas que o trouxeram para cá e o colocaram em contato conosco para início de conversa. — Rabiscou um número numa folha de papel e entregou-a a Suzanna.
— Obrigada — disse Suzanna. Era um número de Londres. Havia uma chance de que ele tivesse outro emprego lá.
— E é perto do Uruguai.
— O quê?
— A Argentina. É ao lado do Brasil e do Uruguai.
A mulher, sorrindo para si, afastou-se do balcão e tornou a se dirigir para os arquivos.

Arturro não o tinha visto. Perguntou aos três jovens assistentes, que fizeram que não com a cabeça de um jeito teatral, depois continuaram o elegante lançamento de pedaços grandes de Stilton, potes de pasta de marmelo e de pesto — tendo-a designado, em circunstâncias à parte gratificantes, como um oito ponto três. Arturro não o via há mais de uma semana. A Sra. Creek também, assim como Liliane, o padre Lenny, a mulher que tocava o estande de antiguidades, o homem magro que trabalhava no Coffee Cup, os atendentes no café ao lado da garagem onde era sabido que ele já tinha comprado um jornal.
— Por volta de um metro e oitenta? Bem bronzeado? Cabelo escuro? — disse ela a uma enfermeira em frente à loja de revistas e jornais, só por desencargo.
— Coloque ele na minha frente se encontrá-lo. — Ela deu uma risadinha.
Quando começou a escurecer, Suzanna foi para casa.
— Está de malas prontas? — perguntou Vivi, entregando-lhe uma xícara de chá. — Lucy ligou para dizer que estará aqui ao meio-dia amanhã. Eu me perguntava se você se incomodaria de sentar um pouquinho com Rosemary antes de ir embora. Isso significaria muito para ela, você sabe.
Suzanna estava no sofá, se perguntando se era loucura ir para Heathrow agora. Do aeroporto local não saíam voos para a Argentina, e Heathrow não divulgaria os nomes das listas de passageiros. Era uma questão de segurança, ao que parecia.

— Lógico — disse ela.
— Ah, e sabe aquele número que você estava tentando ligar e não conseguia nenhum retorno? — disse Vivi. — Bem, eles ligaram de volta. Uma agência de enfermagem, disseram. É o que você queria? Achei que pudesse ser um engano.
Suzanna levantou-se de um pulo e arrancou o papel da mão da mãe.
— É isso mesmo — confirmou.
— Uma agência de enfermagem?
— Obrigada — disse. — Obrigada, obrigada. — Atirou-se no sofá na direção do telefone, sem fazer caso do olhar desconcertado da mãe.

— Acho que nunca vou entender aquela menina — disse Vivi, na cozinha, descascando batatas para a torta de carne.
— O que ela fez agora? — Rosemary estava olhando para um livro de jardinagem velho. Era óbvio que tinha esquecido o nome da planta que planejara procurar, mas ficara agradavelmente absorta nas imagens.
— Pensei que ela estivesse indo para a Austrália. Agora, pelo visto, ela está pensando em ser enfermeira.
— O quê? — Rosemary engasgou com o vinho.
— Enfermeira?
— Ela não quer ser enfermeira!
— Foi o que pensei. Mas ela está no telefone com uma agência. Parece estar levando tudo muito a sério. — Vivi reabasteceu o copo de Rosemary.
— Não sei, as coisas estão mudando muito depressa aqui. Não consigo acompanhar.
— Ela vai ser uma péssima enfermeira — disse Rosemary. — Péssima. Na primeira comadre com que tiver que lidar, vai fugir como o diabo da cruz.

O homem na agência foi muito simpático. Quase simpático demais. Mas Alejandro de Marenas tinha se desligado do serviço deles fazia duas semanas. Tendo pagado a "taxa de apresentação" deles, não tinha obrigação de manter contato. Devia ter voltado para a Argentina. A permanência média na Inglaterra era de menos de um ano para parteiros. Os únicos que tendiam a ficar por lá eram os de países mais pobres e, até onde ele se lembrava, o Sr. de Marenas era relativamente bem de vida.
— Fico com o seu número, se quiser — disse. — Se ele tornar a nos contatar, posso guardá-lo na pasta para ele. Você é do SNS?

— Não — disse ela, olhando para a pluma em sua mão. Pluma dava azar. Acabara de se lembrar. Não era para a pessoa ter em casa porque dava azar. — Obrigada, mas não — sussurrou. E depois, finalmente, a cabeça caindo suavemente para cima do telefone, chorou.

Eram quase nove e meia, e o ligeiro aumento de pedestres que constituía a hora do rush de Dere Hampton diminuía, enquanto a última das lojas abria e as mães atrasadas voltavam para casa depois de deixar os filhos na escola.

Suzanna estava no Empório Peacock pela última vez. As janelas estavam no lugar, com as molduras pintadas de novo e um cartaz anunciando a liquidação de encerramento de um dia só para a semana seguinte. Todo o estoque pela metade do preço ou menos, estava escrito em negrito. Mas esta era a da esquerda. A janela da direita atenderia a um objetivo diferente.

Ela consultou o relógio, notando que Lucy estaria ali em duas horas e meia. Só convidara poucas pessoas: Arturro e Liliane, o padre Lenny, a Sra. Creek, aquelas que tinham convivido diariamente com Jessie, aquelas para quem os elementos poderiam significar alguma coisa, poderiam enriquecer a lembrança dela.

Ela estava atrás da janela da loja, olhando pela cortina de gaze que colocara naquela manhã, um lembrete desconfortável das cortinas de *voile* de dias antes, observando o grupinho de pessoas. Tinha se perguntado se esta era a hora certa de fazer aquilo, mas o padre Lenny, o único que sabia do seu plano, tinha dito que aquele era o momento ideal. Ele já participara de inquéritos anteriores. Sabia que, depois de uma morte, havia imagens, palavras, que deviam ser enterradas, cobertas com algo mais doce.

— Está pronto? — perguntou-lhe, de trás da porta, e depois, quando ele assentiu, ela se aproximou da janela, levantou a cortina de gaze e saiu para onde os outros estavam, a alguns passos da loja, observando com um pouco de ansiedade enquanto eles assimilavam a vitrine à sua frente.

Do alto da janela cheia de gérberas cor-de-rosa, pendiam os enfeites de estêncil de *fiesta mexicana*, que Jessie planejara levar para casa com um desconto para empregados, torcidos com as lâmpadas anteriormente decoravam as prateleiras.

A vitrine continha os seguintes itens: um par de asas que Jessie uma vez usara o dia inteiro por causa de uma aposta, uma bolsa de lantejoulas que ela adorava, mas lamentava não ter dinheiro para comprar, e uma caixa redonda de chocolate com cobertura cor-de-rosa. Para o lado, havia várias revistas, incluindo a *Vogue* e a *Hello!*, e um trabalho manuscrito que ela trouxera do curso noturno, com a avaliação "muito promissor" rabiscada em vermelho na margem. Havia um CD de salsa, que Jessie tinha posto para tocar até Suzanna pedir clemência, e um desenho de autoria de Emma que ela prendera acima da caixa. No centro, havia duas fotografias, uma das quais fora tirada pelo padre Lenny e mostrava Suzanna e Jessie às gargalhadas, com Arturro sorrindo radiante no fundo, e a outra era de Jessie com Emma, sentadas do lado de fora, ambas de óculos escuros cor-de-rosa. Estava tudo arrumado em volta de um pedaço de pergaminho creme, em que Suzanna escrevera, em itálico com tinta fúcsia:

> *Jessie Carter tinha um sorriso alegre como agosto e a gargalhada mais suja deste lado de Sid James. Adorava sorvetes de chocolate Mars, cor-de-rosa forte, esta loja e sua família, não nesta ordem. Adorava sua filha Emma mais do que tudo no mundo e, para uma pessoa tão cheia de amor, isso significava muito.*
>
> *Não teve tempo de conquistar tudo que queria, mas mudou a minha loja e, depois, me mudou. Sei que todos nesta cidade que a conheceram foram modificados por ela.*

A vitrine resplandecia, alegre e chamativa, destoando do tijolo e madeira nus em volta. Na frente de tudo, havia duas xícaras de café. Uma estava simbolicamente vazia.

Ninguém falou. Após vários minutos, Suzanna começou a ficar ansiosa e olhou para o padre Lenny para se tranquilizar.

— As vitrines eram ideia de Jessie — disse no silêncio —, então pensei que ela gostaria disso.

O silêncio continuava. Suzanna sentiu-se mal subitamente, como se tivesse voltado ao seu eu antigo, sempre propenso a dizer e fazer a coisa errada. Tinha errado ali também. Sentiu um soluço de pânico subindo, lutou para contê-lo.

— A intenção não é significar tudo que ela era... dizer tudo sobre ela. Eu só queria celebrá-la um pouco. Fazer uma coisa mais feliz do que foi...
— Deixou a frase no ar, sentindo-se inútil e inadequada.

Depois, sentiu uma mão no braço, e olhou para os dedos esguios, de unhas feitas, depois para o rosto cuidadosamente maquiado de Liliane, suavizado por algo que poderia ter estado na vitrine ou ser uma coisa completamente diferente.

— Está lindo, Suzanna — disse. — Você fez um trabalho maravilhoso.

Suzanna piscou com força.

— É quase tão bom quanto o dela — disse a Sra. Creek, que tinha se inclinado à frente para olhar. — Você devia ter incluído um pacote de balas de coração. Ela sempre estava comendo essas balas de coração.

— Ela adoraria isso — disse o padre Lenny, colocando o braço em volta dos ombros de Cath Carter. Apertou-a e murmurou alguma coisa em seu ouvido.

— É muito bom — disse ela com calma. — Muito bom.

— Tirei umas fotos da vitrine para a caixa de lembranças de Emma — disse Suzanna. — Para quando... ela tiver que ser desmontada. Quando a loja fechar. Mas vai estar aqui até lá.

— Você devia chamar alguém do jornal — disse a Sra. Creek. — Fazer com que botem uma foto no jornal.

— Não — disse Cath. — Não quero isso nos jornais.

— Eu gosto daquela foto — disse o padre Lenny. — Sempre gostei daqueles óculos escuros. Parecem comestíveis.

— Acho que teriam um gosto horrível — disse a Sra. Creek.

Atrás deles, Suzanna percebeu, Arturro estava aos prantos, os ombros pesados virados de costas para eles, numa tentativa de esconder a sua dor. Liliane aproximou-se e passou um braço em volta dele, murmurando palavras de consolo.

— Ei... grandão — disse o padre Lenny, inclinando-se à frente. — Vamos, agora...

— Não é só a Jessie — disse Liliane, virando-se. Estava sorrindo, a expressão indulgente. — É... tudo. Ele vai mesmo sentir falta da sua loja.

Suzanna viu o braço esguio de Liliane estendido até metade das costas dele.

— Vamos todos sentir falta da loja — disse o padre Lenny. — A loja tinha... alguma coisa.

— Eu simplesmente gostava da sensação. De entrar aqui. — Arturro assoou o nariz. — Eu até gostava da palavra. *Empório*. — Enunciou-a lentamente, saboreando cada sílaba.

— Você poderia renomear a sua delicatéssen de Empório do Arturro — sugeriu a Sra. Creek, e se indignou quando todo mundo olhou para ela com uma expressão vazia.

— Temos muitas razões para gostar da sua loja — disse Liliane, com cautela.

— Quase dá mais a impressão de que era a loja da Jessie — disse Suzanna.

— Se isso não parecer muito piegas — acrescentou o padre Lenny —, eu gosto de pensar que tem outra lá em cima, com Jessie atendendo.

— O senhor *está* sendo piegas — disse Cath.

— Atendendo e conversando — disse Suzanna.

— Ah, sim — disse o padre Lenny. — Definitivamente conversando.

Cath Carter, com um leve sorriso de orgulho, cutucou-o.

— Ela falou com nove meses — disse. — Abriu a boca uma manhã e nunca mais fechou.

Suzanna ia falar, depois sobressaltou-se ao ouvir uma voz familiar.

— Posso acrescentar uma coisa? — disse a voz.

Foi como se um grande impacto tivesse tirado o ar de dentro dela, com a realidade simples, física dele. A última vez que o vira, ele irradiava urgência, raiva, de modo que o ar em volta dele parecia crepitar. Agora seus movimentos eram fáceis e fluidos, seus olhos, acusadores e incrédulos na última vez que ela os vira, estavam suaves.

Ele olhava atentamente para ela, aguardando uma resposta.

Ela tentou falar, depois, em vez disso, balançou a cabeça sem dizer nada.

Ele passou pelo grupo e entrou na loja, esticou o braço para uma prateleira e colocou no canto da janela a sua cuia de mate.

— Acho que devemos ficar felizes — disse, calmamente, ao sair. — Jessie foi a minha primeira amiga neste país. Era boa em ser feliz. E acho que ia querer que todo mundo se lembrasse dela com felicidade.

Suzanna não conseguia tirar os olhos dele, ainda incapaz de acreditar que ele estava ali, na sua frente.

— Ouçam, ouçam — disse o padre Lenny, com alguma firmeza.

Houve um longo silêncio, que foi se tornando constrangedor. Liliane trocou de pé, desconfortável nos saltos altos, e a Sra. Creek resmungou alguma coisa para si mesma. Suzanna ouviu o padre Lenny murmurar para Alejandro e observou quando este respondeu com algo que fez o padre olhar diretamente para ela. Ela tornou a corar.

— Devemos ir. — Era a voz de Cath.

Sacudida de seu devaneio, Suzanna se deu conta de que ainda não tinha ouvido nada da única pessoa cuja opinião mais importava. Virou-se e procurou a cabeça loira. Hesitou por um instante, depois:

— Está legal? — perguntou, agachando-se.

A criança não se mexeu nem falou.

— Vai ficar aí pelo menos duas semanas. Mas eu modifico se você quiser, se achar que tem alguma coisa faltando. Troco, se você não gostar. Tenho tempo de fazer isso antes de viajar. — Falava em voz baixa.

Emma fitou a janela, depois olhou para Suzanna. Tinha os olhos secos.

— Posso escrever uma coisa para botar lá? — Sua voz tinha a compostura glacial da infância. Cortou o coração de Suzanna. Ela assentiu. — Quero escrever agora — disse Emma. Olhou para a avó, depois de novo para Suzanna.

— Vou pegar uma caneta e um papel para você.

Suzanna estendeu a mão. A menina soltou a da avó e pegou-a. Observadas pelo grupo calado em pé na rua, elas entraram na loja.

— Foi você, não foi?

A loja estava vazia. Suzanna tinha acabado de prender o texto de Emma na vitrine, resistindo ao impulso de editar as últimas frases dolorosas do que ela escrevera. Era importante contar a verdade. Especialmente sobre a morte. Ela endireitou os joelhos e recuou da janela.

— Sim — disse ele.

Só isso. Uma afirmação simples.

— Dá azar. Você devia saber disso.

— Era só uma pluma. Não precisa significar nada. — Ele olhou para a pluma iridescente projetando-se da bolsa dela. — E, além do mais, é linda. — Ele deixou as palavras pairarem entre eles enquanto andava devagar em volta da loja.

— E as outras coisas? A borboleta? A planta? — Ela teve que resistir ao impulso de lhe lançar olhares furtivos, teve que não deixar o rosto se iluminar com a pura alegria de tê-lo por perto.

— Uma borboleta pavão. A planta também.

— Eu não entendi — disse ela. — Em relação à borboleta, quero dizer. A gente se limitou a procurar o nome em latim dela.

— Então foi sorte eu não ter pescado um ciclídeo para você.

Ficaram sentados um instante em silêncio, Suzanna se perguntando como, tendo passado anos existindo numa espécie de vazio de baixa qualidade, suas emoções podiam oscilar tão dramaticamente do desespero à alegria e depois para algo menos definido e infinitamente mais confuso. Algumas garotas que espiavam a vitrine fizeram expressões exageradas de sentimentalismo quando leram o texto de Emma.

— É lindo o que você fez — disse ele, balançando a cabeça afirmativamente para a vitrine.

— Ela teria feito melhor. — Suzanna lutava com as coisas que tinha querido dizer, coisas que agora pareciam canhestras, exageradas. — Pensei que você estivesse na Argentina — falou, tentando fazer uma voz neutra. Agora que ele estava ali, logo se sentiu complicada, como se a urgência do dia anterior tivesse sido uma reação exagerada, tivesse revelado muita coisa. — Você não veio depor. Pensei que já tivesse ido embora.

— Eu ia. Mas... resolvi esperar. — Alejandro encostou na porta, como se a estivesse escorando para que não abrisse. Quando Suzanna ergueu os olhos, ele a encarava com atenção, e isso, combinado com o significado das palavras dele calando aos poucos, fez com que ela tornasse a corar.

Levantou-se e começou a varrer o chão, consciente de que precisava fazer alguma coisa para permanecer focada.

— Certo — disse, sem saber direito por quê. — Certo. — Suas mãos apertaram a vassoura. Ela a acionava em movimentos curtos, o calor do olhar dele ainda se fazendo sentir nela. — Olha, você deve saber que já deixei Neil, mas preciso que saiba que não foi por sua causa. Quero dizer, não que você não tenha significado nada para mim... que não signifique nada para mim... — Ela estava consciente de que já divagava. — Eu simplesmente o deixei para estar sozinha. — Ele balançou a cabeça, ainda encostado na porta. — Não é que eu não esteja lisonjeada com o que você disse. Porque estou. Mas aconteceram muitas coisas nos últimos dias... coisas sobre as quais nem você sabe. Coisas que têm a ver com a minha família. E que acabo de começar a resolver. Coisas sobre mim, sobre como vou viver.

Ele estava olhando para a vitrine, ou talvez pela janela. Era impossível dizer.

— Então eu só quero que saiba que você é... sempre vai ser... muito importante para mim. De formas que provavelmente você não percebe. Mas acho que está na hora de eu crescer um pouquinho. Me virar sozinha.

Ela parou de varrer.

— Você entende?

— Você não pode fugir disso, Suzanna — disse ele.

Ela ficou chocada com a certeza dele, com a ausência da reticência anterior. Reticência que ela sempre sentira alimentada pela sua.

— Por que está sorrindo?

— Porque estou feliz?

Ela fez um ruído de exasperação.

— Olha, estou tentando explicar uma coisa aqui. Estou tentando, pela primeira vez na vida, ser adulta.

Ele pôs a cabeça de lado, como se estivesse por dentro de uma piada interna.

— Você cortou o cabelo assim para se punir?

A princípio, ela não acreditou no que ouviu.

— O quê? Quem você pensa que é? — O sorriso dele lhe disse. O coração de Suzanna batia descompassado, e agora, diante da reação bizarra dele, toda a raiva das semanas anteriores, toda a emoção que ela fora obrigada a conter, saiu aos borbotões. — Não posso acreditar que ouvi isso. Mesmo! Você perdeu a cabeça?

Ele começou a rir.

— Nossa, seu arrogante... seu arrogante...

— Não está muito ruim. — Ele se adiantou, levantou as mãos como se para tocar no cabelo dela. — Ainda te acho linda.

— Isso é ridículo! — Ela se afastou dele. — Você é ridículo. Não sei o que aconteceu com você, Alejandro, mas você não entende. Você não entende nem metade das coisas com que estou lidando. Tentei te contar de um jeito simpático. Tentei fazer você entender, mas não vou poupar os seus sentimentos se você vai ser teimoso demais para dar ouvidos a eles.

— Eu não estou dando ouvidos aos meus sentimentos? — Ele agora ria de verdade, e ela se irritou mais que nunca ouvindo aquele som que desconhecia. Quase sem se dar conta do que fazia, começou a empurrá-lo, a botá-lo para fora da loja, sabendo apenas que não podia estar perto dele, que precisava dele longe para recuperar a paz de espírito.

— O que você está fazendo, Suzanna Peacock? — perguntou Alejandro, quando ela o empurrou porta fora.

— Vá embora — disse ela. — Volte para o raio da Argentina. E me deixe em paz. Eu não preciso disso, está bem? Não preciso de mais isso.

— Você...
— Vá embora.
— Você precisa de mim.

Ela fechou a porta na cara dele, os arquejos querendo perigosamente virar soluços. Agora que ele estava de fato ali, que era uma realidade, ela não estava preparada. Precisava que ele fosse como antes. Precisava que as coisas andassem lentamente, para poder ter certeza do que sentia, de que não havia entendido tudo errado. Nada em sua vida parecia seguro naquele momento: os elementos baixavam e caíam vertiginosamente embaixo dela, como os conveses de um barco açoitado por um vendaval, ameaçando esmagá-la.

— Eu não posso apenas... eu não posso simplesmente ser igual a você. Não posso largar tudo.

Ela não sabia ao certo se ele a ouvira. Encostou-se na porta, sentindo a voz dele vibrar ali.

— Eu não vou a lugar nenhum. — Ele gritava, pelo visto sem medo de ser ouvido. — Eu não vou a lugar nenhum, Suzanna Peacock.

A loja parecia ter encolhido. Ela se sentou enquanto o espaço diminuía em volta dela, o som da voz dele, abafada, repercutindo em seu corpo, preenchendo o espaço remanescente.

— Vou te assombrar, Suzanna — gritou ele. — Vou te assombrar mais do que eles já te assombraram. Porque eles não são os seus fantasmas. São da sua mãe e do seu pai e do Jason e da pobre Emma. Mas não são os seus fantasmas. Eu sou. — Parou. — Está me ouvindo? Eu sou.

Por fim, ela se levantou e andou até a janela. Através das pequenas molduras do vidro curvo, ela o via, a um palmo da entrada, dirigindo-se à porta com uma espécie de determinação evangélica, a expressão tranquila como se já tivesse certeza do desfecho. Atrás dele, distinguiu os vultos distantes de Arturro e Liliane, observando, perplexos, da porta da Unique Boutique.

— Está me ouvindo? Vou te assombrar, Suzanna.

A voz dele ecoava pela rua de paralelepípedos, repercutia nas paredes de pedra, no chafariz. Ela encostou no marco da janela, sentindo a agressividade deixá-la e algo ceder dentro de si.

— Você é um homem ridículo — disse. Enxugou os olhos, e ele avistou-a. — Ridículo — disse ela, mais alto, para ele poder ouvi-la. — Parece um doido.

Ele olhou bem para ela e ergueu as sobrancelhas.

— Um *doido* — gritou ela.

— Então me deixa entrar — pediu ele, e fez um movimento de ombros tipicamente latino.

Aquele movimento tão *não Alejandro* lhe causou um calafrio. Ela foi até a porta e abriu-a.

Ele olhou para ela, aquele homem estrangeiro vindo de milhares de quilômetros dali, mais estranho e, no entanto, mais familiar que tudo que ela podia ter imaginado. E enquanto ele estava ali, um sorriso largo, desinibido, esboçou-se lentamente em seu rosto, um sorriso que falava de liberdade e prazer descomplicado. Um sorriso que afinal foi igualado pelo dela.

— Agora você entende? — perguntou ele calmamente.

Suzanna começou a assentir com a cabeça, e depois riu, sentindo uma grande bolha de emoção fazer força para sair de dentro dela em arranques curtos, ofegantes. E, por algum tempo, eles permaneceram à porta da loja que tinha sido o Empório Peacock, sendo assunto na cidade durante semanas, lembrados em sussurros desdenhosos e curiosos por quem os conhecia e por quem não os conhecia. Mal se tocando, observados pelas poucas pessoas que já tinham sido clientes da loja, o homem latino e a mulher de cabelo preto curtinho, uma mulher que, considerando tudo que acontecera, devia estar um pouco menos alegre, talvez um pouco mais discreta. Jogando a cabeça para trás e rindo, a imagem da mãe dela.

Muito, muito mais tarde, Suzanna parou no degrau pintado da loja, trancou a porta pela última vez e olhou em volta. Ele estava sentado, brincando com a borboleta de papel, esperando enquanto, pela décima sétima vez, ela verificava que estava com tudo de que precisava.

— Sabe, eu devo ir para a Austrália. Daqui a uma hora, mais ou menos. Estou com a passagem e tudo.

Ele esticou o braço e envolveu suas pernas quando ela se aproximou dele, um gesto delicado de posse.

— A Argentina é mais perto.

— Não quero fazer nada apressado, Ale.

Ele sorriu para a borboleta de papel.

— Estou falando sério. Mesmo se eu for para a Argentina, não tenho certeza se vamos ficar juntos, por enquanto, pelo menos. Acabo de sair de um casamento. Quero passar um tempo em algum lugar onde a minha história não pese tanto.

— A história sempre tem um peso.

— Não para você. Não para nós.

Ela sentou-se ao lado dele e contou-lhe sobre sua mãe, que ela havia fugido.

— Acho que eu devia odiá-la — disse, sentindo o calor da mão dele em volta da sua, saboreando o fato de agora poderem ficar de mãos dadas. — Mas não a odeio. Só sinto alívio por não ter causado a morte dela.

— Bem, você tem uma mãe que te ama.

— Ah, eu sei. E Athene Forster — ela olhou para a fotografia que Vivi lhe dera, que estava em cima de uma caixa de papelão —, eu pareço com ela, eu sei, mas é como se ela não tivesse nada a ver comigo. Não posso chorar por alguém que me abandonou sem olhar para trás.

O sorriso de Alejandro desapareceu quando ele pensou num bebê na sala de uma maternidade em Buenos Aires, levado por uma loira decididamente alheia à dor de outra pessoa.

— Talvez ela nunca tenha querido te deixar — murmurou ele. — Talvez você nunca saiba a história inteira.

— Ah, eu sei o suficiente. — Ela se surpreendeu com sua falta de animosidade. — Eu a imaginava como uma figura glamorosa, condenada. Acho que talvez eu estivesse meio apaixonada pela ideia de ser igual. Agora, vejo Athene Forster como uma garotinha burra, mimada. Uma pessoa que não era feita para ser mãe.

Ele se levantou e estendeu a mão para ela.

— Está na hora de ser feliz, Suzanna Peacock — anunciou. Tentou fazer uma cara solene. — Comigo ou sozinha.

Ela sorriu também, aceitando a verdade nessa afirmação.

— Sabe de uma coisa? — disse. — Seus presentes erraram o alvo. Porque Suzanna Peacock não existe mais. — Ela parou. — Só para você saber. Meu nome é Suzanna Fairley-Hulme.

# Vinte e oito

A moça de terno de buclê azul desceu de costas do trem, lutando com o enorme carrinho de bebê, cujas rodas tinham prendido em alguma saliência. Era um carrinho pesado, datando dos anos 1940, e, enquanto agradecia com um aceno de cabeça ao guarda-freios que a ajudara no esforço de trazê--lo para a plataforma, pensou na senhoria, que passara semanas reclamando da presença daquele elefante branco em seu hall estreito. Por duas vezes, tentara exigir que fosse retirado, mas a moça sabia que seu sotaque intimidava a velha, e o usara para conquistar resultados devastadores. Assim como havia feito com o guarda-freios, que sorriu para ela, confirmando que ela não trazia junto outras malas que também necessitassem ser carregadas, e olhou com apreço para suas pernas esguias quando ela se afastou.

Era um dia com muito vento e, do lado de fora da estação, ela se inclinou à frente e prendeu melhor as mantas nas laterais do carrinho. Depois, alisou o cabelo e puxou a gola para cima, observando nostalgicamente o último de vários táxis passar rugindo. Eram pelo menos dois quilômetros e meio até o restaurante, e seu dinheiro só dava para a passagem de volta. E para um maço de cigarros.

Ela ia precisar daqueles cigarros.

Quando chegou em Piccadilly, talvez como era previsível, começou a chover. Ela abaixou a capota do carrinho e apressou o passo, a cabeça baixa para se proteger do vento. Porque estava sem meias, seus sapatos ridículos roçavam seus calcanhares. Ele lhe dissera para não usá-los, que estaria melhor com o outro par. Mas um vestígio de vaidade significara que ela não queria ser vista usando um par de sapatilhas baratas. Hoje, não.

O restaurante era numa travessa atrás de um teatro, a fachada verde--escura e as janelas de vitral anunciando sua discrição, conhecido como um lugar de almoço de quem tinha dinheiro e sabia o que era bom. Ela diminuiu o passo ao se aproximar, como se relutasse em chegar ao destino, e ficou parada do lado de fora olhando o cardápio, como se tentando se decidir a entrar. Havia uma fila de operários encostados num andaime acima dela, abrigando-se temporariamente da chuva leve, um assoviando para acompanhar Dionne Warwick em "Walk On By", que saía com um som abafado de um rádio de pilha. Eles observaram sem disfarçar o interesse quando ela tentou tornar a prender o cabelo, sabotada pelo vento e pela falta de espelho, depois se olhou numa janela próxima para tentar ver se a maquiagem tinha borrado.

Acendeu um cigarro e fumou-o em tragadas curtas e urgentes, trocando de pé e olhando distraidamente a rua, como se ainda não tivesse decidido onde queria estar. Finalmente, virou para o carrinho ao seu lado e olhou para o bebê adormecido lá dentro. De repente, ficou imóvel, com o olhar parado e estranho, alheia aos operários, ao mau tempo. Era um olhar bem diferente dos olhares casuais, amorosos das outras mães. Esticou uma das mãos como se para tocar no rosto da criança, segurando firme a alça do carrinho com a outra, como se tentasse se equilibrar. Depois, inclinou-se sob a capota, abaixando-se de tal maneira que não se via seu rosto.

Passado algum tempo, endireitou-se, deu um longo suspiro trêmulo e murmurou alguma coisa baixinho. Depois, empurrou o carrinho lentamente em direção à porta do restaurante.

— Anime-se, amor — gritou uma voz do alto, quando ela entrou. — Pode não acontecer nunca.

— Ah — murmurou ela, não alto o suficiente para ser ouvida —, é aí que você se engana redondamente.

A moça gorda com permanente no cabelo colocara muitas restrições em relação a se encarregar temporariamente do carrinho, bufando sobre a política do restaurante, portanto Athene, usando seu sotaque mais pedante, tinha sido obrigada a gratificá-la com o dinheiro do cigarro e a prometer que não demoraria mais de meia hora.

— Ela está dormindo, querida — disse, com um sorriso forçado. — Você não vai ter que fazer nada. E estarei logo ali se precisar de mim.

Em face da potência plena de seu charme decidido, a moça não tivera coragem de recusar, mas lhe lançara aquele tipo de olhar que sugeria saber que Athene não era tudo o que parecia: que qualquer pessoa usando um tailleur de duas estações passadas e levando um carrinho de bebê para um restaurante como aquele não era tudo que seu sotaque poderia sugerir.

Athene ficara quase dez minutos sentada no banheiro feminino até conseguir controlar a respiração.

No início, tinha sido divertido. Ela nunca tinha vivido daquele jeito, contando cada moedinha, sem saber ao certo onde ia dormir, nem mesmo em que cidade estaria: tinha sido uma aventura. E ela, aconchegada no casulo do começo da paixão que encobria as partes menos agradáveis — os quartos péssimos, a comida horrível —, tinha se deliciado com a pura travessura daquilo tudo. Rira de pensar na mãe tentando desesperadamente explicar sua ausência no jogo de bridge das quartas-feiras, no pai, pigarreando na frente do jornal enquanto pensava no último ultraje dela, em Rosemary, a Rosemary de cara azeda, reprovadora, que sempre fora tão clamorosa em seu julgamento, que dissera a Athene com o primeiro olhar que sabia bem que tipo de garota ela era, mesmo quando Athene tinha decidido que não era.

Tentara não pensar em Douglas. Ela e Tony eram farinha do mesmo saco. Soubera disso desde o instante em que lhe abrira a porta e ele lhe dera uma risadinha, como se ela devesse saber muito bem que estava no lugar errado. Porque estava, não?

Terminou o cigarro, saiu devagar do banheiro e entrou no ambiente ruidoso do restaurante onde ele estava sentando, contemplando o jornal.

Ele sempre ficava atraente vestido com um bom terno. O corte e a cor daquele fazia um eco desconfortável ao dia do casamento deles. Quando ele se virou, Athene viu que novas rugas de experiência (ou sofrimento?) tinham dado ao seu rosto uma maturidade atraente.

— Douglas? — disse ela, e ele estremeceu, como se a própria palavra o ferisse. — Como você está elegante — falou, desesperada para preencher o silêncio, para alterar a intensidade ardente do olhar dele. Sentou-se: estava desesperada por uma bebida.

O garçom, ao trazê-la, esbarrara em sua perna.

— Você está... você está bem? — perguntou Douglas, e ela fez um esgar diante da dor na voz dele.

Dera alguma resposta sem sentido e eles começaram a gaguejar uma horrível conversa fiada. Ela estava admirada por não conseguir falar nada.

— Você vem muito a Londres?

Ela se perguntou, vagamente, se ele estava caçoando dela. Mas, por outro lado, Douglas nunca tinha sido sagaz assim. Não como Tony.

— Ah, você me conhece, Douglas. Teatro, uma boate de vez em quando. Não posso ficar longe de Londres. — Sua cabeça doía. Seus ouvidos se aguçavam, desde que ela se sentara, para detectar o choro de Suzanna, o sinal de que ela acordara.

Ele tinha feito o pedido para ela: linguado. Ela estava morta de fome no trem, não tendo comido no dia anterior. Agora via que não era capaz de olhar para o prato: a manteiga que coagulava, o cheiro intenso de peixe a enjoavam. Ele tentava falar com ela, mas ela estava tendo dificuldade de ouvir o que ele dizia. Pensou, por um instante, observando a boca dele se mexer, que não tinha que ir até o fim com aquilo. Que podia simplesmente sentar-se, comer uma refeição com Douglas e voltar para casa. Ninguém a estava forçando a fazer nada. Tudo acabaria dando certo, não? Depois, pensou na conversa que tivera com os pais pelo telefone no início daquela semana, um dia antes de ter ligado para ele. "Você trouxe isso para si, Athene", dissera sua mãe. "Agora aguente." Ela não tiraria uma moeda deles. Seu pai tinha sido ainda menos indulgente: ela desgraçara a família, dissera ele, e não precisava se dar ao trabalho de achar que podia voltar. Como se ele, por seus atos, não tivesse feito o dobro do estrago. Ela não se dera ao trabalho de lhes contar sobre o bebê.

Pensou na gaveta de baixo da cômoda de pinho bem horrorosa que Suzanna tinha como berço, nas fraldas penduradas pelo quarto para secar, nas repetidas ameaças de despejo da senhoria. No desespero de Tony por não ser capaz de encontrar outro emprego.

Era melhor assim.

— Douglas, seja um amor e peça mais uns cigarros para mim? — disse, esforçando-se para dar um sorriso. — Acho que estou sem trocado.

Quando voltara com o maço, o garçom deixara o troco de Douglas na mesa, e ela ficara olhando, consciente de que o dinheiro dava para mantê-los alimentados por vários dias. Ou para pagar um banho. Um banho quente de verdade, com um pouco de espuma. Ficou olhando para o dinheiro, pensando numa época, não fazia tanto tempo assim, em que não o teria notado, em que aquele trocado seria irrelevante. Como seu casaco, seus sapatos, um chapéu novo teriam sido irrelevantes, fáceis de conseguir, fáceis de repor. Ficou olhando para o troco, e depois para Douglas, percebendo que havia outra resposta para seus problemas que ela ainda não considerara. Ele era um homem atraente, afinal. E era óbvio que ainda gostava dela — mesmo a curta conversa telefônica que tiveram lhe dissera isso. Tony sobreviveria sem ela. Ele sobreviveria sem ninguém.

— Por que você ligou?

— Não posso mais falar com você, querido? — disse ela alegremente.

Olhara — olhara mesmo — para ele então, para a mágoa e o desespero em seu rosto. Para o amor. Mesmo depois de tudo o que ela fizera. E soube por que nunca poderia fazer a coisa que resolveria tudo de uma vez.

— Não me venha com essa de querido, Athene. Não posso fazer isso. Realmente não posso. Preciso saber por que você está aqui.

Ele estava irritado agora, o rosto ficando vermelho. Ela tentou focar no que ele dizia, mas tinha se dado conta de um tilintar dentro dela, sintonizado com alguma frequência maternal invisível. E perdeu o fio da conversa.

— Sabe, é ótimo ver você tão bem — disse corajosamente, se perguntando se devia simplesmente se levantar e ir embora. Podia correr agora, pegar Suzanna no carrinho velho horroroso e sumir. Ninguém saberia de nada. Podiam ir para Brighton, talvez. Pedir dinheiro emprestado e ir para o exterior. Para a Itália. Adoravam bebês na Itália. A voz de Athene saiu de sua boca como se fosse de outra pessoa, enquanto seus pensamentos se misturavam em sua cabeça:

— Você sempre ficou maravilhoso com esse terno.

Ela ouvia Suzanna ao longe agora, o que tornava todo o resto irrelevante.

— Athene! — protestou ele.

E, então, a moça gorda estava ali, parada na frente dela com aquela cara insolente, assimilando a inexistência de aliança, a comida intacta no prato.

— Desculpe-me, madame — disse —, mas sua bebê está chorando. A senhora precisa pegá-la.

Depois, ela descobriu que pouco se lembrava dos minutos seguintes. Lembrava-se vagamente do choque no rosto de Douglas, de vê-lo empalidecer; lembrava-se de lhe entregarem Suzanna e, enquanto a segurava, perceber, pelo que sabia ser a última vez, que já não conseguia olhar para o rosto dela. Suzanna, talvez com algum terrível pressentimento, ficara agitada, e Athene ficara feliz de precisar balançá-la — o gesto disfarçava o tremor compulsivo de suas mãos.

Depois, a parte que ela desejava poder esquecer, a parte que assombraria seus momentos despertos, seus sonhos, que deixaria seus braços vazios, um buraco do tamanho de uma criança ao lado de seu coração.

Quase incapaz de acreditar no que fazia, Athene Fairley-Hulme pegou a criança que ela amava com uma paixão pura e descomplicada, de que não se julgara capaz, e jogou aquele pesinho macio, aquelas pernas e braços enrolados na manta, para o homem em frente.

— Athene, não acredito que você...

— Por favor, por favor, Douglas, querido. Não posso explicar. Mesmo. — Suas palavras eram como chumbo em sua boca, suas mãos, agora vazias, uma traição venenosa.

— Você simplesmente não pode me deixar com um bebê...

— Você vai amá-la.

Ele a segurou com cuidado, notou Athene com uma leve gratidão pungente. Sabia que ele o faria. *Ah, meu Deus, me perdoe por isso*, disse em silêncio, e se perguntou, por um instante, se desmaiaria ali mesmo.

— Athene, não posso simplesmente...

Então, ela sentiu um pânico vago de que ele pudesse recusar. Não havia alternativa. Tony lhe dissera isso, muitas vezes.

Ela tinha trazido isso para si.

Pousou a mão em seu braço, tentando passar tudo com um único olhar suplicante.

— Douglas, querido, eu já lhe pedi alguma coisa? De verdade?

Então ele olhara para ela, a confusão tímida, a breve transparência de sua expressão dizendo-lhe que ela o dobrara. Que ele iria cuidar dela. Iria amá-la, como fora amado na infância. Era melhor assim, disse ela a si mesma em silêncio. Como se, repetindo isso uma quantidade de vezes suficiente, acabasse se convencendo. Obrigou-se a levantar-se então, e começou a andar, tentando não se deixar tropeçar, tentando manter a cabeça erguida. Tentando manter a mente vazia para não ter que pensar no que estava deixando para trás, concentrando-se apenas em colocar um pé na frente do outro, enquanto os ruídos do restaurante se perdiam no vazio. Ela gostaria de ter deixado alguma coisa para a menina, qualquer coisa. Um pequeno sinal de que fora amada. Mas eles não tinham nada. Tudo fora vendido pela simples necessidade de comer.

*Até logo, querida*, disse em silêncio, enquanto a porta do restaurante se aproximava, seus saltos ecoando no chão de cerâmica. *Volto para te buscar, quando as coisas melhorarem. Prometo.*

Era melhor assim.

— Não quer nem dizer adeus? — A voz dele vinha de trás. E Athene, sentindo o resto de sua determinação começar a se desfazer, fugiu.

Foi a coisa mais estranha, disse a moça do vestiário ao *sommelier* depois. Aquela moça esnobe, a de cabelo escuro, tinha dobrado a esquina, sentado na calçada e chorado como se o seu coração fosse se partir. Ela a vira quando saíra para tomar um ar. Toda encolhida encostada na parede, uivando como um cachorro, nem se importando com quem a via.

— Eu a animaria — disse o *sommelier*, com uma piscadela lasciva, e a moça do vestiário balançou a cabeça fingindo desespero e voltou para seus casacos.

Quando ela voltou, Tony estava deitado na cama. Não era de surpreender, embora fosse apenas fim de tarde: não havia onde sentar no quartinho. Eles tinham pedido uma cadeira, achando que podiam espremer uma ao lado da janela, mas a senhoria dissera que já estavam com o aluguel atrasado havia duas semanas, e uma a mais do que haviam dito originalmente. Ela não ia começar a lhes dar extras, ia?

Athene abriu a porta. Ele se assustou, como se ela o tivesse acordado, e se endireitou, piscando enquanto ela examinava seu rosto. O quarto cheirava a umidade: havia várias semanas, eles não tinham dinheiro para levar os lençóis na lavanderia, e a janela não abria o suficiente para arejar o quarto direito. Ela observou-o esfregando o cabelo com as mãos largas, lisas.

— Tudo bem? — perguntou ele.

Ela não conseguiu falar. Dirigiu-se para a cama, sem se dar ao trabalho de afastar o jornal da colcha de chenile amassada, e deitou-se, de costas para ele, os sapatos escorregando dos calcanhares ensanguentados.

Ele pôs a mão em seu ombro, apertou-o com hesitação.

— Você está bem?

Ela não disse nada. Fitava a parede em frente, o papel de parede verde texturizado que começava a descascar desde o rodapé, o aquecedor que eles não tinham moedas para alimentar, a cômoda, a gaveta de baixo acolchoada com suéteres velhos de Athene, forrada com sua única blusa de seda, a coisa mais macia que podia pensar em colocar ao lado da pele de Suzanna.

— Você fez o certo, sabe — murmurou Tony. — Sei que é difícil, mas você fez o certo.

Ela achava que jamais conseguiria tornar a levantar a cabeça do travesseiro. Sentia-se muito cansada, como se nunca tivesse entendido antes o que era cansaço.

Estava vagamente consciente de Tony beijando sua orelha. Sua reticência o deixara carente.

— Amor? — Ela não conseguiu responder. — Amor? — disse ele de novo.

— Sim — sussurrou ela. Não conseguia pensar em mais nada para dizer.

— Andei dando uma olhada em algumas vagas de emprego — disse ele, como se tentando oferecer uma coisa boa, tentando cumprir a sua parte do trato. — Tem uma firma em Stanmore procurando vendedor. Comissão e bônus. Pensei em dar uma ligada para eles mais tarde. Nunca se sabe, hã?

— É.

— As coisas vão melhorar, Thene. Mesmo. Eu te garanto.

Suzanna já estaria quase chegando em Dere Hampton a essa altura, se ele tivesse pegado o trem. Douglas teria tido problemas com o carrinho do mesmo jeito que Athene. Ela podia imaginá-lo agora, exigindo que o guarda-freios o ajudasse a colocá-lo dentro do trem, pelejando com a capota, a alça exagerada. Depois, dentro do vagão, inclinando-se para ver se a bebê estava bem. Inclinando-se, vestido com aquele terno elegante, uma expressão suave de preocupação no rosto. *Por favor, não a deixe chorar muito sem mim*, pensou, e uma grande lágrima solitária escorreu pelo seu rosto em direção ao travesseiro.

— Ela vai ficar melhor com ele. Você sabe disso. — Tony estava acariciando seu braço frio, branco, como se isso pudesse consolá-la. Ela ouviu a voz dele em seu ouvido, urgente, persuasiva, mas distante. — Nunca conseguiríamos lidar com dois aqui. — Mal temos o que comer... Athene? — disse ele quando o silêncio ficou demais.

Ela jazia em cima dos anúncios classificados, o rosto frio no travesseiro de algodão rançoso, ainda olhando para a porta.

— Não — disse.

Athene passou quatro dias e quatro noites deitada na cama, sem deixar o quartinho, chorando sem poder fazer nada, recusando-se a comer ou falar, os olhos abertos, inquietos, até que, no quinto dia, temendo por sua saúde, se não por seu estado de espírito, Tony tomou as rédeas da situação e chamou o médico. Quando o médico chegou, a senhoria, que gostava de um pouco de drama, estava no patamar superior e proclamou ruidosamente que tinha uma casa respeitável, limpa e decente.

— Não há doença neste lugar — disse. — Nada sujo. — Espiava com a cabeça no canto da porta, esperando ter alguma indicação do que havia de errado com a moça.

— Tenho certeza disso — respondeu o médico, olhando o tapete pegajoso do hall com aversão.

— Nunca tive uma não casada antes — disse ela —, e esta será a última. Não tenho paciência para esse inconveniente.

— Ela está aqui dentro — disse Tony.

— Não quero nada contagioso no meu estabelecimento — gritou a mulher, animada. — Vou querer ser informada se houver alguma coisa contagiosa.

— Fique tranquila, a menos que ser uma linguaruda seja contagioso — murmurou o rapaz, e fechou a porta.

O médico olhou o quartinho com as paredes úmidas e as janelas encardidas, torcendo o nariz para o balde malcheiroso onde se via a marca entranhada do nível da água cheio de roupa suja de molho no canto, se perguntando quantas pessoas neste bairro habitavam moradias que eram mais adequadas para bichos como aquela. Ouviu a explicação apressada do rapaz, depois dirigiu-se à mulher na cama.

— Sente dor em algum lugar? — perguntou, descobrindo-a para apalpar a barriga que começava a inchar.

Quando ela respondeu, ele ficou meio surpreso com o jeito refinado como ela falava, após o tom meio grosseirão de nortista do outro. Mas hoje em dia era assim. A chamada sociedade sem classes.

— Algum problema com seu aparelho urinário? Dor de garganta? Dor de estômago?

O exame não demorou: evidentemente, não havia nenhum problema físico. O médico diagnosticou depressão, o que não era de surpreender quando se consideravam as circunstâncias em que ela estava vivendo.

— Muitas mulheres ficam meio perturbadas durante a gravidez — disse ele ao rapaz, fechando a maleta. — Tente mantê-la calma. Leve-a para passear no parque, talvez. Um pouco de ar puro vai fazer bem. Vou lhe dar uma receita para uns comprimidos de ferro. Veja se consegue botar uma corzinha nas bochechas dela.

O rapaz o acompanhou até a saída, depois ficou parado à porta do quartinho, as mãos enfiadas de forma desagradável nos bolsos, visivelmente despreparado para aquela situação.

— Mas o que eu faço? — ficava dizendo. — Ela parece que não me ouve.

O médico acompanhou o olhar ansioso do jovem até a cama, onde a moça adormecera. Ele tinha uma suspeita de tuberculose no número 47, precisara fazer curativo numa escara e tinha os joanetes da Sra. Baker que sobraram da véspera, e, por mais compreensivo que fosse, não podia perder mais tempo ali.

— Algumas mulheres acham a maternidade mais difícil que outras — disse, pôs o chapéu firmemente na cabeça e saiu.

— Mas me disseram que a minha mãe morreu no parto — tinha dito Suzanna, quando Vivi lhe contara o que sabia sobre os últimos dias de Athene. Este tinha sido mais um motivo para suas reservas em relação a ser mãe.

— Morreu, querida. — Vivi pegara sua mão, um gesto delicado, maternal. — Só que não no seu.

# Vinte e nove

Minha filha nasceu na noite dos apagões, o dia em que o hospital inteiro, e metade da cidade, foi mergulhada na escuridão. Gosto de pensar agora que isso foi auspicioso: que sua chegada a esse mundo foi tão importante que tinha que ser marcada por um acontecimento. Na rua, as luzes tinham desaparecido, quarto por quarto, prédio por prédio, dissolvendo-se pela cidade como bolhas de champanhe, enquanto íamos disparados no nosso carro até o céu da noite nos encontrar no portão do hospital.

Eu soltava risadas escandalosas entre as contrações, de tal maneira que a parteira queixuda, que não conseguia entender o que eu dizia, achou que talvez houvesse alguma coisa errada comigo. Eu não conseguia explicar. Estava rindo porque queria tê-la em casa e ele dissera que eu não podia, que ele não era capaz de suportar o risco de algo dar errado. Foi uma das poucas coisas sobre as quais já discordamos. Portanto, lá estávamos nós, ele se desculpando e eu rindo e arquejando na entrada, enquanto enfermeiras gritavam e praguejavam e os feridos ambulantes colidiam no escuro.

Não sei por que ri tanto. Disseram depois que nunca viram alguém rir assim em trabalho de parto, sem a ajuda do Entonox. Talvez eu estivesse histérica. Talvez a coisa toda fosse simplesmente tão incrível que eu não era capaz de aceitar que estivesse acontecendo. Talvez eu estivesse até com um pouco de medo, mas acho isso difícil de acreditar. Não tenho medo de muita coisa, hoje em dia.

Minhas risadas diminuíram conforme a dor aumentava. Depois, mordi o bocal para aspirar o gás e o ar e gritei, indignada e sentindo-me traída por ninguém ter me avisado que podia ser assim. Não me lembro da última parte. Tudo virou uma confusão de dor, suor, mãos e vozes encorajadoras me instando à meia-luz a aguentar, a prosseguir, dizendo-me que eu era capaz de fazer aquilo.

E eu sabia que era. Apesar da dor, da sensação estranha e chocante que anunciava o nascimento, não precisei do encorajamento deles. Eu sabia que podia fazer força para o bebê sair. Mesmo que não houvesse mais ninguém ali a não ser eu. E quando olhei para o meu torso nu em nossos últimos minutos como uma pessoa só, para minhas mãos com os nós dos dedos brancos agarrando os lençóis, ela saiu com um pouco da mesma determinação, da mesma confiança na própria capacidade, os braços já levantados como se em triunfo.

Ele estava lá para recebê-la. Não sei como, acho que não o vi se mexer. Eu o tinha feito prometer de antemão que não ficaria parado ali, que não estragaria a visão romântica que tinha de mim. Ele rira, e me dissera que eu era ridícula. Portanto, estava lá quando ela respirou pela primeira vez neste mundo, e, mesmo na luz fraca, eu via lágrimas brilhando na face dele quando ele cortou o cordão umbilical e levantou-a, segurando-a à luz de velas para eu poder vê-la também, acreditar na existência dela.

E a parteira, que acho que tinha planejado cuidar da minha filha, ficou para trás quando ele a segurou, beijando seu rosto com ternura, limpou o sangue de seus braços e suas pernas, de seu cabelo escuro, o tempo todo cantarolando uma canção de amor que não entendi. Ele falou o nome dela, o nome sobre o qual tínhamos concordado: Veronica de Marenas. E, como por um passe de mágica, as luzes começaram a acender de novo, iluminando a cidade, bairro por bairro, jogando as ruas silenciosas de novo na luz. Quando chegaram em nosso quartinho, duras e claras, a parteira andou energicamente até o interruptor e apagou-as. Havia uma beleza em nossa escuridão, uma magia em nosso quarto à meia-luz, que até ela foi capaz de ver.

Enquanto aquela mulher me limpava, entre brusca e terna, observei meu marido e minha filha circulando pelo quartinho, seus rostos iluminados pelas velas, e finalmente comecei a chorar. Não sei por quê: de exaustão, talvez, ou de emoção com aquilo tudo. Duvidava da minha capacidade de ter produzido aquela garotinha perfeita, linda, a partir do meu próprio corpo, de ter sido a criadora involuntária de tamanha alegria.

— Não chore, amor — disse Alejandro, ao meu lado, sua própria voz ainda afogada em lágrimas. Ele passara para o lado da cama.

Hesitando, olhou para ela, depois se inclinou e a entregou delicadamente a mim. Mesmo enquanto seus olhos se enchiam de amor, suas mãos moviam-se lentamente, como se ele relutasse em soltá-la. E, quando ela ergueu os olhos em nossa direção, piscando daquele jeito sábio, inconsciente, ele passou os braços ao nosso redor, e ficamos todos ali, num único abraço.

— Não há motivo para chorar. Ela será amada.

Suas palavras atravessaram tudo então, sem deixar cantos obscuros, como ainda atravessam.

*Ela será amada.*

# Agradecimentos

Gostaria de agradecer a Sophie Green e Jacquie Bounsall, que, apesar de não serem nada parecidas com minhas personagens principais, me forneceram, sim, juntamente com a loja de Sophie, Blooming Mad Sophie Green, a inspiração para A loja dos sonhos. E a todos os clientes cujas histórias individuais, fragmentos de fofocas, escândalos e piadas ajudaram a dar forma a este livro. Ainda me espanta o que as pessoas nos contam quando passamos tempo o bastante atrás de uma caixa registradora...

Um muitíssimo obrigada a todos na Hodder and Stoughton pelo apoio e pelo entusiasmo constantes, com um agradecimento especial a Carolyn Mays, Jamie Hodder Williams, Emma Longhurst e Alex Bonham, assim como a Hazel Orme.

Agradeço a Sheila Crowley e a Jo Frank, cujas habilidades como agentes mantiveram este livro em pé, bem como a Vicky Longley e Linda Shaughnessy, da AP Watt. Agradeço a Brian Sanders, por sua experiência de pesca, e a Cathy Runciman, por seu conhecimento sobre a Argentina. A Jill e John Armstrong, pelo espaço para trabalhar longe de transbordantes cestos de roupa suja, e a James e Di Potter, por seu conhecimento em agricultura e pecuária. Agradeço também a Julia Carmichael e ao pessoal da Harts em Saffron Walden pelo apoio, e a Hannah Collins por Ben, a melhor procrastinação sempre.

Um agradecimento atrasado a Grant McKee e Jill Turton, que primeiro me publicaram: lamento ter vendido o carro de vocês.

Peço desculpas e agradeço também a Saskia e Harry, que agora entendem que, quando fala sozinha e às vezes esquece de fazer o jantar, mamãe não está mostrando sinais precoces de loucura, mas, na verdade, pagando o financiamento imobiliário.

E, sobretudo, a Charles, que me aguenta periodicamente apaixonada por meus protagonistas do sexo masculino e agora sabe tanto sobre o processo de escrever romances que poderia publicar o dele. E por todo o resto.

intrinseca.com.br
@intrinseca
editoraintrinseca
@intrinseca

| | |
|---:|:---|
| *1ª edição* | DEZEMBRO DE 2021 |
| *reimpressão* | JANEIRO DE 2022 |
| *impressão* | LIS GRÁFICA |
| *papel de miolo* | POLEN SOFT 70G/M² |
| *papel de capa* | CARTÃO SUPREMO ALTA ALVURA 250G /M² |
| *tipografia* | FAIRFIELD LH |